Aufstieg und Untergang
Eine Geschichte der Juden in Deutschland (1750–1918)
-
Albert Bruer

Albert Bruer

Aufstieg und Untergang

Eine Geschichte der Juden in Deutschland
(1750–1918)

2006

BÖHLAU VERLAG KÖLN WEIMAR WIEN

Bibliografische Information der Deutschen Bibliothek:
Die Deutsche Bibliothek verzeichnet diese Publikation in der Deutschen Nationalbibliografie; detaillierte bibliografische Daten sind im Internet über http://dnb.ddb.de abrufbar.

Umschlagabbildungen:

oben: Alte Synagoge Essen, 1913 (Foto: Sabine Simon, Essen)
unten: Moritz Daniel Oppenheim, Lavater und Lessing bei Moses Mendelssohn, 1856
(Judah L. Magnes Memorial Museum, Berkeley, CA.)

Ursulaplatz 1, D-50668 Köln
Tel. (0221) 913 90-0, Fax (0221) 913 90-11
info@boehlau.de

Satz: Peter Kniesche Mediendesign, Tönisvorst
Druck und Bindung: Freiburger Graphische Betriebe GmbH & Co. KG, Freiburg
Gedruckt auf chlor- und säurefreiem Papier
Printed in Germany

ISBN 3-412-28105-0

INHALT

I AUF DEM WEG IN DIE NEUZEIT

»Wenn ihr Abrahams Kinder wäret, so tätet ihr Abrahams Werke. Nun aber sucht ihr mich zu töten, einen solchen Menschen, der ich euch die Wahrheit gesagt habe, die ich von Gott gehört habe ... Ihr habt den Teufel zum Vater, und nach eures Vaters Gelüste wollt ihr tun ... Ich aber, weil ich die Wahrheit sage, so glaubet ihr mir nicht«[1]. Diese Worte gegen die Juden stammen aus dem Evangelium des Johannes. Sie waren ein Teil der Verteidigungsrede, mit der sich Jesus im Tempel von Jerusalem gegen Angriffe zur Wehr setzte. So verständlich diese Sätze auch im Kontext waren, sie enthielten schon viel von dem Belastenden, das die Beziehungen der beiden Glaubensgemeinschaften in der Folgezeit prägen sollte.

Christentum und Judentum blieben von Anfang an, also schon seit Jesus selbst, neben ihrer unterschiedlichen Sicht vom Messias durch zwei grundsätzlich entgegengesetzte Positionen getrennt. Das Christentum war stets eine missionierende Religion, wogegen den Juden, wenn sie das Erscheinen des Messias noch erleben wollten, nur das unbedingte Festhalten an ihrer Religion blieb. Der Konflikt der beiden Religionen war dann unvermeidlich, wenn das Christentum als politisch bald ungleich stärkere Glaubensgemeinschaft seine geistige und dann auch weltliche Macht zur Missionierung der »Ungläubigen« einsetzte[2].

Im Prinzip stieß aber die Kirche im Judentum auf einen ebenbürtigen Gegner, der, anders als die römischen oder griechischen Heiden, eine Höherwertigkeit des Christentums nie zu akzeptieren vermochte. Mehr noch: »Das Judentum war eine Gefahr für die Kirche, weil es eine gültige Alternative zum christlichen Neuen Testament besaß und weil es sich selbst als wahren und legitimen Nachfolger und Erfüller der hebräischen Schrift sah«[3]. Die Antworten auf diese »Gefahr« standen fest, als das Christentum zur dominierenden Religion von Orient und Okzident aufgestiegen war.

Sie fielen in etwa so aus wie die des byzantinischen Kirchenlehrers Johannes Chrysostomos: »Wo sind denn jetzt die heiligen Dinge? Wo ist euer Hohepriester? Wo sind sein Gewand, sein Brustschild? Erzählt mir nichts von euren Patriarchen, jenen Hausierern und Händlern, Männern voll Bosheit ... Diese Männer, die von den Juden heute Patriarchen genannt werden, sind keine Prediger, sondern geben nur vor, es zu sein und tun so, als seien sie im Allerheiligsten«[4].

Die Juden waren eigentlich schon lange vor der Zerstörung ihres Staates in Palästina das Volk, das sich durch ein nicht an den Staat gebundenes Leben in unterschiedlichen Ländern auszeichnete. Diese klassische Minderheiten-Situation gab es in der spätrömischen Zeit nicht bloß bei den Juden. Alle anderen Minderheiten verschwanden freilich oder gingen zum Christentum über[5]. Weil das Judentum blieb, wurde es für die christliche Mission zum Prüfstein, an dem sich die Attraktivität der kirchlichen Verheißung erweisen sollte. Die ausbleibenden Massentaufen von Juden belegten jedoch, daß der Missionsdrang an diesem Prüfstein zerschellt war.

Für dieses Scheitern konnte es nur zwei Erklärungen geben: Entweder reichte die Attraktivität der christlichen Religion nicht aus oder die Juden waren so verstockt und verdorben, daß jeder Missionierungsversuch scheitern mußte. Das Christentum entschied sich in der Regel für die zweite Erklärung.

Für die Herabwürdigung der so fest an ihrer Eigenexistenz hängenden Minderheit hatten schon die Kirchenväter gesorgt. Ereignisse wie die Kreuzzüge oder später die Schwarze Pest, die dem westeuropäischen Judentum des Mittelalters den Untergang brachten, bildeten regelmäßig die Auslöser für einen latent stets vorhandenen, von der Kirche begründeten Haß. Der Kirche, den weltlichen Machthabern und der Gesellschaft blieb es vorbehalten, den Paria-Status der Juden immer genauer zu definieren. Zu Pogromen und Vertreibungen fehlte dann oft nur noch die Tat[6].

Die Konzile von Breslau und Wien hatten 1267 den Christen verboten, bei Juden Lebensmittel zu kaufen. Denn diese, »die die Christen für ihre Feinde halten, (könnten) sie auch hinterlistig vergiften«. Ähnliche Verbote gab es im frühen 14. Jahrhundert in dem Kanton Waadt und in Franken. Zu dem kirchlich geprägten Antijudaismus kam im späten Mittelalter hinzu: Die Bevölkerung begann, in den Juden das Unheimliche, Furcht erregende und mit dem Teufel in Verbindung stehende Böse zu sehen. »Der Jude, das absolut Böse der Hexenverfolgung (trägt) zum Verständnis der Judenverfolgung bei und umgekehrt: In beiden Fällen wollte man die Agenten Satans verfolgen und unschädlich machen«.

Die Pogrome zur Zeit des Schwarzen Todes in Deutschland und Katalonien, die Gewalttätigkeiten gegenüber Juden in Frankreich, beispielsweise bei der Thronbesteigung Karls V. (1380), verdeutlichen das Maß an Feindschaft der christlichen Bevölkerung gegen Juden. »Böse Wucherer, Blutsauger der Armen und Brunnenvergifter so stellten sich die Bürger und die kleinen Leute in den Städten gegen Ende des Mittelalters die Juden vor. Sie sind das Urbild des anderen, des Fremden, der unverständlicherweise auf seiner Religion, seinen Verhaltensweisen und seinem Lebensstil beharrt, die so ganz anders sind als die der Gesellschaft, die ihn beherbergt. Diese hartnäckige und verdächtige Andersartigkeit bestimmt die Juden für die Sündenbockrolle in Krisenzeiten vor«.

Neid und wirtschaftliche Probleme waren auf vielfältige Weise mit mentalen wie atmosphärischen Aspekten und Glaubensfragen verflochten. Dieses explosive Gemisch konnte sich jederzeit in judenfeindlichen Ausschreitungen entladen. Religiöse Anschuldigungen dienten dabei oft nur als Vorwand für Ausschreitungen, Vertreibungen und Verfolgungen. Folgender Zusammenhang ist ersichtlich: Gegen Ende des 12. Jahrhunderts hatte in der Wirtschaft Europas der Aufstieg christlicher Kaufleute eingesetzt. Diese neuen Akteure traten gegen die jüdischen Händler, ihre Wettbewerber, aggressiv auf. Die Geschäfte der Juden wurden ständig weiter eingeengt und auch ganz unterbunden.

Besteuerungen, Nichtigkeitserklärungen von Schuldtiteln, Ausweisungen – denen bald wieder kostspielige Wiederzulassungen folgten –, bildeten im Mittelalter eine schier endlose Serie von Vorgängen, die sich gegen jüdische Gemeinden richteten; so die Ausweisungen der Juden aus England (1290) und Frankreich (1394).

Venedig am Ende des 14.Jahrhunderts: Nach dem aufreibenden Krieg mit Genua (1378 bis 1381) stand es schlecht um die Wirtschaft der Lagunenstadt. Zwangsanleihen waren zu bezahlen. Die Geschäfte mussten wieder in Gang kommen. Und über allem stand ein sich empfindlich bemerkbar machender Mangel an Kapital. Deshalb erlaubte der Senat des Stadtstaats im Jahre 1382 Pfandleihern, und damit insbesondere Juden, die Ansiedlung in Venedig. Diese Erlaubnis wurde zwölf Jahre später widerrufen. Die Angst: Das gesamte bewegliche Vermögen der Venezianer würde an die Juden gehen. Es kam rasch zu Vertreibungen.

Selbst die Taufe war kein Schutz für Juden. Im Jahre 1449 kam es in Spanien zu den ersten Aktionen gegen getaufte Juden. Anlass war eine Steuererhöhung, die mit dem Krieg gegen das Königreich Aragon zusammenhing. In Toledo kam es zu einem Aufstand. Das Volk beschuldigte jüdische Kaufleute, die zum Christentum übergetreten waren (»conversos«), die Steuererhöhung verursacht zu haben.

Im Prag des 16. Jahrhunderts forderten Handwerker und ein großer Teil des reichen Bürgertums wiederholt die Ausweisung der in der Stadt lebenden Juden. Dies wurde damit begründet, daß Juden Geld aus Böhmen in andere Länder transferieren und Wucherzinsen verlangen würden. In weiteren Vorwürfen ging es darum, daß Juden versucht hätten, die Stadt in Brand zu stecken.

Mit der Parzellierung des Christentums in Katholizismus, Protestantismus, Calvinismus und zahllose Sektenbewegungen schien sich für die Juden eine neue Entwicklung abzuzeichnen. Denn diese neuen Flügel des Christentums warfen dem Katholizismus Erstarrung vor. Mit seiner Ausrichtung auf das Fleischlich-Weltliche hätte Rom den natürlichen Glauben erstickt und darüber zwangsläufig auch die Kraft zur Ausbreitung des christlichen Glaubens verloren. Garant dieser Kraft konnte in der Sicht der Reformatoren nur eine erneuerte Kirche sein[7].

Der Fehlschlag der Missionierungsversuche wurde mit der Verdorbenheit des Papismus erklärt. Mit einem erstarkten Glauben konnte das Scheitern aber noch in einen Sieg verwandelt werden. Und wenn die Juden unter den Heiden schon die Standfestesten waren, dann mußte ihre Bekehrung mehr als alles andere die Attraktivität der reformierten Kirche unter Beweis stellen[8].

So stellte Martin Luther 1523 in seiner Schrift »Daß Jesus Christus ein geborener Jude sei« fest: »Und wenn ich ein Jude gewesen wäre, und hätte solche Tölpel ... Christen ... regieren und lehren (gesehen), so wäre ich eher eine Sau geworden denn ein Christ«[9]. Sobald sich aber die Kirche selbst gebessert hätte, »sollten ihrer (die Juden) viele rechte Christen werden und wieder zu ihrer Väter, der Propheten und Patriarchen Glauben treten«[10]. Nur 20 Jahre nach diesem Optimismus, in seinem 1543 erschienenen Traktat »Von den Juden und ihren Lügen«, war Luthers Hoffnung völlig zerstört. »Und wenn du mit ihnen solltest davon reden, so wäre es eben, als du für eine Sau das Evangelium predigtest«[11].

In zwei Jahrzehnten hatte sich Luthers Einschätzung der Juden völlig verwandelt. Der Grund ist offenkundig: Seine Schrift von 1523 war eine Programmschrift zur Bekehrung. Da ihr nicht mehr Erfolg beschieden war als den Bemühungen der alten Kirche, stand Luther vor der Frage, ob die erneuerte Kirche für die Juden ebenso wenig erlösungsträchtige Substanz hatte wie die alte. Er wählte die Antwort, für die sich auch schon die alte Kirche entschieden hatte. Wenn man in den Juden den »verstockten Abschaum« der Welt sah, dann war es nur konsequent, daß auch die neuerlichen Missionierungsversuche an ihnen scheiterten.

Die 20 Jahre, die zwischen Luthers Verheißung und Verdammnis liegen, zeigen gleichsam in einem Brennglas konzentriert das Schicksal der Juden in der europäischen Diaspora. Immer wieder sollten Reformatoren, Dissenter, Utopisten, Aufklärer und letztendlich auch Marxisten der alten Welt beweisen wollen, daß sie mit ihrer erneuerten säkularen Verheißung die Juden, bisher das Monument des Scheiterns aller anderen Verheißungen, bekehren konnten. Das bei seiner eigenen Kultur und Religion verharrende Judentum blieb für kirchliche ebenso wie weltliche Missionare ein stetes Ärgernis, mindestens aber ein Problem.

Dennoch kam von einem Flügel der reformierten Kirche ein machtvoller Philosemitismus, der noch im Deutschland des 18. Jahrhunderts nachhaltig weiterwirken sollte. Dies war der Pietismus eines Spener und Francke, der dem Leistungsdenken in dem armseligen Hohenzollern-Staat Preußen wichtige Impulse gab. Der Pietismus maß der Bekehrung der Juden eher noch mehr Bedeutung bei als Luther. Nur war diese Richtung, und das ist schon der Grund für das ausbleibende Umschlagen in einen Judenhaß, unendlich viel geduldiger als Luther.

Pietistische Geistliche wie Spener oder Zinzendorf stellten sich das an den Juden zu vollbringende Bekehrungs- und Erlösungswerk als ein über Generationen währendes Unterfangen vor, während Luther in Jahren, bestenfalls aber in Jahrzehnten gedacht hatte. Deshalb konnte der Pietismus selbst dann noch projüdisch bleiben, als bereits ein halbes Jahrhundert Missionstätigkeit ergebnislos verstrichen war [12].

Weil von diesen pietistischen Impulsen ungemein viel, so auch die ausgesprochen projüdische Betrachtungsweise, auf die deutsche Aufklärung überging, trat diese Variante der europäischen Aufklärung am deutlichsten für Toleranz gegen die Juden ein. Natürlich wäre es kurzsichtig, ja sogar falsch, die Toleranz der deutschen, zumal der preußischen Aufklärung eindimensional auf das pietistische Erbe zurückzuführen und so den Pietismus nachträglich zum einzigen Ahnherrn der später einsetzenden Assimilation zu befördern.

In Verbindung mit anderen Faktoren ergibt sich aber aus der pietistischen Bewegung ein selten erkanntes Motiv für die Andersartigkeit der Berliner Aufklärung und die neuartige Offenheit, mit der man auf Juden zuging. Noch in den übertriebenen Erwartungen, mit denen gerade diese Aufklärer die Judenfrage stellten und auch beantworteten, schwingt die Verbindung von Verheißung und Judenbekehrung mit, die hier schon als ein Charakteristikum des Okzidents angedeutet wurde.

Solange jedoch der Okzident in den Juden eine feindliche, für den Tod des Heilands verantwortliche Gruppe gesehen hatte, siedelte er sie außerhalb jeder christlichen Gesellschaft an. Der Status der Juden als bestenfalls geduldete Fremde unter der Christenheit stand seit dem 11. Jahrhundert fest: »Die Verschiedenheit des Glaubens bestimmte von nun an die soziale, wirtschaftliche und rechtliche Stellung der Juden«[13]. Sie waren eine ständig gefährdete Minderheit. Predigten, die zu einem Gott gewiß wohlgefälligen Morden der »Christusmörder« aufriefen, Gerüchte über Kindestötungen oder auch fanatisierte Kreuzzügler konnten jederzeit eine Stimmung erzeugen, die jüdischen Gemeinden den Untergang brachte.

Das zu Beginn des 11. Jahrhunderts in Mitteleuropa noch tolerierte Judentum war an der Wende vom 15. zum 16. Jahrhundert praktisch bereits ausgelöscht. Wenn es in den deutschen Territorien noch Juden gab, dann handelte es sich um regionale Einzelexistenzen oder bestenfalls kleine Sprengsel, aber nicht mehr um starke und prosperierende Gemeinden wie noch während des 10. und 11. Jahrhunderts[14].

Ihre Erwerbsmöglichkeiten waren seit langem auf Randbereiche der Wirtschaftstätigkeit beschränkt. Juden konnten sich nur in den Bereichen betätigen, von denen sich Christen fernhielten. Die handwerklichen Berufe hatten ihnen die machtvollen Zünfte sowieso versperrt. Was noch blieb, war der Geldverleih, den Christen wegen des 1179 ausgesprochenen kanonischen Zinsverbotes nicht betreiben durften[15]. In dem Metier des Geldes, ob nun als Kreditgeber oder Finanzberater der Mächtigen, fand ein kleiner Teil des europäischen Judentums sein wichtigstes und prekärstes Betätigungsfeld. Denn die Funktion des Geldgebens und Zinsnehmens mußte den stets vorhandenen Haß der christlichen Bevölkerung noch verstärken[16].

Ein Beispiel: Am Ausgang des Mittelalters waren viele elsässische Bauern bei Juden hoch verschuldet. Der durch den Eid abgesicherte Darlehensvertrag wurde in Straßburg vor dem bischöflichen Offizialat abgeschlossen. Zahlte der Schuldner die festgelegten Zinsen nicht, verstieß er gegen die kirchlich abgesegnete Vereinbarung. Die Kirche ging dann gegen ihn vor und schloß ihn vom Empfang der Sakramente aus.

Für die im 16. Jahrhundert einsetzenden Bauernaufstände wurde deshalb ein Haß kennzeichnend, der sich gleichermaßen gegen Juden und Geistliche richtete. Folglich lauteten die wichtigsten Forderungen der revoltierenden Bauern: »Verbot des Zinsnehmens – Vertreibung der Juden und Aufhebung des bischöflichen Offizialats«[17].

Der Vorgang verdeutlicht, in welch hohem Maße die ökonomische Funktion der Juden Anlaß zu einer Feindschaft geben konnte, die sich nahtlos mit dem älteren, im Religiösen wurzelnden Haß verbinden ließ. In jedem Fall nahm der Jude im Wirtschaftsgefüge eine exponierte Stellung ein. Wollte er eine Gewähr für sein ausgeliehenes Geld, wollte er schließlich wie seine Glaubensgenossen generell einen gewissen Schutz vor den in latenter Pogromstimmung befindlichen Volksmassen haben, dann mußte er sich mit der Obrigkeit verbünden.

Für die Obrigkeit wiederum, die sich den gebotenen Schutz teuer bezahlen ließ, war er damit eine wichtige Einnahmequelle. Zugleich war der jüdische Finanzier aber auch ein willfähriges Werkzeug; eine Art Magnet des Volkszorns, den man jederzeit fallen lassen konnte, sobald sich die Wut an der sozialen Basis nicht mehr dämpfen ließ[18].

In diesem Zusammenhang ist zu sehen, dass am Ende des 15. Jahrhunderts in den westeuropäischen Ländern eine großflächige Vertreibung der Juden eingesetzt hatte, die in den ersten Jahrzehnten des 16. Jahrhunderts fast abgeschlossen war. Im 17. Jahrhundert gab es dann nur noch zwei größere Gebiete, in denen Juden in nennenswerter Anzahl lebten; in Polen-Litauen und im Osmanischen Reich. Darüber hinaus lebten Juden noch in einigen Städten Deutschlands und Italiens.

Ihre Zahl in Europa insgesamt dürfte um die Mitte des 17. Jahrhunderts bei weniger als einer Million gelegen haben; Sefardim (Juden, die im Mittelmeer-Raum lebten oder ursprünglich von der Iberischen Halbinsel stammten, sich nach den Vertreibungen in den Niederlanden sowie in deutschen Territorien niedergelassen hatten) und die Aschkenasim (Juden in Mittel- und Osteuropa).

Eine Veränderung in der geographischen Verteilung der Juden deutete sich schon Ende des 16. Jahrhunderts an, um sich dann im 17. Jahrhundert als ein auffallender Trend abzuzeichnen. Juden, meist Flüchtlinge aus Polen, siedelten sich in den neuen Handelszentren Westeuropas an. Obwohl die Zahl dieser Juden noch relativ gering war, markierte dies den Beginn einer bedeutenden Richtungsänderung für die jüdischen Migration. Statt ostwärts in wirtschaftlich rückständige und nur dünn besiedelte Länder zu ziehen, wo ihre wichtigste ökonomische und soziale Funktion in der Gründung von Siedlungen, der Verwaltung von Gütern, der Tätigkeit als Gastwirte und Kleinhandeltreibende bestand, begannen sie nun nach Westen zu wandern, in die Zentren des aufstrebenden Kapitalismus.

Dieser Trend bezeichnete den Anfang einer entscheidenden Veränderung nicht nur in der geographischen Verteilung der Juden, sondern auch in ihrer wirtschaftlichen Tätigkeit während der Neuzeit. Ihr späterer Aufstieg im wirtschaftlichen, sozialen und geistigen Leben Europas während des 19. und 20. Jahrhunderts hing damit zusammen. Vor allem die Wirtschaftstätigkeit der Juden hat in der Literatur zahlreiche Fragen aufgeworfen.

Wie beispielsweise ist zu verstehen, daß eine zahlenmäßig kaum nennenswerte Minderheit immer wieder an exponierten Stellen der Staatsfinanz auftauchte? Eine der bekanntesten »Antworten« darauf hatte zu Beginn des 20. Jahrhunderts der Soziologe Werner Sombart mit seinem »Die Juden und das Wirtschaftsleben« geliefert.

Für Sombart war ein typisch jüdisches, in der Religion wurzelndes Wirtschaftsverständnis, wie es auf andere Weise schon Max Weber für den Protestantismus angenommen hatte, von vornherein dazu prädestiniert, in kapitalistischen Kategorien zu handeln. Denn: »Die Erwerbsidee sowohl wie der ökonomische Rationalismus bedeuten ja im Grunde gar nichts anderes als die Anwendung der Lebensregeln, die den Juden ihre Religion im allgemeinen gab, auf das Wirtschaftsleben ... Der homo Judaeus und der homo capitalisticus gehören insofern derselben Species an, als sie beide homines rationalistici artificiales sind«[19].

Sombarts These wird man heute bestenfalls als anregend, wegen ihrer Spekulationsfreude aber kaum noch als ernsthaft begreifen können. Es war der Versuch eines zweifellos enzyklopädisch gebildeten Geistes, mit Phantasie dort zu brillieren, wo der ungleich profundere Max Weber mit seinem Werk

»Protestantische Ethik und der Geist des Kapitalismus« Maßstäbe für die Verbindung von religiösen Phänomenen und wirtschaftlichen Prozessen setzte[20].

Dennoch lassen sich in Sombarts Werk einzelne Passagen finden, die auch heute noch als Arbeitshypothesen taugen. So wenn er schrieb, daß »... das spätere Schicksal den Juden die Geldliebe aufnötigte und die Geldkunst anzüchten mußte. Ihre Landflüchtigkeit zwang sie ja ... ihrem Hab und Gut immer beweglichere Formen zu geben, und unter diesen bot sich das Geld neben Schmucksachen als die geeignetste dar. Es wurde ihr einziger Beschützer, wenn man sie quälte und misshandelte ...«. Und, dies nun aber wieder eine typische Übertreibung in Sombartscher Manier: »... mit den feinen Fäden des Geldleihgeschäfts fesselte ein Volk von kleinen, im sozialen Sinne ganz unscheinbaren Menschen den feudal-bäuerlichen Riesen; wie die Liliputaner den Gulliver banden«[21].

Im 15. und 16. Jahrhundert war das Judentum Westeuropas als Gesamtheit tatsächlich ruiniert. Aber schon zu dieser Zeit traten die ersten einzelnen Juden auf, die als Finanziers in besonders engem Kontakt zu den Landesfürsten standen. Ihre Stellung stützte sich auf Privilegien, die aber nun nicht mehr wie früher für eine jüdische Gemeinde insgesamt galten, sondern nur für den Einzelnen und seinen Anhang, dessen Dienste der jeweilige Hof bedurfte. Einer der bedeutendsten und abenteuerlichsten Repräsentanten dieses jüdischen Unternehmertums in der frühen Neuzeit war Michael von Derenburg, der mehreren deutschen Landesherren diente – zuletzt dem Kurfürsten Joachim II. von Brandenburg[22].

Lippold, Derenburgs Nachfolger in dieser Funktion, brachte es bis zum Münzmeister und Finanzchef des Kurfürsten. Sein Ende war schrecklich. Für ihn selbst wie für die Juden, die damals in dieser Frühform des preußischen Staates lebten. Darüber hinaus war es aber auch symptomatisch für die stets bedrohte Existenz der jüdischen Finanziers.

Als Joachim II. zu Beginn des Jahres 1571 plötzlich starb, wurde der beneidete und wegen seiner Stellung als Gläubiger unbeliebte Münzmeister sofort des Mordes verdächtigt. Lippold gestand unter Foltern. Die märkischen Juden, die sich nach den Vertreibungen des Jahres 1510 hier wieder in bescheidenem Umfang niedergelassen hatten, wurden »auf ewige Zeit« aus Brandenburg verjagt.

Was schon für die Vertreibungen von 1510 gegolten hatte, spielte auch 1573 wie in so vielen anderen Fällen eine Rolle. »Die Vertreibung der Juden kam natürlich ihren Schuldnern sehr zustatten. Sie waren auf die einfachste Weise ihrer Schulden ledig und gewannen ihre Häuser, auf welche die Juden für ihre Forderungen Pfandrechte erworben hatten, ohne weiteres wieder«[24]. Zwar gab es in der Folgezeit noch einzelne Juden in der Mark, aber grundsätzlich war Brandenburg seit dieser Vertreibung für ein Jahrhundert ein Land ohne Juden.

Figuren wie Derenburg und Lippold waren die Vorläufer jüdischer Unternehmer, die für das Wirtschaftsgeschehen Mitteleuropas im 17. und 18. Jahrhundert kennzeichnend werden sollten. Vor allem in den deutschen Territorialstaaten bedienten sich die Herrscher ausgewählter Hofjuden zunehmend intensiver und systematischer. Diese Unternehmer konnten nahezu alle Formen der Staatsgeschäfte in ihren Händen halten – von der Münzprägung, dem Liefern der dafür benötigten Edelmetalle über die Versorgung der sich entwickelnden ständigen Heere bis zum Aufbringen von Geldern für die fürstliche Privatschatulle[25].

Es gab viele Hofjuden, deren Aufgabe allein darin bestand, den Fürstenhöfen Luxusartikel, vor allem Edelsteine und Schmuck, zu liefern. Die wichtigere Funktion bildete indes die Münzprägung. Da im 17. und 18. Jahrhundert die meisten Münzen noch in Silber geprägt wurden, führten die Ausweitung der wirtschaftlichen Tätigkeit und der verstärkte Münzumlauf zu einer Silberknappheit. Zur Lösung dieses Problems wurden jüdische Münzunternehmer eingesetzt.

Eine weitere zentrale Funktion der Hofjuden bestand in der Belieferung des Heeres. Selbst deutsche Kaiser griffen auf Hofjuden für die Versorgung der Truppen zurück. Am Ende des 17. Jahrhunderts war dies in Wien Samuel Oppenheimer – in der Zeit, als die Türken Wien belagerten, und dann später während der zahlreichen gegen Frankreich geführten Kriege. Oppenheimer lieferte den kaiserlichen Truppen Ausrüstungen wie Uniformen, Proviant, Pferde und vieles andere. Die Friedenskonferenzen von Karlowitz (1699, Ende des zweiten Türkenkrieges) und Utrecht (1714, Ende des Spanischen Erbfolgekrieges) finanzierte vor allem Oppenheimer, der mit einem Netzwerk operierte, das sich über den Kontinent erstreckte.

Solche Netzwerke stellten sicher, daß die Hofjuden vor allem über Polen Pottasche (für die Herstellung von Schießpulver), Getreide, Futter und Pferde liefern konnten. Sie waren in der Lage, ganze Armeen zu Bedingungen auszurüsten, bei denen einheimische christliche Lieferanten, denen länderübergreifende Netzwerke nicht zur Verfügung standen, in keiner Weise mithalten konnten. Vor diesem Hintergrund wird nachvollziehbar, warum die Hofjuden für die Deckung des Finanzbedarfs von Hof und Heer zentrale Positionen einzunehmen vermochten.

So hatten Samson Wertheimer und nach ihm sein Sohn Wolf Wertheimer von Wien aus enormen Einfluß auf die Finanzpolitik der Staaten. Sie berieten die Fürsten in Fragen von Steuern und Abgaben, beschafften flüssige Mittel und Subsidien. Insgesamt nahmen sie Aufgaben wahr, die dann im modernen Zentralstaat die Finanzministerien und ihre Beamten ausübten.

Diego Texeira, der sich in Hamburg niedergelassen hatte, war Mitte des 17. Jahrhunderts Bankier und Repräsentant der ehemaligen schwedischen

Königin Christine. Behrend Lehmann, der Hofjude des sächsischen Kurfürsten, unterstützte Ende des 17. Jahrhunderts seinen Herrn bei der Wahl zum polnischen König.

Der bekannteste dieser Hofjuden war Joseph Süß Oppenheimer (Jud Süß), der während der kurzen Herrschaft des württembergischen Herzogs Carl Alexander versuchte, Staat und Gesellschaft zu reformieren. Bei seinem Ziel, die Staatseinkünfte zum Unterhalt einer starken Armee zu steigern – wobei er auf den Widerstand der Landstände stieß – erreichte Süß die Entlassung des Staatsrats und die Bildung eines Ministeriums, das nur dem Herzog verantwortlich war. Die Minister wurden nach seinen Empfehlungen ausgewählt und waren zumeist Ausländer.

Süß hatte seine ersten Erfahrungen als Geschäftsmann in Mannheim gesammelt, das man wegen seiner bedeutenden jüdischen Gemeinde damals »Neu-Jerusalem« nannte. Der entscheidende Wendepunkt in seiner Karriere war die Begegnung mit Prinz Carl Alexander, dem späteren katholischen Herzog des protestantischen Württemberg. Nach dessen Regierungsantritt wurde Süß zu einem der einflußreichsten Männer des Landes.

Zunächst Verwalter der herzoglichen Schatulle, wurde der frühere württembergische „Agent“ in Frankfurt unter anderem Hof- und Heereslieferant, Münzpächter und schließlich wichtigster politischer Berater Carl Alexanders. In dieser Funktion entwickelte er neue Ideen und Vorschläge für die Reform des in seinen Augen verkrusteten und politisch verfilzten Staatsapparats. Diese Ideen setzte er gegen den Widerstand des Geheimen Rates zum Teil in die Praxis um.

Sein Verhängnis begann am 12. März 1737. Der Herzog, der am kommenden Tag eine Reise antreten wollte, starb an einer Lungenembolie. Der Geheime Rat, vom Herzog auf Initiative von Süß ausgeschaltet, nutzte das Machtvakuum, um eine konservative Revolte in Gang zu setzen. Süß Oppenheimer, der Vertraute Carl Alexanders, der Gläubiger, Konkurrent und Kontrolleur, wurde nach dem Kondolenzbesuch bei der Herzogin noch in der Nacht verhaftet; nach ihm noch weitere 70 Vertraute, darunter viele Juden.

Süß wurde auf die Festung Hohenneuffen gebracht, sein Vermögen beschlagnahmt. Am 4. Februar 1738 kam es zur Hinrichtung. Die Leiche Süß Oppenheimers hängte man in einen eisernen Käfig. Darin blieb das Gerippe sechs Jahre lang zur Abschreckung der Juden.

Die Geschichte des Joseph Oppenheimer, genannt Jud Süß, steht in dem hier schon kurz dargestellten größeren Zusammenhang: Die Hofjuden, die schon die Söldnerheere im 30jährigen Krieg versorgt hatten, trugen dazu bei, daß sich in den deutschen Kleinstaaten ein finanziell leidlich autarker Absolutismus mit stehenden, also permanent in Bereitschaft gehaltenen Armeen entwickeln konnte. Selbst die Habsburger Monarchie war ohne die Oppenheimers in Wien nicht funktionsfähig[26].

Nahezu alle größeren Armeen auf dem Kontinent wurden von jüdischen Heereslieferanten ausgestattet. Diese Geschäfte waren so eng mit Finanzdingen verflochten, daß sich die auf diesem Gebiet aktiven Juden zu Generalunternehmern entwickelten. Wo vor allem die absolutistischen Staaten in Deutschland starre Grenzziehungen vornahmen, waren Juden die einzige Gruppe, die auf dem Kontinent ein länderübergreifendes Informations- und Handelssystem in Gang halten konnten.

Je intensiver ein Jude in dieses System eingebunden war, desto wichtiger wurde er für seinen Landesherrn. Als Friedrich Wilhelm I, der Große Kurfürst und Gründer des Staates Brandenburg-Preußen (1640–1688) beispielsweise in den achtziger Jahren des 17. Jahrhunderts Handelsgesellschaften für das Überseegeschäft gründen wollte, mußte sich sein Minister mit Juden in Hamburg und Amsterdam beraten[27].

Ein für die Herrscher so wichtiges Problem wie das Beschaffen von Diamanten war nur mit den Hofjuden oder Hoffaktoren zu lösen. Die rohen Stücke wurden von der Holländischen Ostindien-Gesellschaft aus Asien nach Amsterdam mit seinen vielen jüdischen Diamantenschleifern gebracht – einer von ihnen war der Philosoph Baruch Spinoza – und dort bearbeitet.

Von Amsterdam aus belieferten jüdische Händler den ganzen Kontinent. Vor allem in Deutschland und Polen beherrschten Juden diesen Handelszweig monopolartig. Mit dem Edelsteingeschäft gingen Gold- und Silberlieferungen einher. Nur jüdische Hoffaktoren wie die in ganz Deutschland und in den Niederlanden vertretene Familie Gomperz waren in der Lage, solche Transaktionen durchzuführen[28].

Da die finanzielle Liquidität für alle absolutistischen Herrscher ein Problem darstellte, mußten sie ihre Hoffaktoren auch als Kreditgeber in Anspruch nehmen. Jost Liebmann, der Ahnherr des aus einer Berliner Unternehmerfamilie stammenden Giacomo Meyerbeer, war der Hofjude des Großen Kurfürsten von Brandenburg-Preußen. Zugleich war Liebmann aber auch der Berliner Repräsentant der jüdischen Texeiras in Hamburg. Über sie, die wiederum mit Amsterdam und Lissabon verbunden waren, lieferte Liebmann dem Kurfürsten Silber, vor allem aber Diamanten[29]. Als später britische Gesellschaften den Holländern den Rang abliefen, änderte sich nichts Wesentliches. Das System selbst blieb intakt und wurde zudem von Amsterdam nach London ausgeweitet[30].

Die Hoffaktoren der deutschen Territorialstaaten waren eine kleine, zahlenmäßig unbedeutende Elite. Aber fast jeder Hofjude bildete ein ganzes Unternehmen für sich, das zur Funktionsfähigkeit jüdische Händler und Agenten benötigte. So mußte es dazu kommen, daß jedes Einzelprivileg, das der Staat einem Hoffaktor verlieh, mit der Aufenthaltserlaubnis für zahllose weitere Juden verknüpft war.

Dieses Privilegierungssystem, das sich in den von der Obrigkeit ausgestellten Geleitbriefen dokumentierte, war die schmale Basis, auf der ab der zweiten Hälfte des 17. Jahrhunderts in Mitteleuropa wieder jüdische Gemeinden entstanden. Nur die Inhaber solcher Geleitscheine konnten sich auf ein gültiges Aufenthaltsrecht berufen. Neben und mit diesen »vergleiteten« Juden (= Inhaber von Geleitpapieren bzw. Privilegien) siedelten sich bald in fast allen deutschen Territorialstaaten zahlreiche jüdische Händler, Hausierer und Trödler an. Als illegale Einwohner waren sie nur dann vor Ausweisungen geschützt, wenn sie sich für den Landesherrn als wichtig genug erwiesen, um von den Behörden oder über einen zugelassenen Hoffaktor einen Geleitbrief zu erhalten.

Der soziale Druck, der auf diesen »Luftmenschen« lastete, muß ungeheuer gewesen sein. Er war in viel stärkerem Maße als alles andere dafür verantwortlich, daß die Juden in ihrer Gesamtheit zum wirtschaftlichen Erfolg gezwungen waren. Als Alternative gab es für die zahlreichen Unvergleiteten noch mehr als für die Hoffaktoren und deren Anhang nicht bloß den Gegensatz zwischen Armut und Reichtum, sondern Leben auf einem einigermaßen gesicherten Niveau oder Landstreichertum, was auf längere Sicht den Tod bedeuten konnte. Kein Staat in Europa hat die ökonomische Disziplinierung der Juden so systematisch betrieben und genutzt wie Preußen.

Die Geschichte des preußischen Judentums begann im Jahre 1670 und schien 1871 auszuklingen. In diesen zwei Jahrhunderten – eröffnet mit der Aufnahme einiger Familien durch den Großen Kurfürsten und beendet mit dem Aufgehen des preußischen Staates im Kaiserreich – stieg ein armseliger Territorialstaat zu einer unbestrittenen Großmacht des Kontinents auf. Die preußischen Juden machten diese Entwicklung mit und prägten sie auf ihre Weise.

Zwar hatte es schon während des Mittelalters Juden auch in den damaligen Territorien des späteren preußischen Staates gegeben. Aber das waren immer nur Episoden, denen hier wie auch anderswo Vertreibungen ein abruptes Ende bereiteten. Die Ansiedlung im Jahre 1670 war von anderer Art. Aus einer winzig kleinen Gemeinde, aus einer abgeschieden in ihrer Kultur und Religion lebenden Minderheit wurde das Judentum, das sich vergleichsweise intensiv seiner Umwelt zuwandte. Preußens Juden verbanden ihr Schicksal mit dem des sie aufnehmenden Landes.

Die Geschichte dieser Entwicklung ist ungewöhnlich kompliziert, voller Brüche und Widersprüche. Preußen wurde groß, weil seine Herrscher verstanden, daß das kleine und rückständige Land nur dann modernisiert werden konnte, wenn man Fremde als Ersatz für das fehlende heimische Bürgertum einwandern ließ. Deshalb holte der Kurfürst Friedrich Wilhelm, wie er es mit den aus Frankreich flüchtenden Hugenotten tat, auch Juden aus Wien in sein Land. In dem kleinen und als Folge des 30jährigen Krieges verwüsteten Kurfürstentum ging es dem Landesherrn um die Entmachtung der regionalen Gewalten durch zentrale Herrschaft.

Die Entwicklung der Wirtschaft war der Schlüssel hierzu, weil nur sie dem Landesherrn die notwendigen Mittel beschaffen konnte. Als Gegner dieses Planes traten die um ihre Macht fürchtenden ständischen Vertretungen des Adels auf, die notwendigerweise auch an der Beibehaltung eines durch einheimische Zünfte und Gilden gebremsten Wirtschaftssystems interessiert waren. In dieser Konstellation konnten Einwanderer wie die französischen Hugenotten oder die Juden ein Ersatzbürgertum sein, das gezielt zur wirtschaftlichen Modernisierung eingesetzt wurde[31].

Die Juden nahmen diese Möglichkeiten, die ihnen so kaum ein anderer Staat im 17. Jahrhundert bot, wahr. Damit setzte eine ständige Aufwärtsbewegung ein, die immer größere Teile des preußischen Judentums zu Wohlstand, obrigkeitlich gedecktem Ansehen und politischer Sicherheit führte. Der Staat betrieb hier ganz bewußt eine Art Auslese. Denn eine politische Absicherung sollte es nur für die Juden geben, von denen man sich einen Nutzen versprach, sei es als Händler, Geldbeschaffer oder Fabrikanten. Funktionieren konnte das damit verbundene »Ausleseverfahren« jedoch nur unzulänglich. Denn gerade die reichen und wohlhabenden jüdischen Familien, die man ja durchaus im Land haben wollte, benötigten für ihre Geschäftstätigkeit die weniger Begüterten als Mittler, Händler, Agenten oder Hilfskräfte[32].

Sobald diese Unterschichten sich an die Privilegien der Wohlhabenden heften und ihren Aufenthalt im Lande legal gestalten konnten, brach das Dilemma der preußischen Judenpolitik voll durch: Wenn man eine funktionsfähige ökonomische Elite des Judentums haben wollte, dann mußte man die mit ihr verbundenen Unterschichten in Kauf nehmen. Dieses Dilemma wurde noch zusätzlich verschärft, weil im 17. und 18. Jahrhundert gerade die Unterschichten des Judentums fast nirgendwo geduldet waren.

Wanderten diese Trödler, Hausierer und Bettler vom Westen nach Osten, dann fanden sie bei Preußens zahlenmäßig stärker werdender jüdischer Elite die günstigsten Unterschlupfmöglichkeiten. Noch weiter im Osten wiederum grenzten die preußischen Territorien an das krisengeschüttelte Polen, das Zentrum des osteuropäischen Judentums. Im Gegensatz zu diesem auseinander brechenden Reich war der Schutz für vergleitete Juden in dem angrenzenden Preußen äußerst wirkungsvoll. Für die Juden des Ostens wurde der Hohenzollern-Staat deshalb zu einem attraktiven Einwanderungsland.

Preußens Könige und Beamte wollten diese als Problem empfundene Lage durch ein Sortieren der Juden in Erwünschte und Unerwünschte lösen. Am systematischsten ging dabei Friedrich II. vor. Das von ihm 1750 erlassene Edikt brachte Preußens Juden insgesamt die bislang härtesten Vorschriften. An diesem Edikt zeigte sich besonders deutlich, daß der Hohenzollern-Staat nur die Teile des Judentums dulden wollte, von denen er sich einen wirtschaftlichen Nutzen versprach. Wie so vieles unter Friedrich II. blieb aber auch dies eine Politik der Widersprüche. Denn niemand anders als der König selbst durchbrach dieses Prinzip mit zahlreichen Ausnahmeregelungen und Privilegien für jüdische Familien.

Ein weiterer Widerspruch entstand aus der Haltung des Königs zur europäischen Aufklärung. Während gerade die preußische Aufklärung, zumal die in Berlin, eine tolerante, projüdische Haltung einnahm, blieb der aufgeklärte Absolutist Friedrich einer Richtung verbunden, die ausgesprochen antijüdisch dachte. Für das letzte Drittel seiner Regierungszeit wurde es deshalb typisch, daß die im preußischen Sinne aufgeklärten Beamten bei der Behandlung von Juden einen anderen Kurs verfolgten, als dies der König wünschte.

Diese Widersprüche erreichten schon während des siebenjährigen Krieges einen Höhepunkt. Der König setzte jüdische Unternehmer wie Itzig und Ephraim systematisch zum Münzbetrug ein, indem er Geldstücke mit reduziertem Silber- und Goldgehalt prägen ließ. Wollte man diese Münzen in den Verkehr bringen oder gar den österreichischen Armeen (jüdische) Geldwechsler hinterherschicken, die im Troß Habsburgs werthaltige Taler und Groschen gegen Preußens minderwertige Zahlungsmittel eintauschten, dann war an ein Fernhalten der jüdischen Unterschichten nicht zu denken.

Tatsächlich trugen die jüdischen Münzunternehmer mit ihren vom König gewollten Manipulationen dazu bei, daß Preußen den Krieg gegen eine übermächtige Koalition überstand. Tatsächlich war es aber auch der Krieg, der den preußischen Juden so hohe Verdienstmöglichkeiten bot, daß ihre Stellung im Wirtschaftsgefüge einen vorläufigen Höhepunkt erreichte.

Die ökonomische Prosperität der Juden und die an Macht gewinnende Aufklärung machten dann erstmals im neuzeitlichen Europa so etwas wie die vorurteilslose Begegnung zwischen Christen und Juden möglich – wenn auch nur in ganz kleinen sozialen Inseln. Angesichts dieses Prozesses schien es vor allem in Preußen großen Teilen der Intelligenz nicht mehr zeitgemäß, die Juden weiter auf einer so deutlich unterprivilegierten Position festhalten zu wollen.

Damit begann sich schon eine Judenfrage zu stellen, die eine zeitgemäße tolerante Lösung im Sinne der Rechtsstaatlichkeit erforderlich machte. Vorher hatte von einer Judenfrage nicht die Rede sein können, weil das Verhältnis a priori immer schon feststand: günstigstenfalls als Duldung der nützlichen und Vertreibung der unnützen Juden.

Die im Zeitalter Napoleons auf unterschiedliche Weise durchgeführten Emanzipationen in den deutschen Territorialstaaten waren Bestandteile von Modernisierungsversuchen allgemeiner Art. So auch in Preußen, wo die 1812 ausgesprochene Emanzipation der Juden als Teil der allgemeinen Stein-Hardenbergschen Reformpolitik kam. Politiker wie Stein und Hardenberg standen nach der Niederlage Preußens gegen Napoleon vor der Herausforderung, einen amputierten Hohenzollern-Staat so zu reformieren, daß er vorerst lebensfähig blieb, um Frankreich und Bonaparte später widerstehen zu können.

Aussichtsreich konnte diese Hoffnung nur unter der Voraussetzung eines gründlichen Umbaus von Staat und Gesellschaft erscheinen. Alle zur Verfügung stehenden Ressourcen mußten genutzt werden. In diesem Plan konnte für Hardenberg ein Potential wie die Juden Preußens nicht ausgeklammert bleiben. Die Emanzipation dieser Minderheit war ein Teil der in Gang gesetzten umfassenden Reformpolitik.

Auf diese Weise war das Schicksal der Juden im Hohenzollern-Staat auch mit dem Schicksal der preußischen Reformbewegung verflochten. Ihr Scheitern, ihre Ablösung durch Reaktion und Restauration konnte deshalb auch für die als langwieriger Prozeß gedachte Einbürgerung der Juden bestenfalls Stagnation bedeuten. In dieser Konstellation, die grundsätzliche Tendenzen der politischen Entwicklung Deutschlands berührt, lag die mehr als ein halbes Jahrhundert währende Unsicherheit der jüdischen Situation begründet.

Sie mündete wohl mit der Gründung des deutschen Reiches durch Bismarck in eine rechtlich gesicherte Position, blieb aber prekär. Mal weniger – solange Liberalismus und wirtschaftliche Prosperität latent vorhandene antisemitische Strömungen noch zuzudecken vermochten –, mal mehr – sobald sich diese Strömungen mit den sozialen Ängsten der Gesellschaftsschichten vermischten, die vom Wirtschaftsliberalismus Elend und Deklassierung befürchteten.

Wie es dazu kam und welche Entwicklungen in den deutschen Territorialstaaten dem vorangingen, sind Schwerpunkte dieses Buches. Schließlich muß auch die Emanzipation unverständlich bleiben, wenn nicht berichtet wird, was die Staaten eigentlich bewog, die Gleichberechtigung der Juden auszusprechen, was daraus wurde und wie die Juden darauf reagierten. Unbestritten ist, daß die Emanzipation einer der großen Wendepunkte in der Geschichte der Juden war. Und weil die Emanzipation ein Vorgang war, der in unterschiedlichen Variationen für ganz Mitteleuropa galt, war es eben auch eine europäische Wende.

Vorher hatte es für Juden nur zwei Wege gegeben, um eine staatsbürgerliche Gleichberechtigung zu erhalten. Zum einen die Taufe: Mit dem Übertritt zu einer christlichen Religion entfielen üblicherweise alle Diskriminierungen. Das war eine für religiös geprägte Gesellschaftsformen typische Lösung. Je stärker sich aber Staat und Gesellschaft von der Religion lösten, desto logischer wurde es, daß man die Konfession als Privatsache ansah, der keinerlei Belang für die Qualität des Staatsbürgerrechts mehr zukommen durfte.

Mit der Entkonfessionalisierung des Staats- und Gesellschaftslebens wurde es möglich, dem Judentum in seiner Gesamtheit die Rechte zu geben, die eigentlich nur für Christen galten. Indem der Staat die individuellen Privilegierungen einzelner Juden zu einer generellen Gleichberechtigung für alle Juden ausweitete, sprach er die Emanzipation aus.

Zum auffallendsten Merkmal des preußischen Judentums in den Jahren nach 1815 wurde die Intensität, mit der es sich seiner Umwelt anglich. Als einer der zahlenmäßig erfaßbaren Belege für die Assimilation und ihre Konsequenzen nahmen Taufen ganz erheblich zu. Und dies, obwohl die preußischen Juden des Glaubensübertritts prinzipiell, aber eben nur prinzipiell, nicht mehr bedurften, um Staatsbürgerrechte, wenn auch minderer Qualität, zu erhalten. Die Veränderungen, die sich in Preußen während des 18. und 19. Jahrhunderts zeigten, zählen zu den spannendsten Prozessen, die die europäische Sozialgeschichte zu bieten hat.

Diese Vorgänge wirkten mit einer enormen Strahlkraft auf nahezu alle deutschen Territorien in denen Juden lebten. Auf den externen Druck der Staatsgewalt reagierten die jüdischen Gemeinden mit einer zunehmenden internen Hierarchisierung. Oligarchische, theokratische Gemeinwesen entstanden, die von einigen wenigen jüdischen Magnaten gegenüber der Obrigkeit repräsentiert wurden. Die Geschicke der ganz großen Mehrheit kontrollierte diese Oberschicht im Bunde mit den Rabbinern lange Zeit nahezu absolutistisch.

Im ausgehenden 18. Jahrhundert rebellierten schließlich die gebildete Jugend und soziale Aufsteiger gegen die verkrustete Herrschaftskombination aus Reichtum und Schriftgelehrtheit. Die Revolte stand im Zeichen der jüdischen Aufklärung (Haskala) und bildete den Anstoß zu einem Modernisierungsprozeß, mit dem Preußens Juden einen in seiner Intensität für Europa einzigartigen Assimilierungsweg unternehmen sollten.

Die jüdische Aufklärung versetzte der traditionellen Schriftgelehrtheit einen so heftigen Stoß, daß diese ihre prägende Kraft für das geistige und soziale Leben in den Gemeinden West- und Mitteleuropas verlor. Nur in den osteuropäischen Gebieten konnte die rabbinische Orthodoxie ihren Machtanspruch behaupten. Dazu hatte das orthodoxe Judentum mit seinem Hang zur Mystik selbst ganz wesentlich beigetragen. Denn in der Mitte des 17. Jahrhunderts, als der Kontinent von Umwälzungen und Erlösungsprophetien erschüttert wurde, hatte es auch bei den Juden ein Ereignis von immenser Tragweite gegeben.

Schon lange hatten die Juden die Verfolgungen, denen sie allenthalben ausgesetzt waren, als Prüfungen für die Festigkeit ihres Glaubens angesehen. Moses Maimonides, der bedeutendste Philosoph des Judentums überhaupt, hatte im 12. Jahrhundert erklärt, daß der einzige Unterschied zwischen dieser Welt und der nach dem Erscheinen des Messias in der Unterdrückung der Juden bestünde[33]. Je härter und grausamer diese Unterdrückungen die Juden trafen, desto näher wäre schon der Tag des Kommens des Messias. Diese mit Stellen aus dem Alten Testament belegbaren Spekulationen wurden von der Kabbala, der im Spanien des 13. Jahrhunderts entstandenen jüdischen Mystiklehre, aufgenommen und weitergeführt[34].

Einige Schriftgelehrte errechneten schließlich aus dem Hauptbuch der Kabbala, dem Zohar, daß der erwartete Tag im Jahre 1648 eintreten würde. Tatsächlich kam in diesem Jahr eine große Katastrophe über die Juden. Als sich nämlich die ukrainischen Kosaken 1648 gegen die polnische Herrschaft erhoben, schlachteten sie jeden Juden, dessen sie habhaft werden konnten, auf die grausamste Weise ab. Es war die schlimmste Katastrophe, die das polnische Judentum erlebt hatte. Die Not war so groß, daß immer mehr Juden die Metzeleien in Polen schon als das Ereignis ansahen, das der Endzeit und dem Auftreten des Messias vorangehen sollte[35].

Noch im gleichen Jahr 1648 eröffnete ein junger Kabbalist in Smyrna seinen Freunden, er wäre der erwartete Messias, würde sich aber erst im Jahre 1666 der Welt offenbaren. Sabbatai Zwi, so der Name dieses »Messias«, hatte damit einen Stein ins Rollen gebracht, der von seinen »Jüngern« schnell weiter getrieben wurde. Als Zwi dann 1665 tatsächlich als Messias auftrat, gewann er unter den Juden sofort eine riesige Anhängerschaft[36].

Zwis Mission sollte mit der Gründung eines neuen Judenstaates beginnen. Er zog nach Konstantinopel, um den Sultan abzusetzen und ein neues Israel zu gründen. Dort wurde Zwi aber von den Türken verhaftet und vor die Wahl gestellt, hingerichtet zu werden oder zum Islam überzutreten. Er konvertierte und ließ ein in seiner Ernüchterung noch verzweifelteres Judentum zurück.

Der Untergang der sabbatianischen Hoffnungen hatte mehrere Konsequenzen.

- Die Hoffnung auf einen neuen Staat Israel war für Jahrhunderte zerstört:

Dies sollte deshalb entscheidend sein, weil man die jüdische Existenz in der Diaspora nur als Provisorium bis zu dem Erscheinen des Messias und der Rückkehr ins gelobte Land verstanden hatte. Nach der sabbatianischen Katastrophe war diese Position zumindest in den westeuropäischen Gemeinden angeschlagen. Und weil sich dies immer deutlicher zeigte, konnte ein Aufklärer wie Moses Mendelssohn die neuartige, auf die Assimilation schon hindeutende Sicht vom preußischen Staatsbürger jüdischen Glaubens vertreten. Damit war dann der von der Orthodoxie nur als Provisorium interpretierte Aufenthalt in der Diaspora mit einem definitiven Zug ausgestattet.

- Die jüdische Mystik wurde erschüttert:

Die Schwächung der Erlösungshoffnungen kam den rationalistischen und freisinnigen Tendenzen des Judentums zugute. Der im Westen schon mit Spott und Hohn bedachte Mystizismus konnte im 18. Jahrhundert der entstehenden Aufklärungsbewegung kaum noch Widerstand leisten.

- Eine wichtige und für die Assimilationsbewegung insgesamt bedeutsame Folge:

Weil die Rabbiner nach dem Fiasko des Sabbatai Zwi jeden seiner vermeintlichen oder tatsächlichen Anhänger mit dem Bann (Ausschluss aus der Gemeinde der Juden) belegten, wurde dieses härteste Zwangsinstrument der Orthodoxie so oft in Anspruch genommen, daß es seinen Schrecken verlor. Als vor allem die Berliner Aufklärer in Konflikt mit den Rabbinern gerieten, war der Bann nur noch bei den Juden in Osteuropa gefürchtet. Über den Aufklärer Moses Mendelssohn verhängten Rabbiner in Deutschland und Polen mehrmals einen Bann. Er überstand diese Ächtungen ohne Nachteile. Zum Teil erhöhten sie sogar noch sein Ansehen bei der jüngeren Generation.

Aus all diesen Gründen trugen die Ereignisse um den falschen Messias der Juden dazu bei, daß sich die Orthodoxie nur noch dort halten konnte, wo der mit ihr verbundene Mystizismus die sabbatianische Krise überstand. Dies war in den östlichen Gebieten des Kontinents der Fall. Die tiefe Kluft, die das west- und osteuropäische Judentum auch aus diesem Grund trennen sollte, wurde zum markanten Grundzug der Jahrzehnte und Jahrhunderte nach 1648[37].

II NEUE ÄRA

Während des 17. und 18. Jahrhund waren jüdische Gemeinden in Deutschland bestenfalls geduldet. Dies war eine prekäre Existenz, insbesondere in Regionen wie Sachsen, wo sich Juden nur vorübergehend für die Dauer von bestimmten Geschäften aufhalten durften. Uneingeschränkte Aufenthaltsrechte hatten in der Regel nur die jüdischen Unternehmer, die den Landesherren als »Hoffaktoren« dienten. Diesen bevorrechteten Hoffaktoren kam in den einzelnen deutschen Territorialstaaten eine unterschiedliche Bedeutung zu. Aufs Ganze gesehen waren sie aber in dem in zahllose Territorialstaaten zersplitterten und rückständigen Deutschland wichtig. Denn hier war der Bedarf an den Diensten der Hoffaktoren und Hofjuden, die als einzige über die Grenzen dieser Territorialstaaten hinaus agieren konnten, besonders groß.

Von diesen Privilegierten ist das Gros der jüdischen Bevölkerung in allen deutschen Staaten zu unterscheiden. Wohl gab es die abgeleiteten Aufenthaltsrechte wie in Berlin und anderen Städten Preußens, zum Teil auch in Wien. Auch kann man den Hoffaktoren generell eine wichtige Rolle bei der sich über das 18. Jahrhundert vor allem in den Städten abzeichnenden Etablierung von jüdischen Ansiedlungen zubilligen. Auf dem Lande führte dagegen die Menge der Juden bis in das 19. Jahrhundert nur eine Randexistenz. Insbesondere die Verdrängung aus den Städten im 16. Jahrhundert und das Wüten der Söldnerheere während des Dreißigjährigen Krieges hatten sich als verheerend erwiesen.

Schon die einzelnen Staaten des deutschen Reiches wiesen für sich während des 17. und 18. Jahrhunderts in ihrer Politik gegenüber den Juden ein Kaleidoskop von unterschiedlichen Regelungen auf. Ein noch wesentlich diffuseres Bild ergibt der Blick auf die deutschen Territorien insgesamt, wobei hier wegen der Uferlosigkeit des Themas eine Beschränkung auf Österreich, Süddeutschland, Frankfurt, Hamburg und Preußen vorgenommen wird.

Österreich bewegte sich in einem Wirrwarr, für den erst die Toleranzgesetzgebung von Joseph II. eine gewisse Klärung bringen sollte. Territorien wie Bayern oder Sachsen praktizierten gegenüber Juden ein Politikverständnis, das in der Regel dem Mittelalter verhaftet blieb. Stadtstaaten wie Hamburg oder Frankfurt am Main verhielten sich gegenüber ihren jüdischen Einwohnern unterschiedlich, meist unberechenbar.

Die österreichische Monarchie wies vor allem in Böhmen, Mähren, Schlesien und Ungarn zahlreiche jüdische Einwohner auf. Die Aktivitäten dieser Einwohner lagen vorwiegend im Handel. Vor allem jüdische Händler sorgten beispielsweise über Prag mit Krakau, Nikolsburg oder Preßburg und über Lemberg sowie Breslau für den Wartenaustausch mit Polen. Die Wirren des Dreißigjährigen Krieges hatten hierbei schon für gravierende Störungen gesorgt.

Mit dem den Dreißigjährigen Krieges abschließenden Westfälischen Frieden (1648) kamen dann nahezu zeitgleich die Verfolgungen der Juden in der polnischen Ukraine. Eine Folge des im Westen herbeigeführten politischen Frieden und der Verfolgungen im Osten: Tausende von Juden suchten in den österreichischen Ländern Zuflucht[1].

Österreich, das als Hort des Katholizismus und als Verbündeter des spanischen Klerikalismus die innerhalb seiner Grenzen ansässigen Juden ohnehin nur widerwillig duldete, empfand die aus Polen kommende Flut an Flüchtlingen als Bedrohung. Geistlichkeit und Bürokratie reagierten darauf vor allem in Wien. Dort wies die Judenstadt (der amtliche Ausdruck für diesen Stadtbezirk) zur Mitte des 17. Jahrhunderts etwa 4.000 Juden auf, davon etwa die Hälfte vermögend.

Für ihre in Wien eingeräumten Wohnrechte zahlten diese Einwohner Schutzgelder sowie viele andere Abgaben. Zudem stellten die Reicheren dem Staat Kredite zur Verfügung. Die Einwohnerschaft der Judenstadt stand als autonome Gemeinde unmittelbar unter dem Schutz des Kaisers.

In der Regel vereinnahmte die Schutz gebende Instanz auch die Abgaben der Juden. Deshalb unternahm der Wiener Magistrat mehrmals Versuche, die Kompetenz für die Judenstadt an sich zu ziehen. Dies gelang nicht. Aber mit Leopold I. (1657–1705) bestieg ein Kaiser den Thron, der es als ehemaliger Jesuitenzögling für eine schwere Sünde hielt, in der Hauptstadt des katholischen Reiches Juden zu dulden.

Zu Beginn des Jahres 1669 kam es zu Untersuchungen durch Institutionen, die bezeichnenderweise »Inquisitionskommission« (oder auch Judeninquisitionskommission) hießen. Im Juli und August 1669 ergingen dann zwei Dekrete, mit denen die Ausweisung der mittellosen Juden angeordnet wurde. Also der Schichten an deren Verbleib der Staat das geringste Interesse hatte, weil sie zu den Einnahmen nur wenig beitrugen.

Im Anschluss daran unterzeichnete der Kaiser Leopold am 28. Februar 1670 für die wohlhabenden und reichen Juden ein entsprechendes Dekret. Danach mussten die Juden bis zum nächsten Fronleichnamsfest (20. Juni) Wien sowie alle sonstigen Städte Nieder- und Oberösterreichs verlassen. Diese Vertreibung bildete den Ursprung der Ansiedlung von Juden in Preußen, weil ein Teil der aus Wien Vertriebenen in Brandenburg Aufnahme fand.

Bezeichnend wirkt ein Gutachten der Hofkammer Leopolds I. aus dem Jahre 1673, also nur wenige Jahre nach den Vertreibungen in Wien. Die Hofkammer machte in diesem Gutachten darauf aufmerksam, daß die Ausweisungen der Juden zu einem Niedergang des Handels und folglich zur Verteuerung der Waren geführt hatten. Auch der Staat selbst litt, weil es die früheren Einnahmen in Form von den Juden auferlegten Steuern oder Krediten nicht mehr gab. Während die Hofkammer früher von den Juden innerhalb von Stunden bis zu 100.000 Gulden und mehr erlöst hatte, mußte sie nun über Wochen verhandeln, um Anleihen von lediglich 10.000 Gulden zustande zu bringen[2].

Die Hofkammer bat deshalb den Kaiser, zumindest wohlhabenden Juden eine Ansiedlung in Wien wieder zu erlauben. In diesem Zusammenhang wiesen die Finanzräte auch darauf hin, dass sich einige Juden bereits erklärt hätten, für ein solches Privileg 300.000 Gulden an den Staat zu zahlen. Und schließlich verwies die Kammer noch auf den Kurfürsten von Brandenburg, der vielen der aus Wien verbannten Juden zum Nutzen seines Staates in Berlin und im Umland Wohnrechte eingeräumt hatte. Der Kaiser war schließlich zu einer Revision seiner Maßnahmen von 1670 bereit. In der Folgezeit mußte er diese Zugeständnisse ausweiten, weil das sich nahezu ständig im Krieg befindliche Österreich auf die Kredite der jüdischen Finanziers und die Leistungen der Heereslieferanten in besonderem Maße angewiesen war.

Damit begann die Ära von Samuel Oppenheimer aus Heidelberg und seines Schwiegersohnes Samson Wertheimer. Oppenheimer, der diverse deutsche Armeen bereits beliefert hatte, wurde Lieferant des österreichischen Heeres und Bankier des kaiserlichen Hofes. Er ließ sich in Wien nieder und beschäftigte in seinen Unternehmen viele jüdische Mitarbeiter. Sein Einfluß auf die Behörden ging so weit, daß er vielen Juden als seinen Agenten oder als auch als selbständigen Unternehmern zu Wohnrechten in Wien verhelfen konnte. Auf diese Weise war in der Hauptstadt des Reiches schon am Ende des 17. Jahrhunderts erneut eine jüdische Kolonie entstanden[3].

Nach dem Tod von Oppenheimer diente der Finanzier und Rabbiner Samson Wertheimer drei Jahrzehnte lang (von 1694–1724) drei aufeinanderfolgenden Kaisern (Leopold I., Joseph I. und Karl VI.) als Oberhoffaktor, Hofbankier sowie als Finanzagent. Und wie dies schon Oppenheimer getan hatte, verschaffte auch Wertheimer vielen neu zugewanderten Juden Niederlassungsrechte in Wien, indem er sie bei den Behörden als Mitarbeiter seiner Unternehmen oder als Angehörige seines Haushalts anmeldete.

Bis etwa 1740 belief sich die Zahl der in Wien wohnenden Juden schon auf rund 4.000, womit der Stand des Jahres 1670 wieder erreicht war. Die privilegierten Familien, die nur einen Teil dieser 4.000 Personen ausmachten, mußten für ihre Wohnrechte gewaltige Summen entrichten. Mit der erforderlichen Verlängerung der Privilegien stiegen diese Beträge weiter an. Außerordentliche Steuern und Abgaben kamen hinzu.

Unter Karl VI. (1711–1740) ging dies so weiter; insbesondere mit Maßnahmen gegen die »Nichtprivilegierten« (die sich in der Stadt illegal Aufhaltenden). Es gab Anordnungen, dass in jeder Familie nur der älteste Sohn eine Ehe eingehen durfte. Weiter sollten sich die Wohnrechte der Mitarbeiter von Privilegierten nicht auf deren Frau und Kinder erstrecken. Auch wollte man eine Verlängerung der Privilegien nur in Ausnahmefällen bewilligen und selbst dann nur im Zusammenhang mit einer Erhöhung des zu leistenden »Toleranzgeldes«.

Ähnlich verfuhr man in den von Juden stark bevölkerten Böhmen und Mähren, wo sich Prag und Nikolsburg zu Zentren der jüdischen Gemeindeselbstverwaltung entwickelt hatten. Daneben gab es auch einige königliche Städte wie Brünn oder Olmütz, wo den Juden der ständige Aufenthalt gänzlich untersagt war. Dort durften sie sich nur befristet, beispielsweise während der Zeiten von Messen, aufhalten. Dafür war pro Tag ein genau festgelegter Leibzoll zu entrichten.

Wo Juden dauerhaft leben durften, dort hatten sie abgesehen von der Hauptsteuer, dem so genannten »Toleranzgeld«, zahllose andere Abgaben zu entrichten (Haus-, Vermögens-, Gewerbe- und Wehrsteuer sowie alle möglichen »Taxen« wie Gebühren für die Einsetzung eines neuen Rabbiners oder für die Vollziehung einer Trauung). Die Ausübung des Schneider-, Schuster- und Barbierhandwerks war entweder verboten oder nur gegen Zahlung hoher Gebühren erlaubt.

In dem damals noch zu der Monarchie der Habsburger gehörenden Schlesien, das sich staatsrechtlich eng an Böhmen anlehnte, war es ähnlich. Stets ging es auch hier um die »Reduzierung« der Juden in den Landesteilen des Reiches in denen sie am zahlreichsten vertreten waren[4].

Unter Maria Theresia (1740–1780), die in den Juden auch Kollaborateure Preußens sah, verschlechterte sich die Situation noch. Die Kaiserin erließ am 18. Dezember 1744 ein Dekret, wonach in Böhmen kein Jude mehr geduldet werden sollte«. Bis zum 3. Januar 1745, also im Laufe eines Monats, sollte es in Prag und in Böhmen insgesamt keinen einzigen Juden mehr geben.

Dagegen traten aber die Statthalterei und der Prager Magistrat ein. Beide Behörden wiesen auf die Probleme hin, die eine plötzliche Ausschaltung eines so bedeutsamen Teiles der gewerbetreibenden Bevölkerung für das gesamte Wirtschaftsleben des Landes verursachen mußte.

Die Kaiserin lenkte ein und berief eine Kommission, die die Ausweisungsfrage erneut prüfen sollte. Die Kommission sprach sich für die Revision des Dekrets aus. Unterstützt wurde dies von den böhmischen Ständen, denen damals ein hoher Wehrbeitrag aufgebürdet werden sollte. Die Stände erklärten, daß sie die ihnen zugedachten Steuerlasten nur für den Fall tragen würden, wenn man die Juden unbehelligt lassen und wenigstens den wohlhabenderen unter ihnen die Rückkehr nach Prag gestatten würde.

Dem konnte sich die Kaiserin nicht länger widersetzen. Sie unterzeichnete im September 1748 ein Dekret, das den Juden für weitere zehn Jahre das Aufenthaltsrecht sowohl in Böhmen überhaupt als auch in seiner Hauptstadt zusicherte. Die aus Prag Vertriebenen wurden sogar eindringlichst dazu ermahnt, sich möglichst bald in der Stadt neu einzurichten, da der Staatsschatz alles Interesse daran hatte, die ihm Tributpflichtigen in seiner sicheren Obhut zu wissen. Nach Ablauf der zehnjährigen Frist wurde das Wohnrecht erneut verlängert, wobei der Betrag des von den Juden zu leistenden »Schutz«- oder »Toleranzgeldes« bedeutend erhöht wurde.

Insgesamt erreichten die Abgaben der Juden unter Maria Theresia neue Größenordnungen. Außer den ohnehin schon sehr hohen Steuern und Sonderabgaben hatten die Juden während des Siebenjährigen Krieges (1756 bis 1763) wiederholt erhebliche Beiträge für den Unterhalt des Heeres zu leisten (»Wehrbeiträge«). In Wien erließ Maria Theresia „Judenordnungen" (1753 und 1764) sowie ergänzende Einzeldekrete, mit denen die jüdischen Lebensverhältnisse aufs Genaueste geregelt werden sollten. Zu nennenswerten Ergebnissen führte auch dies aber nicht.

Vollends unkontrollierbar wurde die Situation, als Österreich in Folge der 1772 erfolgten ersten Teilung Polens den größten Teil Galiziens erhielt, wo nach den amtlichen Angaben über 200.000 Juden lebten. Die Zahl der jüdischen Bevölkerung Österreichs war damit auf einen Schlag mehr als verdoppelt.

»So hatte die jüdische Frage in Österreich nach Ablauf eines Jahrhunderts, dessen Beginn durch die Ausweisung aus Wien und dessen Ausgang durch die Einleitung eines gleichen Experiments in Böhmen und Mähren gekennzeichnet ist, eine Komplikation erfahren, der allein mit den Mitteln des amtlichen Judenhasses nicht mehr beizukommen war. Der Nachfolger Maria Theresias, Joseph II., sollte es denn auch nicht an dem Versuch fehlen lassen, die schwierige Aufgabe in einem neuen Geiste, in dem des aufgeklärten Absolutismus, zur Lösung zu bringen«[5].

Auch in Süddeutschland war der Judenschutz zunächst als kaiserliches oder als landesherrliches Privileg gestaltet. Bald zogen aber auch Domkapitel, Klöster und Reichsritter den Judenschutz an sich. Sie begannen in ihren Territorien aus wirtschaftlichen Erwägungen jüdische Ansiedlungen zu gestatten. Wie die Territorialfürsten erhoben sie als Gegenleistungen dafür vielfältige Abgaben. Damit war eine ins Grundsätzliche gehende Rivalität der Territorialfürsten eröffnet. In welcher Form und mit welchen Ergebnissen dies erfolgte, zeigt das Beispiel der Stadt Fürth, das größte jüdische Gemeinwesen in Süddeutschland.

Fürths Entwicklung vollzog sich in einem besonders komplizierten Umfeld, weil hier die Reichsstadt Nürnberg, das Markgrafentum Ansbach und die Domprobstei Bamberg bis 1792 um die Herrschaftsrechte stritten. Nürnberg hatte 1499 alle Juden vertrieben und ließ eine Neuansiedlung bis 1856 nicht mehr zu. Dagegen setzte der Ansbacher Markgraf die Ansiedlung von Juden in Fürth in seinen machtpolitischen Auseinandersetzungen mit dem benachbarten Nürnberg bewußt ein. In allen ansbachischen und später auch in den bambergischen Ausweisungsdekreten des 16. und 17. Jahrhunderts waren die Fürther Juden deshalb ausdrücklich ausgenommen.

Zudem statteten Ansbach und Bamberg im Gegensatz zu den umliegenden Herrschaften ihre Fürther Schutzjuden mit einer Vielzahl von Privilegien aus. Die Fürther Gemeinde wuchs nach der Errichtung der ersten Gemeindesynagoge im Jahre 1617, der im Lauf der Jahrhunderte noch viele andere Gemeindeeinrichtungen folgten, kontinuierlich. Auch konnten nach der Vertreibung der Juden aus Wien etliche jüdische Familien in Fürth Zuflucht finden; so vor allem die Fränkels, eine der bekannten Familien der Wiener Judenstadt. Im Gegensatz zu anderen Städten stieg die jüdische Bevölkerung in Fürth stetig an: 1601 waren 22 Familien ansässig, 1706: 100 Familien, 1752: 500 und 1806 schließlich 543 Familien (Anteil der Juden an der Fürther Gesamtbevölkerung an der Wende vom 18. zum 19. Jahrhundert: etwa 22 Prozent).

Auch hier hatte sich aber bald das Prekäre der jüdischen Existenz gezeigt. Im Jahre 1712 wurde der ansbachische Hoffaktor Elkan Fränkel (1675–1720), der gleichzeitig Gemeindevorsteher der jüdischen Gemeinde Fürth war, mit seinem Bruder, dem Fürther Rabbiner Hirsch Fränkel, angeklagt. Die Anklage behauptete, die Gebrüder Fränkel würden hebräische Bücher mit Schmähungen gegen das Christentum besitzen und hätten den Markgrafen beleidigt. Elkan Fränkel wurde daraufhin öffentlich ausgepeitscht und bis zu seinem Tode 1720 inhaftiert. Sein Bruder Hirsch erlitt ein ähnliches Schicksal.

Auf dem Land lebten die von Grundeigentum und Handwerk ausgeschlossenen sowie im Handel Beschränkungen unterworfenen Juden unter schwierigen Verhältnissen. Im süddeutschen Raum waren Landjuden in der Regel als Vieh- und/oder Naturalienhändler beziehungsweise als Hausierer tätig. Der Hausiererhandel war mit der Pfandleihe verknüpft, weil Juden Alltagsgegenstände als Pfand akzeptierten und dafür Geldbeträge verliehen. In den Geschäftsbeziehungen zwischen Bauern und Viehhändlern war es ähnlich, weil die Bauern außerhalb der Erntezeiten selten über genügend Bargeld verfügten. Der Viehhandel war in der Regel mit Geldverleih verknüpft[6].

Im Handel hatten Juden überwiegend die Funktion von Zwischenhändlern, die landwirtschaftliche Produkte dem städtischen Verbrauch zuführten und im Gegenzug die Landgebiete mit in den Städten hergestellten Produkten versorgten. Dazu die Historikerin Monika Berthold-Hilpert in ihrem Handbuchbeitrag zu Bayern und Süddeutschland während der Jahre 1648–1871: »Alle Versuche der Obrigkeit, den Schacher- oder Hausiererhandel abzuschaffen und Juden neue Erwerbsquellen in Handwerk oder Landwirtschaft zuzuweisen, ließen außer acht, welch wichtigen Wirtschaftsfaktor gerade der jüdische Kleinhandel für den ländlichen Raum bedeutete. In der Nordpfalz lag der Handel mit Rindern in der Mitte des 17. Jahrhundert zu einem Drittel in jüdischen Händen, Ende des 18. Jahrhundert zu fast neun Zehntel. Im Kurfürstentum Mainz war die Haupterwerbsquelle der Landjuden der Pferde- und Viehhandel. In Franken und Schwaben hatten jüdische Viehhändler bis in die Zeit des Nationalsozialismus faktisch eine Monopolstellung«[7].

Kennzeichnend waren für Süddeutschland auch die Züge von verarmten Wanderjuden, die während des 17. und 18. Jahrhunderts einen Teil der zunehmend auftretenden Scharen von Bettlern bildeten. Neben Pogromflüchtlingen aus Osteuropa und Vertriebenen aus anderen Territorien zählten dazu auch die Juden, die keine Schutzbriefe hatten und deshalb gezwungen waren, von Ort zu Ort zu wandern. Bis in das 19. Jahrhundert hinein versuchten die Obrigkeiten, auch dieses Problem durch eine Vielzahl von Anordnungen und Ausweisungen zu lösen. Diese Versuche blieben ohne wesentliche Erfolge[8].

Die bis in die Mitte des 19. Jahrhundert gültige Grundposition der bayerischen Judenpolitik wurde in einem kurfürstlichen Erlass vom Januar 1801 festgeschrieben. »Ausgehend von der grundsätzlichen Schädlichkeit der Juden für den Staat und einem negativen Urteil über ihre gegenwärtige Verfassung, formulierte der Staat einen Erziehungsanspruch, der nur dem nützlichen Staatsbürger Gleichberechtigung bei Anpassung und Wohlverhalten verhieß.

Gleichzeitig verschlechterte der bayerische Staat aber die ohnehin schon prekäre wirtschaftliche Lage der Landjuden durch das Verbot jeglichen

Güterhandels, ohne ihnen, wie im Erlass angesprochen, weitere Wirtschaftszweige tatsächlich zu eröffnen«[9].

Frankfurt

In der freien Reichsstadt Frankfurt am Main lebten die Juden unter besonders bedrückenden Verhältnissen. Die »Judenstättigkeit«, die Verfassung aus dem Jahr 1616, die nach Pogromen und der zeitweiligen Verbannung der jüdischen Einwohnerschaft zustande gekommen war, blieb hier noch lange, bis weit in die zweite Hälfte des achtzehnten Jahrhunderts, in Kraft. Diese Stättigkeit bestimmte das Leben der Frankfurter Juden bis ins kleinste Detail und schränkte ihre Erwerbsmöglichkeiten ein[10].

Im Sinne der Judenstättigkeit durften Juden – nicht mehr als insgesamt 500 Familien – nur in der »Judengasse« wohnen. Die Judengasse war durch eine hohe Mauer und drei Tore von der Stadt getrennt. Diese Tore wurden bewacht und nachts verriegelt, an Sonntagen und christlichen Feiertagen auch tagsüber. Der Aufenthalt in den von Christen bewohnten Stadtteilen war den Juden lediglich während des Tages gestattet. Mit dem Anbruch der Dunkelheit durften sie sich in der Stadt ebenso wie an Sonn- und christlichen Feiertagen nicht aufhalten.

Bis 1726 mußten Juden auf ihren Kleidern die besonderen Kennzeichen tragen, die in der Stättigkeit festgelegt waren (bei Männern zwei auf Mantel oder Jacke genähte konzentrische gelbe Ringe, bei Frauen ein blaugestreifter Schleier).

Bedrückend für das Leben der Juden in Frankfurt war vor allem das Ghetto selbst, die im Stadtbezirk räumlich genau begrenzte »Judengasse«. Sie erstreckte sich über ein 250 Meter langes und etwa drei Meter breites Areal. Die Gasse war zu einer Zeit angelegt worden, als die jüdische Bevölkerung kaum mehr als 100 Menschen zählte. Um 1711 lebten dort aber 3.024 Personen. Die räumliche Begrenzung wurde mit der zunehmenden Bevölkerung in diesem Bezirk immer beengender.

Auf die schmalen Häuser mußten dann neue zusätzliche Stockwerke gebaut werden. Daraus entstand ein Gewirr schmaler, kaum passierbarer Gäßchen mit schrecklichen Wohnverhältnissen. Die Häuser waren knapp 2,50 Meter breit und hatten bis zu vier Stockwerke. Hinter jeder Häuserreihe wurde eine zusätzliche Reihe gebaut.

Nach einer Schätzung aus den achtziger Jahren des 18. Jahrhunderts lag die Sterblichkeit bei Juden in Frankfurt im Durchschnitt um 58 Prozent höher als bei Nichtjuden. Ein Reisender schrieb im Jahre 1795: »Die meisten unter den Frankfurter Juden, sogar jene, die in der Blüte ihres Lebens stehen, sehen wie wandelnde Tote aus ... Ihre Totenblässe sticht von allen anderen Einwohnern auf bedrückendste Weise ab«[11].

Goethe schieb in seinen Erinnerungen über das Elendsviertel, das er im Alter von 13 Jahren zu ersten Mal in betreten hatte: »Die Enge, der Schmutz, das Gewimmel, der Akzent einer unerfreulichen Sprache, alles zusammen machte den unangenehmsten Eindruck, wenn man auch nur am Tore vorbeigehend hineinsah. Es dauerte lange bis ich allein mich hineinwagte, und ich kehrte nicht leicht wieder dahin zurück, wenn ich einmal den Zudringlichkeit so vieler, etwas zu schachern unermüdet fordernder oder anbietender Menschen entgangen war«[12].

Ludwig Börne, der in den 1780er und 1790er Jahren in der Judengasse (als Juda Löw Baruch) aufgewachsen war, schrieb später über einen »... langen finsteren Kerker, wohin das hochgepriesene Licht des 18. Jahrhunderts noch nicht hat dringen können ... Vor uns eine lange unabsehbare Gasse, neben uns gerade so viel Raum, um den Trost zu behalten, daß wir umkehren könnten, sobald uns die Lust dazu ankäme. Über uns ist nicht mehr Himmel als die Sonne bedarf, um ihre Scheibe daran auszubreiten ....«[13].

Auf diese Weise lebte hier im 17. und 18. Jahrhundert die größte jüdische Gemeinschaft in Deutschland; auf maximal 500 Familien beschränkt. Keine andere deutsche Stadt erließ im achtzehnten Jahrhundert so strenge Vorschriften für ihre jüdischen Bewohner. Der Frankfurter Stadtrat und die Zünfte achteten streng darauf, daß sich die Juden so gut wie ausschließlich als Händler und Geldwechsler betätigten.

Bis zur Französischen Revolution durften Juden die Stadt nur zu geschäftlichen Zwecken betreten, und auch dann nie mehr als zwei nebeneinander. Bezeichnend folgender Vorgang: Wo Polizeibeamte der Stadt in den Straßen zwei Juden nebeneinander gehen sahen, schritten sie ein und nahmen den betroffenen Juden als Pfand (zur Zahlung der Strafe von zehn Reichstalern) die Hüte weg. Diese Praxis anhand eines Edikts von 1756 (1765 erneuert) ließ sich aber bald nicht mehr aufrechterhalten. Der Rat begann die Nichtanwendung dieses Verbotes stillschweigend zu dulden[14].

Im Allgemeinen hatten die Juden in Frankfurt keine andere Wahl als mit den Anordnungen der Stadt und ihrer Räte zu leben. Eine Aufklärungsbewegung wie in Berlin, die zu der Auflösung veralteteter Gemeindestrukturen beitrug, gab es hier nicht. Als andere deutsche Städte die den Juden auferlegten Beschränkungen schon lockerten, hielt Frankfurt noch daran fest. Exemplare von Lessings Theaterstück »Nathan der Weise« wurden beschlagnahmt. Bezeichnend auch, daß ein Aufruhr entstand, nachdem einem jüdischen Mathematiklehrer 1788 erlaubt worden war, außerhalb des Ghettos zu leben und zu unterrichten. Die Erlaubnis mußte widerrufen werden[15].

Erst im letzten Drittel des 18. Jahrhunderts begannen die Juden in Frankfurt um Bürgerrechte zu kämpfen. Dies geschah noch sehr moderat, indem sie beispielsweise das Recht der freien Bewegung in der Stadt verlangten; insbesondere Zugang zu den öffentlichen Spazierwegen. Durch Ratsbeschluß vom 28. September 1769 wurde das abgelehnt, da dies »unschicklich« sei. Man befahl den Juden nachdrücklich, sich auf den öffentlichen Spazierwegen auch künftig nicht sehen zu lassen.

Am 15. November 1787 erließ schließlich der Rat die »große Konzession«, daß Juden an Sonn- und Feiertagen um fünf Uhr nachmittags (nach beendetem christlichen Gottesdienst) ihr Ghetto verlassen durften, »um noch Luft schnappen zu können«. Vorausgesetzt allerdings, daß sich die Juden dabei »bescheiden« verhalten würden.

Paul Arnsberg, der Verfasser der grundlegenden »Geschichte der Frankfurter Juden seit der Französischen Revolution« faßte dies so zusammen: »In so beengten Verhältnissen lebten die Juden in Frankfurt während des ganzen 18. Jahrhunderts. Sie waren abgestumpft und empfanden vieles nicht in seiner ganzen Schwere. Nur ganz vereinzelt taucht in einer Eingabe der Frankfurter Juden an den Rat der Wunsch auf, aus dem Ghetto herausgeführt zu werden. Sie hätten in Ketten so weiter gelebt, wenn nicht die Französische Revolution die Mauern des Ghettos hinweggefegt hätte[16].

Hamburg

Die Geschichte der Juden in der Hansestadt Hamburg und im Raume Hamburg spiegelt die territoriale Zersplitterung Deutschlands im 17. und 18. Jahrhundert auf deutliche Weise wider. Altona und Ottensen gehörten zu der Grafschaft Holstein-Schauenburg und innerhalb dieses Territoriums zum Amt Pinneberg, das 1640 nach dem Tod des letzten Schauenburger Grafen unter die Oberhoheit der dänischen Krone gekommen war.

Hamburg war ein vom Rat unter Mitwirkung verschiedener Bürger-Kollegien regierter Stadtstaat, Wandsbek ein adeliges Gut. Harburg unterstand dem Herzog von Braunschweig-Lüneburg. So unterschiedlich wie die territoriale Zugehörigkeit der genannten Gebietsteile waren auch die rechtlichen Rahmenbedingungen für die Juden in Altona, Hamburg, Wandsbek und Harburg. Zudem war Hamburg eine der ganz wenigen Regionen in Deutschland in der Juden aus Spanien oder Portugal (»Sephardim« genannt und meist aus den Niederlanden zugewandert) neben den Juden aus Zentral-, Mittel- und Osteuropa (»Aschkenasim«) lebten[17].

Die Sephardim stammten von der iberischen Halbinsel, wo sie infolge der spanischen Reconquista ab 1492 von Verfolgungen und Vertreibungen bedrängt worden waren. Sie wanderten dann in die Niederlande aus; von dort auch nach Hamburg. Die spanischen und portugiesischen Juden kamen nicht als arme Flüchtlinge nach Hamburg. Sie brachten besondere Fertigkeiten (Makler, Schiffbauer, Goldschmiede und Ärzte), Finanzkraft sowie Handelsbeziehungen mit; in einer Hafenstadt wie Hamburg besonders wichtige Punkte. Die Stadt nahm die Sephardim folglich gerne auf.

Ein erster Vertrag hierüber datiert aus dem Jahre 1612. Gegen Zahlung bestimmter Abgaben wurde das Niederlassungs- und Aufenthaltsrecht für Hamburg zugesichert. Die portugiesischen Juden, die sich in Ritus, Sprache und im sozialen Stand deutlich von den etwas später eintreffenden sogenannten aschkenasischen (deutschen) Juden unterschieden, bildeten im 17. Jahrhundert den selbstbewußtesten und reichsten Teil des Judentums in Europa. Sie wiesen mehrere herausragende Figuren auf. Diego Abraham Texeira beispielsweise, der sich im Jahre 1645 in Hamburg als Großkaufmann und Finanzagent (»Resident«) der schwedischen Königin Christine angesiedelt hatte. Seine Position und sein Reichtum waren für den kaiserlichen Hof in Wien eine Herausforderung, was 1648 zu einem über viele Jahre andauernden Konflikt führte.

Die kaiserliche Regierung in Wien warf Texeira die »Beleidigung der göttlichen Majestät« vor. Sie verlangte von dem Hamburger Senat, den Beschuldigten der katholischen Inquisition auszuliefern und sein Vermögen bis zur Urteilsverkündung zu beschlagnahmen. Der aus Protestanten bestehende Senat Hamburgs lehnte die Forderungen des katholischen Wien ab.

Elf Jahre später stellte der Kaiser Leopold I. beim Reichsgericht den Antrag, Texeira wegen »Beleidigung« zur Verantwortung zu ziehen. Als Texeira um die Erlaubnis bat, im Zusammenhang mit geschäftlichen Dingen sich in Wien aufhalten zu dürfen, wies die Wiener Regierung diesen Antrag ab. Sogar die schwedische Königin Christine setzte sich für die Bewilligung des Antrags von Texeira ein. Vergeblich, es blieb bei der Ablehnung Wiens.

Motive für diese Verhaltensweisen zeigten sich später, als die infolge der Türken-Kriege an Geldnot leidende Regierung in Wien mit einem Erpressungsmanöver aufwartete. Im Jahre 1663 erhielt der österreichische Resident in Hamburg den Auftrag, Texeira zu veranlassen, »zur Bestreitigung gegenwärtiger Kriegsausgaben« ein Lösegeld von nicht weniger als 150.000 Talern zu bezahlen. Die Hamburger Behörden sollten sicherstellen, daß er bis zu der Erfüllung der Forderung die Stadt nicht verlassen oder sein Vermögen fortschaffen würde.

Auch in diesem Fall lehnte der Senat ab. Aus der Begründung des Senats: Es wäre ein Präzedenzfall, einen der aus Spanien oder Portugal geflüchteten und in Hamburg Handel treibenden Juden der Inquisition auszuliefern. Der Handelsplatz Hamburg würde dadurch stark geschädigt werden. Als Diego Abraham Texeira im Jahre 1666 starb, führte sein Sohn

Manuel Isaak die Verhandlungen mit Wien weiter. Der Streit endete schließlich damit, daß Texeira dem Kaiser einen auf 75.000 Taler lautenden Wechsel eines spanischen Granden und mehrere tausend Taler in Bar übergab[18].

Obwohl sich der Hamburger Senat hierbei standhaft verhalten hatte, galt insgesamt auch für Hamburg die allenthalben zu beobachtende Politik gegenüber den Juden in Form von Beschränkungen und hohen Abgaben. Als der Senat 1697 Repressivmaßnahmen gegen jüdische Händler wie eine drastische Erhöhung der Steuern verkündete, wanderten viele der angesehensten Gemeindemitglieder Hamburgs in das benachbarte, unter dänischer Herrschaft stehende Altona ab. Manuel Isaak Texeira siedelte ganz nach Amsterdam über.

Die Nachteile für Hamburg müssen spürbar gewesen sein. Denn schon bald konnten die Juden nach Hamburg wieder zurückkehren. Im Jahre 1710 wurde den »portugiesischen Juden« in Anerkennung ihrer Leistungen auf dem Gebiete des Handels mit Spanien das Recht zuerkannt, 20 vereidete Börsenmakler zu ernennen.

Wesentlich anders gestaltete sich über viele Jahre das Schicksal der Aschkenasim in Hamburg, die neben den Sephardim »wie Plebejer neben Patriziern« wirkten. Vereinzelte Gruppen deutscher Juden (von den Sephardim »Tedeschi« = Deutsche genannt und meist Einwohner der zu Dänemark gehörenden Städte Altona und Glückstadt) hatten in Hamburg kleinere Kolonien gebildet. Im Jahre 1649 verlangte der Stadtrat ihre Ausweisung.

Sie mußten die Stadt verlassen und siedelten sich in Altona – praktisch eine Vorstadt Hamburgs, aber unter der Herrschaft Dänemarks – an. Die Vertriebenen konnten Hamburg zwar betreten. Dafür war aber ein Paß erforderlich, der gegen Entrichtung einer Gebühr von einem Golddukaten ausgestellt wurde (gültig für einen Monat).

Einige Jahre später (1654) gelang es einer Gruppe von Aschkenasim, in Hamburg erneut Fuß zu fassen. Sie galten als »Dienstboten der portugiesischen Nation« und standen unter dem Schutz der bevorrechteten Sephardim. Zu dieser Zeit nahm die Zuwanderung von Juden aus Polen deutlich zu; eine Folge der Kosaken-Pogrome in der Ukraine. Infolge dieser Zuwanderungen begannen sich die Aschkenasim auch im Hamburger Raum erheblich zu vermehren[19].

Im Laufe des 18. Jahrhunderts wuchs die Kolonie der Aschkenasim in Hamburg infolge des Zustroms neuer Einwanderer so stark, daß die Sephardim zunehmend in die Bedeutungslosigkeit gerieten. Zuvor einflußreiche Familien verließen Hamburg und gingen nach Holland zurück. Kleine sephardische Gemeinden blieben in Hamburg und Altona (weitere Gemeinden in Emden, Glückstadt und auch Kopenhagen).

Im Hinblick auf die Judenpolitik verharrte der Norden Deutschlands in Stagnation. Später übernahm man dann in den einzelnen Territorien wie auch im Westen unter der Herrschaft Napoleons die französischen Emanzipationsgesetze (die dann im Zuge der Restauration rasch wieder abgeschafft wurden). Der Süden Deutschlands wies eine Fülle von kaum darstellbaren Einzel- und Spezialregelungen auf. Eine konzeptionelle Antwort auf die auch hier gestellte Judenfrage kam nicht zustande. Dagegen stand Preußen mit seiner Modernisierungspolitik in der Juden die Rolle eines Ersatzbürgertums spielen sollten.

Die Entwicklung des preußischen Staates, der zwischen 1670 und 1871 zu der Großmacht des Kontinents aufstieg, hatte eine prägende Kraft, die sich auch auf die Modernisierung des Judentums erstreckte. In Preußen vollzog sich dieser auf die Emanzipationsgesetzgebung zulaufende Modernisierungsprozeß des Judentums am deutlichsten, wodurch die Entwicklungen in anderen deutschen Staaten auf vielfältige Weise beeinflußt wurden.

Die rechtliche Entwicklung wurde überlagert und vertieft von sozialen Veränderungen bei den Juden selbst. Aus einer winzigen Gemeinde, aus einer in ihrer Kultur und Religion separierten Minderheit wurde das Judentum, das sich seiner Umwelt umfassend und intensiv zuwandte. Hierin liegen die Ursprünge des deutschen Judentums in der Moderne insgesamt mit seinem Aufstieg.

In Preußen hatten Juden seit 1573 nicht mehr leben dürfen. Ausgelöst hatte dies der Tod des Kurfürsten Joachim II. Sein jüdischer Münzmeister Lippold wurde sofort des Mordes verdächtigt. Zwar ließ sich der Verdacht nicht erhärten, aber Lippold wurde dennoch gerädert und gevierteilt. In der Mark waren Juden von nun an nicht mehr geduldet[20].

Wohl gab es in den folgenden hundert Jahren noch jüdische Ansiedlungen. Aber sie beschränkten sich im Wesentlichen auf die Besitzungen im Westen wie Kleve. Als Preußen für die Abtretung Pommerns an Schweden im Rahmen des westfälischen Friedens die Bistümer Minden und Halberstadt erhielt, deutete sich eine kleine Wende an[21]. Denn der Kurfürst erließ 1650 für die Halberstädter Juden ein Privileg, wonach sie gegen ein jährliches Geleitgeld von acht Talern in der Stadt bleiben konnten. Die hier getroffene Regelung wurde zum Muster für die später im Stammland, vor allem in Berlin ausgeführte Politik.

Dort konnte der Kurfürst den Konflikt mit den Ständen, die gegen die Aufnahme von Juden waren, allerdings erst riskieren, als sich seine Macht schon gefestigt hatte. Noch 1641 hatte er angesichts des Widerstands der Stände das Angebot einer Gruppe ausländischer Juden ausschlagen müssen, gegen eine Zahlung von 20.000 Talern nach Brandenburg einzuwandern. Und dies obwohl das Geld benötigt wurde, weil die Staatsfinanzen völlig erschöpft waren[22].

Der Anlaß für die Niederlassung der Juden in der Mark Brandenburg kam schließlich 1669/70. Kaiser Leopold I. hatte auf Drängen von Magistrat und Bürgerschaft Wiens die Vertreibung der Juden aus Niederösterreich angeordnet[23]. Der brandenburgische Resident in Wien, Andreas Neumann, berichtete darüber nach Berlin. Der Kurfürst, der gegenüber den Ständen schon freier agieren konnte, wollte 50 dieser Familien für 20 Jahre den Aufenthalt in der Mark gestatten. Die Bedingungen legten Geheime Räte in einem Gutachten fest.

Die wichtigsten Teile dieser Ausarbeitung: Die Juden sollten keine »öffentliche Synagoge« einrichten. Der private Gottesdienst blieb ihnen dagegen unbenommen. Neben den Lasten, die alle Einwohner zu tragen hatten, schlugen die Räte noch eine besondere Abgabe, das Schutzgeld, vor. Handel und Wandel standen ebenso frei wie der Erwerb von Häusern. Der Entwurf wurde später veröffentlicht und galt fortan als »Magna Charta« für die preußischen Juden[24].

Neben den aus Österreich Vertriebenen gestattete Berlin auch Juden aus anderen Staaten, darunter aus Polen und Hamburg, die Zuwanderung. Diese Aufnahme war für die Politik des Kurfürsten und der späteren Hohenzollern typisch. Machterweiterung und Konsolidierung des Landes standen im Vordergrund. Der Zuzug ausländischer Kaufleute und Handwerker bot sich hierzu als sinnvoller Weg an[25].

Machtstaat und Judenpolitik

Dieses politische und wirtschaftliche Modernisierungsprogramm mußte allerdings bereits unter dem Kurfürsten einer ständig steigenden Anzahl von Nutznießern der alten Ordnung als Gefahr erscheinen. Vor allem diese bedrohten Existenzen sahen in den Neulingen die Agenten eines existenzgefährdenden Fortschritts. So beklagten bereits Ende 1672 die Landstände in einer Eingabe an den Kurfürsten, daß »die Juden eine gänzliche Zerrüttung der Handlung und Nahrung des Landes verursachen ...«[26].

Mit solchen Argumenten versuchten die Stände wiederholt, den Kurfürsten zur Ausweisung der Juden zu bewegen. Am 13. April 1683 knüpften sie an Beschwerden die Bitte, diese Feinde der Christen »... nicht länger zu dulden und aus dem Lande zu schaffen ...«[27]. Nahezu identische Proteste kamen von den Innungen: »Denn diese Unchristen laufen von Dorfe zu Dorfe, von Städten zu Städten ... mit alten Lumpen die Leute betrügen ...

daß wir auch auf den ordentlichen Jahrmärkten im Lande ... nicht den Fuhrlohn, geschweige denn andere Kosten ... mehr verdienen können«.

Der Kurfürst lehnte derartige Beschwerden in der Regel ab[28]. Denn hinter der Öffnung des Landes für die Fremden stand ein strategisches Konzept. Der Kurfürst wollte die Juden ebenso wie die französischen Hugenotten zur Belebung der Wirtschaft einsetzen[29]. Eine solche Modernisierungspolitik mußte aber notgedrungen die einheimischen Händler und Handwerker schädigen. Weiter mußte jede Schädigung dieser Schichten mittelbar auch deren Oberherren, die vom Adel dominierten Landstände, schwächen. Indem der Herrscher das wirtschaftliche Potential seines Landes auf Fremde verlagerte, erschütterte er die Stellung des Adels, seines Kontrahenten beim Kampf um die Herrschaftsgewalt[30].

Von Fremden wie den Juden brauchte der Kurfürst in diesem Konflikt nichts zu befürchten. Sie waren eine völlig von ihm abhängige Gruppe, deren Aufenthaltserlaubnis jederzeit wieder rückgängig gemacht werden konnte. Überdies: »Die Ablehnung der Bevölkerung gegenüber den Neuaufgenommenen verhinderte jede Solidarisierung zwischen diesen Gruppen, was zu einer totalen Abhängigkeit der Juden vom Wohlwollen des Landesherrn führte«[31].

Damit ging einher, daß der Kurfürst Friedrich Wilhelm die Judenpolitik ganz in die Hand nehmen wollte. Zuvor hatten die Judenangelegenheiten traditionell die Landesregierungen geregelt. Diese bestanden aus dem alten Feudaladel, der ständisch-partikularistischen Interessen verhaftet blieb. Die Auseinandersetzungen um die Ansiedlung der Juden sind somit auch als Teil des großen Machtkampfes zu sehen. Wo der Kurfürst die Stände überwunden hatte, dort konnte er nach seinen Vorstellungen verfahren. Wo hingegen, wie in Magdeburg, der Kampf mit den Ständen lange Zeit unentschieden verlief, gab es für eine Ansiedlung von Juden noch keine Chance[32].

Unter dem späteren König Friedrich I. (1688–1713) blieb der gesetzliche Rahmen für die preußischen Juden im Großen und Ganzen dem Edikt von 1670 verpflichtet. Die Ansiedlungen nahmen zu. So hatten 1688 in der gesamten Kurmark einschließlich Berlins noch 101 jüdische Familien gelebt. Nur 12 Jahre später waren es bereits 277[33].

Ihre Rolle für den preußischen Finanzhaushalt ergibt sich aus der Steuerstatistik Berlins recht deutlich. Danach entrichteten die Juden in der Hauptstadt 1696 an Warensteuern (Akzise) 8.614 Taler. Die entsprechenden Einnahmen der Staatskasse aus ganz Berlin betrugen in diesem Jahr 78.669 Taler[34].

Wie sehr sich die Verhältnisse schon bald verschoben, zeigt die Gegenüberstellung für die folgenden Jahre.

Steuereinnahmen in Berlin		
Jahr	Akzisezahlungen der Juden Berlins	Akziseeinnahmen der Staatskasse in Berlin insgesamt
1699	15.268 Taler	89.413 Taler
1703	42.495 Taler	134.631 Taler
1705	117.431 Taler	168.332 Taler

Selbst unter der Annahme, daß die Juden höhere Akzisesätze zu entrichten hatten, ergibt sich aus dem Vergleich ein gewichtiger Beitrag der Juden für die preußische Wirtschaft. Ähnliches belegt eine Bestandsaufnahme für Königsberg aus den Jahren 1691/92[35]. Die Christen zahlten für fremde und einheimische Handelswaren 1.239 Taler Akzise. Dagegen entrichteten allein die jüdischen Einwohner etwa den doppelten Betrag.

Die steigende Bedeutung der Juden in Preußens Wirtschaft erwies sich als willkommener Anlaß für eine kontinuierliche Erhöhung ihrer Abgaben. Auch dieser Prozeß stand durchaus im Einklang mit der Politik insgesamt. Denn für die aufwendige Hofhaltung Friedrichs I. reichten die Akzise- und Kontributionseinnahmen bald nicht mehr aus. In immer kürzeren Abständen kamen deshalb außerordentliche Steuern[36].

Für die Juden bedeutete dies: Nach dem Erlaß von 1688 sollten sie in der Mark Brandenburg für die jährliche Erneuerung ihrer Schutzbriefe weitere acht bis drei Taler an die Marinekasse zahlen[37]. Weiter wurde der Beitrag der Juden zur Unterhaltung des Militärs auf 30.360 Taler Werbekosten und 55.068 Taler jährliche Verpflegungskosten taxiert[38].

Als Reaktionen darauf ausblieben, wurde am 16. Juli die Zahlung von 20.000 Reichstalern angeordnet. Der Verteilungsschlüssel für die einzelnen Landesteile:

Neumark:	2.000
Mittel- und Uckermark:	1.800
Berlin:	5.000
Preußen:	500
Magdeburg:	400
Kleve:	5.000
Pommern:	1.000
Halberstadt:	2.800
Minden:	800
Ravensburg:	700

Bei der Ausführung erreichten die Judenschaften erhebliche Nachlässe[39]. Die Zuständigkeit für die Juden hatte der Kurfürst von Anfang an seinen Zentralbehörden übertragen wollen. Mit der gewünschten Klarheit gelang ihm dies vorerst aber nur in Berlin. Noch unter seinem Nachfolger, dem späteren König Friedrich I., behielten sich die Magistrate der märkischen Städte und Provinzregierungen vor, über die Ansiedlung von Juden zu entscheiden. Wo sie dies durchsetzen konnten, reichte ihre Macht in der Regel auch aus, um die Schutzgelder selbst zu erheben. Wollte der Staat diese Kompetenzen ganz an sich ziehen, so mußte er die ständischen Gewalten auch hier niederringen, um dann intern für eine effektive Verwaltung des Judenregals zu sorgen. Auch diese Entwicklung der administrativen Kompetenz war aufs engste mit dem Wandel des Staates verbunden.

Im Kampf um das Recht der Steuererhebung hatte die Zentrale schon früh einige Erfolge verbuchen können. Durch diese ersten Siege der Zentralgewalt war der Kampf freilich noch nicht endgültig entschieden. Hartnäckig hielten Städte und Kreise an ihren überkommenen Rechten fest. Erst ab 1703 konnte die Monarchie definitiv die Steuern ohne Zustimmung der Landtage erheben[40].

Als Behörden des Staates traten dabei auf: Der Geheime Rat, bereits 1604 als politische Instanz gegründet. Neben der für die Finanzverwaltung zuständigen Amtskammer stand noch die Hausvogtei. Bei diesen drei Instanzen hatte ursprünglich auch die Kompetenz für Judenangelegenheiten gelegen[41].

Seit 1683 schoben sich aber zwei neue Behörden in den Vordergrund, die vor allem den Geheimen Rat abdrängten: Generalkommissariat und Geheime Hofkammer. Die Kriegskommissariate, die ursprünglich nur die Militärverwaltung verbessern sollten, rissen – ähnlich wie in Frankreich die Intendanten – die gesamte Steuerverwaltung an sich[42].

Im ersten Schritt übernahmen sie gegen die Stände die Kontrolle der Akzise. Generalkommissariat und Geheime Hofkammer (seit 1713 Generalfinanzdirektorium genannt) erreichten eine derartige Bedeutung, daß aus ihrer Zusammenlegung (1722/23) schließlich Preußens administrative Schaltstelle des 18. Jahrhunderts entstehen konnte, nämlich das für Inneres, Finanzen, Handel, Gewerbe, Landwirtschaft und ökonomische Militärverwaltung in fünf Departements eingeteilte Generaldirektorium[43]. Die seit 1723 tätigen Kriegs- und Domänenkammern erfüllten die Funktion nachrangiger Behörden für die Landesteile. Auf regionaler Ebene agierten Steuerräte (in den Städten) und Landräte.

Friedrich I. hatte die Judensachen noch eindeutig beim Geheimen Rat angesiedelt und dieser Behörde zur effektiveren Ausführung einen Generalfiskal beigeordnet (Fiskale übten in Preußen die Funktion der heutigen Staatsanwälte aus und hatten seit 1704 einen gemeinsamen Vorgesetzten, eben den Generalfiskal). Diese Zuständigkeit der Zentralinstanz galt aber nur für Berlin unumschränkt. In den einzelnen Städten der Mark entschieden über die Ansiedlung von Juden immer noch Magistrate und in den

Provinzen Regierungen, die auch die Schutzgelder behielten. Durch die Gründung der bei einem Ratsmitglied angesiedelten Judenkommission, die der Generalfiskal leitete, sollte dieses Durcheinander 1708 beendet werden[44].

Die Judenkommission war im Wesentlichen für die Aufgabenbereiche zuständig, die die Verwaltung der Judensachen schon bisher eingeschlossen hatte: Privilegienschutz, in Berlin Aufsicht über die fremden Juden, deren Zahl 100 Personen nicht übersteigen sollte. Zuzüglern durfte nur gegen eine Kaution von bis zu 6.000 Reichstalern die Aufnahme gestattet werden[45].

Langen Bestand konnte diese Regelung angesichts der kontinuierlichen Machterweiterung der beiden relativ neuen Zentralbehörden nicht haben. Nach der 1722/23 erfolgten Zusammenlegung zum Generaldirektorium übernahm diese Institution auch die Judenangelegenheiten. Folgende Aufgabenverteilung kam zustande: Handel, Wirtschaft und Steuern der Juden ressortierten beim Generaldirektorium.

Die Kommission blieb nur noch für die Aufnahme neuer, das Wegschaffen illegal eingewanderter Juden und das Zeremonialwesen zuständig. Das nur wenige Jahre später, am 29. September 1730 erlassene Generalprivileg setzte im Paragraphen 24 fest: »... jedoch soll keine Regierung befugt sein ... (Juden-Privilegien) zu geben, sondern alle Schutz- und Geleitbriefe der Juden sollen hier ausgefertigt, und von uns selbst nach vorher geschehener Anfrage ... vollzogen werden[46].

Diese Anordnung drückte nur noch per Gesetz aus, was sich machtpolitisch schon seit der Jahrhundertwende abgezeichnet hatte. Die Judenpolitik war zum Monopol der Zentrale, verkörpert durch das Generaldirektorium, geworden. Die konkurrierende Kompetenz der Stände gehörte ebenso der Vergangenheit an wie die Judenkommission als eine Behörde des Übergangs. Gutachter stellten 1750 fest, daß mit der Ausnahme der Justizsachen alle Judenangelegenheiten seit 1727 vom Generaldirektorium geregelt worden seien[47].

Zwänge und Interessenpolitik

Unter Friedrich Wilhelm I. (1713–1740) erhielt der preußische Militär- und Beamtenstaat die Form, die sein Sohn vergrößerte, verfeinerte und ergänzte. Für Preußens zweiten König stand folgendes Ziel im Vordergrund: der Ausbau des nun einigermaßen stabilen Machtstaates mittlerer Dimension zur Großmacht. Mit rigoroser persönlicher Anspruchslosigkeit am Hofe selbst, der Steigerung vorhandener und dem Aufspüren neuer Ressourcen sollte dies erreicht werden; generell mit dem Auspressen aller Untertanen zugunsten der finanziellen Bedürfnisse des Heeres, »dem Schwungrad der Staatmaschine[48].

Die Bilanz des Jahres 1740 zeigte die Erfolge des Soldatenkönigs. Preußen war damals an Bodenfläche der zehnte, an Bevölkerung der dreizehnte, seiner militärischen Macht nach aber der dritte oder vierte europäische Staat. Ermöglicht hatte diesen Aufstieg die von keinem Preußenkönig dermaßen intensiv betriebene Doppelbeanspruchung der Untertanen.

Mit ihren Steuern hatten sie für die Leistungsfähigkeit des Staates, mit der Stellung von Soldaten für die Schlagkraft der Armee zu sorgen[49]. Da die Landbevölkerung in Preußen überwog, trug sie die Hauptlast der staatlichen Expansion: der Bauer als Rekrut, der Gutsherr als Offizier. Bei dieser Konstellation war es logisch, daß sich Militär- und Zivilverfassung der ländlichen Regionen annäherten.

Erst unter dem Soldatenkönig bildete sich allerdings die für Preußen so typische Gutsherrschaft der Junker aus. Den seines Mitspracherechts an der großen Politik beraubten Adel entschädigte Friedrich Wilhelm I. mit dem Ausbau der junkerlichen Gewalt auf den Gütern. Auf niedrigerer Ebene wurde die Aristokratie damit »... das Ebenbild des preußischen Herrschers in Duodez«[50]. Da diesem Stand bürgerliche Gewerbe wie Handel verboten waren und die Bauernschaft an die Scholle ihrer Herren gebunden blieb, fielen große Teile der Bevölkerung Preußens als Arbeitskräfte für die gewerbliche Wirtschaft oder den Handel aus.

Trotz aller Erfolge und des gelungenen Aufbaus einer im europäischen Mächtekonzert zählenden Armee blieb Preußen mit seiner Residenz Groß-Berlin ein Entwicklungsland. Friedrich Wilhelm I. konnte deshalb gar nicht anders, als verstärkt den Weg fortzusetzen, den bereits der Große Kurfürst eingeschlagen hatte[51].

Aus Preußens Zwangslage, die vor allem darin begründet war, daß der Staat ein eigentlich weit über seine Möglichkeiten Verhältnisse gehendes Heer unterhielt, ergibt sich auch einer der wichtigsten Schlüssel zum Verständnis der Judenpolitik unter den beiden Königen Friedrich Wilhelm I. und Friedrich II. Wie der Soldatenkönig in diesem Zusammenhang über die Juden dachte, zeigt seine Instruktion an den Nachfolger: »Was die Juden betrifft, seien leider sehr viel in unseren Ländern, die von mir keine Schutzbriefe haben. Die müsset Ihr aus dem Lande jagen, denn die Juden Heuschrecken eines Landes ... ruinieren die Christen ... Denn ... Euer größter Schade und Euer Untertanen Ruin sind die Juden ... Ihr müsset sie drücken, denn ... der redlichste Jude ist ein Erzbetrüger und Schelm ...[52].

Auf Drängen des Soldatenkönigs kam eine neue Generalregelung für die preußischen Juden im Jahre 1730 zustande. Die Zahl der Schutzjuden in Berlin wurde definitiv auf 100 begrenzt. Nur zwei Kinder durften noch ihr Aufenthaltsrecht von dem der Eltern ableiten – unter der wichtigen Einschränkung, daß sich die auf maximal 100 begrenzte Gesamtzahl der jüdischen Familien in Berlin nicht erhöhen sollte. Das Limit wurde 1737 auf

120 Schutzjuden-Familien in Berlin (zuzüglich 250 Diener) erhöht. Um es in der Praxis einzuhalten, wiesen die Behörden aus Preußens Hauptstadt noch im gleichen Jahr 387 Juden aus[53].

Wie schon sein Vater, wollte sich dann aber auch Friedrich Wilhelm I. mit den pro Kopf erhobenen Einzelabgaben nicht mehr begnügen. Im Zusammenhang mit dem bereits geplanten neuen Generalprivileg wurde das jüdische Steuerwesen deshalb bereits 1728 geändert.

An sämtliche Kriegs- und Domänenkammern erging im April dieses Jahres die Anweisung, daß die Juden statt Einzelzahlungen von nun an gemeinschaftlich 15.000 Taler Schutzgeld jährlich an die Zentralkasse entrichten sollten. Es kam zu einer Generalrepartition, einem Verteilungsschlüssel, der für jede Provinz eine anteilige Summe auswies[54]. Diese Generalrepartition enthält eine einigermaßen zuverlässige Bestandsaufnahme der jüdischen Bevölkerungszahl in Preußen. Am Stichtag 24. April 1728 lebten im Hohenzollern-Staat insgesamt 1.173 jüdische Familien[55].

Die Repräsentanten der Judenschaft (in der Regel Älteste, Parnassim genannt) wurden angewiesen, die Abgaben mit dem Generaldirektorium zu erörtern. Die Verantwortung für das Einsammeln und die Überweisung der Gelder wurde Repäsentanten der Juden übertragen. Mit dieser neuen Regelung ließ der Staat faktisch die gesamte Judenschaft einer Provinz für die Bezahlung haften. Von nun an entrichteten Preußens Juden 15.000 Taler Schutzgeld jährlich an die Zentralkasse[56].

Noch schärfer als sein Vater ging dann Friedrich II. gegen die preußischen Juden vor. Er revidierte das harte Generalprivileg von 1730 und erließ 1750 noch drückendere Bestimmungen. Freilich führte auch die Judenpolitik Friedrichs II., wie schon die seines Vorgängers, zu Ergebnissen, die den Intentionen widersprachen. Einerseits wurden die Gesetze verschärft, andererseits erhielten so viele Juden wie nie zuvor Generalprivilegien und Naturalisationspatente.

Mit diesen »Ausnahmejuden« installierte sich eine Art interne Aristokratie. Der Status von Minderberechtigten wurde hier bereits auf einer zunehmend breiteren Plattform durchbrochen. Friedrich II. stand vor dem Dilemma, daß er die Juden verachtete, sie aber für seine Politik benötigte. Die Staatsräson behielt in der Regel die Oberhand[57].

Am klarsten formulierte der König seine Position in den Testamenten, wo er den Herrscher zur Förderung von Fabrikation und Handel ermahnte. Dabei »... muß er ein Auge auf die Juden haben, ihre Einmischung in den Großhandel verhüten, das Wachstum ihrer Kopfzahl verhindern und ihnen bei jeder Unehrlichkeit, die sie begehen, ihr Asylrecht nehmen: denn nichts ist für den Handel der Kaufleute schädlicher als der unerlaubte Profit, den die Juden machen«[58].

Derartige Äußerungen bestätigen die Einschätzung, daß Friedrich II. kaum weniger antijüdisch dachte und handelte als sein Vater. Während der Soldatenkönig damit aber noch durchaus mit den Ansichten seiner Zeit in Einklang stand, wirkt Friedrichs Position überraschend. Schließlich verkörperte kein anderer als er selbst der »roi philosophe de Sans Souci«, den Idealtypus des aufgeklärten Herrschers in der Epoche.

Grundlegend für Friedrichs Einstellung zu den Juden war zum einen seine Verachtung jeder dogmatischen Religion. Hinzu kam die intellektuelle Prägung durch die judenfeindliche Richtung der Aufklärung, die Voltaire repräsentierte[59]. Mit seiner judenfeindlichen Haltung hatte Friedrich II. die aufgeklärte Intelligenz Preußens, die sich mit dem Großteil der Bürokratie eher projüdisch gab, keineswegs auf seiner Seite.

Die Gründe für diese andere Position der preußischen Aufklärung gegenüber der Aufklärung in Frankreich (»lumières«) oder der in England (»enlightenment«) sind ungewöhnlich vielschichtig. Schätzte Friedrich II. die Juden wie sein zeitweiliges Idol Voltaire ein, dann kann an dieser Stelle eine Art Ahnenportrait als Erklärung nicht genügen. Schließlich schuldete auch Voltaire seine Position zu den Juden äußeren Einflüssen. Friedrich und Voltaire verkörperten hier eine Haltung, die dem Berliner Aufklärungsideal von Toleranz völlig widersprach.

Weshalb nahmen sich aber nun die preußischen und französischen Positionen hier so unterschiedlich aus, weshalb wurden Besserstellung und Emanzipation dieser Minderheit in keinem anderen Land so intensiv wie in Preußen diskutiert? Auch hier sind die Antworten in dem größeren Zusammenhang von europäischer Religionsgeschichte, Philosophie und Politik zu finden. Nur so können die Haltung der preußischen Intelligenz, Friedrichs Aversionen und Voltaires Tiraden Zugang zu einem Problem bieten, das sich in der zweiten Hälfte des 18. Jahrhunderts zu einem Thema ausweitet und von da ab nicht mehr zur Ruhe kommt: der Judenfrage.

III AUFKLÄRUNG UND JUDENFRAGE

Mehrere Komplexe bedingten mit einer kaum durchschaubaren Verflechtung die projüdische Haltung der Intelligenz Preußens und die antijüdische Position der Intelligenz Frankreichs. In dem intoleranten, von dem der Vernunft unzugänglichen Katholizismus beherrschten Frankreich rebellierte ein Aufklärer wie Voltaire gegen jede Art von staatlich sanktionierter Religion. Wichtigstes Instrument in diesem Kampf war die Religionskritik, die bereits zu Beginn des 18. Jahrhunderts von Deisten zu einer Waffe gegen den religiösen Dogmatismus geformt worden war.

Mit der Übernahme dieses in England entwickelten religionskritischen Arsenals durch Voltaire kam ein neuartiger Ton der Judenfeindschaft auf das Festland. Die Deisten hatten als Kritiker des Alten Testaments begonnen und in dem dort ausgemachten Wunderglauben Israels die Basis des despotisch gewordenen Christentums entdeckt.

In Deutschland hingegen hatte der Deismus bis weit in die zweite Hälfte des 18. Jahrhunderts keine Chance. Hier waren Philosophen und Literaten in ihren beruflichen Stellungen zu stark von Staat und Kirche abhängig. Zudem hatte das evangelische Pfarrhaus seine Funktion als Bildungsstätte nicht verloren[1]. Wo Voltaire in seiner Contraposition zum Staat dem Katholizismus den Kampf ansagte, blieben deutsche Aufklärer in den Grenzen einer gemäßigten Religionskritik wie der Neologie.

Mit dem Deismus rebellierten die englischen und französischen Aufklärer gegen jede Form von dogmatischer Religion. Mit der Neologie versuchten dagegen die deutschen Aufklärer das Luthertum mit dem Rationalismus zu versöhnen. Die unterschiedlichen Intentionen – hier Rebellion, dort Versöhnung – beinhalteten auch unterschiedliche Ansichten über die Juden[2].

Pietismus

In der zweiten Hälfte des 17. Jahrhunderts wies das deutsche Luthertum gravierende Verfallserscheinungen auf. In Staatskirchen erstarrt, hatte es die noch von dem großen Wittenberger Reformator geforderte und wohl auch herbeigeführte natürliche Frömmigkeit bereits verloren. Für die Wende sorgte der aufsteigende Pietismus, der das Luthertum ähnlich revitalisieren sollte wie der Puritanismus den Kalvinismus[3]. Beide Richtungen wollten zu einer Frömmigkeit zurückfinden, die ganz auf der persönlichen und gefühlsmäßigen Bindung des Einzelnen zu Gott beruhte.

Anders als der Puritanismus konnte der Pietismus allerdings nur unpolitisch sein. Schon mit Luthers Theorie von den zwei Reichen war die Politik der weltlichen Macht als Monopol überlassen worden[4]. Dem Pietismus blieb in einer nun vom Primat der politischen Macht geprägten Situation nur die Hoffnung, die Welt über die Intensivierung einer verinnerlichten Frömmigkeit zu verändern.

Der Heilsplan der Pietisten, die Eschatologie, nahm folglich eine andere Richtung als bei den Puritanern. Während jene sich in deutlicher Verehrung des Alten Testaments selbst hebräisierten, wollten die Pietisten die missionarische Aufgabe des Christentums an den Juden zur Vollendung bringen. Der Pietismus sah die Juden als Instrument, an dem sich die Attraktivität eines erneuerten Christentums beweisen sollte[5]. Tatsächlich wurde das alte Ziel der Judenmission nie wieder so energisch in Angriff genommen wie von den Pietisten.

Das Wesen des Pietismus ergibt sich am deutlichsten aus der von Spener bereits 1675 verfaßten Programmschrift »Pia Desideria oder Hertzliches Verlangen nach Gottgefälliger Besserung der wahren Evangelischen Kirchen samt einigen dahin einfältig abzweckenden Vorschlägen«[6]. Wie viele andere Zeitgenossen beschrieb Spener die Kirche als dekadent. Den geistlichen Stand sah er als »ganz verderbt ... und von unseren beiden oberen Ständen (wird) die meiste Verderbnis unter den Gemeinden (ausbrechen)«[7].

Zur Vitalisierung des Glaubens schlug Spener Erbauungsversammlungen, sogenannte Collegia pietatis vor, die auch ohne Priester stattfinden sollten. Am Ende der Bemühungen stand für Spener die Wiedergeburt des Menschen. Die Rolle der Juden in diesem Prozeß der Wiedergeburt hatte Spener schon in seiner Programmschrift angedeutet. Detaillierter äußerte er sich später in seinem »Theologischen Bedencken«. Da das Reich Christi »... nicht von dieser Welt ist und also alle weltliche Gewalt darinnen keinen Platz hat ... zu der Judenbekehrung nichts gebracht oder vorgenommen werden darf, was einem, seiner Religion verständigen Juden schlechterdings wider sein Gewissen ist. Hingegen muss alles dahin gerichtet werden, daß man zwar seinerseits die von dem Herrn geheiligten Mittel anwende, ob sie einige Frucht bei etlichen bringen möchte, die Herrschaft aber über die Gewissen dem Herrn allein überlasse«. An anderer Stelle setzt er voraus, daß man die Juden wohl »in Schutz aufnehmen und ihnen Wohnung gewähren könne ...«[8].

Ausgehend von Spener wirkte der Pietismus in der Folgezeit vor allem missionierend-projüdisch. Die Bekehrung der Juden sollte eine völlige Wiedergeburt des Menschen anzeigen[9]. Auf den im Stillen wirkenden Spener folgte Francke als wichtigster Repräsentant des Pietismus.

Er war ein Mann der Tat, der in Verbindung mit der preußischen Staatsmacht zahllose Unternehmen wie das große Waisenhaus in Halle, das Zentrum der Bewegung, aufbaute. Der Pietismus Spenerscher und Franckescher Prägung ließ sich problemlos in den Dienst des preußischen Staates stellen. Die weltliche Macht konnte ihn als »force spirituelle« einsetzen, weil er schon im Diesseits exakt die Werte vertrat, die der Hohenzollern-Staat zur Steigerung seiner Leistungsfähigkeit benötigte[10].

Damit war auf politischer Ebene das Bündnis zwischen Pietismus und Staat möglich. Die mit Christian Wolff beginnende Ära der Aufklärung überstand der Pietismus besser als nach dem ersten unvermeidlichen Zusammenprall zu erwarten war. Noch als er bereits an Kraft verloren hatte, konnte vom Pietismus der priesterhafte Erziehungsgedanke des besseren Menschen lebendig bleiben. Vor allem diese Idee sollte dafür sorgen, daß die deutsche Aufklärung auf die Didaktik, die gottgefällige, stets etwas schulmeisterlich wirkende Erziehung des Menschengeschlechts setzte[11]. Neben und mit dem Erziehungsgedanken erbte die deutsche Aufklärung vom Pietismus den projüdischen Grundzug.

Deismus

Mit dem Deismus dominierte in England eine dem Pietismus völlig entgegengesetzte Richtung. Als Freidenker rebellierten die Deisten gegen den umfassenden Zugriff von Religionen. Religiöse Toleranz ließ sich in ihrer Sicht nur mit Entlarvung der Dogmen als vernunftwidrige Legenden erreichen[12]. Das Ziel bildete hierbei die Reduzierung des Alten Testaments auf den Stellenwert eines zeitgebundenen Geschichtsbuches, dem für die Gegenwart keinerlei Offenbarungsgehalt mehr zukam.

Der Berliner Aufklärungstheologe Friedrich Germanus Lüdke brachte es später auf die simple Formel: »Der … Deist glaubt zwar an Gott und die natürliche Religion der Vernunft, aber nicht an die außerordentliche Offenbarung Gottes in der Bibel«[13]. Die Deisten nahmen einen Urzustand mit einer einfachen, vernünftigen Religion an. Dann seien die Priester gekommen und hätten die Menschen mit Betrügereien unter das Joch des intoleranten Aberglaubens gezwungen. Die Israeliten waren hier keineswegs das auserwählte Volk, sondern eine barbarische Horde, die auf die Betrügereien von Priestern hereingefallen war[14].

Die Deisten richteten ihre antijüdischen Ressentiments vorwiegend gegen das Volk des Alten Testaments. Eine Aktualisierung, die die Juden des neuzeitlichen Europas einbezog, nahmen sie noch kaum vor. Maßlos in dieser Aktualisierung sollte erst Voltaire verfahren, der bei seiner Religionskritik nahezu vollständig auf die Theorie der englischen Deisten zurückgriff. »Sein Beitrag ist die einzigartige literarische Kunst, mit der er sie verbreitete«[15].

Voltaire, der dominierende Repräsentant der französischen Aufklärung und das langjährige Idol des Preußenkömgs Friedrich II., zeichnete sich durch einen geradezu fanatischen Haß gegen die Juden aus. Vom biblischen bis zum Judentum seiner Zeit sah Voltaire einen durchgehenden Zug von Gemeinheit, Habsucht und Götzendienerei[16]. Wer wie Voltaire auf der deistischen Religionskritik aufbaute, der hatte aktuelle Gewährsleute für solche Positionen. Das deistische Argumentationsarsenal bot Aufklärern wie Voltaire ebenso wie Friedrich II. die Möglichkeit, alten antijüdischen Standpunkten eine zeitgemäße Erscheinungsform zu geben.

Deutsche Aufklärung

Während die französische Aufklärung und ihr zahlenmäßig unbedeutender Anhang in Deutschland einen antijüdischen Kurs einschlugen, blieb vor allem für Preußen eine andere Richtung repräsentativ. Ein Grund für diesen Unterschied ist mit dem Nachwirken des Pietismus bereits gezeigt worden[17]. Ein weiterer liegt in der gemäßigten Richtung, die der Rationalismus in Deutschland insgesamt nahm.

Anders als in England, wo die Deisten gegen die Kirche standen, auch im Gegensatz zu Frankreich, wo die »philosophes« gegen einen mit dem Absolutismus verbündeten Katholizismus rebellierten, blieb in Deutschland, zumal in Preußen, das Bündnis zwischen Staat und Intelligenz bestehen. Diese Allianz schloß die Möglichkeit einer deistischen Religionskritik in der Regel aus. Die Erforschung der Testamente erfolgte eben nicht unter der Prämisse, mit einer Erschütterung des Alten Testaments auch das gesamte christliche Gebäude einzureißen.

Auch agierte die Aufklärung in Deutschland in einem anderen politischen und sozialen Umfeld als in Frankreich oder in England. Von einer interessierten Öffentlichkeit wie in Frankreich, die sich dann als zahlender Abnehmer von Literatur erwies, konnte in Deutschland noch kaum die Rede sein. Ein Leben als freier Publizist schied somit für einen Angehörigen der Intelligenz aus[18]. Die Publizistik konnte in der Regel nur eine Nebentätigkeit zur Beschäftigung im Staatsdienst, an Universitäten oder Kirchen sein. Allein schon wegen dieser Konstellation entwickelte sich die deutsche Aufklärung nie zu einer wirklich revolutionären Kraft. Die Diskussion bestehender Zustände, Lehrmeinungen oder kirchlicher Dogmen konnte in der Regel keine radikale Richtung nehmen.

Die deutsche Aufklärung schlug einen wenig spektakulären, so gut wie nie umstürzlerischen Weg ein. Bündnisse mit dem Staat, im Idealfall mit einem aufgeklärten Herrscher, praktische Pläne zur Verbesserung von Bildungschancen oder Behebung offensichtlicher Mißstände, bildeten hier die entscheidende Aktions- und Reflexionsgrenze. Das Überprüfen religiöser Dogmen mit dem Instrumentarium der Vernunft fiel sehr maßvoll aus. Während in England und später in Frankreich die deistische Richtung protestantische und katholische Dogmen einer ätzenden Kritik unterwarf, bestritt die theologische Aufklärung in Deutschland die Tragfähigkeit der christlichen Offenbarung kaum[19]. Deshalb konnte beispielsweise Wilhelm Abraham Teller, in Preußens Hauptstadt im ausgehenden 18. Jahrhundert eine der führenden intellektuellen Figuren, die von der französischen und englischen Intelligenz bereits als vernunftwidrig angesehenen Wunder der Bibel mit dem Rationalismus versöhnen. Er interpretierte sie schlicht »als außerordentliche Taten«[20].

Für die projüdische Haltung der preußischen, insbesondere der Berliner Intelligenz, gaben pietistisches Erbe und weitergeführtes Toleranzverständnis den Ausschlag. An die Stelle eines christianisierten Judentums als programmatisches Ziel zur Erneuerung der Welt rückte die Aufklärung und mit ihr das aufgeklärte Judentum. In diesem didaktischen Plan trieben die Aufklärer das unvollständige Toleranzverständnis der Pietisten einen wesentlichen Schritt weiter. Scheinbar vorbehaltlos wurde die Gleichberechtigung für alle gefordert. Denn nur unter dieser Prämisse schien eine vernunftgemäße Existenz möglich. Nirgends, mit Ausnahme Hollands, wurde diese Idee der Toleranz so ernst genommen wie im Hohenzollern-Staat, dessen Aufstieg ja von Anfang an mit seiner Funktion als Auffangbecken für bedrängte religiöse Minderheiten zusammenhing[21].

Diese gemäßigte Zielsetzung förderte und repräsentierte in Deutschland der im Stil eines Schulmeisters referierende und schreibende Christian Wolff, Deutschlands dominierender Denker der Epoche. Die meisten Bücher Wolffs verkündeten schon im Titel ihre Botschaft, so seine Schrift »Vernünftige Gedanken von den Kräften des menschlichen Verstandes und ihrem richtigen Gebrauche in Erkenntnis der Wahrheit« (»Deutsche Logik«). Um 1728 lag dieser Titel bereits in fünfter Auflage mit insgesamt 8.000 Exemplaren vor. Bis zu Wolffs Tod (1754) sollten noch weitere neun Auflagen folgen[22].

Wolff wollte stets den Nutzen des Wissens nachweisen. Die Philosophie sollte durch Klarheit der Begriffe und Plausibilität der Beweise in das

Leben des Alltags eingeführt und zur praktischen Wirksamkeit gebracht werden. Damit trug Wolff dazu bei, daß sich die naturgemäße und an der Nutzbarkeit orientierte Vervollkommnung der Vernunft zum wichtigsten Prinzip der deutschen Aufklärung entwickelte[23]. Die Vorgänge, die die Deisten regelmäßig als vernunftwidrig ablehnten, wurden auf eine übervernünftige Plattform gehoben[24]. Mit der philosophischen Basis eines Wolff konnte die deutsche Aufklärung anders als ihr französisches Pendant zum Bundesgenossen des Absolutismus werden [25].

Nur über die Vervollkommnung der Vernunft schien auch die Verbesserung des Menschen und seiner Lebensumstände aussichtsreich. Dieser sanfte Weg in eine bessere Welt, dieses visionäre Vertrauen auf die Potenz der Vernunft stellte sich nirgends so ausgeprägt wie in Preußen dar[26]. Das optimistische Menschenbild, die Vorstellung vom ständigen Voranschreiten der Vernunft und ein allgemeiner Appell an tolerante Politik führten auch zu einer veränderten Einschätzung der Juden.

Bei ihrer Einstellung zu den Juden lassen sich die preußischen Aufklärer in mehrere Gruppen einteilen. Die wichtigste Fraktion sah die Minorität kaum günstiger als die traditionell Ablehnenden. Aber mit der Erklärung, daß für die Verdorbenheit ihre Umwelt die Schuld trage, fand eine wichtige Verlagerung statt. Der nichtjüdischen Mehrheit kam so eine Art Obligo für die elende Verfassung der Minderheit zu. Die daraus folgende Forderung, den aktuellen Zustand der Juden durch Besserung ihrer politischen und sozialen Lage zu heben, leitete schon die Debatte um die Emanzipation ein. Dohm, Nicolai und nahezu alle wichtigen preußischen Aufklärer standen für diese Richtung in der Tradition Wolffs.

Noch weiter ging Gotthold Ephraim Lessing, der sich von der Ansicht, die Juden wären schlecht und deshalb zu verbessern, völlig löste. Toleranz und Emanzipation ergaben sich für ihn nicht aus taktischen, sondern vor allem aus humanitären Aspekten. Eine Figur wie Nathan der Weise sollte dokumentieren, daß Juden und Christen sich in ihrer Veranlagung zum Guten oder Schlechten nicht voneinander unterscheiden.

Die Gegenposition markierte der Göttinger Religionsforscher Johann David Michaelis. Sein Vertrauen auf die Vernunft schwand stets dann, wenn es um die Möglichkeit zur Verbesserung der Juden ging. Noch ablehnender argumentierte Friedrich Traugott Hartmann. Wie Voltaire und Friedrich II. vertrat er die bei den preußischen Aufklärern kaum anzutreffende Ansicht von der völligen Aussichtslosigkeit einer Verbesserung der Juden. Für eine Untergruppe der Gegner einer Judenemanzipation standen die Fürsprecher einer Ausgrenzung der Juden aus der nichtjüdischen Umwelt, z. B. ihre Ansiedlung in Kolonien.

In einem waren sich freilich nahezu alle diese Aufklärer einig: der Mensch war generell von Natur aus gut. Den breiten Graben, durch den er hier von den zynisch-resignierten Ansichten eines Voltaire oder Friedrich getrennt blieb, illustrierte der Preußenkönig selbst: »Ich kenne dies zweibeinige ungefiederte Geschlecht durch die Pflichten meines Amts recht gut und sage ihnen voraus: weder Sie noch alle anderen Philosophen der Welt werden die Menschheit von ihrem Aberglauben abbringen«[27].

Der Wolff-Schüler Gottsched dehnte die Toleranzforderung auf alle Konfessionen aus. In seinen Akademischen Reden aus dem Jahre 1725 heißt es: »... vergnügt würden die Sterblichen in der Welt leben, wenn entweder allenthalben eine .völlige Übereinstimmung der Meinungen und eine Gleichförmigkeit der äußeren Zeremonien im Gottesdienste herrschen möchte; oder doch wenigstens eine allgemeine Religionsfreiheit eingeführt wäre«[28]. Christian Fürchtegott Gellert nahm 1746 in seinem »Leben der schwedischen Gräfin von G« eine für Preußens Aufklärung typische Haltung ein: »Vielleicht würden viele von diesem Volk (den Juden) bessere Herzen haben, wenn wir sie nicht durch Verachtung und listige Gewalttätigkeit ... niederträchtig und betrügerisch in ihren Handlungen machten und sie nicht oft durch unsere Auffassung nötigten, unsere Religion zu hassen.« Er ließ in diesem Stück einen russischen Juden auftreten, der auf »edelste Art dankbar gewesen« und so bewies, »daß es auch unter dem Volke gute Herzen gibt, das es am wenigsten zu haben scheint ...[29].

Nur drei Jahre später präsentierte Lessing einen Juden auf der Bühne, über den ein Christ sagte: »... verehrungswürdig wären die Juden, wenn sie alle Ihnen glichen«. Die Antwort des Juden: »Und wie liebenswürdig die Christen, wenn sie alle Ihre Eigenschaften besäßen«[30]. In seinem Nathan setzte Lessing das mit dem Jugendstück »Die Juden« nur angeschnittene Thema fort. Ein Klosterbruder erkennt in dem Titelhelden: »Nathan ... Ihr seid ein Christ! Ein besserer Christ war nie!« Der Titelheld kontert kühl: »... was mich Euch zum Christen macht, das macht Euch mir zum Juden«[31].

Gellerts und Lessings projüdische Stücke waren nur die prominentesten Beispiele einer allgemeinen Tendenz auf den deutschen Bühnen[32]. Shakespeares Shylock wurde von zahllosen Autoren auf der Bühne in den guten Juden verwandelt. Wie grundlegend dieser Wandel war, zeigte der Prolog, den das Berliner Nationaltheater 1788 einer Shylock-Inszenierung als Entschuldigung voranstellte:

»Nun das kluge Berlin die Glaubensgenossen des weisen Mendelssohn höher zu schätzen anfängt; nun wir bei diesem ... Volke, dessen Propheten und erste Gesetze wir ehren, Männer sehen, gleich groß in Wissenschaft und Künsten, wollen wir nun dies Volk durch Spott betrügen? Dem alten ungerechten Haß mehr Nahrung geben? ... In Nathan dem Weisen spielen die Christen die schlechtere Rolle, im Kaufmann Venedigs tun es die Juden. Nur wen es jucket, der kratze sich, so sagt unser Hamlet; wir sagen: wer heile Haut hat, der lache!«[33]

In der Publizistik vollzog sich ein ähnlicher Wandel. Waren hier und noch bis zur Mitte des 18. Jahrhunderts antijüdische Positionen vorherrschend, so dominierte schon bald eine gegenläufige Tendenz. Bereits 1753 erschien der anonyme Disput »Schreiben eines Juden an einen Philosophen nebst der Antwort«. Die Tendenz dieser Schrift: »Sie (die Juden) vermehren ebenso häufig ihr Geschlecht und die Zahl der Untertanen wie andere Nationen, sie vergrößern durch ihren Fleiß den Reichtum des Landes ... zur Glückseligkeit des jüdischen Volks ist nur ein Augenblick nötig, in welchem ein Monarch, der den edlen Trieb besitzt, die Wohllust des menschlichen Geschlechts zu sein«[34].

Dies war der Vorläufer eines Trends, der ab 1760 zunehmend deutlicher in eine projüdische Tendenz mündete. Die Sympathiewelle für die Juden entwickelte sich auf einer Preußen angemessenen Basis. Für die Aufgeklärten, meist Beamte des Hohenzollern-Staates, gehörten Standesschranken zumindest im Prinzip bereits einer vergangenen Epoche an. Konversation, Gruppenbildung mit Gleichgesinnten unbeachtet gesellschaftlicher oder nationaler Trennungslinien sollten im Vordergrund stehen[35]. Aus reinen Gelehrtenzirkeln entwickelten sich mit der Popularisierung der Aufklärung Mischformen, die Geselligkeit mit Themen der Wissenschaft und sozialen Anliegen zu verbinden trachteten. Diese Zirkel blieben mit veränderten Zielsetzungen bis in das 19. Jahrhundert ein wesentlicher Zug des deutschen Gesellschaftslebens[36]. In der gesamten zweiten Hälfte des 18. Jahrhunderts tauchen immer wieder diese vier Typen auf:

- patriotische Gesellschaften
- Lesegesellschaften
- Geheimbünde
- politische Diskussionszirkel[37]

In diesen Zirkeln dominierte das neue Ideal vorurteilsloser Geselligkeit von Gleichgesinnten. Erstmals gab es damit eine Drehscheibe, auf der sich gebildete und ansatzweise schon assimilierte Juden mit Christen treffen konnten. Bezeichnend für diese Epoche wurde nun, daß sich Juden nicht mehr mit der heimlichen Aneignung außerjüdischen Wissens begnügen mußten, vielmehr mit denen ohne weiteres Kontakt aufnehmen konnten, die diese Bildung repräsentierten[38].

In Deutschland traf sich die in den ernsthaften Assoziationen geübte Geheimpraxis mit den Intentionen der Aufklärer geradezu ideal. Den meist im Staatsdienst Stehenden mußte bei der Mitgliedschaft in Zirkeln an der Geheimhaltung besonders gelegen sein. Nur so konnten unbequeme, mit der Tätigkeit für den Staat kaum zusammenpassende Themen diskutiert, aber mit dem Geheimnis der Bruderschaft verborgen gehalten werden. Die Mitgliedschaft in derartigen Vereinen wurde so für Deutschlands, vor allem aber

Preußens Aufklärer zu einem Akt der Befreiung, durch den sie in Vertraulichkeit die Themen zur Sprache bringen durften, was unter normalen Umständen die Existenz kosten konnte. Nur so stand ihnen der Entwurf einer besseren Welt offen. Die Einbeziehung des Juden Mendelssohn zeigte, dass zu dieser besseren Welt die Toleranz gehören sollte.

Die Entwicklung von Montagsclub und Mittwochsgesellschaft – zwei der wichtigsten Vereine in Berlin – belegt dies recht deutlich. Den Montagsclub hatte 1749 ein Pastor gegründet. Er zählte 24 feste Mitglieder, darunter Lessing und Nicolai. Der Eintritt in diese relativ lockere Diskussionsrunde war frei[39]. Anders verhielt es sich mit der Mittwochsgesellschaft, die bereits das Überschreiten der ersten Phase in der Gründung von Vereinen – unpolitische, lose formierte Zirkel – anzeigte. Ihre Mitglieder, die Themen und das Geheimnis der Zugehörigkeit zu diesem Bund charakterisierten die Berliner Spätaufklärung[40].

Nahezu alle wichtigen Berliner Aufklärer wie die Juristen Klein, Svarez, die Theologen Spalding, Teller sowie Dohm, Nicolai, Biester und Gedike gehörten zu den 20 Mitgliedern der Mittwochsgesellschaft. Regelmäßig hielt einer von ihnen beim Zusammentreffen am Mittwoch einen Vortrag. Anschließend kursierte das Referat in einer Kapsel verschlossen unter den Teilnehmern. Mendelssohn stieß 1783 zu dieser Runde. Er hatte folgende Aufforderung erhalten: »Nun wünscht man, daß man auch Ihnen, verehrungswerter Mann, zuweilen die Kapsel schicken darf, um auch Ihre Meinung über einen Vortrag zu hören, den man dazu wichtig genug hält. Wollen Sie dies erlauben und gütig genug sein, zuweilen Ihr Votum zu geben? Sie werden auf diese Weise ein Ehrenmitglied der Gesellschaft«[41].

Die 1783 gegründete Mittwochsgesellschaft löste sich Ende 1798 auf, als Geheimbünde in Preußen verboten wurden[42]. Ihr Wirken beschrieb ein Zeitgenosse rückblickend: »Ich könnte auffallende Beispiele von dem aufführen, was die Gesellschaft Gutes bewirkt hat; ich will aber nur das einzige hier erwähnen, daß das Preußische Allgemeine Landrecht ihr manches verdankt, weil Svarez ... viele seiner Ideen erst durch sie berichtigte«[43].

Als publizistisches Organ dieser Vereinigung erschien regelmäßig die wichtige »Berlinische Monatsschrift«. Ihr Leitmotiv war es: »... der Hyäne des Aberglaubens und der Intoleranz die Zähne herauszubrechen«[44]. Die beiden Herausgeber des Blattes repräsentierten mit ihrer Anstellung beim Staat die Aufklärung preußischer Provenienz: der Lehrer und spätere Oberkonsistoriairat Friedrich Gedike gemeinsam mit dem königlichen Oberbibliothekar Erich Biester[45].

Nicolai

Der Buchhändler Friedrich Nicolai leitete von 1759 bis 1811 einen der wichtigsten Verlage in Preußens Hauptstadt. Er gab in dieser Zeit von Kalendern bis zu Medizin- und Reisebüchern nahezu alles heraus. Mit seiner »Allgemeinen deutsche Bibliothek« saß Nicolai zudem etwa 40 Jahre lang am Schalthebel der wichtigsten Rezensionszeitschrift der deutschen Aufklärung[46].

Nicolais Position in der Berliner Aufklärung war konventionell. Das didaktische Element dominierte. Toleranz und Vertrauen in die Zukunft standen an erster Stelle. Die Bekanntschaft mit den wichtigsten Repräsentanten der Berliner Aufklärung ergab sich für den Publizisten und Verleger Friedrich Nicolai von selbst. Unter seinen zahlreichen selbständigen Publikationen ragt der satirische Roman »Das Leben und die Meinungen des Herrn Magister Sebaldus Nothanker« als eine Art Bestseller der Zeit heraus. In diesem Buch schildert er den gescheiterten Bekehrungsversuch eines Diakons. Während dieser über den Juden schimpft, ruft der Titelheld des Romans aus: »... er ist ein Mensch, wie wir, glaubt von seiner Meinung überzeugt zu sein wie wir, die ihn mit sich zufrieden macht, wie uns die unsrige. Lassen Sie uns, dem barmherzigen Gotte gleich, der uns alle erträgt, unsere Toleranz nicht nur auf alle Christen, sondern auch auf Juden und alle anderen Nichtchristen ausdehnen«[47].

Nicolai trat ganz im Sinne der preußischen Aufklärung für eine konkrete politische Besserstellung der Juden ein. »Die Juden selbst bewirkten ehemals im Mittelalter, daß sie auf allen Heerstraßen einen Leibzoll gaben, um bei ihren Handlungsreisen sicher für ihr Leben und ihre Güter zu sein. Aber jetzt, bei ganz veränderten Umstände ist der Leibzoll nichts als eine schimpfliche Erniedrigung und eine unwürdige Gleichsetzung eines Menschen mit einem Vieh oder einem Stück Ware«[48].

Lessing

Lessings Stellung in der Debatte zur Judenfrage hatte sein Jugendstück »Die Juden« bereits vorgezeichnet. Das Alterswerk »Nathan der Weise« brachte die in Kämpfen gereifte Form dieser Position. Die Grundlage, auf der Lessing seine Theaterfiguren zur Toleranz für die Juden auffordern ließ, hatte der Autor bereits in seiner 1752 verfaßten »Rettung des Hieronymus Cardanus« formuliert. »Das, was der Heide, der Jude und der Christ seine Religion nennen, ist ein Wirrwarr von Sätzen, die eine gesunde Offenbarung nie für die ihrigen erkennen wird. Sie berufen sich alle auf höhere Offenbarungen, deren Möglichkeiten noch nicht einmal erwiesen sind«[49].

Lessings eigenes Denken lief nicht auf ein geschlossenes System hinaus. Er blieb ein fragmentarischer Denker. Wichtigstes Prinzip war das Streben nach Toleranz, dem die Erkenntnis von den positiven Religionen als geschichtlich notwendige Durchgangsstationen zur wahren Religion zugrunde lag. Christentum, Judentum und Islam hatten alle keine absolute, sondern lediglich eine relative Existenzberechtigung[50]. Eine Art neues Evangelium sollte aber jetzt die Erziehung des Menschen zur echten Menschlichkeit abgeben.

Aus dieser neutralen Haltung konnte Lessing einerseits das wichtigste deistische Buch der Epoche herausgeben, andererseits den Deisten ins Stammbuch schreiben: »Aber unsere Deisten wollen ohne alle Bedingung geduldet sein. Sie wollen die Freiheit haben, die christliche Religion zu bestreiten; und doch geduldet sein ... Das ist freilich ein wenig viel«[51].

Lessing löste 1774 einen der größten Eklats seiner Zeit aus, als er von dem angeblichen Fund »Fragmente eines sehr merkwürdigen Werks unter den allerneuesten Handschriften« in der Wolfenbütteler Bibliothek berichtete. In Wirklichkeit hatte er aber von den Kindern des verstorbenen Hamburger Professors Herman Samuel Reimarus ein nachgelassenes Werk erhalten, das er nun unter dem Deckmantel des Fundes herausgab Angesichts der deistischen Tendenz der Fragmente war Lessings Verhalten Selbstschutz, zugleich aber auch der Versuch, den Namen des wirklichen Verfassers vor Verunglimpfungen zu bewahren[52]. Lessing beschränkte sich auf die Herausgabe der Passagen, die die religionsphilosophischen Positionen des Fragmentisten zeigen sollten. Im Wesentlichen mündeten diese in drei Thesen[53]:

- Das Alte Testament verbirgt nur den Ehrgeiz des jüdischen Volkes, sich als Nation zu begründen. Deshalb ist es nur Gesetzgebung und enthält keine Offenbarung.
- Das Neue Testament ist die Wiederholung durch Christus, der sich als Messias ausgibt, um ein irdisches Reich zu begründen.
- Das Scheitern dieses Plans wird von den Jüngern als eschatologischer Sieg interpretiert, die Auferstehung ist erfunden.

Die erst Jahre nach Lessings Aktion publizierten Teile des Konvoluts zeigten einen Judenhasser Reimarus, der selbst Voltaire nicht nachstand. »... die ganze Rasse taugt nicht ... (Abraham, Isaak und Jakob sind) vollkommen würdige Väter der Juden, als welche ihnen in allen Stücken bis auf den heutigen Tag völlig ähnlich bleiben und wegen ihres Lügens und Betrügens, wegen Gewinnsucht ... und ihrer Geilheit, wegen ihres knechtigen und lächerlichen Zeremoniendienstes in aller Welt so bekannt und verhaßt sind. Ich halte es für einen offenbarten Widerspruch, daß Gott mit solchen unreinen ... sollte Gemeinschaft haben und daß er ein so unsauber boshaft(es) Geschlecht sollte vor anderen zu sein Eigentum erwählet haben«[54].

Auch diese Passagen waren Lessing bekannt. Die Kinder des Verfassers hatten ihm ja das ganze Manuskript übergeben. Von der Publikation des Gesamtwerks hielt ihn nur der besorgte Sohn des Reimarus ab [55]. Damit könnte sich die Frage stellen, was den »projüdischen« Lessing veranlassen konnte, die Schriften des »antijüdischen« Reimarus zu veröffentlichen. Die Antwort auf derart Ideologieverhaftetes liefert Lessing selbst, der sich keineswegs undifferenziert auf den Propheten einer beliebigen Toleranz reduzieren läßt.

Sein Bild vom biblischen Judentum unterschied sich kaum von dem des Reimarus. Schrieb er doch in der »Erziehung des Menschengeschlechts«: »... wählte er (Gott) sich ein einzelnes Volk ... eben das ungeschliffenste, das verwildertste«[56]. Wo indes die Übertragung derartiger Perspektiven auf die Gegenwart begann, trennte sich Lessing von Deisten wie Reimarus oder Voltaire, weil genau an diesem Punkt das in der Gegenwart zur Wirksamkeit kommen sollende, die Zukunft dominierende Prinzip eingriff: die Toleranz[57].

Überdies hat Lessing, im Gegensatz zu Denkern wie Reimarus, eine systematische Antwort auf den Widerspruch zwischen Vernunft und Offenbarung nicht gesucht. Als fragmentarischer Denker illustrierte er seinen Weg rückblickend selbst: »Je bündiger mir der eine das Christentum erweisen wollte, desto zweifelhafter ward ich. Je mutwilliger und triumphierender mir es der andere ganz zu Boden treten wollte: desto geneigter fühlte ich mich, es wenigstens in meinem Herzen aufrecht zu erhalten«[58].

In diesem lebenslangen Schwanken zwischen deistischem Rationalismus und aufgeklärtem Religionsverständnis gab Lessing die Reimarus-Fragmente heraus, weil er sie für einen wichtigen Beitrag zur Erschütterung der Orthodoxie hielt. Dass er in Bezug auf die Juden seiner Zeit anders dachte als Reimarus, störte Lessing dabei nicht. Toleranz galt für ihn eben auch und gerade dort, wo es um Ansichten ging, die den seinen zuwiderliefen.

Dohm

Das Epoche machende und ungewöhnlich heftige Debatten auslösende Werk schrieb ein Freund von Nicolai, Moses Mendelssohn und Lessing. Mendelssohn hatte stets die Ansicht vertreten, daß derartige Schriften besser von Nichtjuden kommen sollten. Denn: »Juden müssen sich ... gar nicht einmischen, um die großmütige Absicht zu befördern. Sobald dies geschieht, so bald muß sie auch gemißdeutet und übel ausgelegt werden«[59]. Er hatte deshalb regelmäßig Christen gebeten, die Belange der Juden zu verteidigen. Als sich elsässische Juden 1781 an ihn mit der Bitte um Abfassung einer Schutzschrift wandten, bat er den preußischen Verwaltungsbeamten Christian Wilhelm von Dohm, diese Aufgabe zu übernehmen.

Daraufhin verfaßte Dohm eine Verteidigungsschrift, die sich als das grundlegende Buch der Aufklärung zur Judenfrage erwies[60].

Dohm hielt durchaus an der negativen Einschätzung der Juden fest. »Ich kann es zugeben, daß die Juden sittlich verdorbener sein mögen als andere Nationen; daß sie sich einer verhältnismäßig größeren Zahl von Vergehungen schuldig machen als die Christen, daß ihr Charakter im ganzen mehr zu Wucher und Hintergehungen im Handel gestimmt, ihr Religionsvorurteil brennender und ungeselliger sei«[61]. Aber er beließ es nicht bei dieser negativen Sicht.

Ganz im Sinne der deutschen Aufklärung, die für Mißstände stets vernunftwidrige, äußere Umstände zur Verantwortung zog und von einer vernunftgemäßen Änderung nahezu alles erwartete, folgerte er, daß »... diese einmal vorausgesetzte größere Verdorbenheit der Juden eine notwendige und natürliche Folge der drückenden Verfassung ist, in der sie sich seit so vielen Jahrhunderten befinden«[62]. Dohm sprach vom »... Fehler der Regierungen, welche die trennenden Grundsätze der Religion nicht weiser zu mildern gewußt, und nicht vermocht haben, in der Brust des Juden und des Christen ein Gefühl des Bürgers anzufachen, das die Vorurteile beider längst verzehren müssen«.

Diese Politik nannte er »ein Überbleibsel der Barbarei der verflossenen Jahrhunderte, eine Wirkung fanatischen Religionshasses, die der Aufklärung unserer Zeit unwürdig, durch dieselbe längst hätte getilgt werden sollen«[63].

Sein Vorschlag zur Änderung dieses Zustandes zielte vor allem auf die völlige Gleichberechtigung. Grundsätzlich: »Man überlasse es doch den Juden, sich von ihren Sabbatsgesetzen, ihren unreinen Speisen ... zu dispensieren, – andere Juden als bisher, Deisten, Abrahamisten oder was sie wollen in Absicht der Religion zu sein, genug wenn sie nur gute, auch den Staat mit Leib und Leben verteidigende Bürger werden«[64].

Zweiflern am Gelingen seines Plans hielt er entgegen: »Trügt mich meine Hoffnung, und sollten die Juden wider alle mögliche Wahrscheinlichkeit, auch bei dem vollkommensten Genuß bürgerlicher Rechte, noch immer, wenn es auf die Verteidigung der Gesellschaft ankommt, ein Verbot des Himmels vorschieben – nun so habe ich nichts dagegen, daß man sie wieder aus dem Lande weiset, oder wenigstens wie Quäker und Mennonisten nur in geringer Anzahl und unter gewissen Einschränkungen duldet«[65].

Mit diesem Buch hatte Dohm die wichtigste Abhandlung der Epoche zur Judenfrage verfaßt. Nie vorher und selten danach sollte ein Autor das Thema so umfassend beleuchten. Die Resonanz fiel ungewöhnlich intensiv aus[66]. Eine der wichtigsten Rezensionen verfaßte August Friedrich Cranz. Interessanterweise hatte Friedrich II. ihn zum Zensor des Dohmschen Buches bestimmt. Wie wenig der Autor von diesem Gutachter zu befürchten hatte, zeigte später die Rezension.

Cranz ging über Dohm noch hinaus und formulierte Bedenken gegen die These von der Notwendigkeit zur Verbesserung der Juden. »Sittliche Verbesserung der Juden ist vielleicht nicht nötiger als sittliche Verbesserung der Christen. Ich sehe in der Tat nicht ab, was unsere Nation in Absicht der Sittlichkeit vor den Juden voraus hätte ... (Wenn der Jude) ... keinen Tüttel von Beobachtung seines Gesetzes nachläßt; so ist er mir darum noch kein böserer Mensch von der moralischen Seite genommen«[67].

Dohms Buch löste sofort eine ungewöhnliche Publikationsflut aus. Neben den zahlreichen Befürwortern meldeten sich auch ablehnende Stimmen. Eine der wichtigsten kam von dem Göttinger Theologieprofessor Johann David Michaelis, der in seiner Rezension des Dohmschen Buches den Juden vor allem dies vorwarf: Lasterhaft und unanständig, nie völlig assimiliert, als Soldaten wertlos[68].

Wenigstens fünfmal hatte sich Michaelis in wichtigen Etappen zur Debatte um die Judenfrage in Deutschland zu Wort gemeldet: zweimal zu Lessings Srücken, zweimal zu Moses Mendelssohn und eben einmal als Rezensent des Buches von Dohm. Den Deismus kannte er aufgrund seines Aufenthalts in England[69]. Obwohl seine religionskritische Wirkung für Deutschland außer Frage steht, unterschied er sich vom Deismus auf ganz typische Weise: »Michaelis will an dem Schriftverständnis der Orthodoxie festhalten. Er versucht eine rationalkritische Auflockerung und verlegt auf diese Weise die Grenzen des schriftumschließenden Inspirationsdogmas so weit nach außen, wie es eben möglich ist«[70].

Zu Bekehrungsversuchen an den Juden sah er keinen Anlaß. Die Juden sollten Juden bleiben »... bis Gott einmal selbst durch unbekannte Mittel und Gärungen eine Veränderung zu machen beliebt«[71]. Am wenigsten wünschte Michaelis eine Emanzipation: »Welches Volk nicht uns essen und trinken kann, bleibt immer ein in seinen und unseren Augen abgesondertes Volk«[72].

Noch kompromissloser trat Friedrich Traugott Hartmann auf. Er war der Ansicht, daß sich die Juden stets von der Erfüllung der wichtigsten staatsbürgerlichen Pflichten ausgeschlossen hätten, um sich auf Kosten der christlichen Bürger zu bereichern. Daher stamme der Haß gegen sie. Seine Aversionen gipfelten in der Ansicht, daß die Juden aus konfessionellen Gründen an 282 Tagen des Jahres nicht arbeiten könnten. Sollte der Staat sie jemals zu Ackerbau und anderen Gewerben zulassen, dann würde er die Faulen auch noch zu Bettlern machen. »Man kann sicher annehmen, daß unter den Juden des Landes sich volle zwei Drittel befinden, die völlig überflüssig oder unnütz sind«[73].

Neben Befürwortern vom Schlage Cranz' und Ablehnenden wie Hartmann gab es noch eine dritte Gruppe, die für rein jüdische Kolonien plädierte. In der Zeitschrift »Ephemeriden der Menschheit« schloß der Rezensent einer

Schrift Mendelssohns mit der Empfehlung: »Alle europäischen Mächte ... sollten in dem atlantischen Meere eine Insel ausersehen und sie zu einem Deportations- oder Versetzungsort der Juden machen ... Solange nun ein Jude unsträflich und richtig wandeln würde, sollte er allda alle Rechte eines ... Bürgers ... genießen ... Sollte er aber sich im geringsten verfehlen.., so sollte er ... nach der Versetzungsinsel versandt und allda seinen besseren Mitbrüdern übergeben werden, um ihn ebenfalls zu verbessern und zu belehren ...«[74]. Der preußische Beamte Heinrich Diez nahm diesen Vorschlag 1783 auf: »Die Erde hat noch genug unbewohnte Plätze, wo Unglückliche hinfliehen und Reiche stiften könnten... Noch nie aber ist es einem Juden eingefallen, seine elenden Brüder wenigstens aus diesem oder jenem Winkel zusammenzuraffen, um sie ..., in solche Freistätten zu führen«[75].

Dohm wog das Für und Wider derartiger Vorschläge ab, ohne sich jedoch zu einer klaren Stellungnahme entschließen zu können. Auf seine vermittelnde Replik reagierte ein preußischer Beamter, der rund 30 Jahre später in der Judenemanzipation noch eine wichtige Rolle spielen sollte. »Unfehlbar würden sie (die Juden) aber gehoben werden, wenn man anfangs einzelne Judenstädte und Dörfer anlegte, in denen jüdische Bauern und Bürger gezogen würden ... Auch in Ländern, wo die Zünfte noch mächtig sind, würden die Schwierigkeiten dadurch gemindert, daß die Zünfte auf diese neu angelegten Städte und Dörfer kein erworbenes Recht hätten«[76].

Trotz einiger ablehnender Stimmen votierten die preußischen Aufklärer überwiegend doch für die Besserstellung der Juden. Das optimistische Menschenbild, die Vorstellung vom ständigen Voranschreiten der Vernunft und der Appell an die Toleranz hatten zu einer veränderten Einschätzung geführt. Zwar dachten selbst die preußischen Aufklärer im Prinzip kaum positiv über das Judentum ihrer Zeit. Die Klischees vom wuchernden, ewig schachernden Juden prägten auch ihre Sicht. Aber, und dies war ein grundsätzlich neues Element, die Juden wurden vom Makel der Paria-Existenz freigesprochen. Der Freispruch erfolgte zu Lasten der Umwelt.

Wenn eine unvernünftige Politik und abergläubische Vorurteile diese Minderheit in eine elende Lage getrieben hatten, dann konnten ihre Repräsentanten eben nichts Besseres als ein Volk von Betrügern und Wucherern sein. Würde man sie vernünftig behandeln, dann mußte sich ihr Bildungsniveau heben, ihr angeblicher Nationalcharakter verbessern und ihr altes, in der Religion wurzelndes Verhalten verschwinden. Mit der vermeintlichen Schuldverlagerung und Hoffnung auf ein »verbessertes«, gleichsam »entjudetes Judentum« plädierte die preußische Aufklärung für die Beendigung der jüdischen Diskriminierung.

Die Forderung enthielt eine ganze Reihe von unrealistischen Erwartungen. Konnte es wirklich so sein, daß sich die Juden bereits nach ein oder zwei Jahrzehnten toleranter Politik von all den Defekten freimachen würden, welche selbst die Aufklärer an ihnen diagnostiziert hatten? Der gegen Ende seines Lebens zurückblickende Dohm hatte dieses Problem verstanden: »Eine Reform, wie Joseph sie wollte (die Emanzipation der österreichischen Juden durch Kaiser Joseph II.), konnte nicht allein durch Gesetze und Verordnungen bewirkt werden. Eine Umformung der Neigungen, Sinnesart und Angewöhnungen der Nation hätte vorhergehen müssen, und solche Umformung ist nur die langsam reifende Frucht der Zeit und einer allmählich verbesserten Erziehung«[77].

Weiter drückte die unentwegt geäußerte Verachtung des Handels, begleitet von der Wertschätzung des Landmanns oder Handwerkers durch human argumentierende Verwaltungsbeamte, Pastoren und Gelehrte ein rückwärtsgewandtes Wirtschaftsverständnis aus. Die Berufe mit Zukunft lagen doch vor allem dort, wo sich die Juden seit je, so auch seit ihrer Ansiedlung in Preußen, engagiert hatten. Tatsächlich gab es in einer innungs- und gildenmäßig organisierten Wirtschaft für Juden, die an handwerklichen Berufen Interesse zeigten, keine Chancen. Wie sollten sie in einer gutsherrlichen Sozialordnung Gefallen am Ackerbau finden? Und überhaupt, weshalb sollte diese Minderheit eine ähnliche Berufsstruktur wie ihre Umwelt aufweisen?

Mit ihren Negativklischees übernahmen die Aufklärer eine bereits von der Kirche angelegte Hypothek, die durch Schuldverlagerung und Hoffnung auf eine bessere Zukunft entlastet werden sollte. In dem Anspruch, über ein neues Verständnis von Vernunft binnen weniger Jahrzehnte eine Jahrhunderte lang im Abseits befindliche Minorität zu integrieren, offenbarte sich eine Erwartungshaltung, die für beide Seiten gravierende Folgen haben mußte. Sobald man nämlich den vergleichsweise naiven Optimismus eines Nicolai als überholte Episode in der Entwicklung des deutschen Geistes anzusehen begann, gab es für diese Erwartungshaltung keine Basis mehr.

Der Aufklärung fehlte ein Realismus, der sich auf die Frage konzentrierte, ob die Juden des Hohenzollern-Staates und in den anderen Staaten bereit waren, für eine Verbesserung ihrer politischen Lage die Pflichten von Staatsbürgern zu übernehmen. Taten sie dies, ordneten sie ihre Gesetze denen des Staates unter, dann durfte ihre Religion nur noch als vernachlässigenswerte Privatangelegenheit angesehen werden. Bei nüchterner Betrachtung mußte sich die Judenfrage auf den Punkt reduzieren, ob eine Art staatsbürgerliches Arrangement auf Gegenseitigkeit – Rechte für Pflichten und umgekehrt Pflichten für Rechte – möglich war.

Zu einer derartigen Perspektive kam es jedoch nicht. In Preußen wie in anderen Staaten standen hinter unentwegt formulierten Antworten auf eine Judenfrage in der Regel übertriebene Erwartungen. Wenn diese Erwartungen in Ernüchterung umschlugen, wenn Schuldverlagerung für vermeintliche Defekte und Vertrauen auf die Verbesserungsfähigkeit des Menschen neuen Prinzipien Platz machten, dann mußte sich das für die Juden negativ auswirken.

Genau dies sollte im Gefolge der Auseinandersetzung mit der französischen Revolution geschehen. Die Aufklärung geriet ins Abseits einer antiquierten Denkschule. Schuldverlagerung und Glauben an eine Besserungsfähigkeit durch Vernunft erschienen der jungen Generation nun als Irrtümer einer vergangenen Epoche. Ohne die beiden Elemente Schuldverlagerung und Glauben an eine Besserungsfähigkeit durch Vernunft hätte aber noch das Judenbild eines Dohm die Zustimmung von Antisemiten finden können. Für die Juden selbst hatte dieser Prozeß verhängnisvolle Konsequenzen. Während sich ihre Umwelt von den Prinzipien der Aufklärung lossagte, hielten sie an den inzwischen überholten Idealen fest. Sie vertrauten weiterhin darauf, daß eine Anpassung im Sinne der Aufklärung für einen respektablen und ungefährdeten Platz in der Gesellschaft schon genügen würde[78].

IV MACHTSTAAT IN AKTION

Bald nach Erscheinen hatte Dohm sein Buch auch dem preußischen König zugesandt. Friedrich II. antwortete mit nichts sagendem Lob. »Mehr war nicht zu erwarten«, schrieb der Autor später in seinen Erinnerungen, »denn Friedrich war in seinen Regierungsmaximen zu fest, als dass er durch eine deutsche Schrift eines noch jungen Schriftstellers zum nochmaligen Nachdenken derselben hätte bewogen werden können«[1].

Bei Friedrich II., dem Prototyp eines aufgeklärten Herrschers, hatte die preußische Aufklärung mit ihrer Forderung auf Besserstellung der Juden keinen Rückhalt. Unter allen Hohenzollern-Königen praktizierte Friedrich II. die härteste Judenpolitik. Die Juden waren für ihn grundsätzlich ein Übel, das er mit harten Maßnahmen so unter Druck setzen wollte, dass es sich allenfalls in einem ihm selbst akzeptabel erscheinenden Sinne entfalten sollte.

Allenfalls dann gestand der König eine Lockerung dieses Druckes zu, wenn die Juden dafür Gegenleistungen erbrachten. Innerhalb dieses macht- und finanzpolitischen Kalküls bewegte sich die Judenpolitik des großen Preußenkönigs. Mit moralischen Kategorien ist diesem Kalkül ebenso wenig beizukommen wie der Person Friedrich II. selbst. Wie Voltaire verachtete er schon die christlichen Religionen in ihren dogmatischen Ausformungen. Wo im Verhältnis dazu ein nichtchristlicher Glaube wie das Judentum anzusiedeln war, hatte bereits die für Friedrich genauso wie für Voltaire verbindliche deistische Religionskritik definiert[2].

Andererseits verstand der König sehr wohl, die christliche Religion dort zu nutzen, wo sie ihm Vorteile bringen konnte. Deshalb erklärte er den Siebenjährigen Krieg zu einer Auseinandersetzung, in der es um die Verteidigung des Protestantismus gegen den Katholizismus ging. Die Angreifer waren die katholischen Staaten Österreich und Frankreich, während Preußen unter ihm selbst für die protestantisch-lutherische Sache stritt[3].

Aus Nützlichkeitserwägungen vermochte Friedrich das Christentum noch zu akzeptieren. Dagegen blieben für Friedrich die Juden, wie dies schon der Deismus dargestellt hatte, eine fremde, barbarische Sekte. Schließlich stand die im Religiösen ohnehin ausgegrenzte Minderheit auch mit ihren Lebensformen und beruflichen Tätigkeiten außerhalb der sozialen Kategorien, die einem Autokraten wie Friedrich zugänglich waren[4].

Zahllose Schreiben an die Beamten zeigen einen König, der den Juden nur Betrügereien zutraute. Im Dezember 1747 ließ er einen Minister wissen, dass es zu üblen Folgen führen würde, wenn die in der Mehrheit »betrügerischen Juden« ohne Prüfung ihrer Kreditwürdigkeit Schutzbriefe erhalten könnten. Auch sollte jeder Jude, der einen »nur im geringsten verdächtigen Bankrott« zu vertreten hätte, seinen Schutzbrief verlieren. Auf die dadurch vakant gewordene Stelle durfte keine neue Familie mehr zugelassen werden [5].

Derart grundsätzlich judenfeindliche Verhaltensweisen traten bei Friedrich aber in den Hintergrund, wenn er glaubte, der Staat könnte von einer anderen Politik profitieren. Nur so lässt sich das Paradoxe seiner Politik verstehen: Einerseits brachte seine Regierungszeit den Juden große Beschwernisse und Diskriminierungen. Aber gleichzeitig stieg diese Minderheit in dieser Epoche an Reichtum und Zahl nahezu ununterbrochen an.

Im April 1750 berichtete das Generaldirektorium, dass in Berlin bereits 203 und nicht wie vorgesehen 120 jüdische Familien lebten. Den Überhang erklärten die Beamten mit den vom König selbst vorgenommenen neuen Zulassungen weiterer Familien [6]. Der Widerspruch zwischen den Interessen des Staates und den persönlichen Ansichten war die zweifelhafte Basis, von der aus Friedrich seine Judenpolitik gestaltete.

In voller Deutlichkeit zeigt sich dies, wenn die Maßnahmen der früheren Regierungen zum Vergleich herangezogen werden. Das 1671 unter dem Kurfürsten erlassene Edikt hatte die Zahl der Juden formal auf 50 Familien beschränkt. Die Ansiedlungsrechte der Nachkommen unterlagen dabei keinen Begrenzungen. Die 1714 erfolgte Bestätigung dieses Gesetzes enthielt eine Liste der in der gesamten Monarchie zugelassenen 117 jüdischen Familien. Nur die dort aufgeführten »Schutzjuden« hatten ein Aufenthaltsrecht. Jeder von ihnen konnte unter Verweis auf seinen elterlichen Schutzbrief maximal drei Kinder zu legalen preußischen Einwohnern machen. Für das erste Kind galt dies ohne Einschränkung. Beim zweiten musste bereits ein Vermögensnachweis von mindestens 1.000 Talern (beim dritten: 2.000) erbracht werden. Im Falle der Heirat verlangte der Staat 50 beziehungsweise 100 Taler (beim zweiten Kind) als Gebühr.

Generalprivilegien und Generalprivilegierte

Das Generalprivileg Friedrich Wilhelms I. von 1730 hatte Maximalzahlen festgelegt, die nicht überschritten werden durften. In Berlin sollten nur 100, in der gesamten Monarchie weitere 117 Familien Schutzjuden leben. Lediglich zwei Kinder konnten nun das Aufenthaltsrecht der Eltern auch für sich in Anspruch nehmen. Dabei galt allerdings die Einhaltung des die gesamte Monarchie betreffenden Limits ebenso wie die bereits genannten Vermögensnachweise für die Nachkommen (1.000 für das erste Kind, 2.000 Taler für das zweite Kind).

Aus zwei in den Jahren 1747 und 1749 geregelten Spezialfällen entstand 1750 das neue Generalprivileg. Selbst die Familien, die einen auf sie bezogenen Legitimationsbrief besaßen – die ordentlichen Schutzjuden – sollten nur noch ein Kind ansetzen. Für Ausnahmen von dieser Regelung musste ein Vermögen von wenigstens 10.000 Talern nachgewiesen werden oder »Genie zu Fabriken und Manufakturen ... welche im Lande noch gar nicht oder nicht genugsam vorhanden sind«[7]. Als wichtigster Teil dieser Politik erwies sich die systematische Einordnung der preußischen Juden in sechs unterschiedliche Klassen[8].

1. Generalprivilegierte

Zu dieser Gruppe gehörten nur einige wenige Hof- und Finanzjuden, die dem Staat wertvolle Dienste erwiesen hatten. Sie waren in der Regel christlichen Kaufleuten gleichgestellt.

2. Ordentliche Schutzjuden

Sie waren durch ein spezielles Inhaberpapier (Geleit- oder Schutzbrief) zum Aufenthalt in dem dort genannten Ort berechtigt. Sie konnten das Papier auf die Kinder (maximal zwei) übertragen.

3. Außerordentliche Schutzjuden

Sie waren bloß auf Lebenszeit geduldet, konnten aber für ein Kind ein Aufenthaltsrecht erhalten, wenn sie es mit 1.000 Talern ausstatteten.

4. Öffentliche Dienstleister

Dazu zählten vor allem Rabbiner, Schullehrer, koschere Metzger, Bäcker, hebräische Buchdrucker und Totengräber. All jene Berufsgruppen also, deren eine von der Umwelt in Riten und Kultur getrennte Gemeinde zu ihrer Existenz benötigte. Ihre Rechtsstellung orientierte sich an Gruppe drei.

5. Tolerierte und Geduldete

Diese Gruppe verfügte nur über Bescheinigungen, die zeitlich begrenzt waren und/oder keinerlei Rechtsansprüche gegenüber dem Staat garantierten.

6. Privatdienstboten

Diener der Kategorien eins bis fünf, deren Rechte sich von der Position ihrer Herren ableiteten. Verlor der Arbeitgeber seine Legitimation, so war auch der Diener rechtlos. Die Ansetzung von Kindern war in der Regel nicht möglich.

Den unter Ziffer vier bis sechs Genannten war die Heirat seit 1722 nur nach vorheriger Einlösung eines Trauscheins bei der Rekrutenkasse möglich. Damit sollte verhindert werden, dass »... Judenkinder sich in ihren noch ganz jungen Jahren schon zusammen verheiraten und vermehren, und dann dieselben zu ihrem... Unterhalt fast bloß noch vom Wucher ... erhalten, und dem Publiko zur Last leben«[9].

Die Lasten der Juden

I. Jahresabgaben
1. Schutzgeld:
   1671: Acht Taler pro Familie jährlich
   1700: 3.000 Taler als Solidarzahlung aller Juden in Preußen; 1728: Auf 15.000 Taler erhöht (1768: 25.000 Taler)
2. Rekrutengeld:
   Da die Juden vom Militärdienst befreit waren, erhob der Staat seit 1728 insbesondere zur Besoldung der »langen Kerls« 4.800 Taler p.a.
3. Silberlieferungen:
   Seit 1766 jährlich 12.000 Mark in Silber; der Preis wurde dabei mit 12 Talern die Mark festgelegt. Der reale Wert betrug hingegen 14 Taler.
4. Hochzeits- oder Kindergelder: 300 Taler
5. Kalendergelder:
   400 Taler an die Akademie der Wissenschaften

Mit Ausnahme von Schlesien, Westpreußen und Ostfriesland, die ihre Abgaben nach speziellen Regelungen zu entrichten hatten, galten die hier beschriebenen Pflichten für die Juden des preußischen Gesamtstaates. Hinzu kamen spezielle Regelungen für einzelne Städte oder Provinzen. So zahlte in Berlin jeder Familienvorstand jährlich 200 Taler Silberakzise. Die Juden der Neumark mussten 500 Taler an das Lagerhaus für das große Potsdamer Waisenhaus entrichten[10].

II. Gebühren bei besonderen Anlässen
1. Bestätigung der Gemeindevorsteher:
   Alle drei Jahre hatten die jüdischen Kommunen neue Leiter zu wählen. Die erforderliche Bestätigung der Wahlen durch den Staat kostete in Berlin 130 Taler. Kleinere Gemeinden zahlten weniger; Landsberg beispielsweise nur 70 Taler[11].
2. Feueralarm:
   Da die Juden von Löscharbeiten ausgeschlossen waren, zahlten sie in Berlin für jede vorgenommene Brandbekämpfung pauschal 15 Taler[12].
3. Heiratskosten:
   Grundsätzlich durften Juden nur dann heiraten, wenn der Bräutigam wenigstens 25 Jahre alt war. Andernfalls waren 40 Taler zu entrichten. Die gleiche Summe wurde fällig, wenn einer der Ehepartner aus dem Ausland kam[13].

III. Sonstiges

1. Unterhalt der Templinschen Fabrik:
   Seit 1768 hatten sich die ordentlichen Schutzjuden Preußens zum Unterhalt der Templinschen Fabriken verpflichtet[14].
2. Porzellankauf:
   Seit 1769 mussten Preußens Juden bei besonderen Anlässen bestimmte Mengen von der Königlichen Porzellanmanufaktur abnehmen[15].
   Für das erste Kind: 300 Taler
   Für das zweite Kind: 500 Taler
   Bei Erwerb eines Hauses: 300 Taler (jeweils Warenwert)

IV. Leibzoll

Wenn ein Jude die Provinzgrenzen überschritt oder in Städte reiste, für die der Schutzbrief nicht galt, musste er bestimmte Gebühren entrichten. Zwar hatte der Kurfürst die Schutzjuden innerhalb seines Landes 1671 von dieser Verpflichtung ausdrücklich befreit, aber 1700 wurde der Leibzoll in Preußen eingeführt. Friedrich II. hielt an dieser Regelung fest[16].

V. Solidarische Haftung

Die gesamte Gemeinde haftete für Vergehen oder Verbrechen der Mitglieder. Ein Reisender schildert die Auswirkungen dieser Vorschrift in der Berlinischen Monatsschrift: »Hörten Sie hier, wie entsetzlich die Furcht sein muss, für ruchlose Räuber und Diebe aus Ihrer Nation mit zu bezahlen, welches hier gesetzlich ist ... so würden Sie schon sehen, dass den Juden hier im Staate nichts besseres widerfährt als allenthalben«[17].

VI. Berufliche Beschränkungen

Hier verschmolz die Ablehnung, die Friedrich für die Juden empfand, mit dem jetzt für wichtig erachteten Schutz der einheimischen Händler und Handwerker. Denn die Zeit des Niederringens der Stände und der Stärkung der eigenen Finanzmöglichkeiten, die die Epoche des Großen Kurfürsten noch so deutlich geprägt hatte, war vorbei.

Die Juden in der Wirtschaftspolitik

Der Absolutismus hatte gesiegt. Anders als früher konnte es sich der Herrscher jetzt leisten, den Ständen und den Repräsentanten der zünftig gegliederten Wirtschaftsordnung entgegenzukommen. Schon Friedrichs Vater, der in seiner grobschlächtigen Art die Juden nicht weniger heftig als der Sohn ablehnte, hatte die Minderheit aus dem Erwerbsleben zunehmend verdrängt[18]. Juden sollten auf die Bereiche beschränkt werden, in denen man sie brauchte. Es ging dabei um die Verdrängung von Importwaren, die Steigerung des Exports und die Belieferung des Heeres.

Ausnahmen von diesen Regeln konnte es nur dort geben, wo jüdische Händler unentbehrlich waren. Dies galt unter anderem auch für den wichtigen Pferdehandel. Auf Kredit gaben für gewöhnlich nur jüdische Händler Pferde ab. Deshalb: »Sonst bleibet den Juden frei, auch mit Wechseln Verkehr zu treiben und Pferde zu handeln«[19]. Wie es um die Erlaubnis für handwerkliche Berufe stehen konnte, war damit schon klar: »Soll kein Jude ein bürgerliches Handwerk treiben außer das Petschierstechen … Das Gold- und Silbersticken, auch Gold- und Silberschneiden soll ihnen …, nur so lange gestattet werden, als es ihnen erlaubt und nicht … verboten wird«[20]. Diese Einschränkungen wurden in dem Generalprivileg Friedrichs II. bestätigt und verschärft[21].

Eine der bedrückendsten Regelungen dieser Ansammlung von Diskriminierungen bestand darin, dass die ordentlichen Schutzjuden – neben den außerordentlichen eine Art Mittelstand der preußischen Juden vor der Emanzipation – ihr Aufenthaltsrecht nur auf ein Kind und dessen Familie vererben konnten[22]. Diese Bestimmung wurde zu einem Diskussionspunkt, an dem sich dann auch die Prinzipientreue Friedrichs als flexibel erweisen sollte[23]. Jedenfalls verstand er, dass sich diese Regelung, die doch die Zahl der preußischen Juden in Grenzen halten sollte, durchaus als Pfand für ein Geschäft auf Gegenseitigkeit nutzen ließ. Denn wie schon sein Vater Friedrich Wilhelm I. zielte auch er mit seiner Wirtschaftspolitik ja nicht bloß auf die Einschränkung des jüdischen Handels.

Vielmehr schwebte beiden der Ausbau des völlig unterentwickelten Fabrikationswesens vor. Je mehr einheimische Fabriken es gab, desto sicherer war im militärischen Bereich die Versorgung des Heeres gewährleistet. Und im zivilen Sektor ließen sich mit einheimischen Fabriken die auf der Zahlungsbilanz des Landes lastenden Einfuhren verringern. Vater wie Sohn dachten und handelten damit konsequent im Sinne der Wirtschaftsideologie dieser Epoche, des Merkantilismus. Wie es diese wirtschaftspolitische Doktrin vorgab, wurden die beiden Hohenzollern zu den Repräsentanten einer binnenländischen Schutz- und Entwicklungspolitik[24].

In seinem Politischen Testament von 1768 hatte Friedrich II. gefordert: »Wir müssen Preußen als einen Militärstaat betrachten. Alles muss darauf eingestellt sein, denn wir haben mächtige Nachbarn voller Neid und Eifersucht«. Deshalb: »Die Industrie ist freilich die Säugamme eines Landes und der Handel die belebende Seele … soviel ist doch gewiss, dass ein Fabrikant 2000 Hände und darüber beschäftigen kann, wenn ein Handelsmann kaum deren zwanzig beschäftigt«[25]. Folglich zwang Friedrich die Wohlhabenden unter den preußischen Juden zur Gründung von Manufakturen und

Verlagsunternehmen, bei denen Handwerker ihre Rohmaterialien beziehen konnten. Die erwerbsmäßigen Verbote, die nach dem Generaljudenreglement galten, wurden damit ständig aufgeweicht.

Als Friedrich die Herrschaft angetreten hatte, existierte als jüdisches Unternehmen in Preußen eigentlich nur die Samt- und Plüschmanufaktur des David Hirsch. Bereits 1748 kamen die Seidenfabriken des Moses Riess hinzu. Nach 1750 setzte dann vor allem in dieser Branche eine Welle von jüdischen Unternehmensgründungen ein. Der Betrieb des Isaak Bernhard verdient besondere Aufmerksamkeit, weil Moses Mendelssohn hier als Unternehmer und Teilhaber arbeitete[26].

Insgesamt wurden während der Zeit Friedrichs II. in Preußen 46 Unternehmen neu gegründet. Ganze 37 davon gingen auf jüdische Initiativen zurück. Allein in Berlin gab es 1769 bereits 12 jüdische Fabrikanten, die insgesamt 17 Betriebe führten. Sechs von diesen Unternehmen waren erst nach 1763 entstanden oder übernommen worden. Die wenigsten dieser Fabriken betrieben Juden freiwillig. Für Not leidende Betriebe wie die Fabrik für Mützen und Strümpfe in Templin mussten sie das unternehmerische Risiko als Gesamtheit tragen.

Wie notwendig der Staat die für sie selbst wiederum ganz existentiellen Fähigkeiten und Initiativen der Juden brauchte, ergibt sich aus dem politisch verfestigten Zustand der preußischen Gesellschaft. Der Adel, dem geschäftliche Aktivitäten untersagt waren, stellte die hohen Ränge in Militär und Beamtenschaft. Der Ehrgeiz der Bürgerlichen erschöpfte sich, von ganz wenigen Außenseitern abgesehen, in einem Verharren beim herkömmlichen, zünftig geregelten Geschäftsgebaren. Die Landbevölkerung schließlich war eine demoralisierte und unterwürfige Masse, von der irgendwelche Impulse weder erwartet noch gewünscht wurden[27].

Ebenso übel sah es bei den Unternehmern aus: »Beim Bürgerstande findet man zum Teil gebildete, zum Teil sehr unausgebildete unwissende Menschen, denen der Bauch ihr Gott ist, und die nicht die geringste Kenntnis davon haben, was in und außer ihnen vorgehe – sie sind zum Teil bloß mit ihrem Gewerbe beschäftigt, und gegen alles gleichgültig, was nicht Beziehung auf sie selbst und ihre physische Natur hat ... «[28].

Friedrich II. sah in jüdischen Unternehmern bestenfalls eine Gruppe, die im Interesse des Staates einzusetzen war. Der Zwang zum Führen von Fabriken war ein Teil dieser Politik. Ein weiterer Teil bestand stets darin, den Juden so viele Abgaben wie möglich aufzuerlegen. Auch dies war aufs engste mit der merkantilistischen Wirtschaftspolitik verflochten. Ein so diffiziler Bereich wie die Fertigung von Porzellanwaren, den Sachsen mit seinen 1710 in Meißen gegründeten Manufakturen beherrschte, belegt dies deutlicher als vieles andere[29].

In einer eigenartigen Verbissenheit galt Friedrichs besondere Aufmerksamkeit ausgesprochenen Luxusbereichen wie der Porzellanerzeugung. Das Argument, dass es ihm um die Ausschaltung von Importen ging, überzeugt hier nur bedingt. Denn eigentlich gab es für den König, noch dazu während des Siebenjährigen Krieges, Wichtigeres zu tun als sich um eine preußische Porzellanindustrie zu kümmern[30].

Was hier wegen der zum Kauf des minderwertigen Porzellans zwangsverpflichteten Juden noch einigermaßen gelang, endete in der Seidenindustrie mit einem Fiasko. Den aus Frankreich und dem Niederrhein importierten Seidenwaren wollte der König eine einheimische Industrie entgegenstellen. Gemessen an Aufwand und Ertrag konnte dies aber nur ein »geradezu klassisches Exempel fehlgeleiteter Gewerbeförderung« sein[31].

Für das relativ starke Engagement von Juden in der Verarbeitung von Seide und verwandten Rohmaterialien hatte sich einmal mehr der Druck des Königs als ausschlaggebend erwiesen. Die herkömmliche Wollverarbeitung und Tucherzeugung hatte der König den Juden verschlossen, weil es hier schon Firmen mit christlichen Inhabern gab[32]. Die Textilindustrie war aber für jüdische Unternehmer mit Abstand der aussichtsreichste Zweig, weil er zu dem vertrauten Metier des Handels noch eine gewisse Nähe bot. Da hier aber nur Mangelbereiche wie Seide, Samt oder Brokat offen standen, konzentrierten sich jüdische Textilhersteller vorwiegend auf diese Zweige.

Ähnlich war es beim Textilhandel, wo für Juden ebenfalls massive Beschränkungen bestanden. Folglich waren sie in Geschäften mit Seide und anderen verwandten Materialien besonders stark vertreten. In der Kurmark, Neumark, Pommern und Halberstadt wickelten jüdische Kaufleute nachweislich bis zu 80 Prozent und mehr vom gesamten Seidenwarenhandel ab[33]. Diesen Anteil musste der König bald als störend empfinden. Denn gerade die jüdischen Händler bevorzugten die besseren und billigeren Produkte des Auslands.

Weil dies den Bemühungen um den Aufbau einer einheimischen Industrie aber zuwiderlaufen musste, begannen die Behörden, die Importware mit speziellen Stempeln zu markieren. In Preußen durfte dann nur noch mit den gestempelten ausländischen Produkten gehandelt werden. Juden verstanden dies zu umgehen, indem sie die zuständigen Beamten der Zoll- und Akzisebehörden mit Bestechungsgeldern entgegenkommend stimmten. Auch führten sie in größerem Umfang Schmuggelware ein, wobei sie sich gefälschter Akzisestempel bedienten.

Der illegale, durch zahllose Verfahren belegte »Schleichhandel« der Juden hing mit der merkantilistischen Schutzpolitik zusammen, die der unterlegenen einheimischen Ware Absatzmöglichkeiten verschaffen wollte. Er war eine Antwort der jüdischen Kaufleute auf die ihnen auferlegten Wettbewerbsnachteile. Obwohl hohe Zuchthausstrafen darauf standen und trotz der Androhung, alle Juden aus dem Lande zu jagen, blieb der Schmuggel ein unlösbares Problem für den preußischen Staat[34].

Aufs Ganze gesehen war die dirigistische Ökonomie von Friedrich II. sehr wohl erfolgreich. Die Handelsbilanz des preußischen Staates hatte noch im Jahre 1740, als Friedrich den Thron bestieg, ein Minus von 500.000 Talern aufgewiesen. 1786, im Todesjahr des Königs, war daraus ein Überschuss von drei Millionen Talern geworden. Der Hohenzollern-Staat hatte sich also in dieser Zeitspanne von einem Importland zu einen relativ bedeutenden Exporteur entwickelt[35].

Ein ähnlich positiver Befund ergibt sich aus der Entwicklung des Staatsschatzes. Friedrich Wilhelm I. hatte seinem Sohn 1740 einen Barbestand von 9,3 Millionen Talern hinterlassen. Schon dies war eine große Leistung. Friedrich II. vermochte es aber, trotz verheerender Kriegsfolgen den übernommenen Aktivbestand bis 1786 noch auf 55 Millionen Taler zu erhöhen. Auf der Passivseite standen dieser Summe lediglich Schulden von 12,5 Millionen Talern gegenüber [36].

Moralische Kategorien spielten bei diesen Leistungen keine Rolle. Der König trat stets als Repräsentant der Staatsmacht auf, der in einem Zweckgerichteten Kalkül ausschließlich daran dachte, sein Potential auszuspielen. Wie Armee und Bürokratie waren auch die Juden Preußens, wenngleich in einerunvergleichlich geringeren Bedeutung, Instrumente, um dieses Kalkül mit der Wirklichkeit in Einklang zu bringen.

In schöner Nüchternheit hat dies Otto Hintze, der Klassiker der preußischen Historiographie, so formuliert: Friedrich II. handelte wie » ... der Leiter eines Geschäfts-Kontors, in dem Produktion und Absatz der gesamten Staatswirtschaft, die mit der unterentwickelten Volkswirtschaft noch zusammenfällt, beobachtet und geregelt wurde«[37]. Tatsächlich ist Friedrichs Größe nicht in der Übereinstimmung von Politik und moralischen Prinzipien zu finden – ob nun denen der Aufklärung oder anderer Positionen. Friedrichs wirkliche Bedeutung lag darin, dass er für sich und seinen Staat rücksichtslos den Ausbruch aus der Mittelmäßigkeit unternahm. Die bewusst und auch über das vertretbare Maß hinaus eingegangenen Risiken in der großen Politik waren ein Weg hierzu. Ein anderer bestand in der mit Erfolgen, aber auch Fehlschlägen abgeschlossenen wirtschaftlichen Entwicklung des Landes.

Die Juden gingen aus dieser Politik auf bemerkenswerte Weise gestärkt hervor. Das Interesse des Königs an einem Fabrikationswesen war ein Weg, um die Aufenthaltsrechte im Lande zu prolongieren, auszuweiten oder auch zu festigen. All dies wollte der König nun zwar gerade nicht. Aber ohne dass er auch dies nur im Entferntesten gewünscht hatte: Das Interesse des Monarchen an einer florierenden Wirtschaft verbesserte trotz aller Beschränkungen die geschäftlichen Chancen selbständiger jüdischer Unternehmer und Händler[38].

Schon die Vorgänge um den Schmuggel von Seidenfabrikaten hatten angedeutet, dass Preußen zwar über relativ strenge Gesetze verfügte, eine völlige Kontrolle der Juden in der Praxis aber nur selten durchführen konnte. Vor allem Friedrichs Absicht, die Juden zahlenmäßig einzuschränken, ihre Unternehmen aber zu fördern, enthielt einen gravierenden Gegensatz. Denn beides in einem war nicht möglich. Jüdische Fabrikanten und Händler, die in der Regel einen Schutzbrief besaßen, bedienten sich beim Aufkauf von Rohmaterialien, der Fertigung und dem Verkauf von Produkten eines ganzen Trosses von Mitarbeitern.

Ohne die zahlreichen jüdischen Gehilfen ließen sich geschäftliche Erfolge aber kaum realisieren[39]. Diese Sachzwänge führten dazu, dass der Schutzbrief unter Friedrich II. zu einem Papier geriet, von dem nicht bloß eine Familie ihr Aufenthaltsrecht ableitete, sondern zahllose Einzelpersonen, die für Haushalt und Betrieb des ursprünglich Berechtigten unentbehrlich waren[40]. In Schlesien entstand beispielsweise das »Famulizsystem«. Danach konnten auf einen Schutzbrief neben der ausdrücklich berechtigten Familie noch weitere 50 Juden angesetzt werden[41]

Nur unter Berücksichtigung solcher in fast allen Provinzen ablaufenden Vorgänge und der zahllosen illegalen Einwanderungen wird die starke Zunahme der Juden in den preußischen Territorien verständlich. Diese Tendenz sollte sich mit den polnischen Teilungen noch erheblich verstärken. Selbst in der Kurmark mit der Hauptstadt Berlin, der noch am straffsten kontrollierten Region, ließ sich die vom König geforderte zahlenmäßige Beschränkung der Juden nicht durchhalten. Erst nach 1780 trat hier eine gewisse Stagnation ein.

Repräsentative Aussagen zum Wohlstand und zur sozialen Stellung der Juden im preußischen Staat sind erst ab dem ausgehenden 18. Jahrhundert möglich. Allenfalls die Situation in Berlin erlaubt gewisse Rückschlüsse. Die Berufsstruktur der Berliner Gemeinde stützte sich 1750 auf 321 Schutzjuden. Davon widmeten sich 74,4 Prozent dem Handel, 11,5 Prozent fanden ihr Auskommen in Sparten, die dem gewerblichen Bereich zuzurechnen sind. Der Rest von 1,4 Prozent setzte sich aus Lehrern, Rabbinern und ähnlichen Berufen zusammen. Hinter diesen 1,4 Prozent verbarg sich aber in Wirklichkeit eine ungleich größere Gruppe.

Denn die 321 Schutzjuden waren nur ein Teil des Berliner Judentums, und zwar derjenige, der originäre Aufenthaltsrechte vorweisen konnte. Zählte man die mit abgeleiteten Privilegien hinzu, dann hatte die jüdische Gemeinde Berlins insgesamt 802 Erwerbspersonen. Allein 35 Prozent hiervon waren als Gesinde beschäftigt oder schlugen sich als Tagelöhner und Handlanger durch[42]. Von den 802 jüdischen Erwerbspersonen Berlins lebten

64,7 Prozent am Existenzminimum. Über 26 Prozent waren mittelmäßig begütert. Neun Prozent galten als reich[43].

Gerade diese Oberschicht stieg in den folgenden Jahren zu einer Bedeutung auf, die man vorher nicht einmal annähernd erahnen konnte. Denn der Siebenjährige Krieg, den Friedrich II. von 1756 bis 1763 gegen eine übermächtige Koalition durchzustehen hatte, erwies sich nicht bloß für den Hohenzollern Staat als eine entscheidende Zeitspanne. Er war es auch für die preußischen Juden und indirekt sogar für einen Teil der europäischen Hochfinanz des frühen 19. Jahrhunderts.

Staatlich organisierter Münzbetrug

Schon im Frühabsolutismus und während des späten Mittelalters hatten europäische Herrscher auf Juden als Hoffinanziers, Juweliere und Edelmetallhändler zurückgegriffen. Während des 17. und noch mehr im 18. Jahrhundert wurde diese Praxis intensiviert. In wenigen anderen Ländern erreichten die Hofjuden jedoch einen derart spektakulären Aufstieg wie in Preußen. Hier kam alles zusammen: ein ehrgeiziger, aber armer Staat, Mangel an einheimischen Finanziers und als wichtige Drehscheibe die gemeinsame Grenze mit Polen.

Friedrich Wilhelm I. hatte einige Juden noch widerwillig als Armeelieferanten beschäftigt und sie für ihre Dienste mit so genannten Generalpatenten entschädigt. Damit wurde 1724 beispielsweise der »Hof- und Garnisonsjude« Mayer Rieß christlichen Kaufleuten gleichgestellt. Bezeichnend an derartigen Vorgängen: Mayer Rieß erhielt auf sein Patent nicht weniger als elf Schutzprivilegien für weitere Familien[44].

Keiner ging jedoch so weit wie Friedrich II. Unter seiner Herrschaft erreichten die jüdischen Hoffinanziers ihren Höhepunkt. Den Anstoß hierfür brachte der Siebenjährige Krieg. Wollte nämlich Preußen diese Auseinandersetzung mit übermächtigen Gegnern bestehen, so musste es eine Finanzquelle nutzen, die seit dem 16. Jahrhundert im ganzen Reich bekannt war: Münzen wie Edelmetalle aufkaufen und im Gegenzug den Wertgehalt an Silber des selbst geprägten Geldes reduzieren. Als Agenten und Ausführende kamen dafür nur Juden in Frage[45]. Denn gerade im Geld- und Edelmetallhandel dominierten jüdische Unternehmer. Die Gründe hierfür lagen auf der Hand: besonders hohe Gewinnspannen und die Nähe zu dem fast nur von Juden betriebenen Geldverleih. Überdies ergab sich aus den stets drohenden Ausweisungen ein Zwang zum Handel mit Gegenständen, die sich leicht transportieren ließen[46].

Der Staat hatte schon seit dem 17. Jahrhundert versucht, den Gold- und Silberhandel zu kontrollieren. Aus dieser Absicht erklärt sich der oft wiederholte Versuch, den Einkauf und das Schmelzen von Edelmetallen als Monopol bei den an Privatpersonen verpachteten Münzstätten anzusiedeln. Da man die festgelegten Einkaufspreise jedoch zu niedrig ansetzte, entstand ein schwarzer Markt, in dem die Juden besonders stark vertreten waren[47].

Die Bürokratie resignierte schließlich und beauftragte 1719 einen der den Silberhandel beherrschenden Juden mit Belieferung der Münze. Von da ab versuchte das Generaldirektorium regelmäßig, weitere Silberlieferungen gegen die Abmilderung von Vorschriften zu erreichen. Im Zusammenhang mit diesen Bemühungen tauchten dann bald die Familien auf, die für das Geldwesen im 18. Jahrhundert wichtig werden sollten[48].

Die Gomperz belieferten die Münze seit 1723. Ihr wichtigster Repräsentant, Herz Moses, war mit einer Schwester Veitel Ephraims verheiratet und leitete ein Konsortium. Nach seinem Tod (1756) verbündete sich diese Gruppe mit dem aufstrebenden Ephraim, der die Berliner Münze schon seit 1737 beliefert hatte. Mit seinen weiteren Schwägern Abraham und Moses Fränkel erhielt Ephraim 1755 die Königsberger und Breslauer Münzstätten zur Pacht [49].

Die Gewinnspanne des Pächters lag bei diesen Geschäften für gewöhnlich in der Differenz zwischen dem Preis des eingekauften Materials und den Gesamtkosten für die ausgeprägten Münzen. Dazu war eine festgelegte Pachtsumme – der so genannte Schlagschatz – an die Behörden zu entrichten[50]. Den Erwerb des Edelmetalls förderte der Staat. So trug Friedrich II. dem Generaldirektorium 1755 auf: »Akzise- und Zollfreiheit für das vom Münzkonsortium des Moses Gomperz benötigte Kupfer. Kein Silber oder Gold soll exportiert, keine fremde schlechte Münze soll hereingelassen werden«[51].

Schon die Möglichkeit, für die Münze im Auftrag und unter Rückendeckung des Staates mit Edelmetallen zu handeln, stellte ein lukratives Geschäft dar. Nicht bloß Unternehmer wie Gomperz, Ephraim und Fränkel fanden hier eine ungewöhnlich profitable Existenzgrundlage, sondern ganze Infrastrukturen von Händlern und Agenten. Mit dem Tode des Gomperz begann der Aufstieg des vorher noch unterlegenen Konsortiums Ephraim. Mehrere Gründe gaben dafür den Ausschlag. Veitel Ephraim war der erfahrenste Münzunternehmer seiner Zeit. Dazu gelang es ihm, den kaum minder fähigen Daniel Itzig und dessen schlagkräftige Vertriebsorganisation nach dem Tode des Hauptkonkurrenten Gomperz auf seine Seite zu ziehen[52]

Die große Zeit dieser Münzjuden setzte mit dem Siebenjährigen Krieg ein. Friedrich und seine Beamten gestatteten die Ausprägung von Münzen mit reduziertem Materialwert. So durften die Pächter die britischen Goldsubsidien durch Schmelzen und Legieren vermehren[53]. Werthaltige Münzen wurden im In- und Ausland aufgekauft, eingeschmolzen und zu billigerem

Metallgeld verarbeitet. An dieser Abwertung bei der Herstellung der Münzen verdienten dann beide: der Staat ebenso wie die Unternehmer.

Der Staat hatte seit 1755 von den jüdischen Münzpächtern jährlich 325.000 werthaltige Taler erhalten. Im Jahre 1758 wurde diese Zahlung auf rund eine Million erhöht. Für die Münzunternehmer war es dennoch ein lohnendes Geschäft, weil ihr Gewinn in der Regel mindestens so hoch ausfiel wie der entrichtete Pachtzins[54]. Wie der Weg zu solchen Profiten aussah, zeigt das Verhalten Ephraims, als er 1756 in dem von Preußen besetzten Sachsen die Leipziger und Dresdner Münzstätten übernahm. Er ließ dort über eine Million Taler herstellen. Aus einer Mark Silber wurden jedoch nicht wie im Reich üblich 14, sondern bis zu 19 Taler gewonnen[55].

Noch radikaler wurde dieses Verfahren der Münzverschlechterung durch Beimengung von Kupfer auf polnische und russische Stücke angewandt. Die preußischen Prägeanstalten reduzierten den Feingehalt um die Hälfte[56]. Mit diesem Geld wurden vor allem in Polen wichtige Geschäfte durchgeführt: der Tausch gegen bessere Gold- und Silbermünzen sowie der Kauf des für Preußen wichtigen Getreides. »Die Unentbehrlichkeit des polnischen Getreides ... (ließ) bald die preußische Verwaltung vor keinem Mittel zurückschrecken ... ihre Münzen in Polen kursfähig zu erhalten«[57]. Jüdische Agenten, vorwiegend die des Itzig, kauften in Polen deshalb ständig werthaltige Münzen und Getreide. Sie bezahlten mit den vergleichsweise wertlosen preußischen Geldstücken[58].

Im Gegensatz dazu behielt der Gegner Österreich die standardisierten Materialwerte seiner Münzen bei und entlohnte auch seine Truppen damit. Den habsburgischen Armeen folgten deshalb regelmäßig jüdische Hausierer, die österreichische Geldstücke im Auftrag Ephraims und Itzigs gegen mindere Sorten erwarben. Auf diese Weise zirkulierten Preußens abgewertete Münzen auch und gerade beim Gegner[59].

Münzunternehmer im Zenit

Die Folgen der Münzgeschäfte waren ebenso vielfältig wie gravierend. Insgesamt musste die preußische Staatskasse für den Krieg fast 170 Millionen Taler aufwenden. Die Münzmanipulationen brachten davon 17 Prozent[60]. Kehrseite dieses Erfolgs war eine dramatische Geldentwertung, deren Bekämpfung ein Merkmal der Nachkriegszeit bildete. Minderwertige Münzen wurden ersetzt, die Pachtverträge mit den jüdischen Unternehmen gekündigt oder nicht mehr verlängert[61]. Kurzfristig änderte dies an der Inflation nach dem Krieg jedoch nichts.

Die Bevölkerung machte für die Münzverschlechterungen in erster Linie die Juden verantwortlich. »Bei der großen Illumination, die den gehofften, aber nicht erfolgten feierlichen Einzug Friedrichs nach seiner Wiederkehr aus dem Siebenjährigen Krieg verherrlichen sollte, fand ein Spaßvogel in Berlin großen Beifall, weil er vor seinem Haus ein illuminiertes Schwein aushing, das Friedrichsd'or (Goldstücke) fraß und ... Groschen von sich gab. Unter diesem Schwein brannten die Worte: Pour Ephraim«[62].

Die Vorwürfe gegen die jüdischen Münzunternehmer waren durchaus berechtigt. Im Hintergrund blieb dabei stets die Tatsache, dass der König selbst den Anstoß zu den Münzverschlechterungen gegeben hatte[63]. An einem Ergebnis gab es jedoch nichts zu rütteln: Über die Geschäfte während des Krieges stiegen die Ephraims und Itzigs zu den reichsten Familien der Monarchie auf. Eine Ahnung von den erzielten Gewinnen vermittelt die Rechnung der Münzunternehmer nach dem Krieg. Sie machten ausstehende Provisionen von über fünf Millionen Talern geltend[64]. Zwar kam es nicht zur Auszahlung des geforderten Betrages, aber die Ephraims, Itzigs, Gomperz und Isaacs hatten auch so Millionen verdient[65].

Der König nahm den Reichtum und den sozialen Aufstieg der jüdischen Unternehmer in Kauf. Denn nach der Beendigung der staatlich sanktionierten Falschmünzerei stand für Friedrich die Rückkehr zu normalen Verhältnissen im Vordergrund. Den Juden hatte er dabei erneut eine besondere Rolle zugedacht[66].

Insbesondere die Münzunternehmer zwang Friedrich II., ihre während des Krieges angesammelten Mittel in produktive Bereiche zu lenken. Günstige Voraussetzungen hierfür bestanden insoweit, als beispielsweise Veitel Ephraim schon seit 1745 eine Spitzenklöppelei in Potsdam mit bis zu 200 Arbeiterinnen betrieb. Gerade Ephraim beteiligte sich in den zwölf Jahren, die ihm nach dem Kriege noch blieben, an zahllosen Unternehmen. Wichtig war die Gold- und Silbermanufaktur, die die Firma Ephraim & Söhne im April 1763 in Erbpacht vom Potsdamer Waisenhaus übernahm[67].

Den unter der alten Leitung stehen gebliebenen Betrieb führte Ephraim schnell in die Rentabilität. Er wurde dadurch » ... noch reicher als durch die Münzpacht«[68]. Neben den Investitionen war dafür ein besonders geschickter Schachzug Ephraims verantwortlich. Er verstand es, das bei Übernahme der Fabrik nur für einen Teil Preußens zugesagte Monopol auf den ganzen Staat auszudehnen [69]. Danach dominierte er auch in dem wichtigen Exportmarkt Polen völlig. Über den Königsberger Agenten Joachim Moses Friedländer – ein Familienname, der hier noch öfters auftauchen wird – lieferte die Ephraimsche Gold- und Silbermanufaktur in den Jahren 1770 bis 1782 Waren für mehr als 335.000 Taler nach Polen. Im Gegenzug bezog sie von dort zwischen 1770 und 1779 für etwa 1.200.000 Taler Silber.

Gut entwickelten sich in den Friedensjahren auch die Geschäfte von Itzig, Ephraims Partner bei den Münzgeschäften während des Krieges. Obwohl der König nun im allgemeinen mit Falschmünzereien nichts mehr im Sinn hatte, vertraute er Itzig selbst nach 1763 noch insgeheim Prägungen für Russland und Polen an[70]. Daneben betrieb Itzig zahlreiche Unternehmen, darunter eine Lederfabrik in Potsdam und ein Eisenwerk im Harz[71].

Diese Unternehmensgründungen und der vorher schon aufgezeigte Stellenwert der preußischen Juden in der Wirtschaft des Hohenzollern-Staates provozieren einmal mehr die Frage, inwieweit die Juden an der Entstehung des Kapitalismus beteiligt waren[72]. Tatsächlich schufen die Juden den Kapitalismus damals in Preußen ebenso wenig wie in anderen Staaten. Sie nahmen die Funktion eines Ersatzbürgertums ein, das Preußens Manufakturwesen und Handel mit Impulsen versorgte, denen aber langfristige Effekte kaum zukamen[73].

Beispielsweise konnte bereits 1804/06 keines der großen Textilwerke in Berlin mehr mit jüdischen Unternehmern in Zusammenhang gebracht werden[74]. Der beste Kenner der preußischen Wirtschaft im 18. Jahrhundert kommt zu dem Schluss, dass »Kalvinismus und Judentum, die beide in der hier behandelten Zeit als neue und höchst beachtliche Elemente auftreten, (nicht) die eigentlichen Motoren des Berliner Wirtschaftslebens geworden seien«[75]. Generell wirkten die Juden auch in Preußen mehr als Nutznießer denn als Antriebskräfte eines in den Kapitalismus rollenden Zuges.

Die sich längerfristig zeigende Bedeutung der jüdischen Unternehmer in Preußen lag auf anderen Gebieten. Den reichen Familien gelang der Ausbruch aus dem bisher üblichen Status von Untertanen minderer Klasse. Und dies, obwohl Friedrich II. im allgemeinen von Generalprivilegien für einzelne jüdische Familien nichts hielt. Noch 1756 hatte er einen entsprechenden Antrag Ephraims abgelehnt. Der Krieg und die wachsende Abhängigkeit von den jüdischen Münzunternehmern brachten auch hier eine Wende.

Der Unternehmer Abraham Markus erhielt für sich wie für seine Nachkommen 1761 ein »Generalprivileg christlicher Kaufleute und Bankiers«. Vergleichbare Rechte wurden noch im gleichen Jahr Ephraim und Itzig zugestanden[76]. Damit waren Zeichen gesetzt. Bis zu seinem Tod stattete Friedrich II. in Berlin zwölf, in Breslau sechs weitere Familien mit Generalprivilegien aus[77].

Diese politische Absicherung einzelner Familien begünstigte in der zweiten Hälfte des 18. Jahrhunderts einen bedeutsamen Prozess. Mit ihrem Reichtum und der Hinwendung zur Kultur der Umwelt begannen sich jüdische Unternehmer von den starren Bindungen an das herkömmliche Gemeindeleben zu lösen. Unbesorgt um den für Untertanen zweiter Klasse gefährlichen Widerwillen der Obrigkeit konnten die Generalprivilegierten auch als Fürsprecher der mit minderen Rechten ausgestatteten Juden Preußens auftreten.

Ephraim Veitel Ephraim, der älteste Sohn des 1775 verstorbenen Münzjuden, veröffentlichte 1785 eine Verteidigungsschrift für die preußischen Juden, in der er folgende Rechnung aufmachte: Von den fünf Millionen Einwohnern Preußens würden in Friedenszeiten jeweils 2.000 Familien durchschnittlich 40 Rekruten stellen oder 4.000 Reichstaler für die entsprechende Zahl Söldner bezahlen. Dagegen zahlten die 1.600 jüdischen Familien Preußens insgesamt 50.000 Taler per anno, davon etwa 7.000 allein für die Anwerbung von Soldaten.

Folgen sollten sich, trotz allgemeiner Anerkennung der dort angestellten Gedankenführung, aus dieser Schrift nicht ergeben. Ephraims Rechtfertigung ist mehr als Ausdruck der zunehmend nun auch von den Juden selbst geforderten Besserstellung zu sehen[78]. Mit dem Tod des alten Ephraim (1775) hatte indes bereits der Niedergang dieser wichtigen Unternehmerfamilie begonnen. Das Vermögen zerfiel schon unter den Söhnen[79]. Nur wenige Familienmitglieder ragten in der Folgezeit noch aus dem Berliner Judentum heraus.

Einer von ihnen war Heimann, der Sohn des oben genannten Ephraim Veitel Ephraim, der als westpreußischer Landschaftsagent und Oberlandesältester der Judenschaft amtierte. Dessen drei Söhne traten vermutlich zum Christentum über und änderten nach 1812 ihren Familiennamen in Ebers[80]. Zwei von ihnen heirateten Töchter des Bankiers Liepmann Mayer Wulff – des damals reichsten Mannes in Berlin, Großvater des Komponisten Giacomo Meyerbeer[81].

Bemerkenswerter verlief die Familiengeschichte der Itzig. Wie sein früherer Partner baute sich auch Daniel Itzig nach dem Krieg ein großes Haus in Berlin. Es enthielt eine Privatsynagoge und, ein geradezu revolutionärer Vorgang für das zeitgenössische Judentum, eine Gemäldegalerie[82]. Mit ihrem Reichtum und den fast schon dynastisch zu nennenden Heiratsverbindungen spielten die Itzig im Berlin des ausgehenden 18. Jahrhunderts eine besondere Rolle. Dies alles drängte jedoch ein Rechtsgeschäft in den Hintergrund, mit dem diese Familie dann eine Art Pilotfunktion für die gesamte preußische Judenheit übernahm.

Denn 1791 wurden die Beamten angewiesen, den ... »Bankier Daniel Itzig für sich und seine ehelichen Descendenten (Nachkommen) beiderlei Geschlechts zu naturalisieren und ihnen dadurch alle Rechte christlicher Bürger in unseren gesamten Staaten und Landen zu verleihen«[83]. Erstmals hatten damit Juden in Preußen vollständige Bürgerrechte erhalten. Denn selbst die Generalprivilegien, die Friedrich II. so widerwillig verliehen hatte, hielten prinzipiell noch am Status von bloß tolerierten Fremden fest. Itzig, seine vier Söhne und sechs Schwiegersöhne mussten den Stadtbürgereid 1792 nicht unter Berufung auf christliche Glaubensformeln schwören, sondern – ein absolutes Novum: »So wahr mir Adonai (in jüdischen Gebeten die Umschreibung für Gott) helfe«[84].

Die Itzigs waren nicht nur wegen ihrer Pionierrolle für das preußische Judentum wichtig. Ihre Verbindungen zur österreichischen, damit europäischen Hochfinanz waren ungewöhnlich intensiv. Nathan Adam Freiherr von Arnstein, dessen Vater Arnsteiner noch dem Wiener Hof als Lieferant gedient hatte, heiratete eine Tochter Daniel Itzigs. Ebenso sein Partner Bernhard Eskeles, mit dem er die Bank Arnstein und Eskeles führte, die lange Zeit das bedeutendste jüdische Finanzinstitut in der Habsburger Monarchie war[85].

Wegen dieser wichtigen Verbindungen sollen hier die Wege der neun Kinder Itzigs und deren Nachkommen kurz skizziert werden. Die hier deutlich werdenden Schicksale sind nicht untypisch für die reichen jüdischen Familien in Mitteleuropa[86].

1. Bella: Ehefrau des Bankiers Jehuda Levin Jakob Salomon und Mutter der Rebecca, die den aus Königsberg stammenden Makler Hermann Seligmann heiratete. Deren Töchter Josephine und Marianne ehelichten die Bankiers Wilhelm Benedicks (Stockholm) beziehungsweise Alexander Mendelssohn (Berlin). Die 1822 getaufte Lea Salomon war seit 1804 mit Abraham Mendelssohn verheiratet. Mit ihm nahm sie 1823 den weiteren Zunamen Bartholdy an, den vorher schon ihre beiden jüngeren Brüder (1806 in Dresden getauft) getragen hatten. Aus Leas und Abrahams Ehe stammte der Komponist Felix Mendelssohn-Bartholdy.

2. Isaak Daniel (1750–1806): Oberhofbankier, Hofbaurat und Generaldeputierter der preußischen Juden. Er heiratete seine Base ersten Grades, Adelaide Wulff, die Tochter des Seidenfabrikanten in Berlin, Potsdam und Bernau, Isaak Benjamin Wulff. Isaak Daniel Itzig geriet in finanzielle Schwierigkeiten, was 1799 zu seiner Enterbung führte. Zu seiner sehr großen Nachkommenschaft gehören vor allem die holländischen Asser, verschwägert mit den Kölner Oppenheim und v. Kaufmann-Asser, den Godefroy in Amsterdam und den Esser in Köln. Besonders bemerkenswert ist der Nachkomme Tobias Michael Karel Asser (1838–1913), Dr. jur., holländischer Staatsminister und im Jahre 1911 Träger des Friedensnobelpreises.

3. Susanna: Ehefrau des aus Königsberg stammenden Berliner Stadtrats und Großhändlers David Friedländer. Die Töchter heirateten in die Familien Mendheim, Droysen (Historiker), Busch, Korn und Hübner (Juristen), Smend und Jordan. Ein Enkel, Justus Friedländer, Konsul in Konstantinopel, nahm eine Tochter des Geheimen Oberbergrats Emil Bendemann aus der Bankiersfamilie Bendix zur Frau.

4. Moses Daniel: Inhaber von Seidenfabriken in Berlin, Potsdam und Bernau gemeinsam mit seinen Vettern Wulff. Sein Schwiegersohn war der Bankier Michael Wolff aus Dessau. Ein Enkel war der Oberlandesgerichtspräsident und Kronsyndikus Dr. Karl Ludwig, seit 1910 v. Hagen. Nur eine Linie blieb in Berlin im Bankgeschäft. Die andere, im Besitz von Rittergütern in Schlesien, wurde geadelt und verband sich mit Adelsgeschlechtern.

5. Elias Daniel: Nahm den Namen Hitzig an, leitete die Lederfabrik, wurde Stadtrat in Potsdam und Gutsbesitzer auf Tornow. Sein Sohn war der bekannte Kriminalgerichtsdirektor, Schriftsteller und Verleger Julius Eduard Hitzig. Durch seine Tochter Eugenie, Ehefrau des Generalleutnants und Geodäten Jakob Baeyer, wurde er der Großvater des Nobelpreisträgers der Chemie, Adolf v. Baeyer (seinerseits ein Schwiegersohn des schon genannten Geheimen Oberbergrats Bendemann). Der Sohn Friedrich Hitzig (1811–1881), Geheimer Oberbaurat, Präsident der Akademie der Bildenden Künste, wurde der Erbauer der Reichsbank und der Börse in Berlin.

6. Fanny: Die Ehefrau des Wiener Bankiers und Schwedischen Generalkonsuls Nathan Adam, seit 1798 Freiherr v. Arnstein. Dieser stammte von beiden Eltern her selbst aus einer alten Hoffaktorenfamilie (die Mutter war eine Gomperz). Die Tochter Henriette heiratete 1802 Aron Heinrich Pereira, einen reichen Juden aus der portugiesischen Gemeinde Amsterdams. Die Nachkommen, seit 1812 Freiherren v. Pereira-Arnstein, führten nominell das Bankhaus Arnstein und Eskeles in Wien weiter. Sie gehörten zu den Mitgründern österreichischer Eisenbahngesellschaften und wirkten auch bei der Entstehung der Bayerischen Hypotheken- und Wechselbank in München mit.

7. Caecilie (Zippora): Sie wurde nach einer gescheiterten ersten Ehe mit einem Wulff von ihrer Schwester Fanny gleichfalls nach Wien geholt. Dort heiratete sie den Teilhaber ihres Schwagers Arnstein Bernhard Freiherr v. Eskeles, den späteren stellvertretenden Leiter der Österreichischen Nationalbank. Nur noch der Sohn Daniel (Denis), verheiratet mit einer Brentano-Cimaroli-Visconti, folgte dem Vater als Chef des Bankhauses nach. Dann ging die Familie im österreichischen Hochadel auf. Die älteste Tochter Marianne heiratete den Generalfeldzeugmeister Franz Graf v. Wimpffen. Der Sohn Viktor nahm eine Erbtochter aus der griechischen Bankwelt in Wien, Anastasia Freiin v. Sina zur Frau. Die Nachkommen verbanden sich mit Familien aus dem Hochadel wie den Grafen Lamberg, Zichy, Saracini, Gagern und Gablentz.

8. Sara: Verheiratet mit einem Vetter. Sie stand als Wahrerin jüdischer Tradition. Die Ehe blieb kinderlos.

9. Henriette: Ehefrau des aus Königsberg stammenden Bankiers Mendel Moses Oppenheim. Die Nachkommen nahmen den Namen Oppenfeld an und wurden 1859 geadelt. Der Sohn Moritz gehörte zu den Gründern der Laura-Hütte, kaufte sich Rittergüter und heiratete eine reiche Erbin aus der inzwischen Ebers genannten Familie Ephraim. Alle Nachkommen verbanden sich mit Adelsgeschlechtern.

Das Beispiel Itzig zeigt, dass die reichen jüdischen Familien unter sich blieben oder ihre internationalen Kontakte durch Heiraten vertieften. Ein wichtiger Grund für diese hermetische Familienpolitik war in erster Linie der Wunsch, das Vermögen zusammenzuhalten oder nach Möglichkeit zu vermehren. Diese Familien verstanden sich als Eliten, die sich gegen Emporkömmlinge abschotteten. Wer als Jude Zutritt zu dieser Gesellschaftsschicht haben wollte, musste entweder sehr reich sein, sich durch eine gewisse Prominenz oder durch rabbinische Gelehrsamkeit auszeichnen. An die Stelle dieser traditionellen Gelehrsamkeit trat ab Ende des 18. Jahrhunderts die allgemeine Bildung.

Ein Gomperz fungierte beispielsweise zu Beginn des 18. Jahrhunderts als Landesrabbiner von Schlesien. Dessen Sohn Ruben tat sich in Berlin als Förderer der jüdischen Aufklärung hervor. Rubens Sohn wiederum heiratete eine Tochter des braunschweigischen Hoffinanziers Philipp Samson. Dadurch war er mit dem in der Ära Napoleons besonders prominenten Magnaten Israel Jacobsohn verwandt, dem persönlichen Geldgeber des preußischen Staatskanzlers Hardenberg.

V INTERNA DER JUDEN

Als Fremder in fremden Staaten führte der Jude allenthalben eine Art Doppelexistenz. Extern war er zur Bestreitung des Lebensunterhalts in der Regel auf den Kontakt mit seiner Umwelt angewiesen. Daneben prägte seine in der Gesetzgebung dokumentierte Stellung auch die Position innerhalb der Gemeinde. Nur die rechtlich und materiell Gesicherten waren überhaupt in der Lage, die Kommunen gegenüber der Staatsobrigkeit zu vertreten. Somit verschmolzen die beiden Seiten der jüdischen Doppelexistenz regelmäßig zu einer Einheit.

Intern prägte den Juden der Bund mit Gott, der sich schon nach der Geburt in der Beschneidung ausdrückte. Als wichtigster Schritt beim Vollzug dieses Bundes mit Gott erfolgte schließlich der Eintritt in die jüdische Gemeinschaft. Die Gemeinde bildete das Medium einer ständigen Aktualisierung des Bundes[1]. Sie war der Ring, der die Abschließung von der Umwelt und eine selbständige jüdische Existenz ermöglichte. Ohne ein Leben in der bewusst isolierten Gemeinde gab es für den Juden keine Möglichkeit, die Gebote des Glaubens zu beachten. Die Bedeutung des Mitglieds der Gemeinde orientierte sich folglich an dem Maß, in dem es zur Verfestigung des Bundes mit Gott beitrug.

Da dies nur über Auslegung der Schriften und Praktizierung der Gebote geschehen konnte, standen bereits in der alttestamentarischen Geschichte Gelehrte an der Spitze jüdischer Kommunen. In der Regel war dies der Rabbiner, der durch Auslegung des mosaischen Rechts auch juristische Streitigkeiten zu entscheiden hatte[2]. Eine Besonderheit ergab sich schon im 17. Jahrhundert daraus, dass die reichen generalprivilegierten Juden wegen ihrer externen Stellung bald neben die Rabbiner rückten, diese in der internen Hierarchie sogar zurückdrängten. Das alte theokratische Merkmal der jüdischen Gemeinden vermischte sich deshalb besonders deutlich mit oligarchischen Aspekten.

Gefährdungen für dieses Gesellschaftssystem kamen aus vielen Richtungen. Vom Staat, der in seiner absolutistischen Raison autonome Körperschaften nur schwer tolerieren konnte. Dazu kollidierten wirtschaftliche und soziale Veränderungen mit den älteren Gemeindestrukturen. Verstärkt wurden diese Herausforderungen durch neue geistige und kulturelle Strömungen bei den Juden. Die traditionelle Macht der Rabbiner sank gegen Ende des 18. Jahrhunderts auf einen Tiefpunkt. Die von den jüdischen Aufklärern übernommenen kulturellen und politischen Werte der Umwelt wurden bewusst als Alternative zur herkömmlichen Ordnung eingesetzt. Der abstrakte Bund mit Gott, durch das monopolistische Medium »Gemeinde« zum politischen Element konkretisiert, verlor an Bedeutung.

Traditionsgemäß bildeten die jüdischen Kommunen autonome Körperschaften mit eigenen Gesetzen, selbständiger Verfassung und Sondervermögen. Kleinster rechtsfähiger Organisationsverband war die einzelne Gemeinde (Kehillah). Neben dieser Zugehörigkeit zu lokalen Gemeinden hatten sich die Juden bereits gegen Ende des 15. Jahrhunderts in ganz Deutschland zu so genannten Landesjudenschaften zusammengeschlossen (Kehal Medina)[3]. Diese Korporationen sollten zweierlei sicherstellen:

1. Eine eindeutig definierte Sprecherrolle nach außen; vor allem bezüglich der Verantwortung für Steuern und Abgaben.
2. Im Innern eine mit Hoheitsgewalt ausgestattete Organisation, die auch an die Stelle der vielen im 14. Jahrhundert untergegangenen Gemeinden rücken konnte.

Die Staaten befürworteten die Existenz dieser Vereinigungen, die in nahezu allen deutschen Territorien entstanden waren, lange Zeit, weil sie auch an einem eindeutig definierten Ansprechpartner interessiert waren[4]. In den Stammländern Preußens organisierten sich die Juden in Landesjudenschaften erst unter Friedrich Wilhelm I., dem zweiten König,. Anders war dies in den neuen westlichen Gebieten, wo sich seit dem ausgehenden Mittelalter neben Gemeinden wie Halberstadt und Minden auch die Landesjudenschaft Kleve hatte halten können[5]. Ein engeres Zusammenrücken dieser neuen und alten Korporationen bewirkte der Staat, als er von den Juden statt individueller Abgaben Solidarzahlungen forderte.

Gegen Ende des 18. Jahrhunderts war die Aufgabe der Judenschaften im wesentlichen bereits erfüllt. Regelmäßige Generalversammlungen und Zusammenkünfte sind ab 1799 nicht mehr festzustellen. Ähnlich den Gemeinden hatte sich ihre Bedeutung aus der Repräsentanz gegenüber dem Staat und der Regelung finanzieller Angelegenheiten ergeben. Mit der schrittweisen Verbesserung der jüdischen Situation und dem Abbau der speziellen Besteuerungssysteme reduzierte sich auch der Stellenwert der Judenschaften. Ähnlich den lokalen Kommunen erstreckte sich ihre Kompetenz bald nur noch auf religiöse Angelegenheiten.

An der Spitze von Gemeinden und Judenschaften standen mehrere Älteste oder Vorstände (Parnassim) mit relativ umfassenden Machtbefugnissen. So hatten sie das Steuerwesen zu kontrollieren. Wegen externer – an den Staat abzuführender – und interner, für den Gemeindebetrieb selbst benötigter Abgaben bestand diese Kompetenz gleichsam aus zwei Seiten einer Medaille[13].

Weiter waren sie für die Beaufsichtigung der ohne Wohnrecht lebenden Juden, die Unterstützung der Armen und die Regelung von Gottesdienst- wie Unterrichtsfragen verantwortlich. Bei diesem weiten Aufgabenspektrum konnten die meist im Turnus von drei Jahren gewählten Vorstände auf mehrere Beisitzer (Towim) zurückgreifen. Die Parnassim sollten »... zur Beförderung des Königlichen Interesses und Handhabung guter Ordnung unter der hiesigen Judenschaft ihr Amt ohne alle Passion, Privat- und Nebenabsichten, auch unter Hintansetzung ihrer Nebenältesten, jederzeit gehörig verrichten und sich hierbei alles unnötigen Streitens und Zankens bei Vermeidung nachdrücklicher Bestrafung enthalten«[6].

Neben dieser Charakteristik der Aufgaben legte der Staat eine Art Anforderungsprofil für diese Ämter fest: »Es müssen aber ... verständige, friedfertige und ehrliche und, so viel als möglich, bemittelte Leute sein, welche der Judenschaft unparteiisch und mit Hintansetzung aller Nebenabsichten vorstehen, sich selbst wohl aufführen und anderen mit gutem Beispiel vorwandeln«[7].

Im Allgemeinen konnten die Ältesten die Gemeinden nur selten friedlich zusammenhalten. »Viele Gemeindemitglieder fühlten sich durch die Steuerveranlagung benachteiligt, und namentlich die Vermögenden setzten sich gegen die Anordnungen der Ältesten zur Wehr«[8]. Diese internen Machtkämpfe hingen vor allem an der Wende vom 17. zum 18. Jahrhundert mit dem schnellen Aufstieg einzelner Juden zusammen, die sich um den Staat verdient gemacht hatten. Die Stellung anderer, schon länger in der Hauptstadt dominierender Familien geriet dadurch in Gefahr. Zu diesen auf Abwehr bedachten Familien zählten die Gomperz, die Rieß, die Schulhoffs, Liebmanns und Aarons. Israel Aaron, der erste namhafte Repräsentant dieser Familie, hatte sich mit einer Sondererlaubnis bereits 1657 als einer der ganz wenigen Juden in Berlin niederlassen dürfen. Noch 1671 hatte er vor weiterem Zuzug gewarnt[9].

Alteingesessene Familien wie die Aarons rückten aber bald in den Hintergrund. Friedrich Wilhelm I., Preußens zweiter König, beendete die Streitigkeiten schließlich, indem er am 16. März 1722 auch diesen Bereich der jüdischen Gemeindeorganisation definitiv regelte. Er bestätigte das aus einem Oberältesten und mehreren Stellvertretern bestehende Vorstandsgremium. Es sollte insbesondere gemeinsam die Steuersätze festlegen und die Abrechnungen der Kassenverwalter prüfen: »Wenn die Ältesten ... sich nicht einig werden können, sollen sie deshalb nicht Zank und Zerrüttung erregen, sondern es der Commission anzeigen und deren Dezision (Entscheidung) erwarten«[10].

Die Vorstände hatten sich regelmäßig bei besonderen Gemeinderepräsentanten zu verantworten. Über die Ergebnisse dieser Gespräche berichteten diese Repräsentanten dann an die Judenkommission. Neben der bislang hebräisch abgefassten Buchführung wurde nun auch eine in deutscher Sprache verlangt. Diese Sprachregelung für die Buchführung stellte eine wichtige Neuerung dar, bezeichnenderweise von internen Querelen ausgelöst. Eine ältere, im Machtkampf unterlegene Gruppe hatte die Räte über Unregelmäßigkeiten bei der Finanzverwaltung informiert. Daraufhin setzte der den Juden stets misstrauende Friedrich Wilhelm I. eine Kommission zur Prüfung aller Abrechnungen der Gemeinde für die Jahre 1706 bis 1717 ein[11].

Aktionen und Personen

Friedrich II. hielt an der Institution »Älteste der Juden« fest. Nach dem Edikt von 1750 sollten der Berliner Gemeinde zwei Oberälteste vorstehen. Diese beiden Vorstände, auch Oberlandesälteste genannt, repräsentierten dann in Personalunion zusätzlich die Judenschaften des gesamten Staates. Innerhalb des Vorstands der Berliner Gemeinde hatten diese Oberältesten jedoch nach dem Generalreglement von 1750 nur eine auf den Titel beschränkte Vorzugsposition.

Neue Oberälteste, die nicht mehr von vornherein dem Vorstandsgremium angehören mussten, wurden wie schon vorher direkt durch den König ernannt. In der Praxis ergab sich allein schon aus diesem Vertrauensbeweis des Staates für die Amtsinhaber gerade die Vorzugsstellung, die per Gesetz ausgeschlossen sein sollte. Zu dem inhaltlich ausgeweiteten Amt der Oberältesten wurden 1750 Veitel Ephraim und Moses Levin Gomperz bestimmt. Ab 1775 amtierten Daniel Itzig und Jakob Moses als oberste Repräsentanten der preußischen Juden[12].

Moses hatte als Geldverleiher begonnen und konnte sich schon bald Bankier nennen. Im Berlin seiner Zeit galt er als eine ungewöhnlich respektable Persönlichkeit. Im Jahre 1758 war einer seiner Schuldner, ein preußischer Oberst, bei Hochkirch gefallen. Moses zerriss vor den Augen der Witwe die auf 6.000 Taler lautende Rückzahlungsverpflichtung. 1778, in der letzten Phase der Herrschaft Friedrichs II., bat er den König um die

Rechte: »... mir wegen meiner unter Händen gehabten Geschäfte das Recht christlicher Kaufleute bei ... sämtlichen Gerichtshöfen (einzuräumen) ...«[13]. Dem Antrag wurde stattgegeben.

Am 26. Dezember 1786 erhielt Moses für sich und seine Familie darüber hinaus ein Generalschutzprivileg. Aus Altersgründen ersuchte Moses 1792 schließlich um seinen Abschied als Oberlandesältester. Das Juden in der Regel nicht günstig gesonnene Generaldirektorium legte dieses Gesuch dem König mit einem Begleitschreiben vor, wonach (Moses) »wegen des allgemein bekannten guten Rufs seiner Rechtschaffenheit und um seine Kinder und andere Juden dazu aufzumuntern, einen rühmlichen Abschied verdiene«[14]. In der Folgezeit wirkte Moses noch an den Versuchen zur Reform der Judengesetze mit. Seinen Tod kommentierten die Berlinischen Nachrichten am 19. Januar 1802: »Nur wenige nahmen auch noch ein so verdientes allgemeines inniges Bedauern mit sich ins Grab und errichteten sich ein würdigeres, bleibenderes Denkmal in den Herzen aller rechtlichen Menschen«[15].

Von diesen vielfältigen Respektbezeugungen gegenüber einem der Oberältesten sollte man sich jedoch nicht täuschen lassen. Die Vorstände verfolgten in nahezu allen Gemeinden ein strenges, ja brutales Regiment[16]. Unerwünschte Zuzügler – die Aufmerksamkeit galt dabei insbesondere Juden aus dem Osten – wurden in der Regel durch Hilfskräfte verjagt. Als sich der aus Polen stammende Schriftgelehrte Salomon Maimon gegen 1770 in Berlin niederlassen wollte, gingen die Ältesten gegen ihn vor. Der bedrängte Maimon schilderte dies später in seiner Lebensgeschichte: »Mit dem Bleiben in der Stadt (Berlin) aber hatte es eine ganz andere Bewandtnis; die jüdischen Polizeibedienten... liefen täglich in alle Gasthöfe ... erkundigten sich nach der Qualität, Verrichtung und der vermutlichen Dauer des Aufenthalts der Fremden und ließen sie nicht eher in Ruhe, bis sie entweder eine bestimmte Verrichtung in der Stadt gefunden (hatten) oder wieder aus der Stadt waren«[17].

Diese Vorgehensweise der kommunalen Obrigkeiten findet eine Erklärung darin, dass nach dem Generalprivileg von 1750 die Gemeinden für Vergehen ihrer Mitglieder und Einwohner solidarisch hafteten. Auch konnten die Ältesten vom Staat zur Verantwortung gezogen werden, wenn sie Juden ohne Schutzbrief und Aufenthaltsberechtigung duldeten[18].

Während der Regierungszeit Friedrichs II. fällt auf, dass die früheren internen Gruppenrivalitäten der Vergangenheit angehören. Ein Grund hierfür: Die neuen, vor allem durch die Kriege um Schlesien reich gewordenen Unternehmerfamilien herrschten nahezu konkurrenzlos. Infolge von Heiraten und gemeinsamen Geschäftsinteressen bildeten sie praktisch eine Einheit, der sich Außenseiter nicht mehr entgegenstellen konnten. Fast alle wichtigen Ämter der Berliner Gemeinde besetzten in der zweiten Hälfte des 18. Jahrhunderts Mitglieder folgender Familien: Ephraim, Itzig, Moses, Friedländer, Wulff, Rieß und Gomperz[19].

Ein wichtiges Instrument beim Ausbau und der Konservierung der Macht bestand darin, dass nur der für ein höheres Amt kandidieren durfte, der niedrigere Positionen in der Hierarchie bereits besetzt hatte. Direkten Zugang zur Spitze konnten lediglich die Kandidaten fordern, die ein Vermögen von wenigstens 20 000 Talern aufwiesen[20]. Für Moses Mendelssohn, der weder zu den Reichen gehörte noch vorher ein Amt besetzt hatte, wurde allerdings 1774 eine Spezialregelung getroffen. Die Berliner Gemeinde erlaubte seine Wählbarkeit für alle Positionen. Daneben wurde er auch von der Pflicht befreit, Abgaben zu leisten. Denn »... gegenüber einem so ausgezeichneten Manne (sollten) Statuten keine Anwendung finden ...« Schließlich wurde Mendelssohn 1780 unter Umgehung einiger Hierarchiestufen in den Vorstand der Berliner Gemeinde gewählt. Seine Kollegen legten dabei aber ausdrücklich fest, dass dies nur als Ausnahme zu verstehen war.

Die schwächer werdende Autorität der Rabbiner, die von oligarchisch-theokratischen Herrschaftsformen zu einer äußerlichen Einheit gezwungenen Gemeinden, eine Oberschicht, die sich der Kultur ihrer Umwelt verstärkt zuwandte – all dies sind Symptome von Veränderungen bei den Juden. Die vorher der Kritik entzogene Machtaufteilung zwischen Geld und Geist geriet bei einer zunehmenden Zahl von Dissidenten in Misskredit.

Bereits gegen Ende des 17. Jahrhunderts wurde beklagt, dass die westlichen Juden »Wein und Bier trinken«. Im Alter von dreizehn Jahren würden sie sich von der Thora lossagen und ausschließlich ihren Geschäften widmen. »Ich habe teuflische Unsitten unter uns ausbreiten sehen«, empörte sich der aus Polen stammende Selichow. »Satan siegte, als ein Prediger mit dem Gebet beginnen wollte. Wegen des Lärms war es unmöglich, ihn zu hören[21]. So skandalös der Beobachter dies auch fand, im wesentlichen handelte es sich noch um Einzelfälle. Nur ein halbes Jahrhundert später bahnte sich bereits die grundsätzliche Veränderung an. Die Distanzierung von traditionellen jüdischen Lebensformen entwickelte sich zu einer Bewegung[22]. Gegen derartige Tendenzen konnten die Gemeindeautoritäten den rabbinischen Bann einsetzen. Ab Mitte des 18. Jahrhunderts büßte aber selbst diese Waffe ihre Wirkung ein. Dazu hatte der Aufsehen erregende Rabbinerdisput zwischen Emden und Eybeschütz beigetragen[23].

Jakob Emden und Jonathan Eybeschütz, zwei der berühmtesten Talmudisten ihrer Zeit, stritten sich in Hamburg um die Interpretation von Ketzertum. Eybeschütz stammte aus Krakau, wo seine Vorfahren als geradezu legendäre Rabbiner gegolten hatten. Als er 1743 von Prag in den Westen zog, trat er die Position des Rabbiners von Metz an. Etwa sechs Jahre später berief ihn die aus den drei Städten Altona, Hamburg und Wandsbek bestehende Gemeinde im Norden Deutschlands zu ihrem Oberrabbiner[24]. Das neue geistliche Oberhaupt der Drei-Stadt-Gemeinde hatte während seines Studiums den Mystizismus der Kabbala befürwortet. Deshalb gab er, wie andere Rabbiner auch, an seiner Wirkungsstätte Amulette mit kabbalistischen Formeln aus. Sie sollten den Gemeindemitgliedern als eine Art Talisman dienen.

Der Kontrahent Jakob Emden stammte ebenfalls aus Polen. Er fühlte sich Eybeschütz durchaus gewachsen, war diesem aber bei der Wahl zum Oberrabbiner der Drei-Stadt-Gemeinde unterlegen. Im Gegensatz zu dem eher konservativen Sieger plädierte Emden für eine modernisierte Form des Judentums[25]. So lag für ihn das Besondere des Glaubens nicht in der allgemeinen Gotteserkenntnis, sondern in der zusätzlichen Offenbarung an Israel, wodurch die natürliche Religion ergänzt und bestätigt worden sei. Damit hatte Emden eine geradezu revolutionäre Typisierung vorgenommen, die Moses Mendelssohn in seinem berühmtesten Buch später weiterführen sollte[26].

Zwischen dem Reformer und dem die mystischen Elemente des Judentums betonenden Eybeschütz hatte sich also schon genügend Konfliktstoff angestaut, als Emden 1750 eine sechs Jahre währende Auseinandersetzung begann, die noch lange nachwirken sollte. Emden glaubte in den von seinem Kontrahenten ausgegebenen Amuletten mystizistische Ketzereien entdeckt zu haben. Für Emden hatte vor allem dieser Mystizismus in der Mitte des vorangegangenen Jahrhunderts zum Auftreten des falschen Messias Sabbatai Zwi geführt. Folglich warf Emden Eybeschütz sabbatianische Gedankengänge vor, eine der am härtesten verfolgten Formen von Ketzerei[27].

Der Streit löste eine Flut von rabbinischen Bannsprüchen aus. Wie ihr Führer in Hamburg verhängten zahlreiche Emden-Anhänger in Deutschland und Polen gegen vermeintliche oder wirkliche Eybeschütz-Parteigänger den Bann (Herem). Die Gegenseite zahlte mit gleicher Münze zurück[28]. Ein bedeutender Rabbiner interpretierte im 20. Jahrhundert die nur auf den ersten Blick merkwürdig wirkende Kontroverse: »Dieser Amulettenstreit war gewissermaßen der letzte Reinigungsprozess von dem, wenn auch nur unbewussten oder halbherzigen Erlösungsschwarm … So nahm er (Emden) … den Bezirk des messianischen Wunders, der übernatürlichen Erlöserkraft als Angriffspunkt und zwang die gesamte rabbinische Welt zum Bekenntnis. Dieser Kampf der führenden Geister war die Hauptursache, dass die gesamte deutsche Judenheit sich ein für alle Mal der Mystik entschlug, was sie allerdings für die Aufklärerei besonders anfällig gemacht hat«[29].

Emdens Sieg bereitete ein rationalistisches Religionsverständnis vor. Mit ihm begann sich der Graben auszuweiten, der das östliche Judentum und dessen durch den Chassidismus revitalisierte mystische Tradition schon bald von der im Westen aufsteigenden Haskala (Aufklärung) radikal trennen sollte[30]. Trotz der Gründlichkeit, mit der Emden wie Eybeschütz das traditionelle jüdische Wissen beherrschten, deuteten sie mit ihren gründlichen Kenntnissen in Mathematik und europäischer Philosophie das neue Bildungsideal schon an[31].

Die Auseinandersetzung der beiden Kontrahenten, der Sieg Emdens und damit der rationalistischen Richtung im Westen hatten eine folgenschwere Konsequenz: Der inflationäre Gebrauch des Banns demontierte die Wirksamkeit dieser rabbinischen Waffe. Für einen zunehmenden Teil der westlichen Juden verlor der Herem wegen des ausufernden, inhaltlich kaum noch zu vertretenden Einsatzes seine abschreckende Wirkung. Diese Spätfolge des Emden-Eybeschütz-Streits ebnete der jüdischen Aufklärung (Haskala) den Weg. Denn einen Bann der Rabbiner mussten die Rebellen gegen das traditionelle Judentum nun nicht mehr fürchten. Der wichtigste Repräsentant dieser Bewegung war Moses Mendelssohn.

VI MENDELSSOHN

Moses Mendelssohn stammte aus Dessau. Wie so viele junge Juden aus seiner Generation ging er nach Berlin (1743) und traf dort auf die ersten Repräsentanten der entstehenden jüdischen Aufklärung (Haskala). Mitglieder dieser Bewegung wie Aaron Gomperz und Abraham Kisch brachten ihm Deutsch und Mathematik bei. Seinen Unterhalt bestritt er dabei anfangs als Hauslehrer der Kinder des Seidenfabrikanten Isaak Bernhard, der ihn später als Buchhalter beschäftigte und schließlich zum Teilhaber machte.

Mit seinem von Bernhard abgeleiteten Aufenthaltsrecht stand Mendelssohn in dieser Zeit für die große Zahl der jüdischen Faktorengehilfen, die im Schatten ihrer Herren den Eintritt in die nichtjüdische Umwelt probten. Vor allem diese Schicht sah in dem späteren Fürsprecher des Judentums und prominenten Literaten die neue Möglichkeit eines vorher für unmöglich erachteten dritten Weges zwischen Judentum und Christentum.

Als Denker blieb Mendelssohn in den konventionellen Bahnen eines Wolff. Er glättete aber dessen Schwerfälligkeiten und Unzulänglichkeiten durch eine angenehme, verständliche Sprache. Zum Ereignis für die deutschen Aufklärer geriet er dennoch, weil er ähnlich chiffrehaft wie sie auf das Prinzip der vernunftgemäßen Besserung der Menschen vertraute. Für sie schien Mendelssohn bereits den Siegeszug des Rationalismus über ständische und kulturelle Schranken zu repräsentieren. Sein Eintritt in die deutsche Kultur provozierte schließlich die Frage, ob sich nicht alle Juden so entwickeln konnten. Damit hätte sich in den Augen der Aufklärung die Judenfrage von selbst erledigt.

Zur herausragenden Figur wurde Mendelssohn, weil er in der deutschen Kultur lebte, ohne dabei vom Judentum abzurücken. Öffentlich äußerte er sich in dieser ersten, bis 1769 anhaltenden Phase zum Judentum nur selten. Und nur nach diesem Lebensabschnitt bewertet, hätte er bloß als ein bedeutender Popularphilosoph der deutschen Aufklärung zu gelten[1]. Den Rang, den Mendelssohn in der Berliner Aufklärung schon während dieser seiner ersten Schaffensperiode einnahm, illustriert eine Diskussion der Berliner Akademie der Wissenschaften. Das Akademieregister vom 7. Februar 1771 enthält einen Eintrag, wonach dem König Mendelssohns

Aufnahme als Mitglied vorgeschlagen wurde. Die Aufnahme Mendelssohns in die Akademie scheiterte schließlich an dem Widerstand des Königs[2].

Seit 1769 sah sich Mendelssohn zu einer Erweiterung seines Auftretens in der Öffentlichkeit gezwungen. Aus dem Aufklärungsphilosophen entwickelte sich der Reformator, der die jüdische Religion mit dem Rationalismus in Einklang bringen wollte. Neben seiner Arbeit in der Fabrik Bernhards bereitete Mendelssohn in dieser Zeit zwei Übersetzungen vor. Die wichtigere davon war die Übersetzung des Pentateuch, der fünf Bücher Moses. Die Motive Mendelssohns: »Nach einiger Untersuchung fand ich, dass der Rest meiner Kräfte noch hinreichen könne, meinen Kindern und vielleicht einem ansehnlichen Teile meiner Nation einen guten Dienst zu erzeigen, wenn ich ihnen eine bessere Übersetzung und Erklärung der heiligen Bücher in die Hände gebe, als sie bisher gehabt. Dieses ist der erste Schritt zur Kultur ...«[3]. Die Hinführung zur deutschen Kultur wollte Mendelssohn mit einer besonderen Imprimatur erreichen.

Er wusste, dass erst wenige Juden das deutsche Alphabet beherrschten, und entschied sich deshalb für den Mittelweg einer deutschen Übersetzung, die in hebräischen Lettern gedruckt wurde. Das 1778 unter dem Titel »Alim Li-Terufa« (Blätter der Heilung) 1778 erschienene Büchlein war unter mehreren Aspekten bemerkenswert. Es war lediglich ein Extrakt und enthielt die Aufforderung, das vor der Veröffentlichung stehende komplette Werk zu subskribieren.

Die Resonanz zeigt sich an den Subskriptionslisten[4].

Zahl der Bestellungen	Aus
124	Berlin
48	Königsberg
49	Frankfurt am Main
59	Kopenhagen
57	Österreich und Böhmen
55	Polen, Litauen und Russland

Schon die Kurzfassung hatte hohe Aufmerksamkeit und heftige Kontroversen ausgelöst. Berlins Oberrabbiner Herschel Levin verfasste eine lobende »Approbation«. Sein Sohn Saul, einer der wichtigen jüdischen Aufklärer und damals noch Rabbiner in Frankfurt an der Oder, äußerte die Hoffnung, dass diese Übersetzung die Juden verstärkt zur deutschen Sprache hinführen würde[5].

Dagegen meinten Konservative, dass die Übersetzung zu einer Distanzierung vom Judentum beitragen würde. Die Rabbiner Ezechiel Landau (Prag),

Raphael Kohen (Hamburg) und dessen Schwiegersohn Herschel Janov (Fürth) belegten Mendelssohn deshalb wegen angeblicher Ketzerei mit dem Bann. Die bereits abgenutzte Waffe hatte jedoch keine Wirkung mehr. Um so weniger, als der König von Dänemark seinen Namen und den des Kronprinzen auf die Subskriptionsliste setzte. Da Altona zu dieser Monarchie gehörte, verpuffte vor allem der Urteilsspruch des für Hamburg, Altona und Wandsbek zuständigen Rabbiners Kohen[6].

Mendelssohn hatte von den Verfolgungen der Orthodoxie nichts zu fürchten. Am 29. Juni 1779 schrieb er einem Freund: »So leicht soll es keinen Zeloten gelingen, mein kaltes Blut in Bewegung zu setzen. Ich sehe das Spiel der menschlichen Leidenschaften als eine Naturerscheinung an, die beobachtet zu werden verdient. Wer bei jedem elektrischen Funken zagt und zittert, taugt nicht zum Beobachter«[7].

Publizistisch wirkte Mendelssohn in den Jahren 1770 bis 1783 überwiegend innerhalb des Judentums. Als Ertrag dieser zweiten Schaffensperiode sind festzuhalten:

- Ritualgesetze der Juden (1778)
- Übersetzung der Psalmen (1783)
- Übersetzung und Kommentierung des Pentateuch (1778 bis 1783)

Dohms »Über die bürgerliche Verbesserung der Juden« und die 1781, fast zeitgleich mit dem Erscheinen dieses Buches erfolgte Emanzipation der Juden in der Habsburger Monarchie leiteten schließlich die letzte Wende in Mendelssohns Tätigkeit ein. Die beiden zusammentreffenden Ereignisse erschienen ihm so grundlegend, dass er sich zum offenen und grundsätzlichen Eintreten für die Juden entschloss. Vorher hatte sich Mendelssohn darauf beschränkt, in einzelnen Fällen Bekannte oder Freunde wie Lavater und Dohm um Hilfe zu bitten.

Denn die »... bürgerliche Unterdrückung (lag) wie eine tote Last auf den Schwingen des Geistes«. Sie machte ihn unfähig, ... den hohen Flug des Freigeborenen jemals zu versuchen«[8]. Nun aber hielt er es für sinnvoll, auch öffentlich »... mit Herrn Dohm über die Gründe nachzudenken, die der Menschenfreund hat, die bürgerliche Aufnahme meiner Mitbrüder zu begünstigen ... « und in den Dienst des Staates zu stellen[9].

In seinem wichtigsten religionsphilosophisches Werk »Jerusalem oder über religiöse Macht und Judentum« unternahm Mendelssohn nichts geringeres als den Versuch, seinen Glauben im Sinne der Aufklärung neu zu interpretieren. Im ersten Teil dieser Abhandlung argumentierte der Autor aus der ihm besonders vertrauten Position des Naturrechts à la Wolff. »Er (der Mensch) kann nicht anders, als durch gegenseitigen Beistand, durch Wechsel von Dienst und Gegendienst, durch tätige und leidende Verklärung mit seinem Nebenmenschen vollkommen werden«.

Wieder bestritt Mendelssohn den Amtsautoritäten der Religion das Recht, Dissidenten aus der Glaubensgemeinschaft zu verbannen. »Bann und Verweisungsrecht, das sich der Staat zuweilen erlauben darf, sind dem Geiste der Religion schnurstracks zuwider ... Einen Dissidenten ausschließen ... heißt einem Kranken die Apotheke zu verbieten«[10].

Der Stellenwert dieser Forderung in Mendelssohns System, die weit über soziale und politische Aspekte hinausgeht, erschließt sich erst hier. Denn ähnlich wie für Spinoza oder die Deisten bildeten auch für Mendelssohn die Politik und die Religion des biblischen Israel eine Einheit. Spinoza wie den Deisten bedeutete diese Verschmelzung von Politik und Religion das Verbot philosophischer Reflexion. Die rabbinische Orthodoxie war der Erbe dieses Machtanspruchs und sollte deshalb zumindest zurückgedrängt werden[11].

Dagegen lebte Mendelssohn in einer Zeit, als dieses Machtpotential schon erheblich abgenommen hatte. Der nur noch mit geringer Abschreckungswirkung ausgestattete Bannspruch der Rabbiner war ein Überbleibsel aus einer schon vergangenen Zeit. Deshalb konnte Mendelssohn in der endgültigen Beseitigung des Herem die wichtigste Voraussetzung für die Versöhnung eines modernisierten Judentums mit Gedankenfreiheit und Toleranz sehen[12].

Im nächsten Schritt interpretierte er die jüdische Religion als eine Sammlung von offenbarten Gesetzen. Der tiefere Sinn dieser Sicht wiederum: Gesetze gebieten nur ein bestimmtes Handeln, lassen jedoch das Denken unberührt[13]. Das zur Lösung anstehende Problem definierte Mendelssohn dann so: »Ich erkenne keine anderen ewigen Wahrheiten als die der menschlichen Vernunft nicht nur begreiflich, sondern durch menschliche Kräfte dargetan und bewährt werden können«[14].

Mendelssohn ging es folglich um den Beweis des Einklangs von Judentum und Rationalismus. Dazu teilte er die elementaren Inhalte der Religionen in drei Kategorien:

1. Ewige Wahrheiten (Vernunftwahrheiten): »Diese sind nicht dem Glauben der Nation unter Androhung ewiger oder zeitlicher Strafen aufgedrungen, sondern der Natur und Evidenz ewiger Wahrheiten gemäß zur vernünftigen Erkenntnis empfohlen worden«.
2. Geschichtswahrheiten: »Diese historischen Nachrichten enthielten den Grund der Nationalverbindung und als Geschichtswahrheiten können sie ihrer Natur nach nicht anders als auf Glauben angenommen werden«.
3. Gesetze: »Diese Gesetze wurden geoffenbart, das ist von Gott durch Worte und Schrift bekannt gemacht. Jedoch ist nur das Wesentlichste davon den Buchstaben anvertraut worden ...«.

Die jüdische Religion bestand für Mendelssohn in erster Linie aus Gesetzen. Folglich gab es keinen Widerspruch zum Rationalismus. Denn: »... das Judentum wisse von keiner geoffenbarten Religion ... (wie) dies von den Christen angenommen wird. Die Israeliten haben göttliche Gesetzgebung, Gesetze, Gebote, Befehle, Lebensregeln ... dergleichen Sätze und Vorschriften sind ihnen durch Moses auf eine wunderbare und übernatürliche Weise geoffenbart ... aber keine Lehrmeinungen, keine Heilswahrheiten, keine allgemeinen Vernunftsätze ...«.

In dieser Sicht nahm Gott nicht mehr die Rolle des allgegenwärtigen Lenkers und Verantwortlichen für unendliche Wunder ein. Vielmehr: »Der Gesetzgeber war Gott, und zwar Gott nicht in dem Verhältnis als Schöpfer und Erhalter des Weltalls, sondern Gott als Schutzherr und Bundesfreund ihrer (der Juden) Vorfahren ... er gab seinen Gesetzen die feierlichste Sanktion, öffentlich und auf eine nie erhörte, wundervolle Weise, wodurch sie der Nation und allen ihren Nachkommen als unabänderliche Pflicht und Schuldigkeit auferlegt worden sind«[15].

So beeindruckend Mendelssohns Versuch der Versöhnung zwischen Judentum und Aufklärung auch wirkte, so virtuos sich seine Argumentation noch heute ausnehmen mag, die Symbiose war nur auf Kosten des emotionalen Elements des Glaubens möglich. Der Zusammenhang von Religion und Gesetz wurde auf ein offenbartes Gesetz reduziert: »Zurück blieb die leere Hülse der Gesetzgebung, die ihres Kernes, des lebendigen in der Geschichte handelnden Gottes beraubt war; denn für einen solchen ließ diese Konstruktion keinen Raum«[16].

Mendelssohn hatte die jüdische Religion im Sinne der deutschen Aufklärung neu interpretiert. Der Rückzug auf bloße Gesetze war dabei eine Konstruktion, die zeigen sollte, dass das Judentum so große denkerische Freiräume bot, dass es sich mit der Aufklärung vereinbaren ließ. Weil eben Gesetze nur ein bestimmtes Handeln oder Unterlassen anordnen, das Denken hingegen nicht betreffen können.

Diese Interpretation sollte sich aus mehreren Gründen als verhängnisvoll erweisen:

- Die Abgrenzung vom Christentum resultierte in einer Aufklärungsreligion, die sich mit Gesetzesgläubigkeit begnügen konnte.
- Die Juden Mitteleuropas sahen in diesem verkürzten Religionsverständnis nur eine Etappe auf dem Weg zur völligen Assimilation. Ohne Mendelssohn bleibt der Vorstoß unverständlich, mit dem Berliner Juden nur 15 Jahre nach dem Erscheinen des »Jerusalem« den Übertritt zu einem aufgeklärten Christentum anboten.

Dass Mendelssohn das Judentum auf Übereinstimmung mit der deutschen Aufklärung gebracht hatte, war ein wichtiger Punkt. Dass sich aber schon in seinen letzten Jahren eine neue Richtung ankündete, war ein anderer Aspekt. Im Gefolge Hamanns und Herders sollte diese Richtung den Rationalismus als flach zur Seite schieben und stattdessen den mystischen Tiefgang forcieren. Die Verehrung der Aufklärung wurde bald abgelöst von einer allgemeinen Verachtung für ihre vermeintliche Seichtheit. In dieser Konstellation wurde Mendelssohns »Jerusalem« weiterhin als die maßgebliche Interpretation des Judentums auf der Grundlage der Vernunft verstanden. Aus der vermeintlichen Flachheit des Aufklärers Mendelssohn wurde dann eine vermeintliche Flachheit des Judentums angenommen[17].

Dass Kant Mendelssohns Interpretation des Judentums lobte, braucht nicht weiter zu verwundern. Der Königsberger Philosoph schrieb Mendelssohn am 16. August 1783: »Sie haben Ihre Religion mit einem solchen Grade von Gewissensfreiheit zu vereinbaren gewusst, die man ihr gar nicht zugetraut hätte, und dergleichen sich keine andere rühmen kann. Sie haben zugleich die Notwendigkeit einer unbeschränkten Gewissensfreiheit zu jeder Religion so gründlich und hell vorgetragen dass auch endlich die Kirche unsererseits darauf wird denken müssen«[18].

Hinter den zustimmenden Worten verbarg Kant die unerwartet gründlich ausgefallene Bestätigung seiner eigenen Ansichten. Für ihn reichte der bloße Gesetzesglaube nicht aus, um eine Konfession als wirkliche Religionsgemeinschaft anzusehen. Indem Mendelssohn den gesetzesmäßigen Charakter des Judentums hervorgehoben hatte, hatte er Kant Argumente geliefert, um den Glauben der Juden als Religion abzuqualifizieren[19].

Deshalb: Mendelssohns wirkliche Bedeutung lag nicht in der Philosophie. Wegen seines Lebens in zwei bislang voneinander getrennten Welten konnte er vielmehr als Beleg für die Möglichkeit einer Symbiose gelten. Aus diesem Grund sahen Christen und Juden in ihm den Beginn eines allgemeinen Angleichungsprozesses. Der große Defekt dieser Perspektive sollte sich erst später zeigen: »Richtung und Geschwindigkeit dieses Prozesses definierte nur die nichtjüdische Seite. Die christliche Gesellschaft konnte sich Verachtung und Herablassung leisten, nachdem sie bestimmt hatte, dass das, was am Juden menschlich war, von dem unterscheidbar und unabhängig war, was am Juden jüdisch war«[20].

Konkret führte Mendelssohns Einfluss bei den Juden zu einer neuartigen Legitimation von Bildung. Ihre Vorstellungen von Kultur verließen von da ab den engen Korridor des Glaubens. Möglichst breit gefächertes Wissen entwickelte sich, durchaus der Aufklärung gemäß, zu einem Wert an sich, der in die Verbesserung der Persönlichkeit münden sollte[21]. Mit Mendelssohn vertrauten die Juden in weit stärkerem Maß als ihre Umwelt auf die prägende Kraft von Kultur und Erziehung. Damit einher ging eine Abwertung des Judentums durch die Juden selbst. Sie wähnten sich in einer neuen Zeit. Die Konzentration auf die traditionellen Lebensformen erschien als überholt[22].

Die Abwendung von der jiddischen Sprache, dem alten Idiom des Diaspora-Judentums, galt als eine der wichtigsten Voraussetzungen für den Eintritt in die Kultur der Umwelt. Auch hierfür hatte Mendelssohn die Richtung vorgegeben. »Ich fürchte«, schrieb er, »dieser Jargon hat nicht wenig zur Unsittlichkeit des gemeinen Mannes beigetragen, und verspreche mir sehr gute Wirkung von dem unter meinen Brüdern seit einiger Zeit aufgekommenen Gebrauch der reinen deutschen Mundart«[23].

Jüdische Aufklärung

Dem Programm Mendelssohns und seiner Freunde in beiden Lagern kamen mehrere günstige Umstände zugute. Zahlreiche zeitgenössische Berichte zeigen, dass sich das Judentum West- und Mitteleuropas schon seit Mitte des 18. Jahrhunderts in einem Auflösungsprozess befand. Beispielsweise sollten gläubige Juden einen Bart tragen. Die bei ihrer Umwelt damals üblichen Perücken oder Haarzöpfe waren verboten. Am 17. Oktober 1773 sah sich jedoch der Vorstand des Königsberger israelischen Vereins für Krankenpflege und Beerdigung »Chewra Kaddischa« zu dem Beschluss gezwungen, »... dass von heute ab niemand ... kommen soll, wenn er nicht deutlich sichtbar einen Bart trägt«. Am 22. Februar 1784 musste der Vereinsvorstand erneut mahnen, dass Perücken und Haarzöpfe nicht erlaubt wären. Wer sich daran nicht hielt, sollte den Verein verlassen[24].

Noch deutlicher als derartige begrenzte Vorgänge belegt eine die Grenzen überschreitende Tendenz die Krise des jüdischen Traditionalismus. Die großen Schriftgelehrten kamen bereits vorwiegend aus dem Osten, wo es wegen der völlig anderen Verhältnisse noch keine Assimilationsbewegung geben konnte. Der in Hamburg lebende Talmudist Jakob Emden bemerkte in der Mitte des 18. Jahrhunderts, dass Gelehrte aus Polen alle wichtigen Rabbinerstellen im Westen besetzt hätten[25].

Obwohl das traditionelle Wissen allenthalben noch respektiert wurde, befand es sich in Mitteleuropa bereits auf dem Rückzug und näherte sich im Westen einem Tiefstand. Berlins Oberrabbiner Herschel Levin war darüber so verzweifelt, dass er nach Palästina auswandern wollte[26]. Einzelne – meist waren dies die reicheren Juden Preußens – hatten sich in einem bis dahin noch nicht erlebten Maße der Kultur und der Sprache ihrer Umwelt angenähert.

Mendelssohn führte diese Entwicklung weiter. Sein noch maßvoll und vorsichtig gehaltener Versuch leitete schon bald eine Eskalation ein. Jüdische Aufklärer begannen ihren Glauben mit zunehmender Heftigkeit auf den Prüfstand von Neologie und Deismus zu stellen. Das Leben in der Kultur der Umwelt geriet zum dominierenden Ideal, das in der Konsequenz die Taufe geradezu provozierte. Die Formierung der jüdischen Aufklärung (Haskala) zu einer Bewegung hatte begonnen. Mit heftiger werdenden Appellen forderte eine rasch anwachsende Gruppe die Reform der traditionellen Ritualgesetze. Isaak Satanow spottete in seinem Buch »Mischlej Assaw« (Worte des Assaw): »Wie die besten Esel ... braucht der Mensch Religion«[27]. Das Christentum lehnte Satanow prinzipiell ab, weil es über der Vernunft stehen wolle. Dagegen könne ein gereinigtes Judentum sehr wohl mit der Vernunft in Einklang gebracht werden.

Aufklärer wie Saul Berlin, der Sohn des Berliner Oberrabbiners Herschel Levin, die nur in Hebräisch publizierten, gingen mit ihrer Kritik weit über das von Mendelssohn entworfene Modernisierungsprogramm hinaus. Hatte Mendelssohn die Ritualgesetze noch im wesentlichen als geoffenbarte Elemente des Glaubens retten wollen, so forderte ein Aufklärer wie Berlin bereits die Beseitigung von vernunftwidrigen Gesetzen. Somit belegt das nach Mendelssohn ausgeweitete Spektrum auch eine zunehmende Radikalisierung der Haskala[28].

Mit neuartigen Publikationen und veränderten Bildungsidealen entwickelte der Assimilationsgedanke bei den preußischen Juden eine zunehmende Durchschlagskraft. Die vorher unverbindlichen Wunschvorstellungen einiger Außenseiter wie Mendelssohn nahmen nun als konkrete Gegenmodelle zu den traditionellen Lebensformen Gestalt an. Die zweite Generation der jüdischen Aufklärung trat im Gegensatz zu Mendelssohn, dem Protagonisten der ersten Generation, selbstbewusster, aggressiver und kompromissloser auf. So Isaac Euchel, der den preußischen Juden vor allem zwei Punkte nahe legte: Festhalten an einem der Zeit angepassten Hebräisch und Erlernen der deutschen Sprache. In der Widmung zu einem Band jüdischer Gebete bedauerte er: »Wie kläglich ist's ..., wenn wir uns an die vorgeschriebenen Formeln halten sollten, die in einer Sprache hergebetet werden, von der wir nicht ein Wort verstehen«[29].

Erziehung und Unterricht

Das herkömmliche Erziehungssystem der Juden geriet durch die Assimilationsbewegung zuerst in Preußen, danach in ganz Mittel- und Westeuropa in Schwierigkeiten. Der traditionelle Unterricht hatte sich auf die Vermittlung religiöser Inhalte beschränkt. Ab dem fünften, mitunter auch schon ab dem dritten Lebensjahr lernten die Kinder hebräisch lesen und schreiben. Danach arbeiteten sie mit dem Lehrer – in kleinen Gemeinden war dies der Rabbiner – die grundlegenden Bücher Pentateuch und Talmud durch.

Am Ende dieser Grundausbildung verließen die nur durchschnittlich Begabten die Schule. Ihr Wissen bestand eigentlich nur aus den elementaren Teilen des jüdischen Glaubens und seiner Gesetze.

Talentierte Schüler konnten diese Basiskenntnisse an einer Talmudschule ausbauen. Diese Talmudschulen (Yeshiva/Yeshivot), die auch für die Pflege der rabbinischen Gelehrsamkeit sorgten, waren aber in Westeuropa schon am Ende des 18. Jahrhunderts kaum noch vorzufinden. Diese Lücke sollten moderne Rabbinerseminare erst sehr viel später ausfüllen[30]. Schriftgelehrtheit stand in der Werteskala der Juden an oberster Stelle. Schon der Talmud hatte festgelegt: »Die Ausgaben des Menschen werden für das ganze Jahr voraus bestimmt, außer den Ausgaben für die Sabbath- und Feiertage und dem Lehrgeld für den Unterricht der Söhne. Spart einer daran, so wird auch an ihm gespart. Wenn er aber mehr ausgibt, so wird auch ihm mehr gegeben«[31].

In der Diaspora hatte sich der Stellenwert der Bildung noch erhöht. Denn ohne einen eigenen Staat konnte die jüdische Identität nur im Festhalten an der Einheit von Kultur und Religion bestehen. Die Aufklärung löste diese Verknüpfung, indem sie gegen die eindimensionale Ausrichtung der jüdischen Existenz rebellierte und die (gleichberechtigte) Einbeziehung anderer Lebensformen durchsetzte.

Protagonisten wie Mendelssohn bewegten sich in den beiden Kulturen ihrer Umwelt. Schon die Repräsentanten der ersten Haskala-Generation wie Mordechai Schnaber, Isaak Satanow und Naphtali Herz Wessely hatten die wirkliche Bildung eines Juden aber nicht mehr in der traditionellen Schriftgelehrtheit beschränkt sehen wollen. Vor allem in Berlin schienen ihnen die steigenden Zahlen von Juden Recht zu geben, die sich der Kultur ihrer Umwelt zuwandten.

Der 1762 geborene Lazarus Bendavid, dessen Großvater mütterlicherseits der Samt- und Seidenfabrikant David Hirsch war, berichtete: »Als ich mein drittes Jahr zurückgelegt hatte, lehrte mich meine Mutter deutsch lesen«[32]. Diese Erinnerung ist unter mehreren Aspekten bemerkenswert. Schon die Eltern des jungen Bendavid hatten sich offensichtlich gute Deutsch-Kenntnisse angeeignet. Sie hielten die Beherrschung dieser Sprache bereits in den sechziger Jahren des 18. Jahrhunderts für wichtig genug, um sie einem dreijährigen Kind zu vermitteln.

Derartigen Bildungseifer hätte die Umwelt gerne bei der Gesamtheit der Juden gesehen. Man hielt die einseitig ausgerichtete Bildung der Juden für eine der Integration hinderliche Barriere. »So vortrefflich alle die sowohl öffentlichen als Privatkassen und Stiftungen zur Unterstützung der Witwen, Waisen, Armen ... sind«, bemerkte ein Chronist, »desto weniger ist für die öffentliche Erziehung der Juden gesorgt«[33].

Ähnlich urteilten die jüdischen Aufklärer, weil auch sie annahmen, dass die diskriminierte Stellung der Juden mit der Abgrenzung der Lebensformen zusammenhing. Sollte eine politische Emanzipation je erreicht werden können, so die Einschätzung der Haskala, dann musste ihr die soziale und kulturelle Integration vorangehen. Generell waren didaktische und pädagogische Zielsetzungen von der Aufklärung nicht zu trennen. Juden nahmen diese Ideologie auf und verstärkten sie, weil die kulturelle und soziale Angleichung zur politischen Gleichberechtigung hinführen sollten.

Isaac Daniel Itzig gründete 1778 mit David Friedländer in Berlin eine Freischule für Knaben, die er in der Folgezeit leitete. Neben diesen beiden miteinander verschwägerten Initiatoren, die das wohlhabende und aufgeklärte Judentum repräsentierten, kennzeichneten zwei weitere Punkte den Hintergrund dieser Neugründung. Das Unterrichtsprogramm hatte bereits Mendelssohn konzipiert. Das zur Abhaltung des Unterrichts eingerichtete Haus war ein Geschenk des alten Itzig, des Vaters des Isaac Daniel und zu seiner Zeit wohl der reichste Jude in Preußen.

Das Institut, an dem jüdische und christliche Lehrer unterrichteten, wurde mit dem Schulgeld finanziert, das die reichen Eltern von Schülern entrichteten. Ab 1783 kamen die Erträge einer angeschlossenen Druckerei hinzu. Die Schule hatte für diesen Betrieb, in dem hebräische Schriften gedruckt wurden, vom König ein Privileg erhalten[34]. Die Schüler wurden gemäß den Empfehlungen Mendelssohns in Deutsch, Französisch, Schreiben, Rechnen, Buchhaltung, Zeichnen, Geographie, Mathematik und natürlich Hebräisch unterrichtet.

Erstmals in der Geschichte des neueren jüdischen Erziehungswesens nahmen damit profane Fächer einen höheren Rang ein als die traditionellen. Im ersten Jahrzehnt ihres Bestehens bildete diese Schule insgesamt etwa 600 Schüler aus. Einer anderen Aufstellung zufolge wurden hier zwischen 1783 und 1819 pro Jahr 73 (1783) bis 52 (1819) Schüler unterrichtet[35].

Nach dem Tode Daniel Itzigs (1806) übernahm der ebenfalls der Haskala-Bewegung angehörende Lazarus Bendavid die Leitung des Instituts. Eine seiner wichtigsten Amtshandlungen bestand in der bis 1819 andauernden Zulassung christlicher Schüler. »Die Erfahrung lehrte«, hieß es in einem Bericht aus dem Jahre 1820, »dass dieser Schritt für Juden- und Christenknaben gleichen Nutzen gewährte, und angesehene Staatsdiener ja selbst höchst achtbare Geistliche bezeigten ebendeshalb der Anstalt ihren Beifall durch Gefälligkeiten, regelmäßige Beiträge und unbestimmte Geschenke«[36].

Akademiker und Universitäten

Ursprünglich konnten sich an deutschen Universitäten Nichtchristen nur für das Fach Medizin immatrikulieren. Selbst Johann David Michaelis, der renommierte Theologieprofessor in Göttingen und den Juden eigentlich ablehnend gegenüberstehend, bedauerte: »Wenn Moses Mendelssohn hier Magister werden wollte – wirklich die distinguierteste Ehre, die eine philosophische Fakultät wünschen könnte –, so müssten wir ihn abweisen«[37].

Neben der allgemeinen Diskriminierung erklärt sich der Ausschluss der Juden auch aus dem immer noch bestehenden Vorrang der Kirche über die Wissenschaften. Beim Fach Theologie war dies offensichtlich. Aber auch die Philosophie hatte sich von dem Primat des Glaubens noch nicht in dem Maß entfernt, dass sie als völlig selbständig gelten konnte. Die Rechtswissenschaften schieden wegen der Ausbildung im kanonischen Recht ebenfalls aus[38]. Jüdischen Studenten blieb folglich nur die Heilkunde. Allein dieser Punkt dürfte schon genügen, um die relativ große Zahl jüdischer Medizinstudenten zu erklären. Hinzu kamen weitere Aspekte wie die recht günstigen Berufsaussichten.

Bis zum Ende des 18. Jahrhunderts lag die medizinische Betreuung noch meist in den Händen von Badern, die zünftig organisiert waren und keine Juden aufnahmen. Da aber studierte Mediziner dem Zunftzwang nicht unterlagen, konnten sich Juden über die akademische Ausbildung ohne weiteres als Ärzte etablieren[39]. Schwierigkeiten ergaben sich allerdings bei der Promotion. Denn nur mit einer speziellen Erlaubnis aus Berlin war es jüdischen Doktoranden möglich, ohne die sonst übliche öffentliche Disputation zu examinieren[40]. In Halle erwarben zwischen 1724 und 1800 insgesamt 59 Juden den Doktortitel in Medizin.

Sie stellten damit drei Prozent aller dort in diesem Fach Promovierten. Zu den bekanntesten Medizinern aus Halle zählten: Benjamin de Lemos, der Vater der Henriette Herz, und Marcus Herz, sein späterer Schwiegersohn[41]. Der Aufklärer Herz (1747 als Sohn eines Thora-Schreibers geboren) nahm in der Gesellschaft seiner Zeit einen besonderen Rang ein. Er erhielt vom König 1788 den Titel eines Honorarprofessors. Es war das erste Mal in der neueren Geschichte Europas, dass sich ein Jude Professor nennen konnte[42].

In Berlin, wo erst während der preußischen Reformära eine Universität entstehen sollte, gab es nur eine der Charité angeschlossene Fachhochschule an der von 1730 bis 1797 etwa 115 Juden studierten. Frankfurt a. d. Oder zählte bis Ende des Jahrhunderts insgesamt 98 jüdische Studenten. Von ihnen wurden zwischen 1721 und 1794 ganze 29 in Medizin promoviert, darunter 1751 auch Aaron Gomperz, der Sprachlehrer Mendelssohns.

Wie sich die neuen Bildungsideale der Haskala ab 1770/80 auf die Zahlen der jüdischen Studenten auswirkten, zeigt folgende Tabelle zur Entwicklung der jüdischen Studentenzahlen an den preußischen Universitäten[43].

	Halle	Berlin	Frankfurt a.d.O.	Königsberg
1731–1740	5	1	2	1
1741–1750	7	1	11	–
1751–1760	7	9	5	–
1761–1770	6	27	15	5
1771–1780	9	28	17	11
1781–1790	9	33	19	37
1791–1800	14	15	20	21

Zwischen 1741 und 1760 hatten diese vier Universitäten insgesamt 40 jüdische Studenten aufgewiesen. Diese Quote verdreifachte sich nahezu in den beiden folgenden Jahrzehnten, um danach, wieder an der Ausgangsbasis 40 gemessen, weiter stark anzusteigen. Aber diese Zunahmen galten nur für das Fach Medizin, da es Zulassungen für alle Studiengänge erst mit der Emanzipation geben konnte. Immerhin bestätigen aber auch diese Zahlen den Integrationsprozess der preußischen Juden, der sich schon an den veränderten Bildungsidealen und Erziehungssystemen gezeigt hatte.

Publikationen und Publizisten

Zu den Neuerungen, die mit der Aufklärung eingesetzt hatten, zählte auch eine regelmäßig erscheinende Publizistik. Aus den vereinzelten Blättern, die es schon vorher gab, entstanden Zeitungen und Zeitschriften, die sich auf einen zunehmenden Leserstamm stützen konnten. Die Vossische Zeitung (Auflage 1776: 4.000) beispielsweise, konnte ihre Verbreitung bis 1804 auf 7.100 erhöhen. Die Spenersche Zeitung steigerte ihre Verkaufszahl von 1.780 (1776) auf 4.000 Exemplare (1804). Im Sog dieser Entwicklung kündigte sich erstmals der Beruf des Journalisten oder Redakteurs an[44].

Auch für jüdische Aufklärungszeitschriften entstand ein Leser- und Abonnentenkreis. Der »Hameaseff« (Der Sammler) erschien ab 1784 ausschließlich in hebräischer Sprache[45]. Als Herausgeber dieses Blattes fungierte der bereits genannte Kant-Verehrer Isaac Euchel, der in Berlin die »Gesellschaft der Freunde« mitbegründet hatte. Angesichts von Euchels Absicht, die hebräische Sprache durch Modernisierung vor dem Verschwinden zu bewahren, war es nur konsequent, dass der »Hameaseff« während der Königsberger Zeit und der ersten Jahre des bereits 1786/87 vorgenommenen Umzugs nach Berlin vorwiegend sprachliche Themen behandelte[46].

In den neunziger Jahren änderte sich die Tendenz der Zeitschrift. Aus einem der Vergangenheit zugewandten Blatt wurde die Programmschrift der Haskala, die ausführlich auf die Fragen der Zeit, vor allem auf die Emanzipation der Juden in Deutschland einging. Unter dem ab 1794 als Redaktionsverantwortlichen amtierenden Aaron Wolfssohn, dem späteren Lehrer an der Breslauer Wilhelmschule, griff der Hameaseff schließlich die Orthodoxie offen an. In einem seiner Beiträge ließ Wolfssohn beispielsweise Maimonides, den jüdischen Philosophen des Mittelalters, neben Mendelssohn und einem Rabbiner auftreten. Die beiden Philosophen verkörperten in dem fingierten Disput den Rationalismus. Sie zeigten, dass die Aussagen des Rabbiners dumm und doktrinär wären[47].

In dieser letzten Phase erschienen nur noch vier Ausgaben der Zeitschrift, die mit ihrer aggressiven Tendenz bereits an einem strukturellen Defekt krankte. Die Befürworter ihres Kurses konnten oder wollten Hebräisch nicht mehr lesen. Dagegen kam für die Konservativen, die nach wie vor gute Sprachkenntnisse aufwiesen, der Bezug eines Blattes mit einer derartigen Tendenz nicht in Frage. Mit kaum noch 120 Abonnenten musste der Hameaseff schließlich sein Erscheinen 1797 einstellen[48].

Erst zehn Jahre danach sollte es wieder eine Haskala-Zeitschrift geben. David Fränkel und Joseph Wolf gaben ab 1806 in Dessau die »Sulamith« heraus. Euchel hatte die Aufforderung, einen neuen Hameaseff herauszugeben, zuvor noch mit dem Hinweis abgelehnt, dass die Juden Preußens kaum noch hebräisch lesen konnten. Fränkel begnügte sich mit der Feststellung, dass die Sprache der Bibel keine kulturelle Notwendigkeit mehr darstellte[49].

Die Entscheidung für die deutsche Sprache deutet auf eine wichtige Veränderung hin: Während 20 Jahre zuvor eine jüdische Zeitschrift in deutscher Sprache vermutlich gescheitert wäre, gab es zu Beginn des 19. Jahrhunderts bereits genügend des Deutschen kundige Juden, um die Existenz einer Zeitschrift wie »Sulamith« zu sichern. Schon der Untertitel machte deutlich, wen dieses Blatt ansprechen wollte: »Eine Zeitschrift zur Beförderung der Kultur und Humanität unter der jüdischen Nation«, beziehungsweise »unter den Israeliten« (seit 1810).

Insgesamt favorisierte das Blatt einen harmonischen Bildungsprozess im Sinne der Aufklärung. Die traditionelle jüdische Erziehung wurde als »Verfinsterungssystem« bezeichnet, als »geisttötender Mechanismus«, den obskurante Rabbiner eingeführt hätten. Ein Lossagen von der Hoffnung auf Rückkehr nach Palästina wurde ausdrücklich gefordert. »Wo man euch menschlich behandelt, wo es euch wohl geht, da ist auch euer Palästina, euer Vaterland, das ihr nach euren Gesetzen lieben und verteidigen müsst«[50]. Die Zeitschrift galt in ihren produktivsten Jahren als das repräsentative Organ der assimilierten Juden in Deutschland. Die Abonnentenlisten belegen, dass die »Sulamith« an alle großen Gemeinden, selbst nach Amsterdam, Kopenhagen oder Stockholm geliefert wurde.

Zu den einzelnen Beziehern gehörte die Elite des zeitgenössischen Judentums; so mehrere Mendelssohns, Jacobsons, Veits und Rothschilds. Neben mehreren preußischen Ministern tauchte auch der Staatskanzler Hardenberg unter den Beziehern auf[67]. Blätter wie Hameaseff und Sulamith markierten den Beginn einer jüdischen Presse. Europa und Amerika wiesen zwischen 1667 und 1800 nur 14, in der Regel kurzlebige Periodika auf. Die danach einsetzende stürmische Entwicklung wird durch folgende, unter Einbeziehung sämtlicher Territorien von dem Soziologen Arthur Ruppin erstellte Tabelle belegt:

Jüdische Periodika in Zahlen[51]	
1800–1850:	145
1850–1875:	340
1875–1900:	754
1900–1910:	667
1910–1920:	1.287
(Erscheinungszeit unbekannt:	270)
Insgesamt:	3.477
Davon in Jiddisch:	1.199
Englisch:	547
Deutsch:	518
Hebräisch:	474

Innerhalb weniger Jahrzehnte veränderte sich das Erscheinungsbild des Judentums in einer vorher über Jahrhunderte hinweg nicht erlebten Deutlichkeit. Ein zahlenmäßig steigender Teil war von der vormals kompakten, in Isolation verharrenden Masse bereits getrennt. Und während die Avantgarde unter Moderation der Haskala die Hinwendung zur Kultur der Umwelt praktizierte, zerbrachen intern die alten Organisationsstrukturen.

Die Orthodoxie hatte ihr Bildungsmonopol abgeben müssen. Der von der Haskala geforderte Weg zu sozialer Mobilität und kultureller Modernisierung drückte sich vor allem in den neuen Korporationen und Schulen, der Zunahme jüdischer Studenten sowie den Periodika aus. Dieser an Wucht gewinnende Wandlungsprozess zeigte sich in fast allen größeren Städten.

Am Ende des 18. Jahrhunderts war schon der Prozess eingeleitet, der das Judentum insgesamt immer stärker zur deutschen Kultur und zu der Assimilation führen sollte. Die Wurzeln für die einzigartige Intensität, mit der die Juden die deutsche Kultur schließlich als ihr Vaterland und als ihre Kultur verstanden, liegen in der Epoche der Aufklärung und in Berlin.

Es war auch eine Hinwendung zu dem im Entstehen begriffenen Bürgertum. Da dieses Bürgertum erst ansatzweise existierte und von der neuen Gesellschaft mit ihren Hierarchien noch keine konkreten Vorstellungen hatte, konnte es die Juden grundsätzlich als Gleichgesinnte begrüßen. Der Adel wiederum konnte sich mit den aufstrebenden Juden relativ unbeschwert einlassen. Denn er durfte, wie ein deutscher Publizist ein Jahrhundert nach Beginn dieser Begegnung schrieb, glauben, »... dass er von diesen Emporkömmlingen zu sehr entfernt sei, um eine Verbindung fürchten zu müssen, wie sie ihm vom Bürgertum drohte ...«[52].

In dieser Konstellation erschienen vor allem die reichen und gebildeten Juden in Berlin ihren Zeitgenossen als gesellschaftliche Mittler in einer Phase des Wandels. Der legitim gewordene Ausbruch aus der sozialen Hermetik bildete für einen beträchtlichen Teil des Judentums die Basis, auf der eine neuartige Form der Akkulturation möglich wurde. Denn Juden waren die Mitglieder dieser Schicht zumindest im traditionellen Sinne nicht mehr. Und Staatsbürger – ob nun in Preußen oder anderswo, ob nun formal mit oder ohne mosaischen Glauben – waren sie noch nicht.

Die Tragweite dieser Veränderungen ist kaum zu überschätzen. Die wichtigste Grundlage für die jahrtausendelange Existenz der Juden inmitten der verschiedensten Kulturen hatte das eigenständige, von Schriftgelehrten und Rabbinern stets aufs Neue interpretierte Wertesystem gebildet. Von dieser mit der Religion untrennbar verbundenen Lebensform hatten sich in Preußen zuerst die wohlhabenden Familien abgewandt, dann Einzelne wie Mendelssohn, die sich bei den jüdischen Finanzunternehmern meist als Hauslehrer oder Mitarbeiter in deren Unternehmen verdingten. In der Haskala formierten sich diese Einzelnen mit den ihnen bestens bekannten Kindern der jüdischen Unternehmer zu einer Bewegung, die mit der Unterstützung des Staates eine neue, schon auf Akkulturation und Assimilation gerichtete Lebensform proklamierte.

Sobald diese neue Lebensform in das Bildungssystem eindrang, musste der jüdische Traditionalismus zu einer versöhnlichen Haltung finden, wenn er à la longue nicht untergehen sollte. Diese reformerische Position konnte nur in einem Mittelweg zwischen Haskala und Tradition bestehen. Dieser Mittelweg sollte zwar erst in den zwanziger Jahren des 19. Jahrhunderts seine umfassende Ausprägung durch das Reformjudentum erhalten. Die Veränderungen im Bildungsbereich und die Schwächung der traditionellen Lebensformen hatten aber schon zuvor die sich abzeichnende Identitätskrise des Judentums verschärft[53].

Eine Alternative zum Ausbau des Erziehungssystems gab es freilich nicht. Mit dem Übergang vom merkantilen Wirtschaftssystem zur sich abzeichnenden Industriegesellschaft stiegen allenthalben die Erwerbs bedingten Anforderungen an die Bevölkerung. Handel, Hausieren, Geldwechsel und Kreditvergabe hatten die Juden solange als Berufsfelder ansehen müssen, wie ihnen eine diskriminierende Mehrheit nur diese als Broterwerb überließ. Nun ergab sich die paradoxe Besonderheit, dass diese Berufsfelder in dem Übergang zur Industriegesellschaft die besten Chancen boten. Juden vermochten diese Chancen folglich auf eine besondere Weise zu nutzen, als die Lockerungen der rechtlichen und beruflichen Beschränkungen schon absehbar waren.

Im Rückblick bildete die Öffnung des Erziehungssystems die Voraussetzung für das Entstehen einer breiten jüdischen Mittelklasse, die ihren Lebensunterhalt dank guter Ausbildung auch als Angestellte bestreiten konnte – einer der markantesten sozialgeschichtlichen Prozesse der jüdischen Geschichte im 19. Jahrhundert[54]. So gesehen bildeten Aufklärung und Haskala die Anfänge einer bemerkenswerten Erfolgsgeschichte, des Aufstiegs der Juden in Deutschland. Noch an der Wende vom 18. zum 19. Jahrhundert hatte die überwältigende Mehrheit der deutschen Juden in bitterster Armut gelebt.

Der Beginn der Verbürgerlichung der deutschen, zumal der preußischen Juden ist freilich nur ein Teil der Geschichte. Der andere ist im Osten zu suchen. Denn zu dem Judentum des Westens kam am Ende des 18. Jahrhunderts eine viel größere Zahl polnischer Juden hinzu. Diese osteuropäischen Juden verkörperten in ihren ungebrochenen Bindungen an die Tradition genau die Lebensformen, von denen sich ein beträchtlicher Teil der Juden im Westen schon entfernt hatte. Bezeichnend wirkt in diesem Zusammenhang die Tatsache, dass sich schon an der Wende vom 18. zum 19. Jahrhundert die traditionelle jüdische Bildung in Preußen nur noch mit Lehrern und Schriftgelehrten aus dem Osten aufrechterhalten ließ.

Mit ihrem Festhalten an den traditionellen Lebensformen bildeten die polnischen Juden – wie die des Ostens generell – das mächtigste Bollwerk gegen die Assimilation. Sowohl für ihre um Assimilation bemühten Glaubensgenossen im Westen als für deren Umgebung waren die Ostjuden deshalb eine ständige Erinnerung an die von der Aufklärung bekämpften Zerrbilder[55].

Die zur Assimilation bereiten Juden kämpften an zwei Fronten um ihre Anerkennung: Zum einen um Gleichberechtigung, indem sie sich auf ihre mit der Umwelt identische Kultur beriefen. Zum anderen um den damit einhergehenden Nachweis, dass sie mit den Juden des Ostens nichts gemein hätten. Sichtbares Kennzeichen der in West- und Mitteleuropa gewollten Aufnahme der Kultur der Umwelt war die bereits von Mendelssohn so heftig geforderte Ablehnung der jiddischen Sprache.

An die Stelle des theologischen und sozialen Gegensatzes sollte die vor allem kulturell begründete »Einordnung der Juden und Christen unter eine begriffliche Einheit ... (treten). Die begriffliche Einheit hieß Menschheit, Staat oder bürgerliche Gesellschaft. Welche Einheit man auch als Oberbegriff gesellschaftlicher Verbindungen setzte, von ihr aus konnte die Zugehörigkeit der Juden ... gefordert werden«.

Die Beherrschung des als wirkliche Kultursprache angesehenen Deutschen war für Juden und Nichtjuden die Grundlage einer jeden Akkulturation. Bürgerrechte und Bildung galten seit der Aufklärung als zusammengehörend. Diese von den Juden der Aufklärung erst recht gesehene Einheit gab der Assimilation der Juden in Deutschland das einzigartig intensive Momentum der Hinwendung zur deutschen Kultur. Und dies verlieh der Assimilation wie auch den Juden in Deutschland die mächtigen Impulse, die sie über gewaltige Brüche und Enttäuschungen hinweg zu tragen vermochte.

Der Tradition verhaftete Juden waren in diesem Plan störende Erscheinungen. »Man kann geradezu von einem Hass der Aufklärer gegen die polnischen Lehrer sprechen, die für das Einschleppen der Unkultur nach Deutschland verantwortlich gemacht werden«[56]. Als Ausdruck dieser Unkultur, weil Jargon des Ghettos, wurde dabei in Deutschland die jiddische Sprache angesehen. Diese Sprache, ein viele Jahrhunderte zuvor entstandenes Esperanto des Judentums in der Diaspora, verdeutlichte das kulturelle Gefälle zwischen den assimilierten Juden des Westens und den rückständigen des Ostens. Das Gefälle war zum Problem geworden, weil die bürgerliche Reputation von der Nähe zur bürgerlich gewordenen Kultur abhing.

Die Juden im Westen kamen dank der Aufklärung recht schnell und in relativ großer Zahl zu einer Angleichung an die Lebensformen ihrer Umwelt[57]. In diesem Prozess wirkten die auf der Suche nach besseren Erwerbsmöglichkeiten in den Westen strömenden Juden des Ostens störend. Für die Christen, weil sie den Teil des noch jiddisch sprechenden Judentums verkörperten, der, weil nicht akkulturiert, gerade nicht emanzipiert und in die Gesamtgesellschaft integriert werden sollte. Für die assimilierten Juden, weil ihre Glaubensgenossen mit ihren Gebräuchen und dem als peinlich empfundenen jiddischen Idiom ein allzu deutlich empfundener Hinweis auf die schon für überwunden geglaubten Spuren der Vergangenheit waren.

In den 90er Jahren des 18. Jahrhunderts bildeten die Judengesetze in den deutschen Territorialstaaten ein nur noch schwer zu durchschauendes Gestrüpp aus in sich widersprüchlichen Generaledikten und Spezialvorschriften. Preußen hierfür als Beispiel: Das Allgemeine Landrecht von 1794 konnte in Preußen nur eine schemenhafte Klärung bringen. Denn das Allgemeine Landrecht war mit seiner Betonung der ständischen Unterschiede alles andere als eine Kodifikation, die wirkliche Freiheits- oder Gleichheitsrechte enthielt. Eine gründliche Neudefinition der für die preußischen Juden gültigen Rechtslage war davon folglich nicht zu erwarten[58].

Die Juden galten im Sinn des Landrechts keineswegs als Staatsbürger, sondern als Schutzverwandte, die nach Teil II, Titel 11, § 20 Landrecht und dem Religionsedikt vom 19. Juli 1788 eine erlaubte Privatgesellschaft mit spezieller Religion bildeten. Ob eine Weiterführung zu vollwertigen Rechten möglich war, musste sich in den bald einsetzenden Initiativen zur Neudefinition der preußischen Judengesetze zeigen[59].

Als Nachfolger von Friedrich II wollte Friedrich Wilhelm II. die Judengesetze zugunsten zeitgemäßerer Bestimmungen vereinheitlichen und die drückendsten Vorschriften beseitigen. Auch an diesem Punkt blieb es indes wie in fast allen Fragen bei den guten Vorsätzen des Königs. In der Praxis war Friedrich Wilhelm II. zu schwach, um seine Vorstellungen gegen Widerstände durchzusetzen. Die von ihm angeregten Reformversuche scheiterten.

Selbst die drückendsten Bestimmungen konnten in dieser Zeit trotz mehrerer Anläufe nicht durch zeitgemäßere Regelungen ersetzt werden. Die Oberlandesältesten der Berliner Judenschaft legten dem König am 22. Mai 1795 die Bitte vor, »sie von denjenigen Verbindungen zu befreien, die dem Gesetze der Natur, der Grundlage aller bürgerlichen Gesetze widersprechen«.

Die Petition wurde gleichzeitig beim Generaldirektorium und dem Justizdepartement eingereicht. Die beiden Behörden erläuterten ihre Position in mehreren Schreiben. Nach einer nahezu drei Jahre langen Diskussion stand schließlich die völlige Ablehnung auch dieses Antrags fest. Anfang April 1798 unterrichteten Justizdepartement und Generaldirektorium die Antragsteller in einer gemeinsamen Erklärung, dass die eingestandenenermaßen harten Gesetze ihren Zweck im Schutz der Untertanen vor der »jüdischen Nation« fänden[60].

Der dritte und letzte Versuch vor dem Untergang des alten Preußen begann im Juni 1800. Diesmal kam die Entscheidung relativ schnell. Die Solidarhaftung – die Haftung der Juden als Gesamtheit für Verfehlungen Einzelner – wurde bereits im Oktober 1801 abgeschafft[61].

Mit dieser Erleichterung waren die Versuche zur Emanzipation der Juden im preußischen Ancien Regime schon beendet. Die ebenso mühsamen wie erfolglose Anläufe dokumentieren die Schwachstellen des Staates in dieser Zeit auf deutliche Weise. Die Zentralbürokratie in Berlin war allenfalls noch zur routinemäßigen Ausführung der Amtsgeschäfte in der Lage. Ambitioniertere Vorgänge wie die Reform komplexer Gesetzeswerke konnte sie nicht mehr bewältigen. Friedrich Wilhelm II. hatte zwar mit ehrlich gemeinten Vorsätzen die Judengesetze reformieren wollen. Aber davon drängte ihn die Bürokratie vergleichsweise mühelos ab. Die Berlinische Monatsschrift traf 1794 mit ihrer Kritik den Nagel auf den Kopf. Das publizistische Organ der Aufklärung würdigte durchaus, dass man in Preußen »herrliche Bücher« über die Juden schrieb, »... die das Herz jedes Menschenfreundes mit frohen Erwartungen hoben, dass auch diese unglückselige Nation endlich in die Rechte der Menschheit eingesetzt werden würde«. Aber: »In Frankreich hat man ... nichts zur Verteidigung geschrieben, desto mehr getan«[62].

Die Modernisierungspolitik, die Preußen fast das ganze 18. Jahrhundert vorangetrieben hatte, hatte sich an der Wende zum 19. Jahrhundert erschöpft. Reformprojekte von begrenzter Art wie in Süd- und Neuostpreußen waren wohl noch möglich. Am Gesamtzustand des Staates vermochten sie aber nichts mehr zu ändern. Bis zur Niederlage von 1806 erwies sich der Hohenzollern-Staat als unfähig, seine erstarrte Administration und veraltete Sozialstruktur mit zeitgemäßen Zügen auszustatten. Der gescheiterte Versuch zur Emanzipation der Juden ist ein Teil dieser generellen Erstarrung[63].

Neben dieser Erstarrung deutete sich in den letzten Jahren des 18. Jahrhunderts eine Veränderung der intellektuellen Atmosphäre an, die insbesondere für die Judenfrage wenig Gutes versprach. Die Aufklärung, die sich in Preußen als wichtigste Antriebskraft zur Reform der Judenfrage erwiesen hatte, verlor zusehends an Bedeutung.

VII TENDENZWENDE

Mendelssohns Dispute mit Zeitgenossen, seine Existenz als Jude und Aufklärer waren die aufsehenerregenden Teile eines großen Prozesses. Die Ideen von Toleranz und stetiger Verbesserung des Menschengeschlechts mit dem Instrument der Vernunft hatten in ganz Mitteleuropa, besonders aber in Berlin die alten Positionen aufgeweicht.

Um 1780 hatte eine Diskussion der Judenfrage eingesetzt, die aus der öffentlichen Meinung nicht mehr wegzudenken war. In der ersten Phase dieser Debatte, die bis 1793 dauerte, dominierten Fragestellungen, Antworten und Teilnehmer, die in der von Lessing, Dohm oder auch Mendelssohn vorgegebenen Richtung standen. Die zweite Phase von 1793 bis 1799 zeigte, daß die Aufklärung für die jüngere Intelligenz nicht mehr die dominierende Position darstellte. Die Antworten auf die Judenfrage fielen nun anders aus.

Fichtes anonym veröffentlichter Paukenschlag enthielt die härtesten Attacken gegen die Juden in Form einer virtuos formulierten Polemik. Hamann und Herder leiteten die Abwendung von der Aufklärung ein. Herder versuchte, die spezifischen Elemente der Nationalkulturen zu entdecken und schien das Judentum aus der europäischen Umwelt auszuschließen. Die übergreifende weltbürgerliche Sicht der Aufklärung ging verloren.

Für Kant war das Judentum auf den bloßen Gesetzesglauben reduziert, den er in einen Gegensatz zu der europäischen Kultur setzte. Fichte sah es nicht anders. Er fügte dem aber noch eine wortgewaltige Polemik hinzu, die dem damals noch nicht existenten Deutschtum später einen Weg in neue Sphären weisen sollte.

Eine neuartige Judenfeindschaft war von diesen und anderen Überwindern der Aufklärung mit so viel Reputation versehen worden, daß die Tiraden eines Grattenauer und Paalzow im Berlin von 1803 als vergleichsweise interessante Perspektiven Anklang finden konnten. Die dritte Phase (1799 bis 1803) belegte den Niedergang der Aufklärung.

Die Parolen von Toleranz und Humanität schienen einer versunkenen Epoche anzugehören. In der Kulturgeschichte der Deutschen setzte damit eine neue Haltung gegenüber den Juden ein. Dieses Neue stützte sich zwar auf ältere Strömungen und verband sich auch mit ihnen, brachte aber mit der Betonung der trennenden Elemente eine neue Ablehnung gegenüber den Juden zum Ausdruck.

Diese trennende und den Juden gegenüber feindselige Bewusstseinslage dominierte die öffentliche Diskussion zwar nicht durchgängig. Denn diese Bewußtseinslage kam auf, wurde populär und schien zeitweilig wieder an Popularität zu verlieren. Wie die das Mittelalter prägende Judenfeindschaft – wenngleich auf eine andere Art – war sie aber stets vorhanden und brach bei bestimmten Anlässen in ihrer verbalen, später dann auch mit physischer Gewalt gegen Juden durch.

Diese Anlässe werden hier noch an anderen Stellen zu zeigen sein. Vorab schon dies: Die Hep-Hep-Krawalle von 1819 und der in den Jahren nach 1873 entstehende politische Antisemitismus waren Vorgänge, die mit der national-kulturellen Wende der Deutschen zusammenhingen. Diese Wende hatte um 1800 eingesetzt. Sie wurde in der Auseinandersetzung gegen das revolutionäre Frankreich und im Widerstand der Deutschen gegen Napoleon, die damals noch keine Deutsche waren, zu einer politischen Kraft.

Adolph Freiherr von Knigge hatte in seinem später zu einer Benimm-Fibel verdünnten Buch »Über den Umgang mit Menschen« ein Fazit der ersten Diskussionsphase gezogen: »Dass übrigens die höchst unverantwortliche Betrachtung, mit welcher wir den Juden begegnen, der Druck, in welchem sie in den ... Ländern leben und die Ohnmächtigkeit, auf andere Weise als durch Wucher ihren Lebensunterhalt zu gewinnen, dass dies alles nicht wenig dazu beiträgt, sie moralisch schlecht zu machen, und zur Niederträchtigkeit und zum Betruge zu reizen; endlich dass es ohngeachtet aller dieser Umstände, dennoch edle, wohlwollende, großmütige Menschen unter ihnen gibt – das sind bekannte, oft gesagte Dinge«[1].

Aber schon zu dieser Zeit meldete sich mit Karl Wilhelm Friedrich Grattenauer, Rechtskommissar am Berliner Kammergericht, eine Figur zu Wort, die in der Folgezeit noch von sich reden machen sollte. Sein 1791 anonym veröffentlichtes Pamphlet »Über die physische und moralische Verfassung der Juden« war eine von maßlosem Hass bestimmte Attacke. »Wozu eine Rotte von Menschen unter uns dulden ... deren Charakter ein Gemisch von allen Unarten und Gebrechen der Menschheit ist, die sich mehren wie die Heuschrecken ...?«

Der Autor forderte die Vertreibung der Juden. Sonst würde Berlin »... eine wahre Judenstadt, und so verschlingt diese Menschenrasse alles, was der Bürger durch Anstrengung und Fleiß hervorbringt ... Durch die Erteilung bürgerlicher Rechte ... erlangen sie eine gewisse Superiorität über die Christen ...«[2].

Dieses erste Pamphlet Grattenauers war eine Art Versuchsballon. Der Autor mußte in dem damals noch überwiegend judenfreundlichen Berlin mit Angriffen rechnen. Die Anonymität stellte somit auch eine Vorsichtsmaßnahme dar. Dies und die Tatsache, daß das Pamphlet noch kaum beachtet wurde, sind wichtige Indizien für die Einstellung der öffentlichen Meinung zur Judenfrage in den frühen 90er Jahren.

Der Herausgeber der Berlinischen Monatsschrift, schrieb dazu: »Wahrlich es ekelt, sich mit einem solchen Geschreibe abzugeben .... Ein Schriftsteller, der so greulich schimpft, und sich dabei in ein solches Inkognito hüllt, aber doch keine Tatsachen vorbringt, erregt den gerechtesten Verdacht, daß er keine vorzubringen hatte«[3]. Biester lag mit seiner Beurteilung durchaus richtig. Grattenauers erste Schrift war so wenig originell wie seine späteren Pamphlete. Freilich war dies für ihre Wirkung unerheblich.

Fürsprecher der Juden wie Biester blieben auf der von Lessing und Dohm formulierten Argumentationsebene. Die Gegner wiederholten alte Anschuldigungen, aktualisierten sie mit Formulierungen von Voltaire oder ergänzten sie durch eigene Ansichten. Die Schriften dieser Gegner zu den Juden waren nicht als Versuche zur Analyse eines Problems zu verstehen. Vielmehr bildeten sie die Ausflüsse einer ganz bestimmten Weltanschauung.

Vorurteile wurden als Fakten dargestellt, mit denen Schlußfolgerungen wie die von der Verderbtheit oder Verbesserungsfähigkeit der Juden untermauert werden sollten. Stand einer wie Grattenauer gegen die Juden, dann drängte er sein Wortarsenal von der ersten bis zur letzten Zeile in diese Richtung. Schwang sich ein Aufklärer wie Biester zum Fürsprecher der Juden auf, dann standen auch seine Argumente von vornherein fest. Hielt der für deutsche Verhältnisse radikale Aufklärer Knigge schließlich eine Mittellinie, dann blieb es bei negativen Urteilen über einen angeblichen jüdischen Nationalcharakter, abgemildert von Verweisen auf die Unterdrückung und deren Folgen.

Das Judentum hatte stets so vielschichtige Erscheinungsformen aufgewiesen, daß sich mit und an ihm eigentlich alles beweisen ließ. Lessing hatte durch die Darstellung von Individuen Pauschalurteile widerlegen wollen. Dohm wiederum hatte auch Pauschalurteile gebracht, bei denen er aber seine Bereitschaft zur Differenzierung als Regel unter Beweis stellte.

In seiner haßerfüllten Beliebigkeit stand nun Grattenauer für eine wichtige Veränderung. Anfang der 90er Jahre noch erfolglos, rückte er bereits gegen Ende des Jahrzehnts mit seinem Gesinnungsgenossen Christian Ludwig Paalzow in den Mittelpunkt einer Diskussion, die an Heftigkeit alles bisher Gekannte in den Schatten stellen sollte.

Die jüngere Generation der preußischen Intelligenz hatte mit der erstarrten Aufklärung, wie sie die »Berlinische Monatsschrift« vertrat, nur noch wenig im Sinn. Die philosophische Seichtheit eines Nicolai, eines Biester und auch die Konstruktionen Mendelssohns provozierten gegen Ende der 90er Jahre bei der nachrückenden Intelligenz sogar eine Art Rebellion. Der noch ziellose Sturm und Drang, die tiefsinnigen Grübeleien Hamanns, das rastlose Suchen Herders nach den Identitäten der nationalen Kulturen kamen als das unterirdische Grollen einer Gegenbewegung auf, die nach dem Ausbruch der französischen Revolution mit Kant und dem vor Vitalität berstenden Fichte die in Klischees erstarrte Aufklärung Preußens schließlich überwinden sollte.

An die Stelle des aufklärerischen Brückenschlags aller Nationen traten die Entdeckung und Typisierung der national-kulturellen Eigenheiten. Das Trennende rückte in den Vordergrund und mit ihm versank der Wunsch nach Integration einer über Jahrhunderte abgegrenzten Minderheit in den Bereich der Phantasterei. Grattenauers und Paalzows spätere publizistische Resonanz erklärt sich vor allem aus dieser, bei der jüngeren Generation an der Wende vom 18. zum 19. Jahrhundert bereits vorbereiteten und zum Teil schon durchgeführten Veränderung.

Herder

Mit Johann Georg Hamann war die Rebellion gegen die Vernünftelei der Aufklärung erstmals in den Vordergrund gerückt. Den Aufstand, den dann die Romantiker abschlossen, sollte Herder fortsetzen. Hamann, der in Königsberg als ein unbedeutender Beamter des preußischen Staats wirkte, dachte in religiösen Kategorien. Wo seine aufgeklärten Zeitgenossen den Mittelweg zwischen Vernunft und Religion suchten, dort kreiste für ihn alles um Gott. Johann Gottfried Herder bezog seine Ansichten über Judentum und Christentum im wesentlichen von Hamann. Bei Herder überlagerten jedoch kulturpolitische und nationalreligiöse Elemente sowie die starke Anlehnung an Spinoza die von Hamann vorgegebene Gedankenwelt.

Aufklärer und Verbesserer des Menschengeschlechts hielt Herder ebenso wie Hamann für den »Wahn des Jahrhunderts«[4]. Der Rationalismus der Aufklärung wurde ebenso wie der absolutistische Staat mit seiner Trennung zwischen Macht und Gefühl abgelehnt. »Kabinette mögen einander betrügen«, schrieb Herder, »politische Maschinen mögen gerückt werden, bis eine die andere zersprengt. Nicht so rücken Vaterländer gegeneinander«. Hart fiel auch das Urteil über Friedrich II. aus, weil dessen Politik selbst in ihren Leistungen nur »... Eingriffe in die wahre, persönliche Menschen- und Landes-, Bürger- und Völkerfreiheit ... « darstellte[5].

In den »Ideen zur Philosophie der Menschheit« schilderte Herder den nach Moses einsetzenden Verfall des Judentums. Ihre Religiosität degenerierte nun zu »grübelnder Silbenwitz, der nur an einem Buche nagte, ihr Patriotismus eine knechtische Anhänglichkeit ans missverstandene alte

Gesetz, so dass sie allen benachbarten Nationen damit verächtlich oder lächerlich wurden. Ihr einziger Trost und ihre Hoffnung war auf alte Weissagungen gebaut, die ebenso mißverstanden, ihnen die eitelste Weltherrschaft zusichern sollten«[6].

Deshalb mußte eine »neue geistige Zunge« kommen, die das »goldene Kalb« der jüdischen Hoffnungen ablöste. »Sein Kreuzestod machte ihn zum Christus aller Nationen« und seine nicht mehr auf ein Volk beschränkte Religionslehre wurde der »reinste Anti-Judaismus«[7]. Denn im Gegensatz zum Judentum wäre sein Reich »auf allgemeine echte Humanität und Menschengüte« gegründet[8]. Dennoch würdigte Herder die Juden als Vorbereiter des Christentums, weil »sie durch den Willen des Schicksals ... mehr als irgendeine asiatische Nation auf andere Völker gewirkt (haben); ja gewissermaßen sind sie sowohl durch das Christentum als durch den Mohammedanismus eine Unterlage des größten Teils der Weltaufklärung geworden«[9].

Von einer Judenmission hielt Herder nichts. »Und sie bekehren sich doch nicht zum Christus Eurer Evangelien! Laß sie, weil sie es einmal sind, Juden bleiben und auf den, der kommen soll, warten ... Wenn sie in den Grundsätzen Christi handeln, wollen wir immer sagen: Wer nicht wider uns ist, ist mit uns«[10].

Da er bei den Juden eine verdorbene Moral sah, die sie ausschließlich zum Handel drängte, hielt Herder »das Volk Gottes, dem einst der Himmel selbst sein Vaterland schenkte ... « nun für eine »parasitische Pflanze auf den Stämmen anderer Nationen; ein Geschlecht schlauer Unterhändler, beinahe auf der ganzen Erde, das trotz aller Unterdrückung nirgends sich nach eigener Ehre und Wohnung, nirgends nach einem Vaterlande sehnet«. Zur Besserung müßten ihnen »die Quellen ehrlosen Gewinnes und Betruges« versperrt werden«[11].

Zwei Antworten hielt Herder für die Judenfrage bereit. Würden sie sich, was ihm wahrscheinlich schien, »durch rein menschliche, wissenschaftliche und bürgerliche Verdienste« auszeichnen, dann könnte »ihr Palästina ... allenthalben« sein. Sollten sie hingegen unverbesserlich bleiben, dann wäre es eine glückliche Fügung, »wenn ein Messias-Bonaparte sieghaft sie dahin führt, Glück zu nach Palästina«[12].

Herders Äußerungen zu den Juden deuteten bereits den Weg an, den die deutsche Intelligenz einschlagen sollte. An die Stelle der großen Versöhnung rückte die Herausarbeitung der fundamentalen Trennungslinien. Die simple, aber klare Position der Aufklärung wurde auch sprachlich von der schwerblütigen, dunklen Prophetie der Erweckung verdrängt. »Welt und Geschichte werden zum großen Erbauungsbuch«[13].

So wenig Herder mit dem von Hamann in Bausch und Bogen verurteilten Kant auch gemein hatte, in einem standen sie sich nahe: Der Königsberger Philosoph dachte über die Juden nicht besser als der Prediger aus Mohrungen. Immanuel Kant beurteilte die Chancen zur Integration der Juden anläßlich eines Mittagessens am 14. Juni 1789: »Es wird nichts daraus kommen; solange die Juden Juden sind und sich beschneiden lassen, werden sie nie in der bürgerlichen Gesellschaft mehr nützlich als schädlich werden. Jetzt sind sie die Vampire der Gesellschaft«[14].

Diese beiläufige Äußerung eines großen Mannes mag als belanglos angesehen werden. Wo sich jedoch der Philosoph Kant grundsätzlich zu den Juden äußert, wird schnell deutlich, daß hier eine harte und folgenschwere Attacke anzunehmen ist. Während Voltaire virtuose Häme in die Feder floß und sich Herder vom Fluß seiner Erweckungsprophetien zu pompösen Formulierungen hinreißen ließ, trug Kant in der Regel mit analytischer Kälte scheinbar unwiderlegbare Erkenntnisse vor. Vom Rang dieses wirklich epochalen Philosophen überwältigt, wurde in vielen Fällen nicht verstanden, daß Kant das Judentum auf eine besonders intensive Weise ablehnte.

Zu diesem Irrtum trug vor allem eine Tatsache bei: Kant hielt stets guten, mitunter freundschaftlichen Kontakt zu einigen Juden. So zu dem hier bereits an anderer Stelle genannten Mathematiker und Philosophen Lazarus Bendavid, der die jüdische Orthodoxie bekämpfte. In der 1793 in Leipzig publizierten Schrift »Etwas zur Charakteristik der Juden« schrieb Bendavid: »Der Jude ward Egoist, und da der Christ ihn abstieß, da die Juden unter sich keine Anziehung fanden, ward er, was noch ärger ist als gehaßt – Menschenfeind oder vielmehr Menschenverächter«. Zur Besserung forderte Bendavid von den Juden, »...daß sie ihre sinnlosen Zeremonialgesetze abschaffen« und an deren Stelle eine »reine Lehre Moses« setzten. Nur so könnten sie die »durch Aberglauben verfinsterten Traditionen« beenden. Ohne Preisgabe der Zeremonialgesetze wären die Juden dagegen selbst nach der Taufe »... indifferente und für den Staat schädliche Bürger«.

Den Christen gab er zu bedenken: »Freut euch nicht, wenn einzelne Personen oder ganze Familien zum Christentum übergehen oder sich öffentlich bekennen, den Glauben ihrer Väter verlassen zu haben ... gewonnen für das Ganze wird dadurch nichts ... der Koloß ... gewinnt vielmehr an Stärke, weil der Riß, den der Splitter andeutete, nun nicht weiter greift«[15]. Derartige Thesen kamen Kants Ansichten entgegen. Bendavid wurde für den Königsberger Professor nicht von ungefähr einer der wichtigsten Informanten über das Judentum.

Keiner seiner Anhänger unter den Juden stand jedoch Kant so nahe wie der Arzt Marcus Herz. Das Manuskript der »Kritik der reinen Vernunft« sandte er Herz am 1. Mai 1781 mit dem Schreiben: »... ist mir eine wichtige Angelegenheit, demselben einsehenden Manne, der es würdig fand, meine Ideen zu bearbeiten ... diese ganze Summe meiner Bemühungen zur Beurteilung zu übergeben«[16].

Sobald Kant jedoch eine Abweichung von seinen Ideen zu spüren glaubte, konnte in dieser individuellen Zuneigung eine generelle Abneigung durchbrechen. Als Salomon Maimon ein Werk des Philosophen interpretierte, empfand Kant dies als eine »... Nachbesserung der kritischen Philosophie« und meinte: »... dergleichen die Juden gerne versuchen, um sich auf fremde Kosten ein Ansehen von Wichtigkeit zu geben ...«[17].

Kant blieb stets bei seiner grundsätzlichen Überzeugung: »Die unter uns lebenden Palästinenser sind durch ihren Wuchergeist ... in den nicht unbegründeten Ruf des Betruges gekommen. Es scheint nun zwar befremdlich, sich eine Nation von Betrügern zu denken; aber ebenso befremdlich ist es doch auch, eine Nation von lauter Kaufleuten zu denken, deren bei weitem größter Teil, durch einen alten ... anerkannten Aberglauben verbunden, keine bürgerliche Ehre sucht, sondern dieser ihren Verlust durch die Vorteile der Überlistung des Volkes, unter dem sie Schutz finden, und selbst ihrer untereinander ersetzen wollen«[18].

Kants wirkliche Attacke gegen das Judentum erfolgte im Zusammenhang mit Moses Mendelssohn, der die jüdische Religion auf einen Fundus offenbarter Gesetze reduziert hatte. Der Königsberger Philosoph schrieb Mendelssohn im August 1783 über dessen gerade erschienenes Buch »Jerusalem«: »Ich halte dieses Buch für die Verkündigung einer großen, obzwar langsam bevorstehenden und fortrückenden Reform, die nicht allein Ihre Nation, sondern auch andere treffen wird. Sie haben Ihre Religion mit einem solchen Grade von Gewissensfreiheit zu vereinigen gewußt, die man ihr gar nicht zugetraut hätte, und dergleichen sich keine andere rühmen kann«[19].

Dieses Kompliment für eine Aufwertung der gesetzlichen Elemente des Judentums gilt es im Auge zu behalten. Denn zehn Jahre später konstatierte Kant in seiner »Religionsphilosophie«: »Der jüdische Glaube ist, seiner ursprünglichen Einrichtung nach, ein Inbegriff bloß statutarischer Gesetze, auf welchem eine Staatsverfassung gegründet war ... eigentlich gar keine Religion, sondern bloß eine Vereinigung einer Menge Menschen, die, da sie zu einem besonderen Stamm gehörten, sich zu einem gemeinen Wesen unter bloß politischen Gesetzen, mithin nicht zu einer Kirche formten ...«[20].

Die Basis, von der aus Kant dem Judentum die Qualität einer Religion absprach, ergibt sich daraus, daß ein wirklicher Kirchenglaube neben Gesetzen auch noch den Religionsglauben als »höchster Ausleger« benötigte. Je mehr eine Religion den reinen Glauben förderte und die Befolgung von

Gesetzen und Geboten in den Hintergrund treten ließ, desto näher kam sie für Kant dem Reich Gottes[21].

Das Judentum erschien ihm als ein Sklavenglaube, der die Separation von der Umwelt forderte und für die Isolation eine Auserwähltheit versprach. Darin sah Kant eine Zweckgemeinschaft, die Gesetzesübertretungen befürchtete, sich aber anmaßte, über dem Rest der Menschheit zu stehen. In der Definition Kants beinhaltete jede wirkliche Religion mehr als Gesetze. Mendelssohn hatte mit seiner im Sinne der Aufklärung korrekten Reduzierung des Judentums auf eine Ansammlung von Gesetzesoffenbarungen dem Königsberger Philosophen erst die Möglichkeit gegeben, das Alte Testament und seine Erben aus dem Kanon »Neues Testament und europäische Kultur« auszuschließen.

Mit diesem Ausschluß nahm Kant den für den späteren Antijudaismus so wichtigen Gegensatz von philosophischer Tiefe und jüdischer Rabulistik bereits vorweg. Kants Verdikt war im Wesentlichen eine von den Deisten begründete Sicht, die Spinoza vorbereitet hatte: Altes Testament und Judentum waren in Gesetzen dokumentierte Vorgänge der Vergangenheit. Mit Mendelssohns Definition des Judentums als Gesetzessammlung lag dafür eine scheinbar unumstößliche Bestätigung vor. Als bloßes Gesetzeswerk konnte das Judentum aber logischerweise nicht mehr in der Nähe eines auf die Universalität des Glaubens angelegten Christentums stehen.

Eine verhängnisvolle Situation begann sich abzuzeichnen. Mendelssohn hatte das Judentum neu interpretiert, um es mit der Aufklärung in Einklang bringen zu können. Die Aufklärung ging zu Ende. Aber Mendelssohns Interpretation des Judentums blieb als über die Zeiten hinweg gültige Sicht stehen. Damit konnte dann das Judentum als ebenso seicht und überholt gelten wie die Aufklärung selbst.

Johann Gottfried Fichte sprach bereits 1801 über die Aufklärung wie von einem Fossil aus vergangenen Zeiten. Über Nicolai – den noch lebenden Repräsentanten dieser Richtung – ließ er sich aus, als hätte er es mit einer Mumie zu tun: »Die absolute Oberfläche ist das nackte abgerissene Faktum als solches. Daher war der Kreis, in welchen das Nicolaische Vermögen gebannt blieb, der der Anekdote und der Curiosität... So war es unserem Helden ein Leichtes, dem Prinzip des transzendentalen Idealismus ein halbes Dutzend Blutigel, eine Schweinskeule ... in den Weg zu werfen ... Aus dieser absoluten Seichtigkeit entsteht nun schon an und für sich Schiefheit für alles, was da höher liegt«[22].

Herder hatte mit der Betonung des Tiefen und Trennenden der nationalen Kulturen, Kant mit analytischer Schärfe die Aufklärung zur Seite geschoben. Vor den Lesern schien sich nun eine neue Welt zu öffnen, neben der das unbedingte Vertrauen der Älteren in die Vernunft nicht mehr bestehen konnte.

Junge Intellektuelle wie Fichte, Schleiermacher, die Brüder Schlegel, Tieck, Müller und Gentz verstanden sich als die Künder einer neuen Weltanschauung, die – und dies war ihre einigende Klammer – in der etablierten Aufklärung Berlins den Hauptgegner ausgemacht hatte. Und exakt diese Aufklärung eines Mendelssohn, Dohm oder Nicolai wurde mit der Judenemanzipation als zusammengehörend gesehen.

Als Fichte 1800 mit seiner Schrift über Nicolai die heftigste Attacke gegen die Aufklärung überhaupt unternahm, begriff die jüngere Generation wie die Brüder Schlegel sofort, welche Bedeutung dieser Arbeit auch für ihre Ziele zukam. Denn um die Jahrhundertwende besaß die etablierte Aufklärung noch genügend Machtmittel, um ihre Gegner abzuwehren. Das Berliner Oberkonsistorium, die vorwiegend mit Aufklärern besetzte höchste Kirchenbehörde des Staates, verweigerte Fichtes Schrift für Preußen die Druckerlaubnis.

August Wilhelm Schlegel sorgte dafür, daß sie 1801 in Jena unter Angabe des Verlagsortes Tübingen erscheinen konnte. Auch in der Edition dieser Schrift sahen die Brüder einen Teil des großen Kampfes zwischen ihnen, den Romantikern, und dem »bösen Prinzip in unserer Literatur«, sprich der Aufklärung[23].

In diesen weltanschaulich bedingten Konflikt mit der älteren Generation mischten sich materielle Zukunftsängste. Die Jungen wie Fichte, Schlegel und Schleiermacher sahen für sich in dem von den Älteren dominierten Berlin kaum Chancen. »Kandidaten der Theologie, Hauslehrer, Anwälte und Ärzte ohne Klienten stellten verbittert fest, daß die Gesellschaft ihnen keine Stelle angeboten hat, die ihrer Verdienste würdig ist«[24]. Damit geriet ihr Kampf gegen die Aufklärung auch zu dem Versuch, zu Einfluss und zu Reputation zu kommen, zu all dem also, was die Älteren schon hatten.

Die Vertreter der nach vorne drängenden Generation wie Schleiermacher und Fichte stießen mit ihren Ideen an nahezu allen Stellen gegen die ältere Richtung, die als blockierend verstanden wurde. Im Jahre 1787 mußte Schleiermacher aus dem Seminar der Herrnhuter Brüdergemeine in Barby/Elbe austreten. Er sah später darin einen Schritt, um »Gedanken und Gefühle zu reinigen von dem Schutte der Vorwelt … «. Etwa zur selben Zeit bewarb sich Fichte als Kandidat der Theologie um eine Stelle als Landprediger. Er wurde wegen seiner »religiösen Denkweise« abgelehnt[25].

Fichte

Johann Gottlieb Fichtes Lebensweg war bis zu seiner späten Etablierung in Berlin ein ebenso heftiger wie verzweifelter Kampf gegen die drei Vertreter der alten Ordnung: Staat, Kirche und Philosophie. Da alle drei Elemente in Preußen weit über Friedrich II. hinaus noch durch die Aufklärung miteinander verzahnt waren, geriet dieser Kampf in erster Linie zum Konflikt mit der maßvollen Beamtenaufklärung Berlins in Verwaltung, Geistlichkeit und Universität, also mit Staat, Kirche und Philosophie.

In dieser Auseinandersetzung mit den Sinnbildern einer alten Ordnung entwickelte sich Fichte zur monströsesten Erscheinung der neuen Philosophie, des Idealismus. Diese Monströsität enthält Brüche und Wandlungen, die weit über die Bedeutung eines individuellen Lebensweges hinausgehen.

Der 1762 als ältestes Kind eines Bandwirkers im Dorf Rammenau in der Oberlausitz geborene Fichte wuchs in ärmlichen Verhältnissen heran. Erst nachdem ein wohlhabender Gutsbesitzer, der die ungewöhnliche Begabung des jungen »Gänsehüters« erkannt hatte, die Ausbildung Fichtes finanzierte, konnte dieser eine Schule und später die Universität in Jena besuchen[26]. Schließlich bat ihn ein Student um Privatunterricht in der Philosophie Kants. Zur Vorbereitung darauf mußte Fichte aber den ihm bislang unbekannten Kant noch selbst studieren. In dieser als »ebenso herzerhebend wie kopfbrechend« empfundenen Lektüre machte Fichte eine der großen Erfahrungen seines Lebens[27].

Danach versuchte er sich wieder als Hauslehrer im preußischen Warschau. Dieser Schritt ins Berufsleben schlug fehl. Immerhin konnte Fichte aber mit der in Warschau erhaltenen Abfindungssumme eine Reise zu Kant nach Königsberg bezahlen. Dort verfaßte er innerhalb weniger Wochen den »Versuch einer Kritik aller Offenbarung«. Kant brachte Fichte mit seinem Manuskript zu einem Verleger. Die Schrift erschien 1792. Daß der Drucker vergessen hatte, den Namen des Autors auf das Titelblatt zu setzen, erwies sich für Fichte als Glücksfall.

Denn die wichtigsten Rezensenten Deutschlands vermuteten den Königsberger Philosophen selbst als Autor der anonym erschienenen Schrift und würdigten sie als eine Meisterleistung. Als Kant seine Autorschaft öffentlich dementierte und den wirklichen Verfasser nannte, war Fichtes Ruhm begründet. Fichte erhielt 1794 eine Professur in Jena. Auf Druck der dortigen Bürokratie und der Geistlichkeit mußte er aber Jena im Sommer 1795 wieder verlassen.

Jahre des Herumziehens und Kämpfe mit den Zensurbehörden folgten. Erst 1800 ließ sich Fichte in Berlin nieder. Dort hielt er Privatvorlesungen, die unter anderem auch dem Minister Karl August von Hardenberg auffielen. Da Fichtes Existenz immer noch ungesichert war, wollten ihn Freunde als Mitglied – damit war ein Gehalt verbunden – bei der Berliner Akademie der Wissenschaften unterbringen. Dieser Vorschlag mußte aber der entsprechenden Klasse der Akademie, in der Nicolai und seine Freunde stark vertreten waren, zur Abstimmung vorgelegt werden. Wie zu erwarten war, sprachen sich Nicolai und sein Anhang gegen die Aufnahme Fichtes aus[28].

Als der Vorschlag am 28. März 1805 schließlich mit 15 gegen 13 Stimmen abgelehnt wurde, schien Fichte wieder einmal vor dem Nichts zu stehen. Immerhin hatte er aber jetzt das Glück, daß der Minister Hardenberg beim König eine Professur für das Fach spekulative Philosophie in dem damals zum Hohenzollern-Staat gehörenden Erlangen durchsetzen konnte.

Erst in dem vielfältigen Scheitern von Fichte wird verständlich, welches Maß an Erfahrungen hinter seinem schon früher gefällten Urteil stand: »Vorherrschende Toleranz der Juden in Staaten, wo für Selbstdenker keine Toleranz ist, zeigt sonnenklar, worauf eigentlich abgesehen wird«[29]. Der Satz stammt aus »Beiträge zur Berichtigung der Urteile des Publicums über die französische Revolution«, die Fichte bereits 1793 anonym veröffentlicht hatte.

In dieser Schrift erwies sich Fichte als der politische Publizist, in dessen sprachlicher Befähigung schon etwas von der Eindringlichkeit zu sehen ist, die ihn dann später zum national-politischen Prediger Deutschlands werden ließ. Allerdings stand der Fichte von 1793 noch in dem Lager, das er danach so erbittert bekämpfen sollte. Denn damals war er auch im Politischen ein Radikaler, den man dem äußersten Flügel des deutschen Jakobinertums zurechnen mußte.

Die 1789 ausgebrochene Revolution in Frankreich hatte diese Gruppierung, die mehr über ganz Deutschland und Österreich verstreute Einzelne als eine kompakte politische Formation war, wie die gesamte deutsche Intelligenz in einen Begeisterungstaumel versetzt. Dieser fast einhellige Enthusiasmus, der für Deutschland als »Morgendämmerung eines neuen Zeitalters« beschrieben wurde, verwandelte sich ab Mitte der neunziger Jahre in eine ebenso überwältigende Ablehnung[30].

Der Abscheu über die mit der Guillotine angerichteten Metzeleien der französischen Jakobiner um Robespierre, das Zusammenrücken der Kräfte der alten Ordnung, die sensationelle Resonanz von Edmund Burkes »Betrachtungen über die französische Revolution« bewirkten unter anderem die Veränderung. Und als das revolutionäre Frankreich, ungleich mehr noch unter Napoleon, sich daran machte, der Länderkarte Europas eine neue Form zu geben, mußte ein weiteres Befürworten der französischen Revolution vor allem in Preußen wie Landesverrat erscheinen.

Stellvertretend für die Intelligenz Deutschlands drückte nun Christoph Martin Wieland, der zunächst einer der glühendsten Befürworter der Revolution in Frankreich gewesen war, seine Ablehnung aus: »Die gemeine Gefahr des Vaterlandes von außen und innen wird alle wackern Bürger und Untertanen, durch das, was sie seit fünf Jahren von den Greueln, wovon Frankreich diese Zeit über der Schauplatz war, gehört und gelesen haben, mit einem unauslöschlichen Abscheu vor Aufruhr und Empörung gegen göttliche und menschliche Ordnung erfüllen ...«[31].

Fichte stand diese Sicht der Dinge noch bevor. Denn kein anderer als er selbst sollte schließlich im Kampf gegen Napoleon und Frankreich seine große und für das Entstehen des deutschen Nationalbewusstseins mit entscheidende Mission finden. Im Jahre 1793 war aber ebendieser Fichte noch Jakobiner. Er befürwortete die Revolution in Frankreich und hoffte, daß sie auch in Deutschland eine neue Zeit herbeiführen würde. Denn: »Kein Mensch kann verbunden werden, ohne durch sich selbst: keinem Menschen kann ein Gesetz gegeben werden, ohne von ihm selbst. Läßt er durch einen fremden Willen sich ein Gesetz auflegen, so tut er auf seine Menschheit Verzicht und macht sich zum Tiere; und das darf er nicht«[32].

Das große Hindernis gegen die von Fichte geforderte Verbindung freier Menschen zu einem homogenen Gemeinwesen waren die an spezielle Sonderinteressen festhaltenden, weil davon profitierenden Teile der Gesellschaft. Als solche Spezialkorporationen beschrieb Fichte unter anderem den Adel, das Militär, die Zünfte und – diese am heftigsten attackierend – die Juden.

- Über die Aristokratie: »Doch noch immer ein wirklicher Staat im Staat ist der Adel, abgesondert durch seinen Zunftgeist, durch seine Verheiratungen untereinander, und durch das noch immer ausschließende Recht auf gewisse Bedienungen; allenfalls nur da gut, wo das Volk noch einer solche Vormauer gegen den Despotismus bedarf«.
- Über das Militär: »Der roheste Halbbarbar glaubt mit der Montur die sichere Überlegenheit über den scheuen, von allen Seiten geschreckten Landmann anzuziehen, welcher nur zu glücklich ist, wenn er seine Neckereien, Beschimpfungen und Beleidigungen ertragen kann, ohne noch dazu von ihm vor seinen würdigen Befehlshaber geschleppt und zerschlagen zu werden«.
- Über die berufsständischen Organisationen: »Kleinere Neckereien begehen die Zünfte der Künstler und Handwerker, die man bloß darum wenig fühlt, weil man mit größeren Plagen zu kämpfen hat«. Schließlich: »Alles dieses sind ja Staaten im Staate, die nicht nur ein abgesondertes, sondern ein allen übrigen Bürgern entgegengesetztes Interesse haben ... Es sind wirklich feindselige Staaten«.

Aber auch hier lautete das schon an anderer Stelle beschriebene Postulat an die Menschen: »Alles gebt hin, nur nicht die Denkfreiheit«. Deshalb konnte das Ziel nur Freiheit durch Kultur sein. »Kultur heißt Übung aller Kräfte an den Zweck der völligen Freiheit, der völligen Unabhängigkeit von allem, was wir nicht selbst, unser reines Selbst ist«. Aus Kultur entstand die von Fichte in mehreren Abstufungen gedachte Freiheit, mit der »kosmologischen Freiheit als Krönung. Sie ist »... der Zustand, da man wirklich von nichts außer sich abhängt – kein Geist besitzt sie, als der unendliche, aber sie ist das letzte Ziel der Kultur aller unendlichen Geister«[33].

Erst mit der Kenntnis des Kontexts, den der Jakobiner Fichte in seiner Schrift zur Revolution entwarf, wird es möglich, die in dieser Schrift ebenfalls vorgetragenen Ansichten zur Judenfrage einigermaßen sachgerecht wiederzugeben. »Fast durch alle Länder von Europa verbreitet sich ein mächtiger, feindselig gesinnter Staat, der mit allem übrigen im beständigen Kriege steht, und der in manchen fürchterlich schwer auf die Bürger drückt: es ist das Judentum ... Von einem Volk ... das durch das bindendste, was die Menschheit hat, durch seine Religion ... mit uns von Herz zu Herzen ausgeschlossen ist: das bis in seinen Pflichten und Rechten, und bis in der Seele des Allvaters uns andere alle von sich absondert, – von so einem Volke sollte sich etwas anderes erwarten lassen, als ... (daß) der erste Jude, dem es gefällt, mich ungestraft ausplündert«.

Integration oder Emanzipation dieses »Staates im Staate« hielt Fichte für sinnlos, ja sogar gefährlich. »Fern sei von diesen Blättern der Gifthauch der Intoleranz, wie er es von meinem Herzen ist ... Aber ihnen Bürgerrechte zu geben, dazu sehe ich wenigstens kein Mittel, als das, in einer Nacht ihnen allen die Köpfe abzuschneiden und andere aufzusetzen, in denen auch nicht eine jüdische Idee sei. Um uns vor ihnen zu schützen, dazu sehe ich wieder kein anderes Mittel, als ihnen ihr gelobtes Land zu erobern und sie alle dahin zu schicken«.

Den Fürsprechern einer Judenemanzipation erwiderte Fichte: »Fällt euch denn hier nicht der begreifliche Gedanke ein, daß die Juden, welche ohne euch Bürger eines Staates sind, der fester und gewaltiger ist als die eurigen alle, wenn Ihr ihnen auch noch das Bürgerrecht in euren Staaten gebt, eure übrigen Bürger völlig unter die Füße treten werden?[34] .Damit waren einige der heftigsten Sätze gegen die Juden gesprochen. Zwar hatte Fichte die Schrift aus Selbstschutz anonym veröffentlicht. Aber spätestens ein Jahr nach Erscheinen der »Beiträge« stand für Deutschlands Gebildete fest, wer der Autor war.

Man erlebt also hier wieder wie schon bei Kant die kaum zu überschätzende Konstellation, daß ein Gegner der Juden auftrat, dessen Ruhm in der Philosophie jede seiner Äußerungen mit einer gesteigerten Reputation ausstattete. In den »Beiträgen« hatte Fichte den Begriff vom »Staat im Staate« ins Spiel gebracht und mit diesem eine neue Facette in die Diskussion der Judenfrage eingeführt.

War das Ideal die homogene Gesellschaft, dann konnte es in einem europäischen Staat bürgerliche Gleichberechtigung für die Anhänger eines »altpalästinensischen Sektenglaubens«, die sich zudem einer monopolistischen Auserwähltheit rühmten, kaum noch geben. Da sie Ihre speziellen Interessen, die eines »Staates im Staate«, immer über die der erst noch zu bildende

Gemeinschaft stellen würden, wären sie in den Interessen der Allgemeinheit ständige Störenfriede[35].

Man darf Fichtes Idee vom »Abschneiden der Köpfe« hier natürlich nicht wörtlich nehmen, somit auch nicht als einen Aufruf zum Völkermord verstehen. In dieser wohl mehr symbolisch gemeinten Wendung vom Juden, der doch ewig Jude bleibt, war freilich schon der Sprengstoff enthalten, der Judenfeindschaft und Antisemitismus zu einer neuartigen Explosivität verhelfen sollte. Denn erst mit der Betonung von nicht veränderbaren, mit dem Gemeinwesen nicht zu vereinbarenden Sonderinteressen einer Gruppe war es möglich, die bis zu den Nationalsozialisten und noch über sie hinaus wirksame Theorie von der jüdischen Weltverschwörung zu entwickeln[36].

Fichtes Urheberschaft für eines der wichtigsten Theoreme des neuzeitlichen Antisemitismus kann auch nicht dadurch entschärft werden, dass er selbst durchaus kein Antisemit war, sofern dieser Begriff hier überhaupt benutzt werden kann. Von Pogromen und Judenverfolgungen hatte sich Fichte ausdrücklich distanziert. In den »Beiträgen« merkte er an: »Ich weiß, daß man vor verschiedenen gelehrten Tribunalen (damit war einmal mehr die Berliner Aufklärung gemeint) eher die ganze Sittlichkeit und ihr heiligstes Produkt, die Religion, angreifen darf, als die jüdische Nation. Denen sage ich ... daß ich, mehrmals Juden, die man neckte, mit eigener Gefahr und zu eigenem Nachteil in Schutz genommen habe, daß also nicht Privatanimosität aus mir redet«[37].

Unabhängig davon stand für einen großen Teil der literarischen Öffentlichkeit Deutschlands fest, daß die Judenfrage mit Fichtes »Beiträgen« von 1793 eine neue Wendung genommen hatte. Die schärfsten Urteile hatte bis zu diesem Zeitpunkt Andreas Eisenmenger im 17. Jahrhundert geäußert. Bis zu Kants, Herders und vor allem Fichtes Auftreten hatte die preußische Aufklärung vermocht, Eisenmengers »Entdecktes Judentum« und ihm folgende Judenhasser wie selbst Voltaire aus der öffentlichen Diskussion herauszuhalten. Nach Fichte wurden diese Positionen nun salonfähig – allerdings in einer zeitgemäßeren, weil scheinbar durch die neue Philosophie legitimierten Form[38].

Deutlich verstand dies der jüdische Aufklärer Saul Ascher, der 1794 eine Schrift mit dem bezeichnenden Titel »Eisenmenger der Zweite, Nebst einem vorangesetzten Sendschreiben an den Herrn Professor Fichte in Jena« veröffentlichte. Ascher führte aus, daß mit Fichte eine neue Epoche des Judenhasses begonnen habe. Denn die aus und nach der Aufklärung entstandenen Gegner der Juden kämpften jetzt mit »furchtbareren Waffen als ihre Vorgänger«, weil sie unter Berufung auf die Vernunft die Juden aus der Gesellschaft ausschlossen[39].

Hegel

Nur der Vollständigkeit halber geht es hier noch um die Gedanken des jungen Hegel von 1798, die aber erst 1907 der Öffentlichkeit zugängig gemacht wurden. Sie liegen ganz auf den bereits vorgegebenen Linien. Das Judentum nahm sich für Hegel wie die Antithese zur Menschheit aus. »Alle folgenden Zustände des jüdischen Volks bis auf den schäbigen, niederträchtigen, lausigen Zustand, in dem es sich noch heutigentags befindet, sind weiter nichts als Folgen ... ihres ursprünglichen Schicksals ...[40].

Die freiwillige Unterwerfung der Juden unter ihre Gesetze faßte Hegel als Beleg für eine sklavische Gesinnung auf. Diametral entgegengesetzt dazu stand der als olympischer Freiheitsdrang diagnostizierte Grundzug des antiken Griechenlands. In seiner Kritik am bestehenden Christentum war Hegel zur Diskriminierung der Juden und Idealisierung der Griechen gelangt. Diese »Grundentscheidung seines Lebens« hat Hegel nicht mehr korrigiert. »Mit diesem Judentum war Hegel fertig«. Und auch wenn er die Juden ... später gesellschaftlich respektierte, blieben sie für ihn geistesgeschichtlich diskriminiert. Dies aber kam einem Antijudaismus gleich, welcher dem späteren Antisemitismus den Weg bahnte«[41].

Wie Kant hatte Hegel die »Positivität« der Religion untersucht. Für Kant kollidierte die konfessionelle Annahme von Gesetzen mit dem freien Willen, wenn als eigentliche Triebkraft nicht noch der Glauben hinzukam. Da Kant diese Triebkraft bei den Juden nicht sah, war ihre Unterwerfung nur ein Dokument ihrer knechtischen Gesinnung. Hegel konstruierte ein Judentum, dessen Sklavenmentalität offen zutage trat. Jede denkbare Bibelpassage wurde so interpretiert, daß der Leser den Eindruck gewinnen mußte, es handelte sich um eines der verachtenswertesten Völker aller Zeiten.

Dabei konnte auch hier ein schon von den Deisten oft bemühtes Motiv nicht fehlen. Es ging um die im Alten Testament geschilderte Prüfung Abrahams, dem Gott befohlen hatte, den eigenen Sohn Isaak zu opfern. Da sich Abraham fügte, stand für Hegel wie bereits für die Deisten fest: »Nur lieben konnte er nichts; selbst die einzige Liebe, die er hatte, die zu seinem Sohne... konnte ihn drücken ... (und sein Gemüt) in eine Unruhe versetzen ..., daß er auch diese Liebe zerstören wollte und nur durch die Gewißheit des Gefühls beruhigt wurde, daß diese Liebe nur so stark sei, um ihm doch die Fähigkeit zu lassen, den geliebten Sohn mit eigener Hand zu schlachten«[42].

Seine Einschätzung der Juden hat Hegel auch später kaum geändert. Sie blieben ein negatives Element des Weltgeistes, dem sich der große Dialektiker nur mit Verachtung zu nähern vermochte. In den »Vorlesungen über die Philosophie der Religion« heißt es: »Der Fanatismus findet sich wohl auch bei den Juden, aber er tritt nur ein, insofern ihr Besitz, ihre Religion angegriffen ist ... « Dagegen sei die griechische Religion »nach innerer und äußerer Seite ein unendlich unerschöpflicher Stoff, bei dem man seiner Freundlichkeit, Anmut und Lieblichkeit wegen gerne verweilt ...«[43].

Alternatives Christentum

Geht man an hier an die Wende vom 18. zum 19. Jahrhundert wieder zurück, um den weiteren Verlauf der Debatte der Judenfrage zu schildern, dann sollte klar sein: Neben Herder und Kant konnte Fichte diese Debatte allenfalls mit seinen Äußerungen von 1793 beeinflußt haben. Und von Hegel, der zu dieser Zeit ein Niemand war, konnte überhaupt nicht die Rede sein. Zudem wurden die theologischen Jugendschriften, aus denen sich Hegels früh geformter Gegensatz von Juden- und Griechentum ergab, erst im 20. Jahrhundert der Öffentlichkeit zugänglich gemacht.

Dies berücksichtigt, hatte Deutschlands geistige Welt an der Wende zum 19. Jahrhundert schon eine tiefgreifende Wende durchlaufen. Die Aufklärung war vor allem durch den Aufklärer Kant verdrängt worden. An ihre Stelle rückten nun idealistische Philosophie, Frühromantik und beginnender Historismus.

In diese neue intellektuelle Welt stieß 1799 das Schreiben einiger Berliner Juden, das ursprünglich nur als Brief an den führenden Aufklärungstheologen Berlins gedacht war. Dieses anonyme »Sendschreiben an seine Hochwürden, Herrn Oberconsistorialrath und Probst Teller zu Berlin von einigen Hausvätern jüdischer Religion« enthielt nichts Geringeres als eine Offerte zur Konversion. Unter gewissen Umständen wollten die Hausväter, die für alle aufgeklärten Juden Berlins und damit Preußens zu sprechen schienen, zum Christentum übertreten.

Sie schlugen eine Art Gegengeschäft vor: Aufgabe der jüdischen Zeremonialgesetze, sogar Taufe, wenn es denn sein mußte. Aber dieser letzte Schritt sollte nur erfolgen, wenn ihnen das Christentum einige wichtige Merkmale als »unerheblich« erlassen könnte[44]. Die Hausväter beschrieben ein zur Hülle ohne Inhalt gewordenes Judentum. »Das Studium der Grundsprache und des Talmuds nimmt tagtäglich unter uns ab; das Ansehen der Rabbiner ist gefallen und muß mit der Vernachlässigung der Zeremonial- und Ritualgesetze immer mehr fallen.« Als positiv wurde dargestellt, »... daß die Sehnsucht nach Messias und Jerusalem aus den Herzen sich immer mehr entfernt, so wie die Vernunft diese Erwartungen als Chimären immer mehr verwarf«[45].

Mit früheren Konvertiten wollten die Hausväter freilich nichts zu tun haben. Die Frage, die nun folgte, zeigte, daß hier in der Tat deutliche Unterschiede vorlagen. Die Verfasser schlugen den Anschluß an ein aufgeklärtes Christentum vor, an eine Art sanktionierte Neologie. Zuerst wurde an den Adressaten Teller, Berlins führenden Neologen der Zeit, die Frage gerichtet, welches Bekenntnis er, falls er Jude wäre, unterschreiben würde. Danach kam die Bereitschaftserklärung. Aber: »Wohlverstanden, daß wir im Grunde voraussetzen ... Zeremonien werden nur als Handlungen, Gebräuche gefordert, um zu beurkunden: daß das aufgenommene Mitglied die ewigen Wahrheiten aus Überzeugung angenommen und sich den daraus fließenden Pflichten als Mensch und als Staatsbürger unterwirft; nicht aber als Zeichen, daß derjenige, der sie vollzieht, stillschweigend eingesteht, er nähme die Dogmen dieser Gesellschaft gläubig an«[46].

Die Hausväter waren sich darüber im klaren, daß ein derartiges Christentum, auf »ewige Wahrheiten« reduziert, »zwar die Religion einzelner Männer, aber nicht Volksreligion ...« sein konnte[47]. Das Schreiben löste eine Flut von Broschüren und Aufsätzen aus. Die Mission, an der Luther gescheitert war, die im Grunde fehlgeschlagenen Bekehrungsversuche der Pietisten, ein scheinbar für alle Zeiten unerschütterliches Judentum – all dies schien durch das Angebot revidiert.

Die Prämisse der Offerte war allerdings mehr als zweifelhaft. Die Hausväter forderten die Aufnahme in ein Christentum, das zumindest für sie keines sein sollte. Denn ohne Einschluß der Dogmen beinhaltete diese Konversion für das Christentum eine Herausforderung, aus der nur ein aufgeweichter Protestantismus entstehen konnte. Die Hausväter hatten übersehen, daß das offizielle Christentum, wie sehr es auch inoffiziell den Prinzipien der Aufklärung verpflichtet sein mochte, bisher noch stets die bedingungslose Konversion gefordert hatte.

Trotz der anonymen Absender war der wirkliche Verfasser des Sendschreibens keinem verborgen geblieben. Es handelte sich um David Friedländer, den geistigen Erben des Vermächtnisses von Moses Mendelssohns und den namhaftesten Kämpfer für die Emanzipation unter den Juden. Seine Biographie ist typisch für die jüdische Elite des Hohenzollern-Staats. Er stammte aus einer Königsberger Unternehmerfamilie, hatte sich 1771 in Berlin niedergelassen und nach Eintritt in die Firma Daniel Itzigs eine der zehn Töchter des Magnaten geheiratet. Nur wenige Jahre danach übernahm er eine der größten Seidenfabriken Berlins. 1778 gehörte er zu den Mitbegründern der jüdischen Freischule.

Seit 1781 konnte er als preußischer Bürger gelten, weil sich das Naturalisationspatent Daniel Itzigs auf dessen gesamte Familie, somit auch auf den Schwiegersohn David Friedländer bezog. Der umtriebige Friedländer nahm im öffentlichen Leben zahlreiche Positionen ein. Unter anderem war er 1809 der erste jüdische Stadtrat Berlins[48]. Auf dieser gesicherten sozialen und ökonomischen Stellung konnte David Friedländer preußischen Beamten und Staatsmännern ohne Sorge gegenübertreten. Als Denker blieb er sein Leben lang der treue Gefolgsmann Moses Mendelssohns. Nur in zwei Punkten ging er über den Lehrmeister hinaus:

- Forderung auf Abschaffung der Zeremonialgesetze
- Aktiver Kampf für die Emanzipation

Die Motive für sein Sendschreiben waren klar: Da er eine rechtliche Gleichstellung der Juden noch nicht für realistisch hielt, wollte er die Emanzipation über die Konversion zu einem Kompromiß-Christentum erreichen. Auch im Sendschreiben zog er den für ihn typischen Trennungsstrich zwischen aufgeklärten, kulturell angepassten Juden und den Orthodoxen. Noch am 3. März 1793 hatte er dem Staatsminister von Schrötter geschrieben: »Wollen die Juden wirklich nicht alle Pflichten eines Staatsbürgers übernehmen, so weise man die Unverschämten ab; sie können, sie dürfen nicht gehört werden«[49].

Als wichtigstes Unterscheidungsmerkmal zum traditionellen Judentum betonte David Friedländer die Bereitschaft, nur an den ewigen Wahrheiten seines Glaubens festzuhalten. Welche dies waren, blieb allerdings offen. Die Zeremonialgesetze standen, weil nicht von Gott offenbart, ebenso zur Disposition wie der mit dem Rationalismus der Aufklärung unvereinbar gewordene Messiasglaube. Denn diese Bestandteile der Konfession sind »... nicht ewig, sondern an Raum und Zeit gebunden und bedürfen immer wieder der Überprüfung, ja zuweilen der Abschaffung«[50].

Debatten

Die sich auch in einer Flut von Broschüren äußernde Debatte über das Sendschreiben zeigte eine deutlich veränderte Einstellung zur Judenfrage. Die alte Ansicht, daß die Konversion schon genügen würde, um den Juden zum Bürger eines christlichen Staates zu machen, war nicht mehr der dominierende Standpunkt. Dohms für die Aufklärung typische Verlagerung der Schuld an der nun unbestrittenen Verdorbenheit der Juden wurde als unzeitgemäß zur Seite geschoben.

Die jüngere Generation begann in der Aufklärung einen Grund für die geistige und politische Fehlentwicklung der älteren Generation zu sehen. Der Glaube an eine globale Gemeinschaft, an die Möglichkeit, Schranken zu überwinden, wurde nun ebenso abgelehnt wie die von der Aufklärung formulierte Hoffnung auf ständige Besserung des Menschengeschlechts. Die Vernunft sollte nicht mehr das Gemeinsame entdecken, es durch rationales Verhalten fördern, sondern – genau dies ist der große Bruch – das Trennende finden und durch Einsatz des Geistes vertiefen.

In der Epoche Lessings, Dohms und Mendelssohns hatte sich eine projüdische Haltung etabliert. Nun schwang das Pendel in eine andere Richtung. Unter Verweis auf Herder, Kant und Fichte wurde es legitim, antijüdische Ansichten zu vertreten[51]. Parallel zu der in der Philosophie deutlichen Tendenzwende kam ein neues Verständnis von Religion. Von der Berliner Neologie eines Teller oder Mendelssohn wollte man nichts mehr wissen. Religion sollte sich nun als Einheit von Gefühl und Verstand revitalisieren.

Die von der Neologie vorgenommene Untersuchung in vernunftgemäße und vernunftwidrige Glaubenselemente konnte für diese Neuerer kein Thema mehr sein. Als Begründer und bedeutendster Repräsentant dieser jungen Generation von Religionsphilosophen trat Friedrich Schleiermacher auf. Seine anonym veröffentlichte, glänzend formulierte Antwort auf das Sendschreiben muß als die Abhandlung gelten, die mit den klarsten Antworten aufwartete.

Schleiermacher wandte sich gegen das Sendschreiben, weil er die Motive – eine halbe Konversion und den Status preußischer Bürger dafür als Lohn – durchschaute. Für ihn konnten aus einer derartigen Taufe nur »Amphibien«, »falsche Christen« entstehen, die lediglich eine »äußerliche Religion« vertraten. »Ja, ein judaisierendes Christentum, das wäre die rechte Krankheit, die wir uns noch inoculieren sollten«.

Schleiermachers Alternative lief darauf hinaus, daß die Juden Bürger werden und ihre Gesetze den Gesetzen des Staates unterordnen sollten. »... Wäre der Staat nicht vollkommen befugt, sie immerfort als Fremde anzusehen ...«, solange die Juden glauben, »... daß sie irgend einmal wieder eine eigene Nation ausmachen werden ...«[52].

Mit Schleiermacher trat ein Denker auf, der alle anderen Teilnehmer dieser Debatte überragte. Seine Forderungen an die eigene Kirche bekräftigten dieses Urteil. »Wie auch Teller als Privatmann diesen Privatleuten ... antworten mag: So scheint es mir jetzt die höchste Zeit zu sein, daß die christliche Kirche sich offiziell ... gegen den Staat ... dahin erklärte ... daß sie ihn bei seiner Liebe zum Christentum ... beschwöre, alles aus dem Wege zu räumen, was die Juden veranlassen kann, aus unreinen und fremdartigen Bewegungsgründen zum Christentum überzugehen«[53].

Der Reformator des preußischen Evangelismus, der eigentliche Zerstörer der Neologie, hatte die Judenfrage tiefer als seine Zeitgenossen durchdacht und die Antworten formuliert, die noch aus heutiger Sicht die allein richtigen sein konnten. Es war Unsinn, das Christentum zu verdünnen, um so die Juden bekehren zu können. Unsinn war es auch, Juden zu taufen, die vom Christentum eigentlich nichts wissen wollten. Und schließlich war es auch Verbohrtheit seitens der Kirche selbst, wenn sie den Staat in seiner Diskriminierung der Juden bestärkte, dann aber selbst Missionierungsversuche bei den Juden unternahm.

In seinem Protest gegen die Ungereimtheiten von beiden Seiten hatte Schleiermacher auch den sich vollziehenden Bewußtseinswandel bei der gebildeten Schicht der Juden verstanden: »Es ist doch vergebens, leugnen zu wollen, daß die Juden mehr und mehr an der Bildung des Zeitalters einen verhältnismäßig gleichen Anteil nehmen als die Christen ... Je mehr dies alles der Fall ist, desto mehr sieht das Festhalten dieses Unterschiedes einer ganz grundlosen Parteilichkeit ähnlich«[54].

Die Debatte um das Sendschreiben der Hausväter schien auch dem Kriegs- und Domänenrat bei der westpreußischen Kammer in Marienwerder, Christian Ludwig Paalzow, der geeignete Anlaß für eine publizistische Premiere in der Judenfrage zu sein. Hatte sich Grattenauer 1791 noch allenfalls auf den Eisenmenger des 17. und frühen 18. Jahrhunderts gestützt, so konnte Paalzow 1799 schon ungleich bedeutendere Gewährsmänner anführen. »Die Juden keine Religion gehabt haben ... Kant hat dieses auch schon bemerkt ...«

Weiterhin glaubte Paalzow eine ewige Feindschaft erkannt zu haben. »Die Juden werden von allen anderen Völkern von jeher nicht nur verachtet, sondern auch gehaßt ...« Die Position der Juden gegen andere Völker hatte bereits Moses festgelegt, »... der es ihnen zur Pflicht gemacht ... gegen alle anderen Völker einen unversöhnlichen Haß zu tragen ...«.

Eine Emanzipation dieser Minderheit konnte für Paalzow nur als Katastrophe enden. »Gesetzt nun ein Staat gäbe den Juden gleiche Rechte und Freiheiten mit den anderen Bürgern; so müsste man wohl blind sein, wenn man nicht wahrnehmen wollte, dass die Juden ihres Charakters und ihrer engen Verbindung wegen in einer kurzen Zeit allen Handel und alles Gewerbe an sich ziehen, diese zu Sklaven, zu bloßen Arbeitern zu erniedrigen und alles Gewerbe in ein Monopol ihrer Nation verwandeln würden«.

Was aber sollten die Juden tun, falls sie der Bürgerrechte in einem Paalzowschen Staate doch noch teilhaftig werden wollten? Die Antwort zeigte, daß der Autor Fichtes Schrift von 1793 aufmerksam gelesen hatte. »Der Status im Statu ... (den) man aber bei den Juden so leicht zu übersehen pflegt ... müßte gänzlich aufgehoben werden. Die Juden müssen ... alle Pflichten der wirklichen Bürger willig übernehmen, mithin sich auch nicht vom Soldatenstande ausschließen«[55].

Die Aufregung um das Sendschreiben der Hausväter legte sich erst nach der Jahrhundertwende. Die Zurückweisung war allgemein. Paalzows Schrift erschien in der Ablehnungsfront somit nur als ein Beleg von vielen anderen. Die große Bedeutung dieser Debatte bestand darin, daß die Gegner der Juden das von der neuen Philosophie und Theologie entwickelte Argumentationsarsenal erstmals hatten einsetzen können[56].

Vier Diskussionsebenen waren dabei deutlich geworden:

- Die Juden mußten sich erst einmal verbessern und integrieren, bevor sie die politische Gleichberechtigung erhalten konnten.

- Von ihren Zeremonialgesetzen, soweit diese mit den Pflichten preußischer Staatsbürger unvereinbar schienen, sollen sie abrücken.
- Dem Glauben an das Erscheinen des Messias, an eine Rückkehr nach Palästina sollten sie abschwören.
- Die Juden sollten für ihre Bereitschaft zur Besserung eine ganze Reihe von Beweisen erbringen. Die wichtigsten:
  Militärdienst
  Eintritt in Ackerbau- und Handwerksberufe, Abrücken von Handel und Geldverleih.

Die Judenfrage war mit solchen Vorstellungen nicht lösbar. Wer wollte oder konnte bestimmen, ob sich die Juden insoweit gebessert hatten, daß sie die Gleichberechtigung verdienten? In welcher Form sollte das Abrücken von den Zeremonialgesetzen geschehen? Wie hätten die Juden selbst das Erwarten ihres Messias aufgeben können? Gerade dieses Glaubenselement hatte den Judaismus über Jahrhunderte erhalten. Und schließlich, wann oder von wem wurde ein Beweis für die Besserung der Juden überhaupt als überzeugend angesehen?

Zu dem Aspekt Militärdienst: Die Juden Preußens hatten sich nur etwas mehr als ein Jahrzehnt nach dieser Debatte im großen und ganzen ihrer Zahl etwa entsprechend an den Befreiungskriegen beteiligt. Es nutzte nichts. Die mühsam zustande gekommene Emanzipation von 1812 wurde dennoch zurückgedrängt.

Zu dem Aspekt Ackerbau und Handwerk: In beiden Sparten gab es fast nur Berufe ohne Zukunft. Mit der bald einsetzenden Industrialisierung erwiesen sich exakt die Erwerbszweige als besonders chancenreich, in denen die Juden überproportional vertreten waren: Handel und Geldwirtschaft.

Die Argumentationsebenen stellten in Wirklichkeit ein Ausweichen dar. Es gab nur zwei Antworten, die der Judenfrage angemessen waren: Verharren bei der Diskriminierung oder völlige Emanzipation gegen den Eid, sich sämtlichen Bürgerpflichten zu unterwerfen. Wie die Betroffenen diesen Eid mit Zeremonialgesetzen und Messiasglauben in Einklang brachten, hatten sie selbst zu lösen und nicht ihre Umwelt[57].

Herders und Kants Auslassungen hatten eine antijüdische Stimmung erzeugt, die dem Thema Emanzipation auswich und sich auf die Diagnose der kulturellen Gegensätze konzentrierte. Daß die Juden bei dieser Diagnose als Fremdlinge schlecht abschnitten, war unvermeidbar, wenn das abendländische Kulturideal mit seiner Geschichte und Religion den Maßstab bildete.

Mit den hier geschilderten Argumentationsebenen sollte ein befürchteter Emanzipationsprozeß aufgehalten werden. Die Hoffnung der Verzögerungsstrategen richtete sich auf ein Verschwinden des Judentums durch Assimilation. Den derart »Entjudeten« konnte die Emanzipation dann als

Belohnung für die »Selbstheilung« von dem »jüdischen Defekt« ohne weiteres gewährt werden.

Broschüren und Zensur

In den Jahren 1800 bis 1803 schien das öffentliche Interesse an der Judenfrage nachzulassen. Die Debatte um das Sendschreiben der Hausväter war ohne Ergebnis zu Ende gegangen. Das Thema wurde nur noch vereinzelt aufgegriffen. Dann aber setzte zu Beginn des Jahres 1803 eine neuerliche, dermaßen heftige Broschürenflut ein, daß die Behörden weitere Publikationen untersagten. Die vorher kaum beachteten Paalzow und Grattenauer schoben sich während dieser letzten öffentlichen Diskussion im preußischen Ancien Régime nach vorn.

Paalzow gab 1803 eine überarbeitete Version seiner Broschüre von 1799 heraus, die inhaltlich nichts Neues brachte. Sie rief aber den nach seinem ersten Versuch von 1791 verstummten Grattenauer auf den Plan. Mit der neuerlichen Präsentation seines unversöhnlichen Judenhasses stieß der Autor dieses Mal beim preußischen Publikum auf ungewöhnliche Resonanz. Seine Schrift »Wider die Juden« brachte es allein 1803 auf sechs Auflagen. Auch kommerziell rangierte sie damit unter den erfolgreichsten Schriften der Zeit[58].

Der von Grattenauer und Paalzow ausgelöste Broschürenkampf alarmierte schließlich die preußische Regierung. Großkanzler Goldbeck schrieb am 5. September 1803 dem geschäftsführenden Kabinettsminister Hardenberg: »Mir scheint ... daß der Broschüre unter dem Titel: Wider die Juden das Imprimatur nicht hätte gegeben werden sollen, da deren einzige Tendenz dahin gehet, die jüdische Nation in ein gehässiges Licht darzustellen und verächtlich zu machen, welches doch keineswegs gebilligt werden kann«[59].

Nur wenige Tage nach dem Eingang dieses Schreibens wurde Hardenberg auch von einem Finanzrat zum Handeln gedrängt. Aus dem Schreiben dieses Finanzrats: »Der öffentliche Schriftwechsel über die Juden und die Anzeige davon in den Zeitungen scheinen mir in polizeiwidrige Unarten auszuarten ... Die Juden von Fehlern, welche sie haben mögen, zurückzubringen, dahin führen diese Schriften gewiß nicht«.

Folgende Vorgehensweise wurde angeraten: »Weder für noch gegen die Juden dürfte vor der Hand etwas gedruckt werden ... Den Zeitungsbüros würde zu untersagen sein, die bisher erschienenen Schriften oder neue Auflagen derselben durchaus auf eine auffallende oder gar beleidigende Art anzukündigen«.

Während Hardenberg noch abwartete, versuchte Grattenauer, der sich zu Recht bedrängt fühlte, mit einer Bittschrift (an Goldbeck, 14. September) das Schlimmste zu verhüten. Die Auflagen seiner Schriften bezifferte er mit insgesamt 13.000. Sogar eine polnische Übersetzung werde gerade gedruckt. Gegen den Vorwurf der Volksverhetzung verteidigte er sich mit dem Verweis auf Gewährsleute: »Ich halte die Juden in ihren jetzigen politischen Verhältnissen für den Staat höchst gefährlich und bin mit Herder, Fichte, Goethe und vielen anderen großen Philosophen der Meinung, dass sie in ihren jetzigen Verhältnissen sich selbst und allen christlichen Staatsbürgern eine gleich drückende Last sind ... Kein Gesetz kann es mir verbieten, dies Resultat meiner Überzeugung auf jede wissenschaftliche, gelehrte, philosophische und statistische Gesichtspunkte auszuführen und dabei darzutun, daß besonders ein gewisser Herr Kriegsrat Dohm vom Judentum nicht das geringste verstanden und seine leere philanthropische Grillenfängereien für solide Betrachtungen ausgegeben hat«. Abschließend bat Grattenauer um »die Freiheit wider die Juden zu schreiben«[60].

Es nutzte nichts mehr. Hardenberg ordnete die Durchführung der preußischen Zensurgesetze an. Danach durften in Preußen polemisierende Schriften zur Judenfrage nicht mehr erscheinen. Grattenauers wütende Proteste gegen diese Maßgabe wurden abgewiesen[61]. Die öffentlichen Auseinandersetzungen gingen damit zu Ende. Zwar erschienen bis 1806 noch einzelne Artikel oder Broschüren zur Judenfrage. Auflagenerfolge wie sie Grattenauer 1803 noch innerhalb weniger Wochen verbucht hatte, wurden aber nicht mehr erzielt.

Auf die von der Aufklärung gestellte Judenfrage hatte es viele Antworten gegeben. Es überwogen aber schon zu dieser Zeit die negativen Antworten zu denen vor allem Fichte wesentliche Anstöße gegeben hatte. Diese negativen Antworten kreisten um eine angebliche Andersartigkeit der Juden. Diese Andersartigkeit wurde als grundsätzlich, tief, trennend und negativ empfunden. Vor allem aber, und darin lag einer Gegensätze zur Aufklärung: Die Schuld für diese Andersartigkeit wurde nicht mehr den Christen wegen ihrer Unterdrückung und Diskriminierung der Juden zugesprochen, sondern den Juden und ihrem angeblichen Nationalcharakter selbst.

Was den Aufklärern noch als von der Vernunft zu verursachende Veränderungen der Juden möglich gesehen hatten, war jetzt mehr und mehr etwas Unveränderbares. Damit war in der Haltung der Deutschen gegenüber den Juden eine grundsätzlich negative Sicht angelegt, die in einer gewissen Zyklik verlief. Mal schwächte sie sich ab, dann erhielt sie eine solche Verstärkung und Aufladung, dass sie an Heftigkeit wieder zunahm. Als Faktor im Hintergrund blieb die negative Sicht der Juden aber stets.

VIII DIE BERLINER SALONS

Pessimistischen Ausblicken in die Zukunft scheint gerade in dieser Zeit ein Phänomen entgegen zu stehen. Es sind dies die Berliner Salons, in denen die Idee von der Symbiose zwischen Preußentum und Judentum auf einen Höhepunkt zu zu steuern schien. »Die Faszination dieser Symbiose ist doppelt: Judenemanzipation und Frauenemanzipation gehen eine Verbindung ein, wie sie in dieser Art später nie mehr herstellbar war«[1].

Kaum etwas davon ist richtig. Und um es schon mal vorab zu sagen, wenige andere Vorgänge in der Geschichte des modernen Judentums haben Autoren so oft zu so absonderlichen Phantastereien verführt. Die Salons sind nicht mehr, aber auch nicht weniger als ein auffallendes Zwischenspiel in der Geschichte von der deutsch-jüdischen Begegnung.

Mit der damit von einer Seite unternommenen Flucht aus dem Judentum enthielt es auch schon das kennzeichnende Merkmal dieser Begegnung insgesamt. Wodurch freilich diese Episode aus der Welt der Fakten in die einer ästhetisierten Vision gehoben werden konnte, das war eine in der Tat einzigartige Konstellation: Jüdische Frauen empfingen während eines Jahrzehnts in ihren Berliner Salons die Elite der preußischen Aristokratie und Intelligenz. Es waren die Aufsehen erregenden Feste in dem für seine Kargheit berüchtigten Berlin.

Friedrich II. hatte seinen Staat unter die schon vom Vater aufgenommene Doktrin der Sparsamkeit und Funktionalität gezwungen. Großmachtstreben und Thesaurierung des Geldes standen genießerischen Lebensformen und Vergnügungen entgegen. Dies änderte sich, als mit dem Tode des Königs der große Zuchtmeister abgetreten war. Das friderizianische Prinzip der Nüchternheit wurde nicht mehr als verpflichtend, ja sogar als störend empfunden. Allenthalben brach der Wunsch nach einer weniger strengen, dem Gesellschaftsleben stärker aufgeschlossenen Atmosphäre durch.

Der Bildhauer Johann Gottfried Schadow erinnerte sich später an die von 1786 bis 1797 dauernde Regierungszeit Friedrich Wilhelms II, des Nachfolgers von Friedrich II.: »... alles besoff sich in Champagner, fraß die größten Leckereien, frönte allen Lüsten. Ganz Potsdam war ein Bordell;

alle Familien dort suchten nur mit dem Könige, mit dem Hof zu tun zu haben. Frauen und Töchter bot man um die Wette an, die größten Adeligen waren am eifrigsten. Die Leute, die das wüste Leben mitgemacht haben, sind alle früh gestorben, zum Teil elendlich, der König an der Spitze«[2].

Die für den Hohenzollern-Staat neuartigen Lebensformen begünstigten das Entstehen der Salons. Denn trotz der von Schadow geschilderten Veränderungen ließen sich in Berlin soziale Kontakte auf anspruchsvollerem Niveau nur schwer herstellen. In dieser Konstellation vermochten die Berliner Salons auf eine eigenartige Weise auf die Geselligkeit der schon existierenden Aufklärungsgesellschaften, Logen und Bruderschaften aufzubauen.

Im Vordergrund stand hier die lockere Konversation sowie das Anknüpfen von Freundschaften und Beziehungen. »Freie, durch keinen äußeren Zweck gebundene und bestimmte Geselligkeit wird von allen gebildeten Menschen als eins ihrer ersten und edelsten Bedürfnisse laut gefordert«, umriß Schleiermacher den Stellenwert der Salons. »Hier ist es nicht um einen einzelnen untergeordneten Zweck zu tun. Die Tätigkeit höherer Kräfte wird nicht aufgehalten durch die Aufmerksamkeit, die überall, wo auf die Außenwelt gewirkt werden soll, dem Geschäft der niederen gewidmet werden muß. Hier ist der Mensch ganz in der intellektuellen Welt ... hängt es nur von ihm ab, alle Beschränkungen der häuslichen und bürgerlichen Verhältnisse auf eine Zeitlang, soweit er will, zu verbannen«[3].

»Der Geist ist ein gewaltiger- Gleichmacher«, schrieb Henriette Herz in ihren Erinnerungen und nannte damit ein wichtiges Prinzip all dieser Salons, besonders aber des ihren[4]. Wie wenig in diesen Salons soziale Unterschiede zählten, zeigt die Dachstube der Rahel Levin. Neben Ludwig Tieck, dem Sohn eines Berliner Handwerkers, oder dem ärmlichen Pastorensohn Friedrich Schleiermacher war dort auch der Neffe Friedrichs II. zu Gast. »Der Prinz Louis Ferdinand von Preußen«, schrieb Golo Mann, (war) »schön und verwöhnt, halbrevolutionärer Schuldenmacher, in auswegloser Opposition gegen sein Haus, seinen Stand, talentiert, aber wirr, traurig und dazu schon am frühen Nachmittag betrunken«.

Über das Erscheinen von Gentz, später ein enger Mitarbeiter des österreichischen Staatskanzlers Metternich, im Salon der Rahel Levin berichtete ein Zeitgenosse: »Unerwartet stürzte ... Gentz in das Zimmer und ohne auf uns ... die geringste Rücksicht zu nehmen, warf er sich auf das Sofa und rief außer sich: Ich kann nicht mehr ... Die ganze Nacht geschrieben, gesorgt! Seit fünf Uhr verdammte Gläubiger; wo ich hintrete, treten sie mir entgegen: sie hetzen mich tot, nirgends Ruhe noch Rast«[5].

Für die Rebellen gegen Berlins maßvolle, auch bereits steril gewordene Aufklärung waren die Salons der Ort, an dem sie sich mit Gleichgesinnten treffen konnten. Schlegel freundete sich bei den Abenden der Henriette Herz wie bei denen der Rahel Levin mit Tieck und Schleiermacher an.

Hinter dieser Suche nach Konversationsmöglichkeiten standen die gerade von den Romantikern vertretenen neuen Ideale von Freundschaft und Liebe.

Ob Schlegel, Schleiermacher oder Gentz – fast alle Repräsentanten der Frühromantik im Berlin der Jahrhundertwende ersehnten einen »... Zustand beständiger Produktivität und geselliger Ekstase, da der einzelne nicht mehr weiß, ob er seine Ansichten sich oder den Freunden verdankt«. Novalis meinte, daß das Genie nichts anderes als ein derartiger »innerer Plural« wäre[5].

Schleiermacher schrieb in Wirklichkeit über sich selbst, als er seine Schwester Charlotte wissen ließ: »Jeder Mensch muß schlechterdings in einem Zustande moralischer Geselligkeit stehen; er muß einen oder mehrere Menschen haben, denen er das Innerste seines Wesens, seines Herzens und seiner Führungen kundtut«[7]. Über diese Sehnsucht nach Freundschaft spannte sich für die jungen Romantiker der große Bogen von Freundschaft und Liebe unter Gleichgesinnten als Traum vom völligen Aufgehen in (pseudo-) erotischen wie (echten) intellektuellen Beziehungen.

Für Schlegel war Liebe »universelle Freundschaft«, das Einigwerden mit dem gesamten Universum durch Verschmelzen mit einer anderen Persönlichkeit, während Freundschaft wohl wichtig, aber eben nur »partiale Ehe« blieb[7]. Das Problem hierbei: Wo sollte, wo konnte ein Schlegel, ein Gentz, ein Adam Müller oder auch Wilhelm von Humboldt den Frauen begegnen, die dieser Sehnsucht würdig sein konnte?

Eine Universität gab es im Berlin des Ancien Régime nicht, abgesehen von einer der Charité angeschlossenen medizinischen Fachhochschule. Ein Bürgertum existierte nur ansatzweise. Land- und Dienstadel fehlten Talent wie Neigung für unterhaltsame Zusammenkünfte. Und wo beides doch vorhanden gewesen sein mag, kam die Aristokratie als Gastgeber dennoch nicht in Betracht. Denn die das Gesellschaftsleben immer noch prägenden Standesunterschiede schlossen normalerweise eine Bewirtung bürgerlicher Gäste in adligen Häusern aus.

In diese Lücke rückten die wohlhabenden und gebildeten Juden Berlins, deren Assimilationswünsche ohne Kontakte mit der Umwelt unrealistisch bleiben mußten. »Die eleganten Leute von Berlin und die jungen Gebildeten, die keinen Zutritt zu vornehmen Leuten haben ...«, berichtete ein Autor im ausgehenden 18. Jahrhundert, »wenden sich an die reichen jüdischen Häuser ...«[8].

Friedrich Daniel Schleiermacher, einer der eifrigsten Besucher der Salon seiner Zeit, schrieb über die Juden der Hauptstadt: »... es sind bei weitem die reichsten bürgerlichen Familien hier, fast die einzigen, die ein offenes Haus halten und bei denen man wegen ihrer ausgebreiteten Verbindungen in allen Ländern Freunde von allen Ständen antrifft. Wer also auf eine recht ungenierte Art gute Gesellschaft sehen will, läßt sich in solchen Häusern einführen«[9].

Erstmals traten in den Salons Frauen fast gleichberechtigt neben Männern auf. Ein Teil der Gesellschaft, der von den Gruppenbildungen der deutschen Aufklärung noch in der Regel ausgeschlossen geblieben war, gehörte nun ausdrücklich zur Geselligkeit einer kleinen Berliner Elite. Im Wesentlichen spielte sich das Salonleben der Hauptstadt in neun Häusern oder Wohnungen von Frauen ab. Insgesamt zählten zwischen 1780 und 1806 nur etwa 90 Personen zu den Mitgliedern der Berliner Salongesellschaften[10]. Ihre Zusammensetzung:

	Männlich	Weiblich
Schauspieler	4	3
Literaten	46	15
Gebildete	14	10
Die Herkunft (ohne Schauspieler)		
	Männlich	Weiblich
Adel	35	11
Großbürger	13	3
Kleinbürger	7	0
Juden	5	11
Gesamt	60	25

Die Strukturierung der Berliner Salongesellschaften nach der Herkunft der Teilnehmer führt somit zu einer Bestätigung der bereits von Zeitgenossen erkannten Tatsache: Juden spielten eine überproportionale Rolle. Obwohl sie nur etwa zwei Prozent der Berlinischen Bevölkerung stellten, bestanden die Salongesellschaften zu etwa 20 Prozent aus Juden.

Freilich boten sie dabei ein gespaltenes Bild. Männer spielten keine besondere Rolle, während jüdische Frauen ein Viertel aller weiblichen Besucher und sechs von den insgesamt neun Gastgeberinnen stellten. Jüdische Salon-Frauen wie die 1764 geborene Henriette Herz zeigten mit ihrem Auftreten: Zumindest in diesen Zirkeln kam es auf ihre Herkunft nicht an. Allerdings: Der feste Kreis der Salons betrug insgesamt nur 92 Personen – etwa 0,14 Prozent aller Erwachsenen Berlins.

»... wurden wir zuletzt Mode, denn auch die fremden Diplomaten verschmähten uns nicht ...«, schrieb Henriette Hertz rückblickend. »Die christlichen Häuser Berlins boten andererseits nichts, welches dem, was jene jüdischen an geistiger Geselligkeit boten, gleichgekommen oder nur ähnlich gewesen wäre ... es (gab) damals in Berlin keinen Mann und keine Frau ..., die sich später irgendwie auszeichneten, welche nicht längere oder kürzere Zeit ... diesen Kreisen angehört hätten«[11].

Die Verfasserin dieser Zeilen gehörte zu den bedeutendsten Salon-Frauen im Berlin der Jahrhundertwende. Neben ihr und anderen Jüdinnen gab es nur drei christliche Frauen, die als Gastgeberinnen von Salongesellschaften auffielen: Dorothea von Kurland, Elisabeth von Staegemann und Helene Unger[12].

Jüdische Salon-Frauen:

Rahel Levin
Henriette Herz
Sara und Marianne Meyer.

Die beiden Meyers stammten aus einer der reichsten jüdischen Familien Berlins. Sara ließ sich von ihrem jüdischen Ehemann scheiden, konvertierte und heiratete später einen Baron von Grotthuss. Sie lebte im Alter in Wien und kehrte am Ende ihres Lebens zum Judentum zurück. Die jüngere Marianne konvertierte relativ früh. Christian von Bernstorff, der Sohn des dänischen Botschafters in Berlin und in der Restaurationszeit der Außenminister Preußens, wollte sie heiraten. Wegen des Widerstandes seines Vaters mußte er aber diesen Plan aufgeben[13].

Sarah Levy.

Die Tochter des Generalprivilegierten Daniel Itzig war mit einem Bankier verheiratet. Als eine der ganz wenigen Jüdinnen in diesen Kreisen konvertierte sie nicht.

Philippine Cohen.

Die Tochter eines Bankiers eröffnete ihren Salon erst 1803 – relativ spät also.

Unter den Jüdinnen, die es nicht schafften, ihre Häuser zu Mittelpunkten regelmäßiger Treffen zu machen, wäre in erster Linie Rebekka Friedländer zu nennen. Die Schwiegertochter von David Friedländer, des wichtigsten Fürsprechers für die Emanzipation der Juden in dieser Zeit, konvertierte und nannte sich ab 1805 Regina Frohberg.

Henriette Herz war im Berlin der Jahrhundertwende eine gefeierte Schönheit. Die 1764 als Tochter des jüdisch-portugiesischen Arztes Benjamin de Lemos geborene Herz hatte 1779 den fast 20 Jahre älteren Marcus Herz geheiratet. Es war mehr eine Vater-Tochter-Beziehung. Er, der Mendelssohn-Freund, stand für die Generation der Aufklärung mit ihrem Vertrauen auf die Besserung der Welt. Sie hingegen bewunderte schon den Sturm und Drang und die schwärmerische Frühromantik.

So teilte sich der Herz-Salon praktisch in zwei Sektoren. Um den Ehemann versammelten sich die Aufklärer Berlins, die die neuen Tendenzen in der Literatur und Philosophie ablehnten. Die Bitte, ein Gedicht Goethes zu interpretieren, lehnte der Aufklärer Herz beispielsweise mit folgenden Worten ab: »Gehen Sie zu meiner Frau. Die versteht die Kunst, Unsinn zu erklären«.

Um Henriette stand nebenan die Jugend Berlins, die von der traditionellen Haltung eines Herz schon nichts mehr wissen wollte. Diesen Generationenkonflikt schilderte sie später selbst: »Mich, die junge, mit lebhafter Phantasie begabte Frau, zog alles zu der neu auftauchenden Sonne, zu Goethe hin. Mein Mann, älter, mit Lessing befreundet ... wies selbst in der schönen Literatur alles zurück, was nicht mit Lessingscher Klarheit und Durchsichtigkeit geschrieben war«[14].

Mit Dorothea Mendelssohn-Veit, Karl von La Roche, Wilhelm von Humboldt und anderen gründete sie um 1790 den Tugendbund. Als Ziel dieses Bundes nannte sie »... gegenseitige sittliche und geistige Herausbildung sowie Übung werktätiger Liebe«[15]. Von den zahllosen Affären, die man der Herz nachsagte, hat in Wirklichkeit wohl nur eine stattgefunden. Bevor Wilhelm von Humboldt im Tugendbund seine spätere Frau Karoline von Dacheröden kennenlernte, verband ihn eine intime Beziehung zur Henriette Herz.

»Der eigentliche Fehler ist«, schrieb Humboldt 1790 an seine Braut über Henriette, »daß sie sich ewig nur mit sich selbst beschäftigt, ewig auf alles zurückführt ... Dem allen ungeachtet besitzt sie aber doch eine Herzensgüte, eine Liebenswürdigkeit, eine Naivität und die Anhänglichkeit, die immer jeden an sie anziehen wird ...«[16].

Nach dem Tode ihres Mannes (1803) konnte Henriette Herz ihren Lebensunterhalt durch Unterricht nur noch mühsam bestreiten. Als Gastgeberin von Salongesellschaften trat sie kaum mehr in Erscheinung. Neben Wilhelm von Humboldt blieben aus ihrer besseren Zeit eigentlich nur noch zwei Freunde. Schleiermacher, der gemeinsam mit Friedrich Schlegel logierte, vermittelte Henriette etwas Tiefgang in der Philosophie und Religion ihrer Zeit. Der zwischen 1808 und 1810 als Innenminister amtierende Friedrich Ferdinand Alexander Graf von Dohna, den sein früherer Hauslehrer Schleiermacher in den Herz-Salon eingeführt hatte, machte Henriette nach dem Tod ihres Gatten noch mehrere Heiratsanträge. Sie lehnte diese ebenso wie die von anderen regelmäßig ab.

Rahel Levin ragte unter den Berliner Salon-Frauen heraus. Aufgrund ihres Esprit verstand es die 1771 geborene Rahel immer wieder, einige der bemerkenswertesten Männer ihrer Zeit an sich zu binden. Zu ihrem ersten Salon lud sie ab 1790 in eine Dachstube. Einige der berühmtesten Gäste: Die Brüder Humboldt, Friedrich Schlegel, Gentz, Schleiermacher, Prinz Louis Ferdinand, Jean Paul, Brentano, Tieck, Adelbert von Chamisso und Friedrich de la Motte Fouqué.

Ab 1810 nannte sie sich mit Nachnamen Robert. Vier Jahre später ließ sie sich taufen und heiratete den preußischen Diplomaten Karl August Varnhagen von Ense. Wie sie selbst ihr Leben beurteilte, ergibt sich aus ihrem auf dem Totenbett 1833 formulierten Resümee: »Welch eine Geschichte – eine aus Ägypten und Palästina Geflüchtete bin ich hier und finde Hilfe, Liebe und Pflege von Euch... Mit erhabenem Entzücken denk ich an diesen meinen Ursprung und diesen ganzen Zusammenhang des Geschickes, durch welches die ältesten Erinnerungen des Menschengeschlechts mit der neuesten Lage der Dinge, die weitesten Zeit- und Raumfernen verbunden sind. Was so lange Zeit meines Lebens mir die größte Schmach, das herbste Leid und Unglück war, eine Jüdin geboren zu sein, um keinen Preis möcht ich das jetzt missen«[17].

Selbst dieser letzte Versuch, die Einstellung zur Abstammung zu klären, zeigt die Zerrissenheit Rahels. Mal sah sie sich als Ausgeburt der Scheußlichkeit: »Ich habe keine Grazie; und nicht einmal die, einzusehen, woran das liegt ... Doch ist es ausgemacht, daß ich eklig bin ... Ich bin unansehnlicher als häßlich. So bin ich in allem«.

An anderer Stelle eine der Realität kaum angemesseneren Überhöhung: »Ich bin so einzig als die größte Erscheinung dieser Erde. Der größte Künstler, Philosoph und Dichter ist nicht über mir. Wir sind vom selben Element ... Mir aber war das Leben angewiesen; und ich blieb im Keim bis zu meinem Jahrhundert und bin von außen ganz verschüttet, drum sag ich's selbst ... Wenn ich aber an Menschen schreibe, geschieht es mir, daß der schwer erfüllte Horizont meiner Seele losgewittert. Himmlische Menschen lieben Gewitter«[18].

Wie ihre Briefe erkennen lassen, hatte Rahel eine ungewöhnliche Beobachtungsgabe. Zudem konnte sie sich auf eine erstaunliche Weise auf ihre Gesprächspartner einstellen. Als Persönlichkeit hoffte sie ihre Überwindung des Judentums in einer reputierlichen Ehe zu finden. Daraus erklären sich die zahlreichen Versuche, in die preußische Aristokratie einzuheiraten.

Mit Karl von Finckenstein, dem Sohn eines preußischen Ministers, verlobte sie sich 1796. Die Beziehung zog sich bis 1800 hin. Mit dem 15 Jahre jüngeren Alexander von der Marwitz, dem Bruder des führenden Opponenten gegen die Reformen in Preußen, freundete sie sich 1809 an. Auch diese Beziehung zerbrach.

Die Enttäuschte kommentierte: »Er liebt auch mich; wie man das Meer, ein Wolkenspiel, eine Felsschlucht liebt. Das genügt mir nicht, nicht mehr. Wen ich liebe, muß mit mir leben wollen; bei mir bleiben ... Meine Freunde ... denken alle, ich kann von der Luft lieben und leben. Sie freuen sich, ein Herzspiel zu sehen wie das meinige, und ich soll ohne Liebe leben. Es ist vorbei, es ist zu viel«[19].

So intensiv wie kaum eine andere Frau ihrer Zeit hat Rahel Briefe geschrieben. Allein schon wegen dieses später herausgegebenen, umfangreichen Briefwerks kam ihr bei der Nachwelt großes Interesse zu. Die Schreiben zeigen eine Frau, die über ihr als Manko empfundenes Äußeres, die bescheidene Vermögenssituation und die Abstammung nicht hinwegkam.

Erst in der Ehe mit dem jüngeren Varnhagen erfüllte sich für Rahel ansatzweise der schon als vergeblich empfundene Wunsch des Aufstiegs in eine vermeintliche Achtbarkeit.

Nach ihrem Tode löste vor allem der relativ junge Witwer einen Mystifizierungs- und Glorifizierungsprozeß dieser durchaus beeindruckenden Frau aus. Dies begünstigte eine ausgesprochen reichhaltige Rahel-Literatur, die sich in vielen Fällen als problematisch erweist. Für realitätsfernen Auslassungen dienten Lebenslauf und Briefe dieser so nur in einer ganz bestimmten Zeit möglichen Existenz als Kristallisationspunkt für eigene Wünsche und Ideale. Dies gilt auch für die Rahel-Biographie von Hannah Arendt[20]. Rahel selbst gab zu übertriebenen Thesen kaum Veranlassung. Mit emanzipatorischem Engagement – ob nun als Frau oder Jüdin – hatte sie nichts im Sinn. Und an kaum einer Stelle ihres riesigen Briefwerks nahm sie zu der Emanzipation – ob nun zu der von Juden oder Frauen – Stellung.

Das nur zeitlich befristet mögliche Salonleben selbst, konnte kein gesellschaftliches Ideal sein. In seiner unverbindlichen und von jeglicher Politik losgelösten Art war es vielmehr ein Refugium, in dem ein ausgesprochen kleiner Personenkreis auf der Suche nach Geselligkeit mit frühromantischem Persönlichkeitskult die gesellschaftliche Tristesse Berlins zu vergessen versuchte. Die Teilnehmerin Rahel war dabei eine geistreiche und in der Konversation brillierende Frau.

Für die Nachwelt schien jedoch das Leben Rahels zu belegen, daß Toleranz und Integration die Judenfrage beenden konnten. Aber was für ein Ende der Judenfrage, was für eine Art von Symbiose soll dies gewesen sein? Rahel hatte mit dem Judentum nur noch die ferne Abstammung gemein, als sie in ihrem Salon die Elite der Zeit empfing. Vom Judentum war bloß ein emotionaler Rest übriggeblieben, der gelegentlich als Folie für Emotionen und Reflexionen zum Vorschein kam, um dann durch die Taufe gänzlich ausgelöscht zu werden.

In ihrer Rahel-Darstellung bemerkte Hannah Arendt hierzu: »Die Berliner Ausnahmejuden in ihrer Jagd nach Bildung und Reichtum haben drei Jahrzehnte lang Glück gehabt. Der jüdische Salon, das immer wieder erträumte Idyll einer gemischten Gesellschaft, war das Produkt der zufälligen Konstellation in einer gesellschaftlichen Übergangsepoche. Die Juden wurden zu Lückenbüßern zwischen einer untergehenden und einer noch nicht stabilisierten Geselligkeit«.

Mit dem Zusammenbruch des preußischen Staates ging die Atmosphäre der Salons mit ihrer Mischung aus Liebesanbetung, Kulturverehrung, und Hoffnung auf eine paradiesische Enklave unter. Nach der Zerstörung dieser Welt entdeckten vorher apolitische Romantiker und bislang sprachlos gebliebene Konservateure der altständischen Welt ihre Gemeinsamkeiten in einer neuen, erst noch zu formulierenden Politik der Reaktion. Dieser Entdeckung folgte der Zusammenschluß in patriotischen Vereinen, die »geistig gegen die Aufklärung, politisch gegen Frankreich und gesellschaftlich gegen den Salon standen«[21].

Die Vorläufer dieser neuen Bewegung waren mit Herder, Kant und Fichte bereits am Ende des 18. Jahrhunderts aufgetreten. Fichtes erst aussichtsloser Kampf, letztendlich aber doch vollständiger Sieg gegen die Aufklärung beinhaltete auch die Abwehr von Toleranzprinzipien im Sinne Lessings, Dohms und Nicolais. Die immer noch einer Antwort harrende Judenfrage, ob nun pro oder contra Emanzipation, mußte von dieser Entwicklung getroffen werden. Vor dieser Frage, die erst einmal in der praktischen Politik des Alltags zu klären war, verblaßten die Jahre der Salons zu einer Episode, der für Gegenwart und Zukunft kein aktueller Bezug mehr zukam.

Was könnte dies überzeugender belegen als die Tatsache, daß die christlichen Salonbesucher, mit Wilhelm von Humboldt und Schleiermacher als Ausnahmen, zu den heftigsten Gegnern einer Judenemanzipation zählten? Salonbesucher wie Fichte, Clemens Brentano, Achim von Arnim oder Adam Müller konnten nie als Freunde der Juden und Repräsentanten einer Symbiose gelten. Die Judenfrage war in den Salons lediglich zugunsten zwischenmenschlicher Kontakte vorübergehend ausgeblendet.

IX EMANZIPATION

An der Wende vom 18. zum 19. Jahrhundert hatte die Diskussion um die bürgerliche Gleichberechtigung der Juden in Deutschland eine neue Richtung eingeschlagen. Die intellektuelle Avantgarde vertrat die der Toleranz gemäße rechtliche Gleichstellung der Juden nicht mehr. Vielmehr war deutlich geworden, daß die Aufklärung in den Hintergrund geraten war, während die neue Richtung rasch an Boden gewonnen hatte.

Diese neue Richtung eines Kant, schon gar die eines Fichte hatte mit einer Verbesserung der Rechtsstellung der Juden wenig im Sinn. Es war schon ein Teil der Schwierigkeiten der Emanzipation der Juden in den deutschen Territorialstaaten, daß der Emanzipations-Gedanke ab 1800 etwa in die Defensive geraten war, als er politisch dann doch noch zum Durchbruch kam.

Diese Emanzipation war in vielen Fällen brüchig, nur teilweise oder gar ohne Bestand. Denn die Emanzipation der Juden bildete einen Teil der von Regierungen und hochrangigen Beamten durchgeführten Reformwerke, die beispielsweise auch die Befreiung der leibeigenen Bauern beinhaltete. Solange Regierungen wie Beamte in diesen Reformwerken einen Sinn und einen Zweck sahen, konnte es in diesem größeren Zusammenhang auch die Emanzipation der Juden geben. Sobald jedoch diese Reformwerke ins Stocken gerieten und wieder eingeschränkt oder abgeschafft wurden, konnte sich auch die Emanzipation der Juden nicht mehr weiter entwickeln.

Sie wurde dann in vielen Fällen als ärgerliches, störendes und unwichtiges Relikt der Vergangenheit empfunden. Deshalb verlief die Emanzipation der Juden in Deutschland als ein sich bis weit in die zweite Hälfte des 19. Jahrhunderts dahinschleppender Prozeß, den nach 1815, in der Ära der Restauration, so deutlich nach rückwärts zeigende Tendenzen kennzeichneten[1].

Die vielen unterschiedlichen Judengesetze in den unterschiedlichen deutschen Territorien hatten stets Beschränkungen der wirtschaftlichen Betätigung enthalten – in der Regel zugunsten der christlichen Bevölkerung – und viele andere Erschwerungen, die auch mit der Absicht der jeweiligen Obrigkeit zusammenhingen, Juden nur im Rahmen bestimmter zahlenmäßiger Grenzen zu dulden. Wohl gab es an der Wende zum 19. Jahrhundert schon Erleichterungen. Aber damit waren allenfalls die drückendsten Bestimmungen beseitigt.

Im Grundsatz blieb die Existenz der Juden weiterhin prekär. So beispielsweise 1799 in Hessen-Kassel und dort insbesondere für die Stadt Kassel, wo im Falle der Erbnachfolge in einer jüdischen Familie die Schutzbriefe nur für den ältesten Sohn, aber nicht für die Töchter galten. Oder in Baden, wo die Schutzbriefe von Schutzjuden nicht automatisch auf eines der Kinder übertragen werden konnten.

In den 1777 zu dem Kurfürstentum Bayern vereinten süddeutschen Territorien galten für die Juden unterschiedliche und diffuse Vorschriften. In den Gebieten des alten Herzogtums Bayern durften sich Juden seit dem Erlaß des Landrechts von 1553 eigentlich gar nicht aufhalten. Ab 1750 wurden lediglich einigen Hoffaktoren und mit Freipässen ausgestatteten Juden ständige Aufenthaltsrechte zugebilligt.

Daß danach weitere Juden einwanderten, war im Grundsatz illegal, in vielen Fällen von der Bürokratie jedoch geduldet. In Frankfurt durften Juden bis 1796 lediglich in dem Ghetto unter dem Schutz des Kaisers leben; mit strengen und isolierenden Vorschriften. Erst in der zweiten Hälfte des 18. Jahrhunderts wurden die Lebensumstände der Frankfurter Juden etwas gelockert.

»Je nach dem Grad der Besserung der Juden, d. h. nach der Annäherung an die sie umgebende Gesellschaft unter Ablegung ihrer durch Unterdrückung in vergangenen Zeiten entstandenen Verdorbenheit, begann eine in vielen deutschen Territorien bis in die Mitte des 19. Jahrhunderts praktizierte Erziehungspolitik ihnen gegenüber. Es lag im Ermessen der jeweiligen Obrigkeit zu beurteilen, wer der vollen Rechte eines Staatsbürgers würdig sei«[2].

Den Anfang mit einer formalen Emanzipation der Juden hatte 1781 Kaiser Joseph II. für die Habsburger Monarchie gemacht. Bei seinem Regierungsantritt war man noch in fast allen Teilen dieses Reiches nach den Prinzipien seiner Mutter Maria Theresia verfahren.

Maria Theresias Judenpolitik war weitgehend von ihren religiösen Überzeugungen und ihrer antijüdischen Einstellung bestimmt[3]. Für ihren Sohn, Mitregenten und Nachfolger Joseph II. ging es um andere Punkte. Er hatte erkannt, daß sein barock-schwerfälliges, heterogenes und agrarisch-feudales Reich modernisiert werden mußte.

Insofern verstand er den Verlust der reichen Provinz Schlesien, die von Preußen erobert und im Siebenjährigen Krieg nicht wiedergewonnen wurde, als eine Warnung, daß Österreich zum Opfer von stärkeren Nachbarn werden konnte. Und möglicherweise sogar Gefahr lief, ebenso wie Polen zerstückelt zu werden. Um dies verhindern und eine erfolgreiche Außenpolitik betreiben zu können, hielt der Kaiser Reformen für unbedingt nötig.

Das Ziel eines starken und zentralistisch regierten Staates setzte für ihn religiöse Toleranz, Volksbildung, die Aufhebung von Handelsbeschränkungen sowie eine effizientere Bürokratie voraus. Josephs Toleranzpatente, mit denen für die Juden der Monarchie eine neue Zeit begann, sind folglich als ein Teil dieser Modernisierungs- und Produktivierungsbestrebungen zu sehen[4].

Bald nach dem Regierungsantritt Josephs II. begannen die Debatten über die Tolerierung nichtkatholischer Minderheiten, die mit etwa sechs Millionen Personen nahezu ein Drittel der Gesamtbevölkerung ausmachten. Das am 19. Oktober 1781 unter der Bezeichnung »Verordnung zur besseren Bildung und Aufklärung« veröffentlichte Hofdekret für die böhmischen Juden war das erste einer Reihe von Toleranzpatenten, die Joseph II. für die Juden der Habsburgermonarchie erließ. Neben den schon aus der Überschrift ersichtlichen Zielen verfolgte das Dekret den Zweck, die böhmischen Juden an ihre Wohnorte zu binden. Durch Beschäftigung in Industrie, Handel und Handwerk sollten sie für den Staat »nützlich« gemacht werden.

Die Integration in die christliche Gesellschaft wollte man damit forcieren, daß deutsch-jüdische Normalschulen gegründet wurden, jüdische Schüler Zugang zu christliche Schulen erhielten und an den Universitäten studieren durften. Die diskriminierende Kleiderordnung – in Prag mußten Juden seit 1551 den gelben Judenfleck tragen – wurde aufgehoben. Ähnlich, jedoch insgesamt restriktiver fielen die Toleranzpatente für die Juden in dem kleinen Teil Schlesiens, der nach den Schlesischen Kriegen Österreich geblieben war, und für Mähren aus[5].

Das etwas später, im Januar 1782 erlassene Toleranzpatent für die Juden Wiens und Niederösterreichs enthielt in den ersten Abschnitten nur eine überarbeitete Version der Judenordnung von 1764 (Begrenzung der Anzahl, Zahlung von Toleranzgebühren je nach dem Vermögen, keine automatische Übertragbarkeit der Schutzrechte von den Eltern auf die Kinder).

In den sich daran anschließenden Paragraphen wurde nach ansässigen (wohlhabende) und auswärtigen Juden unterschieden. Die ansässigen Wiener Juden erhielten zwar Bildungs- und Gewerbefreiheit, jedoch keine Bürgerrechte. Den auswärtigen Juden erließ man den Leibzoll. Dafür waren aber andere Abgaben zu leisten. Diese Auswärtigen durften sich wie schon über die Jahrzehnte zuvor nur vorübergehend in der Stadt aufhalten. Weiter galten für sie erhebliche Beschränkungen in ihren beruflichen und wirtschaftlichen Tätigkeiten.

Für die Juden Wiens blieb es bei dem Verbot, eine Gemeinde zu gründen und eine Synagoge zu bauen. Damit hoffte Joseph II., das Judentum als Gemeinschaft so zu schwächen, daß es sich auflösen würde[6]. Auf diese Weise hatte die Habsburger Monarchie mit einer grundlegenden Reform der rechtlichen Stellung der Juden in Europa den Anfang gemacht. Gegen das, was nur wenige Jahre später kommen sollte, war dieser Anfang indes nur ein mildes Vorspiel.

Revolution

Im Sommer 1789 begann in Paris das Drama von Revolutionen und Staatsstreichen, das den Weg Frankreichs und damit auch den des kontinentalen Europa in das 19. Jahrhundert bestimmte. Frankreich war damals eine absolute Monarchie in der ein König von Gottes Gnaden über 25 Millionen Untertanen herrschte – damals und noch für lange Zeit mit Abstand der bevölkerungsreichste Staat in West- und Mitteleuropa.

Die Gesellschaft gliederte sich in die drei Stände Geistlichkeit, Adel und Dritter Stand (Bürgertum). Die Privilegien von Geistlichkeit und Adel dominierten. Das Bürgertum hatte zwar an Bedeutung stetig zugenommen, an der Spitze die enorm aufstrebenden Zoll- und Generalsteuerpächter. Als eine Hierarchie nach Einkünften war es aber vergleichsweise machtlos geblieben.

Diese ständisch gegliederte Welt war mit der Einberufung der Generalstände als Nationalversammlung dem Untergang geweiht. Für die Nationalversammlung, die die Reform eines von Finanzkrisen, von dem veralteten Besteuerungssystem und vielen Problemen anderer Art erschütterten Staates leisten sollte, stellte sich bald die zentrale Frage: Wie sollten die in der Nationalversammlung vertretenen Generalstände abstimmen?

Wenn dies getrennt nach Ständen erfolgte, dann war das zahlenmäßig weit überlegene Bürgertum zwei zu eins unterlegen. Wenn aber jeder Stand gemäß seiner demographischen Bedeutung in der Nationalversammlung repräsentiert war und nach Köpfen abgestimmt wurde, dann mußte sich das Bürgertum als die eindeutig bestimmende Kraft erweisen, Genau dies begann das Bürgertum zu fordern. Und darüber kam es zum fundamentalen Bruch – zuerst zwischen dem Dritten Stand und den beiden anderen Ständen.

Der Monarch schlug einen Mittelweg vor – die Verdoppelung der Repräsentanten des Dritten Standes – und wurde damit als Person ebenso wie die Monarchie als Institution in dem Machtkampf rasch zerrieben. Die Wahlen zur Nationalversammlung, die das ohnehin erwartete Übergewicht des Dritten Standes bestätigen sollten, begannen im Februar 1789 mit dem Kompromißvorschlag des Königs. Die an den König gerichteten Erwartungen waren groß: regelmäßige Versammlung der Generalstände, einen Beschluß dieser Stände über gleiche Steuern für alle und die Garantie der individuellen Freiheiten.

Der König lavierte, der Dritte Stand handelte. Er begann sich eigenständig als die dominante Kraft darzustellen und entschied am 12. Juni 1789 über die Prüfung der Mandate in der Generalversammlung alleine. Als sich eine Reihe von Geistlichen dem Dritten Stand anschloss, war die Auseinandersetzung bereits entschieden. Vorläufig genehmigte der Dritte Stand zwar die Einziehung der herkömmlichen Steuern. Er machte aber gleich geltend, daß künftige Eintreibungen und Erhebungen von Steuern nur noch mit seiner Zustimmung erfolgen würden.

Der König und der Adel versuchten zu kontern. Als die Abgeordneten am 20. Juni vor dem Sitzungssaal erschienen, fanden sie ihn verschlossen. Darauf versammelten sie sich in einem Saal des Ballhauses in der Nähe des Schlosses. Dort schworen sie, »niemals auseinanderzugehen und sich überall zu versammeln, wo die Umstände es erforderten, bis die Verfassung des Königreiches errichtet und durch solide Grundlagen gefestigt sei«. Nach diesem »Schwur im Ballhaussaal«, später von dem Maler David mit einem berühmten Gemälde der Nachwelt überliefert, schlossen sich der Klerus und zwei Vertreter des Adels dem Dritten Stand an.

Einen Tag später verkündete Ludwig XVI. in der gemeinsamen königlichen Sitzung die Aufhebung der von den Abgeordneten getroffenen Entscheidungen. Er forderte die Abgeordneten auf, wieder nach Ständen abzustimmen und nicht mehr gemeinsam zu tagen: »Ich befehle Ihnen, auf der Stelle auseinanderzugehen und morgen vormittag die Ihrem Stand zugewiesenen Räume aufzusuchen, um dort die Beratungen wieder aufzunehmen«. Dies wurde als Provokation aufgefasst. Die Repräsentanten des Dritten Standes blieben an ihren Plätzen, ebenso ein Teil des Klerus.

Der Vorsitzende der Versammlung erklärte: »Die versammelte Nation kann keine Befehle entgegennehmen«. Mirabeau, damals der dominante Redner in der Nationalversammlung, an die anwesenden Vertreter des Königs: »Sagt Eurem Herrn, daß wir durch den Willen des Volkes hier sind und daß man uns nur durch die Gewalt der Bajonette hier wieder herausholen wird«[7].

Im Sinne eines Vorschlags von Mirabeau beschloß die Versammlung die Unverletzlichkeit ihrer Mitglieder und erklärte jeden zum »Verräter an der Nation«, der es während oder nach der Sitzung wagen würde, die Hand gegen die Abgeordneten zu erheben. Der König mußte nachgeben und von seiner Position wieder abrücken.

Von all dem hatte die Bevölkerung in Paris erfahren. Die Atmosphäre war aufgeheizt. Eine aufgebrachte Menge bewegte sich auf das Schloß zu, durchbrach die Absperrungen und drang in die Höfe ein. Die dort postierten Garden leisteten keinen Widerstand. Vielmehr begrüßten sie den Aufruhr mit Parolen wie: »Es lebe der Dritte Stand. Wir sind die Armee der Nation«.

Damit war die politische Revolution in Gang gesetzt, die Entmachtung der Generalstände zu Gunsten der Nationalversammlung vollzogen. Die Nationalversammlung kontrollierte nunmehr die öffentlichen Finanzen und garantierte die individuellen Freiheiten. Die absolute Monarchie Frankreichs hatte damit am 23. Juni aufgehört, zu existieren.

Wenig später kam hierfür die Bestätigung mit einer gewaltigen Symbolkraft. Am Morgen des 14. Juli fand eine Ansammlung von Bürgern, darunter auch Gardesoldaten und Arbeiter der Vorstadt Saint-Antoine, in dem Invalidengebäude diverse Gewehre und Kanonen. Man verstand dies als Vorbereitungen für einen Putsch der königlichen Macht.

Die erregten Demonstranten, deren Zahl unaufhörlich zunahm, marschierten auf die Bastille zu, wo ebenfalls Waffen vermutet wurden. Die alte Festung, die seit Ludwig XIV. als das Gefängnis der Monarchie so berüchtigt gewesen war, hatte zwar keine Bedeutung mehr. Aber die Stürmung der Bastille durch die Bevölkerung bildete das Fanal, das mit der schon brennenden Lunte der Revolution die Explosion auslöste.

Das Bürgertum hatte auf breiter Front gesiegt und übernahm in Paris die Stadtverwaltung. Der König erschien am 17. Juli in Paris und erkannte die Veränderungen an. Man überreichte ihm die dreifarbige Kokarde, die das neu gestaltete Bündnis von Thron und Hauptstadt symbolisieren sollte. Weiß war die Farbe der Monarchie, blau und rot standen für die Stadt Paris. Ein großer Teil des Hochadels verstand sofort, was dies bedeutete und ging in die Emigration. In der Provinz löste der Sturz der Bastille große Erregung aus. In zahlreichen Städten ahmte man das Pariser Beispiel nach, vertrieb die Intendanten und richtete neue Stadtverwaltungen ein[8].

All dies hatte mit den Juden in Frankreich insofern zu tun, als ein grundlegendes Prinzip des neuen Frankreich die Menschen- und Bürgerrechte für alle sein sollten. Ob Katholik oder Protestant, ob Christ oder Nichtchrist, ob etablierter Bürger oder damals noch am Rande der Gesellschaft stehende Schauspieler – mit der am 26. August 1789 in der Versammlung beschlossenen Erklärung der Menschen- und Bürgerrechte waren allen Bewohner eines europäischen Landes erstmals im Sinne des Prinzips Gleichheit Bürgerrechte zuerkannt; somit grundsätzlich auch den Juden.

Es war nun zu fragen, ob die bereits proklamierten Menschen- und Bürgerrechte, mit denen in Frankreich Diskriminierungen nach Religionszugehörigkeit oder anderen Unterscheidungsmerkmalen abgeschafft waren, in der politischen Praxis auch für die jüdische Minderheit gelten sollten. Folglich begannen Teile der Juden Frankreichs die Gleichstellung im Sinne der Menschen- und Bürgerrechte zu fordern.

Nach einer heftigen Debatte, in der auch der damals noch als Bischof fungierende Talleyrand für die Forderung der Juden eintrat, wurde am 28. Januar 1790 beschlossen: »Die Nationalversammlung ordnet an, daß alle

Juden, die in Frankreich unter der Bezeichnung portugiesische, spanische oder avignonesische bekannt sind, weiterhin im Besitz der Rechte sein sollen, die ihnen bisher die königlichen Privilegien gewährleistet haben, und daß ihnen daher, soweit sie den hierfür von der Versammlung festgesetzten Bedingungen genügen, auch der Genuß aller Rechte volljähriger Bürger zukommen soll«[9].

Weil damit nur ein Teil der jüdischen Bevölkerung Frankreichs emanzipiert war, bedurfte es noch etlicher Debatten, bis die Nationalversammlung am 27. September 1791 nahezu einstimmig den Beschluß faßte, alle Juden Frankreichs als den Christen gleichberechtigte Staatsbürger zu erklären. Zum ersten Mal hatten Juden in einem europäischen Staat die vollständige bürgerliche Gleichberechtigung erhalten.

Deutschland

Die Konsequenzen waren enorm. Zumal dann, als Frankreich und Napoleon die Landkarte des Kontinents drastisch zu verändern begannen. Denn damit wurde in den benachbarten Ländern auch die Emanzipation der Juden Frankreichs als Modellfall verstanden. Dieser Modellfall warf verstärkt die Frage auf, wie die einzelnen Regierungen in ihren Staaten selbst diesen Punkt regeln sollten.

Vorerst geschah dabei nicht viel. In den Jahren ab 1800 wurde aber deutlich, daß die deutschen Staaten kaum mehr Bestand haben konnten, wenn sie nicht grundlegend modernisiert wurden. Die für notwendig erachteten Reformen betrafen in erster Linie die Bauern auf dem Lande, Gewerbefreiheit sowie verbesserte Bildungsmöglichkeiten in den Städten und insbesondere die allgemeine Wehrpflicht. Auch die Rechtstellung der Juden geriet dabei auf die Tagesordnung.

Die Gesetzgebung für die Juden hatte in den deutschen Staaten nur geringe Fortschritte aufgewiesen. Mit den außenpolitisch bedingten Entwicklung drängte sich dann aber rasch eine auf grundsätzliche Veränderungen abzielende Gangart auf. Denn infolge neuer territorialer Zuordnungen wiesen viele Staaten unterschiedliche Rechts- und Sozialsysteme auf. So gut wie jeder dieser Staaten mußte eine Vereinheitlichung anstreben, wenn er in der Verwaltung eine gewisse Effizienz leisten wollte.

Durch die Friedensschlüsse von Campo Formio (1797) und Lunéville (1801) gerieten die linksrheinischen Gebiete unter französische Herrschaft. Damit trat dort die französische Gesetzgebung in Kraft; darunter auch die Staatsbürgerrechte für Juden. Andererseits mußten die west- und südwestdeutschen Fürstentümer für ihre territorialen Verluste im Linksrheinischen auf der rechten Seite des Rheins entschädigt werden. Der Reichsdeputationshauptschluß von 1803 brachte die Säkularisierung der kirchlichen Territorien nach französischem Vorbild. Die Ländereien wurden unter die weltlichen Staaten aufgeteilt.

Preußen, Bayern, Baden und Württemberg profitierten davon am meisten. Die anschließende Mediatisierung von 350 Reichsritterschaften (1804) lief auf ähnliche Ergebnisse hinaus. Die dadurch erheblich vergrößerten Territorialstaaten wie Bayern und Württemberg wurden nun zu Königreichen; Baden, Hessen-Darmstadt und Berg zu Großherzogtümern.

Die Arrondierungen mündeten 1806 in den unter dem Protektorat Napoleons gegründeten Rheinbund mit 16 süd- und westdeutschen Fürsten. Noch im gleichen Jahr wurde das »Heilige Römische Reich Deutscher Nation« aufgelöst. Nach der Niederlage Preußens bei Jena und Auerstedt entstanden aus den von Preußen abgetrennten Provinzen im Osten das Großherzogtum Warschau und im Westen das Königreich Westfalen. Auch für diese beiden neuen Staaten wurde die französische Gesetzgebung eingeführt. Die volle bürgerliche Gleichstellung für die Juden in den unter französischer Herrschaft stehenden Gebieten galt allerdings nur bis zu dem napoleonischen Dekret vom März 1808, dem »décret infâme«, das wichtige Bereiche der Rechtsgleichheit wieder einschränkte[10].

Nach den territorialen Veränderungen gab es bis zum Untergang der französischen Herrschaft in Deutschland drei große politische Blöcke, die auch unterschiedliche Regelungen der Judenfrage aufwiesen.

1. Das Kaisertum Österreich, das im Wesentlichen bei den bereits von Joseph II. durchgeführten Reformen blieb.
2. Die Rheinbundstaaten (1806–1813).
3. Preußen in den Grenzen von 1807.

Die Rheinbundstaaten waren zwar Vasallen und Kreationen von Bonaparte. In ihrer Innenpolitik konnten diese Territorien aber einigermaßen autonom handeln und somit auch eigene Antworten für die Judenfrage formulieren. Nur in dem Königreich Westfalen, das Napoleons als einen Modellstaat für Deutschland darstellen wollte, erhielten Juden die vollständige bürgerliche Gleichstellung. Im Großherzogtum Berg, in Frankfurt am Main und in den kleinen Fürstentümern Anhalt-Bernburg und Anhalt-Köthen galt für einige Jahre die Gleichstellung, mit Einschränkungen nach dem Muster des »décret infâme«.

Die neu konstituierten Staaten in Süd- und Südwestdeutschland wollten in erster Linie Rechtsgleichheit und eine einheitliche Verwaltung der verschiedenen Territorien ihrer Herrschaftsbereiche durchsetzen. Die Reform der rechtlichen Situation der Juden stand dabei zwar auch zur Debatte, hatte aber keine hohe Priorität. Am weitesten ging hier noch das neu konstituierte Großherzogtum Baden, wo man die Juden in die 1807 und 1808 erlassenen Konstitutionsedikte ausdrücklich einbezog.

Das neue Königreich Bayern brachte eine generelle Regelung erst 1813 zustande. Damit erhielten alle ansässigen Juden immerhin die bayerische Staatsbürgerschaft. Durch eine »Matrikel«, die den Schutzbrief ersetzte und nur auf den ältesten Sohn übertragen werden konnte, sollte die Anzahl der Juden in Bayern eingedämmt werden.

Als der dritte eigenständige Block hielt Preußen in den Grenzen von 1807 (Frieden von Tilsit) im Vergleich dazu mit dem Emanzipationsedikt von 1812 eine Art Mittelposition. Es war großzügiger als die Gesetze in vielen Rheinbundstaaten, schon gar als die in den eher abseits gelegenen Staaten wie Sachsen oder Thüringen; infolge einiger Beschränkungen aber auch nicht so umfassend wie das des Königreichs Westfalen. Aufs Ganze gesehen hat Preußen 1812 seinen Juden aber mehr zugestanden als das Gros der deutschen Staaten – zumindest auf dem Papier.

Bis dahin war es ein schmerzhafter Weg, den es lohnt, genauer zu betrachten. Denn nach der verlorenen Auseinandersetzung mit Napoleon war Preußen praktisch vernichtet. Der Staat befand sich in dieser Zeit in einer desolaten Lage. Wie er diese Lage bewältigte und wie viel man sich dabei von der Emanzipation der Juden erwartete, ist eine Geschichte für sich, deren Bedeutung über das weit hinausgeht, was sich zu anderen deutschen Staaten sagen lässt.

Reformpolitik und jüdische Finanziers

Bis 1806 steckte der Agrarstaat Preußen – mehr als 80 Prozent der Bevölkerung lebten auf dem Land – noch in dem Junker-Futteral, das ihm Friedrich II. angepaßt hatte[11]. Die Bauern waren hörige Erbuntertänige, von den Städten durch die Akzise-Verfassung getrennt. Dort wiederum konnte von Gewerbefreiheit keine Rede sein. Zünfte und Gilden entschieden über die Berufsaussichten der Bevölkerung.

Im Mittelpunkt von nahezu allem aber stand die Armee als umfassendes Rekrutierungszentrum für Einheimische und Söldner. Aus dieser unbefriedigenden Gesamtsituation ging der Adel als Profiteur hervor. Auf dem Lande war seine Herrschaft nahezu unangetastet. In der Armee besetzte allein er die Offiziersränge.

Diese und weitere Verflechtungen lassen den Schluß zu, daß es bei Preußens Ancien Régime mit partiellen Veränderungen nicht viel zu gewinnen gab. Nahezu jede tiefergehende Reform auf einem Gebiet mußte sich direkt oder indirekt auf andere Bereiche auswirken. Grundbesitz beispielsweise stand nur dem Adel zu. Beseitigte man dieses Privileg – unterlaufen wurde es insgeheim ohnehin schon vor 1806 – dann mußte die Stellung des Bürgertums – des Standes, der als Nutznießer dieser Änderung in Frage kam – neu definiert werden.

Umgekehrt ebenso: Gab man dem Bürgertum das Recht zum Grundeigentum, dann mußte auch Aristokraten erlaubt werden, sich in bürgerlichen Berufen zu betätigen. Im Ancien Régime war ihnen dies noch als standeswidrig verwehrt. Wurde Berufsfreiheit auch nur ansatzweise verwirklicht, dann konnte es bei der alten Trennung von Stadt und Land nicht bleiben. Diesen Zustand empfanden Zeitgenossen schon vor dem bald einsetzenden Umbruch als unhaltbar.

Insgesamt war für das soziale und wirtschaftliche System Preußens noch bis zu den Stein-Hardenberg-Reformen und darüber hinaus eine Hermetik kennzeichnend, die vom Adel, von Zünften sowie anderen berufsständischen Korporationen getragen wurde. Wer einmal einer sozialen oder beruflichen Schicht zugehört hatte, der konnte sich meist gar nicht, allenfalls unter außergewöhnlichen Anstrengungen davon lösen.

Das wichtigste Merkmal dieser mit internen Abschottungsmechanismen umfassend ausgestatteten Sozialstruktur bestand schließlich in der ausgeklügelten Verflechtung von Gutsherrschaft und Militärsystem. Die Monarchie hatte den Adel für dessen Verlust an politischer Macht vor allem mit dem Ausbau der Gutsherrschaft entschädigt. Deshalb konnten auf dem platten Land die Gutsherren selbst und in den Kreisen Repräsentanten der Junker die Herrschaftsgewalt ausüben[12].

Die Macht der Junker über die ihnen untertänigen Bauern war eigentlich nur an einem Punkt begrenzt. Die Gutsherren durften frei gewordene Höfe – durch den Tod des erbuntertänigen Bauern beispielsweise – nicht einfach ihrem direkten Eigentum zuschlagen. Vielmehr hatten sie im Sinn des vom Staat durchaus gewollten Bauernschutzes dafür zu sorgen, daß die Höfe wieder mit neuen Erbuntertänigen besetzt wurden.

Der Sinn dieses Verbots des sogenannten Bauernlegens ergibt sich aus den militärischen Bedürfnissen des Staates. Denn für das von den Junkern gestellte Offizierskorps wurde natürlich ein Heer benötigt. Neben angeworbenen Söldnern konnte dieses nur aus den untertänigen Bauern rekrutiert werden. Allein ein in seiner Existenz einigermaßen geschütztes Bauerntum war in der Lage, die ihm zugedachte Funktion in militärischer wie ziviler Hinsicht zu erfüllen. »In der Militärverfassung spiegelte sich mithin die Herrschaftsordnung auf dem Lande wider. Beide stabilisierten sich wechselseitig «[13].

All dies konnte der immer noch als Ziel irgendwie im Raume stehenden Judenemanzipation nicht förderlich sein. Denn eine Gleichberechtigung dieser Minderheit war eigentlich nur dann denkbar, wenn auch die für alle gültigen alten beruflichen Beschränkungen fielen. Man wird hier den Gegnern der Emanzipation konzedieren müssen, daß es eigentlich nicht möglich war, emanzipierte Juden außerhalb der berufsständischen und sozialen Schranken agieren zu lassen, während diese Beschränkungen für die Masse der preußischen Untertanen weiterhin verbindlich blieben.

Deshalb war es schon konsequent, daß die Emanzipation der Juden erst mit der bald einsetzenden Entfeudalisierungspolitik wieder in den Vordergrund rückte. Sie wurde in zwei völlig unterschiedlichen Etappen im Rahmen der Stein-Hardenberg-Reformen auf kommunal- wie staatspolitischer Ebene erreicht. Die rund drei Jahrzehnte nach dem Erscheinen von Dohms Buch durchgeführte Emanzipation der Juden in Preußen war somit ein Teil der großen Reformpolitik.

Geben konnte es diese Reformpolitik aber erst, als für Preußen nach den Niederlagen gegen Frankreich bei Jena und Auerstedt (14. Oktober 1806) eine Situation eintrat, die ohne den grundlegenden Umbau von Staat und Gesellschaft nicht mehr zu meistern war. Die Schwächen des altpreußischen Staates hatten sich dabei nicht nur an dem militärischen Ausgang des Aufeinanderpralls von zwei unterschiedlichen Armeen gezeigt.

Preußen brach auseinander. Intakte Teile der Armee lösten sich auf oder ergaben sich. Große Festungen wie Magdeburg, Stettin und Küstrin kapitulierten ohne Kampfhandlungen, obwohl sie für eine Belagerung gut ausgerüstet waren. Während der König und die hohe Beamtenschaft Anfang Januar 1807 in den Osten, nach Memel flüchteten, rückte Napoleon in Berlin ein.

Dort verhängte er die Kontinentalsperre. Den Ländern seines Einflußbereichs war damit der Handel mit England untersagt. Für den Hohenzollern-Staat, der nach den Niederlagen von Jena und Auerstedt nur noch eine Marionette Napoleons war, galt dies in besonderem Maße. Eine einigermaßen autonome Zentralverwaltung gab es in dieser Zeit nicht. Die französischen Besatzer hatten alle Kassen und Einkünfte beschlagnahmt. Ob das vorher noch zu den europäischen Großmächten gerechnete Gebilde als eigenständiger Staat überhaupt weiterexistieren konnte, hing vom Willen des Siegers ab[14].

Der Frieden von Tilsit (9. Juli 1807) brachte eine vorläufige, wenngleich niederschmetternde Antwort auf diese Frage. Innerhalb von 48 Stunden mußten die preußischen Unterhändler während Napoleons Zusammenkunft mit dem Zaren einen Vertrag unterschreiben, der folgende Bedingungen enthielt: Preußen hatte auf alle polnischen und westlich der Elbe gelegenen Territorien zu verzichten.

Von den östlichen Gebieten erhielt Rußland die Region um Bialystock. Aus den ehemaligen Provinzen Südpreußen (einschließlich Posen und Kalisch) und Neuostpreußen (einschließlich Warschau) sowie dem Netzedistrikt (früher Teile der Provinz Westpreußen und dem Kulmer Land entstand das neue Herzogtum Warschau. Zum Herrscher dieser Satellitenstaaten Frankreichs wurde der in den Rheinbund eingetretene und mit der Königskrone belohnte Friedrich August I. von Sachsen ernannt.

Alle preußischen Gebiete westlich der Elbe wie Münster, Essen, Paderborn oder Bayreuth gingen direkt an Frankreich. Aus dem größten Teil dieser diffusen Ländermasse entstand mit Kurhessen, Braunschweig und Teilen Hannovers das neue Königreich Westfalen. Neben den territorialen Verlusten wurde in dem Friedensvertrag von Tilsit ausdrücklich festgehalten, daß der Hohenzollern-König nur aus Rücksicht auf Frankreichs neue Freundschaft mit Rußland weiterhin auf dem preußischen Thron bleiben konnte.

Preußen war damit nur noch ein Rumpfstaat mit den vier Provinzen Brandenburg, Pommern, Ostpreußen und Schlesien. Dem in seiner Leistungs- und Überlebensfähigkeit sowieso schon fragwürdigen Gebilde wurden zudem ruinöse Friedensbedingungen diktiert.

Nach einer Zusatzkonvention zu Tilsit blieb Preußen solange von französischen Truppen besetzt, wie eine erst noch festzulegende Kontributionssumme bezahlt war. Bis zur völligen Erfüllung dieser Verpflichtung mußte Preußen französische Besatzungstruppen in beliebiger Höhe akzeptieren. Für die Dauer der Besatzung, deren Kosten Preußen zu tragen hatte, nahmen Frankreichs Repräsentanten die obersten Verwaltungsfunktionen wahr.

Als selbständiger Staat war Preußen damit praktisch ausgelöscht. Dem politischen Niedergang folgte etwa ein Jahr nach Abschluß des Vertragswerks von Tilsit am 8. September 1808 in Paris ein Abkommen, das Preußens vollständigen Ruin zur Folge haben konnte. Denn in Paris präzisierte Napoleon endlich die immer noch unbekannte Höhe der Kontributionssumme.

Als Kriegsentschädigung und für den Abzug seiner Besatzungstruppen forderte Frankreich zuerst 154,5 Millionen Franken, die dann auf 140 Millionen und nach Fürsprache des Zaren letztlich auf 120 Millionen Franken (ein Taler entsprach etwa 3,70 Franken) gesenkt wurden. Dieser Betrag sollte in 30 Monatsraten à vier Millionen Franken entrichtet werden. Die eine Hälfte wurde in Wechseln, die andere in Form von Pfandbriefen auf den staatlichen Gutsbesitz (Domänen) verlangt.

Zur Bezahlung dieser Forderungen war der Hohenzollern-Staat freilich niemals in der Lage. Noch vor Kriegsbeginn hatte Preußens Staatshaushalt jährliche Nettoeinnahmen von 27 Millionen Talern ausgewiesen. Rund 53 Millionen Talern Schulden stand ein mit 13 Millionen Talern gefüllter Staatsschatz gegenüber. Das gesamte Volkseinkommen machte damals etwa 261 Millionen Taler aus[15]. Der Zustand der preußischen Finanzen war somit in dieser Vorkriegszeit nicht schlecht. Andererseits gab es zu Zufriedenheit auch keine Veranlassung.

Für eine dramatische Wende zum Schlechteren sorgten nun der Krieg und die Folgen. Allein die sich über die Jahre 1805 und 1806 erstreckenden

Mobilmachungen hatten rund 30 Millionen Taler gekostet. Von 1806 bis 1808 waren die Einnahmen der einzelnen Provinzen, mit Ausnahme von Ostpreußen, in französische Kassen geflossen. Die Verluste und die Leistungen der Bevölkerung nach dem verlorenen Krieg addierten sich auf 230 Millionen Taler. Weitere Verluste entstanden durch die Abtretung der östlichen Provinzen. Die Forderungen des preußischen Staates gegen Schuldner in dem ehemaligen Südpreußen und späteren Herzogtum Warschau übertrug Napoleon für 20 Millionen Franken an den König von Sachsen. Preußen verlor dadurch 17,5 Millionen Taler[16].

Preußen musste sich mit einem »System« abfinden, das der Schriftsteller Willibald Alexis so beschrieb: »Das war der feuchte Nebelregen, der in alle Poren des Landes drang, das Spinnengewebe der französischen Beamten mit höflichen Redensarten und lächelnden Mienen, aber mit Argusaugen und den Klauen des Luchses... Nicht an einem Aderlaß sollte das Opfer verbluten, nein sie pflegten und hätschelten es, damit es wieder Kräfte bekäme, und dann zapften sie langsam und sicher Tropfen um Tropfen ab. Das war der Schrecken der Schrecken ... das systematische Aussaugungssystem, das von der Hauptstadt auslief, bis es mit seinen Schlingen und Fasern das letzte Haus des letzten Dorfes umspannt hielt«[17].

Preußen war seit 1806/07 praktisch bankrott. Die Staatsausgaben lagen in den Jahren 1805 bis 1807 und dann wieder ab 1812 mindestens doppelt so hoch wie in den Zeiten des Friedens. Die Einnahmen hingegen erreichten den Stand von 1805 nicht einmal mehr zur Hälfte. Wie katastrophal sich die finanzielle Situation des Staates entwickelte, ergibt sich unter anderem aus der Zusammenstellung eines Finanzrats für den Minister von Stein. Danach nahm der Staat im Jahre 1807/08 etwa 15 Millionen Taler ein. Die angesetzten Etats beanspruchten freilich 28,075 Millionen Taler, hiervon das Militär allein 16,636 Millionen.

Eine kaum zu überbrückende Diskrepanz zwischen Einnahmen und Ausgaben blieb für den Hohenzollern-Staat noch mehr als ein Jahrzehnt lang typisch. Eine Notiz des Staatskanzlers Hardenberg nannte beispielsweise für die Zeit vom 1. Oktober 1811 bis zum 31. Mai 1812 Staatseinnahmen von 11,777 Millionen Taler. Die Ausgaben beliefen sich jedoch auf über 17 Millionen Taler – »...eine für die damaligen preußischen Verhältnisse enorme Summe«[18].

Ganz Preußen war mit einer wirtschaftlichen Zerrüttung konfrontiert, zu der es kaum Parallelen gab. »Alle Gewerbe stockten«, berichtet ein Zeitgenosse, »namentlich Ausländer wanderten in ihre Heimat ... fast alle Handwerker (waren) bald in ihren Mitteln so gelähmt, daß sie Arbeiten von einigem Umfang nicht durchführen konnten.« Am härtesten traf es die Berliner Seidenfabriken. Gegen die nun fast unbehindert importierten französischen Produkte konnten sie sich nicht mehr behaupten[19].

Beamtengehälter und Pensionen zahlte der Staat schleppend oder gar nicht. Johann August Sack, einer der bedeutendsten preußischen Verwaltungsbeamten in dieser Epoche, schrieb als Präsident der Friedensvollziehungskommission im November 1807, »daß viele solcher armen Leute, als die Subaltern-Officianten und Pensionäre an sich schon sind, welche nun in einem ganzen Jahr nichts erhielten, ihre Mobilien und ihr letztes Bett verkauft haben, und einige vor Hunger und Kummer umgekommen sind«.

Durch Einquartierungen französischer Truppen sanken die Grundstücks- und Hauspreise in Berlin. Immobilieneigner, die von der Vermietung lebten, sahen keine Verdienstmöglichkeiten mehr, gaben die Schlüssel zu ihren Anwesen beim Magistrat ab und verließen die Stadt. Über die Angehörigen der gefangenen oder gefallenen preußischen Soldaten schrieb Sack: »Das Elend vieler einzelner Familien, die sich gegen den Winter zu immer unglücklicher fühlen müssen ... ist unbeschreiblich.« Allein in Potsdam und Berlin gab es Woche für Woche zwischen sechs bis zehn Selbstmorde[20].

Anleihen bei den großen Finanzinstituten des Auslands waren in dieser Situation kaum möglich. Ein Staat mit derart desolaten Finanzverhältnissen und völlig ungesicherten Aussichten auf eine Weiterexistenz als halbwegs souveränes Gebilde war alles andere als kreditfähig. Die Konsolidierung des Staates konnte nur durch eine Steigerung der eigenen Leistungsfähigkeit erfolgen.

Scharnhorst schrieb hierüber am 27. November 1807 an Clausewitz: »Man muß der Nation das Gefühl der Selbstgefälligkeit einflößen, man muß ihr Gelegenheit geben, daß sie mit sich selbst bekannt wird, daß sie sich ihrer selbst annimmt; erst dann wird sie sich selbst achten und von anderen Achtung zu erzwingen wissen. Darauf hinzuarbeiten, dies ist alles, was wir können. Die alten Formen zerstören, die Bande des Vorurteils lösen, die Wiedergeburt leiten, pflegen und sie in ihrem freien Wachstum nicht hemmen, weiter reicht unser Wirkungskreis nicht«[21].

Dies war die Einstellung aller maßgebenden preußischen Reformpolitiker. In der Regierungsinstruktion von 1808, die unter dem Freiherrn von Stein vorbereitet wurde (noch 1817 von Hardenberg erneuert), hieß es: »... einem jeden innerhalb der gesetzlichen Schranken die möglichst freie Entwicklung und Anwendung seiner Anlagen, Fähigkeiten und Kräfte in moralischer sowohl als physischer Hinsicht zu gestatten und alle dagegen noch obwaltenden Hindernisse baldmöglichst auf eine legale Weise hinwegzuräumen«[22].

Die Versuche zur Konsolidierung der desolaten Staatsfinanzen sollten noch weit mehr als ein Jahrzehnt dauern. »Die preußische Politik stand nach der Katastrophe von 1806 unter dem Diktat des Finanzwesens«. Dabei war es nicht bloß der Staat, der ab 1806/07 als bankrott angesehen werden mußte. Die ganz große Mehrheit der gutsbesitzenden Junker, also der Gesellschaftsschicht, die noch Friedrich II. als Säule von Staat und Gesellschaft so nachhaltig hatte etablieren wollen, stand vor einer ähnlich düsteren Bilanz.

Mit dem Untergang des altpreußischen Staates waren die Bodenpreise dramatisch gefallen. Der Dichter Josef von Eichendorff, der später jüdische Geldgeber für den Zusammenbruch der Güter seines Vaters verantwortlich machen sollte, wußte sehr wohl, wie er das finanzielle Schicksal des Staates und seiner Familie einzuordnen hatte.

In seinem Essay »Der Adel und die Revolution« schrieb er: Die verschwenderischen Adligen »... haben zuerst die schöne Pietät des von Generation zu Generation fortgeerbten Grundbesitzes untergraben, indem sie denselben in ihrer beständigen Geldnot durch verzweifelte Güterspekulation zur gemeinen Ware machten. Und so legten sie unwillkürlich mit ihrem eigenen Erbe den Goldgrund zu der von ihnen höchst verachteten Geldaristokratie, die sie verschlang und ihre Trianons in Fabriken verwandelte«[23]. Unter dieser neuen »Geldaristokratie« befanden sich relativ viele Juden. Und das blieb ihrer Umwelt nicht verborgen.

Tatsächlich erfolgte in den Jahren nach 1806/07 eine gewaltige Vernichtung von Wohlstand. Nahezu alle, die ihr Geld in Grundstücken oder öffentlichen Wertpapieren angelegt hatten, erlebten eine Entwertung ihres Vermögens. Die Wenigen hingegen, die liquide genug waren, um in diesen Jahren zu investieren, konnten ihren Wohlstand steigern. Zudem: Die Finanznöte des preußischen Staates provozierten geradezu die Inanspruchnahme der Schicht, die man in fast allen vorkapitalistischen Gesellschaften Europas auf das Metier verwiesen hatte, das ihrer Umwelt fremd geblieben war: das Geschäft mit dem Geld.

Mit dieser Schicht sind natürlich die Juden gemeint, die als Hoffinanziers die Finanzgeschicke so vieler mitteleuropäischer Staaten mitbestimmt hatten. Die Krise brachte den liquiden und in Finanzdingen beschlagenen Juden neuartige Möglichkeiten, die schon den Übergang von mehr oder weniger professionell agierenden Finanziers zu etablierten Bankiers einleiteten.

Die Rolle der Berliner Juden

Jüdischen Kleinunternehmern und Geldwechslern eröffneten sich jetzt vor allem in Berlin spektakuläre Karrieren. Heinrich Schnee schrieb hierzu in seiner Geschichte der Hoffinanz: »In einer Generation war der geduldete Händler zum Schutzjuden, Lieferanten, Lazarett-Entrepreneur, Generalagenten und Staatsbankier geworden, innerhalb von zehn Jahren die kleinen Händler zu Millionären, die Unter den Linden eigene Häuser und vor den Toren der Stadt ihre Sommersitze besaßen ... «[24].

Nicht von ungefähr setzten die großen Erfolgsgeschichten von deutschen und europäischen Finanziers in dieser Zeit ein. Rothschild in Frankfurt mit schneller Ausbreitung über ganz Europa, Warburg in Hamburg oder Mendelssohn und Bleichröder in Berlin – in der Ära Napoleons sind bedeutende Geschäftsbanken entstanden.

Generell war der Anteil von Juden in diesem Bereich groß. In Preußen fiel er besonders hoch aus, weil unternehmerisches Handeln in diesem Staat immer noch besonders unterentwickelt war. Diese Lücke wurde in den Jahren nach 1806 überaus deutlich, als Preußens Ressourcen bei weitem nicht mehr ausreichten, um den gewaltig gestiegenen Kapitalbedarf zu befriedigen.

Die vorwiegend jüdischen Geldwechsler und Händler, die die Obrigkeit bislang nur als Edelmetall- oder Warenlieferanten in Anspruch genommen hatte, wurden nun viel stärker in dem Kreditbereich benötigt. Natürlich nahmen sie diese neue Rolle in erster Linie zu ihrem eigenen Vorteil wahr. Aber die Erfolge der Beers, Berends und vieler anderer waren auch für die Weiterexistenz des preußischen Staates entscheidend.

Denn in dem erschütterten Staat ließen sich nur noch die Privatbanken als Sammelstellen und Beschaffer von Kapital nutzen. Alle öffentlichen Finanzinstitute präsentierten sich nach dem Kriege in einem hoffnungslosen Zustand. Zu Beginn des Jahres 1808 stand fest, daß dem preußischen Staat keine Vermögenswerte mehr zur Verfügung standen. Eine Hoffnung des Ministers Stein hatte noch in den Forderungen der öffentlichen Finanzinstitute, Mündel- und Stiftungskassen gegen Schuldner in der ehemaligen Provinz Südpreußen bestanden[25].

Diese Vermögenswerte, die mit 17,5 Millionen Taler zu veranschlagen waren, trat Napoleon jedoch im Mai 1808 unter Bruch des Vertrages von Tilsit an den König von Sachsen ab. Sachsen zahlte dafür 20 Millionen Franken an Frankreich. Für den mittellosen Hohenzollern-Staat gab es nunmehr neben den bereits praktizierten Zwangsanleihen bei den Bürgern kaum noch eine Möglichkeit, um die Finanzkrise wenigstens zeitweise zu mildern und die Kontributionsforderungen Frankreichs zu bezahlen.

Berlins und damit Preußens Finanzszene beherrschten damals vier Geldinstitute – je zwei mit christlichen und jüdischen Inhabern: Schickler, Benecke sowie Wulff und Levy-Delmar. Unter diesen vier war das Bankhaus Schickler das älteste und angesehenste. Es nahm auch vom Geschäftsvolumen her den ersten Rang ein. Schickler stellte dem Staat in diesen Jahren etwa fünf Millionen Taler bar oder als Bürgschaftsverpflichtungen zur Verfügung. Nach dem Standardwerk zur Berliner Unternehmens- und Bankengeschichte erwies sich Schickler »als beachtenswerte Stütze des Staates«, die sich in »jener Zeit nicht bereichert«, sondern »in (ihren) Verhältnissen zurückgeworfen« worden ist[26].

Liepmann Meyer Wulff galt schon seit Ende des 18. Jahrhunderts als der »Krösus von Berlin«. Er hatte als Lieferant der preußischen Armee 1779 im Bayerischen Erbfolgekrieg begonnen und betätigte sich ab Februar 1787 unter anderem als Entrepreneur des preußischen Postfuhrwesens. Im gleichen Jahr hatte er das Generalprivileg christlicher Kaufleute erhalten. Damit galten auch für Wulff wie schon für so viele preußische Juden die diskriminierenden Minderheitengesetze nicht mehr.

Wulff war eine Art Generalunternehmer, der sich auch mit Bankgeschäften befaßte. Dank seiner guten Beziehungen zur preußischen Bürokratie – über die Summen, die er sich dies kosten ließ, kann nur spekuliert werden – hatte Wulff vom Staat etliche Monopole erhalten. So betrieb er seit Juni 1794 neben dem Postfuhrwesen für die gesamte Monarchie auch ein Einnahmekontor für die Hauptlotterie.

Er war damit der Generalpächter aller preußischen Lotterien. Unter den zahlreichen Beamten, die Wulff zur Seite standen, fallen auf: Kabinettsrat Karl Friedrich von Beyme, der Vertraute des Königs, und der im Generaldirektorium zeitweise als Finanzminister amtierende Friedrich Wilhelm von Schulenburg-Kehnert. Über eine dieser für Wulff gewiß wertvollen Verbindungen schrieb ein Zeitgenosse: »Man macht ihm (Schulenburg) zum Vorwurf, daß er den reichen Bankier Liepmann Meyer besonders dadurch begünstigte, daß er ihn ungeheuer beim Postwesen und bei der Lotterie verdienen lasse. So viel ist gewiß, daß dieser Mann sich Reichtümer sammelt«[27].

Schulenburg war es wohl auch, der seinen Günstling zum Hauptlieferanten der preußischen Münze machte. Da Wulff neben dem Beschaffen von Silber und Gold auch das Ausliefern der geprägten Scheidemünzen übernahm, rückte er in eine ähnliche, wenngleich weniger mit Manipulationen verbundene Position, wie sie Ephraim oder Itzig während des Siebenjährigen Krieges gespielt hatten. In den Jahren 1797 bis 1805 wurde der preußische Staatsschatz mit 13 Millionen Talern gefüllt. Fast die Hälfte dieser Summe kam aus der gesteigerten Prägung von Scheidemünzen, für die ganz überwiegend Wulff verantwortlich war[28].

Wie hoch der Staat die Kreditwürdigkeit seines Münzentrepreneurs dabei veranschlagte, ist unter anderem noch einem Bericht aus dem Jahre 1808 zu entnehmen. Die Münzgeschäfte waren schon 1806 zum Erliegen gekommen. Als Preußens Finanzminister Altenstein am 24. Dezember 1808 über die Staatsfinanzen schrieb, widmete er einem Posten besondere Aufmerksamkeit. »In den Staatskassen befinden sich ungefähr für 2 Millionen Taler an sicheren Dokumenten. Hierunter ist der Bankier Liepmann

Meyer Wulff mit einer Million begriffen, die er aus dem Silberlieferungsgeschäft schuldig geblieben, wofür er Dokumente zur Sicherheit niedergelegt hat. Obgleich bei dem tiefen Stande aller Papiere sich ein Gebrauch zum vollen Wert von selbigen nicht machen läßt, so würden sie doch zum Zweck der Verpfändung benutzt werden können, und der Liepmann Meyer Wulff wird zur allmählichen Einlösung angehalten werden müssen«[29].

Der König hatte für Wulffs unternehmerische Leistungen im allgemeinen lobende Worte gefunden. In ihrem Standardwerk zur Geschichte der Berliner Großkaufleute gaben Hugo Rachel und Paul Wallich eine bemerkenswerte Erklärung für dieses Lob, das sich von der allgemeinen Beurteilung Wulffs durch seine Zeitgenossen so auffällig unterschied: »Die Anerkennung, die den Vorschlägen Wulffs wie den von ihm durchgeführten Transaktionen von Seiten des Königs wiederholt gezollt wurde, scheint meist aus Beymes freundschaftlicher Feder geflossen zu sein«[30].

Mit Wulff konnte sich in Berlin das Bankhaus Salomon Moses Levy Erben durchaus messen. Die Söhne des Gründers hatten 1786 ein Generalprivileg erhalten, das sie christlichen Kaufleuten gleichstellte. Auch sie betätigten sich wie Wulff als Heereslieferanten und Münzunternehmer. Der wirkliche Aufstieg dieser Firma setzte aber erst mit der dritten Inhabergeneration während der preußischen Reformen ein.

Denn der bald getaufte und in Delmar umbenannte Bankinhaber war an fast allen finanziellen Transaktionen beteiligt, die in Berlin zusammenliefen. Delmar trat dabei mit Schickler und Benecke gemeinsam auf, während Wulff wohl zu eigenwillig war, um in einem Konsortium mitzuwirken.

Das Bankhaus Levy rettete nach dem Einmarsch der französischen Armee unter anderem die Porzellan-Manufaktur und die Apotheke des Schlosses vor dem Bankrott. Zahllose Anleihen und Kredite für die Stadt Berlin, die kurmärkischen Stände und für den Gesamtstaat kamen über dieses Institut zustande. Daneben fungierte Ferdinand Moritz Delmar, die dynamischste Persönlichkeit dieser Familie, aber auch als Vertrauensmann und Bankier der französischen Verwaltung.

Die Jahre 1807 bis 1815 sahen die Delmars auf dem Höhepunkt. Ferdinand Moritz wurde 1809 in den Magistrat von Berlin gewählt. Ein Jahr später bat er den König um die Erhebung in den Adelsstand. Dieser Antrag wurde von der damit befaßten preußischen Bürokratie jedoch alles andere als positiv aufgenommen.

Oberpräsident Sack, den das Innenministerium um eine Stellungnahme gebeten hatte, schrieb: Delmar habe sich seine Leistungen für den Staat mit hohen Provisionen und Zinsen sehr teuer bezahlen lassen. »Ich weiß daher nicht, ob es einen guten Eindruck auf das hiesige Publikum machen wird, wenn dem Delmar eine besondere und höhere Auszeichnung als etwa die Beilegung eines Titels, z.B. Geheimer Kommerzienrat, bewilligt würde«[31].

Gegen derart ablehnende Stellungnahmen kam Delmar die Unterstützung des französischen Gesandten in Berlin, St. Marsan, zugute. St. Marsan empfahl in einem Schreiben an den Generaladjutanten des Königs, dem Ersuchen des Bankiers stattzugeben. Daraufhin wurde Delmar in den Stand eines Freiherrn erhoben. Es war das erste Mal, daß ein als Jude Geborener wie der getaufte Delmar in den preußischen Hochadel aufrückte.

Wulff und Delmar belegen auf besonders auffallende Weise, daß Juden unter den Berliner Bankiers sehr stark vertreten waren. Schon 1803, nach Gründung einer öffentlichen und von allen Kaufmannsgilden getragenen Börse in Berlin, hatte die jüdische Kaufmannschaft mit zwei Vorstehern und zehn Korporationsmitgliedern ebenso viele Gremiumssitze wie die Christen erhalten.

Im Jahre 1805 trat in Berlin ein »allerhöchst genehmigtes Börsen-Reglement« in Kraft. Die Kurszettel der notierten Wertpapiere und Währungen unterzeichneten zehn vereidigte Makler, unter ihnen fünf Juden. Von diesen wiederum gehörten zwei – die Unternehmer Jacob Herz Beer und Ruben Samuel Gomperz – dem Börsenvorstand an[32]. An diesem paritätischen Mitwirken der Berliner Juden änderte sich auch in den folgenden Jahren nichts. Als am 19. Oktober 1806 eine Kriegsorganisation für die Berliner Börse gegründet wurde, gehörten dem Vorstand dieser Einrichtung drei christliche Unternehmer an sowie die jüdischen Bankiers Moses Salomon Levy, Michael Wulff und Salomon Nathan.

In Berlin gab es 1807 neben 22 christlichen mindestens 30 jüdische Bankiers. Wer von den zahlreichen jüdischen Geldverleihern und Händlern seine Aktivitäten im Finanzbereich schon so systematisch betrieb, daß er wirklich Bankier genannt werden konnte, ist nicht immer exakt zu ermitteln. Bei einer bestenfalls gleich gebliebenen Zahl der christlichen Bankiers weisen die ziemlich zuverlässigen Judenbürgerbücher der Hauptstadt für das Jahr 1809 folgendes aus: 53 Juden mit der Berufsangabe »Bankier«, dazu 15 »Wechsler« und 16 »Agenten« oder »Makler«[33].

Ihr Reichtum stieg während der Befreiungskriege enorm. Wichtige Belege hierfür liegen mit den Beitragslisten zu den staatlichen Anleihen von 1812 bis 1815 vor. Zu diesen Anleihen (1812 zur Finanzierung des preußischen Corps im Rußlandfeldzug; 1813–15 für die Befreiungskriege) wurden Unternehmen und Privatpersonen zwangsweise herangezogen.

Durchweg zeigen die Rechnungen hierzu ein einheitliches Bild: Die größeren und mittleren Privatbanken wurden ganz überwiegend von Juden oder erst vor kurzem zum Christentum Konvertierten geführt. Während die vier Großen eine Sonderstellung einnahmen (Wulff war nach dem Tod des Inhabers seit 1813 nur noch eine Abwicklungsgesellschaft), wuchsen Institute wie die der Familien Bendix, Beer Cohn (Ewald), vor allem aber der Mendelssohns in neuartige Größenordnungen hinein.

Diese Unternehmen, die ja vor 1806 kaum gezählt hatten, wurden durch die Finanzoperationen des Staates besonders stark in Anspruch genommen. Allerdings müssen sie daran auch glänzend verdient haben. Das Bankhaus J. u. A. Mendelssohn beispielsweise gehörte den Söhnen des Philosophen. Die Bank war erst um 1800 entstanden und wurde zeitweise in Hamburg betrieben.

Schon kurz nach den Befreiungskriegen übertraf sie jedoch alle anderen preußischen Privatbanken. Joseph Mendelssohn galt ab 1820 als der bedeutendste Bankier im Hohenzollern-Staat. Mit dem zu dieser Zeit ebenfalls entstandenem Bankhaus Bleichröder war Mendelssohn noch bis in die Ära Bismarcks Preußens führendes Finanzinstitut. Joseph Mendelssohns Bruder und Partner Abraham nannte sich seit 1812 Mendelssohn Bartholdy. Sein Sohn Felix ist später als Komponist berühmt geworden[34].

In diesem Kontext steht auch Jacob Herz Beer, ein Schwiegersohn Wulffs, der in den neunziger Jahren des 18. Jahrhunderts als Lieferant des preußischen Heeres in Polen aufgetreten war. Danach betrieb er in Berlin eine Zuckersiederei. Beer blieb überwiegend Fabrikant und Unternehmer. In den Jahren nach 1807 übernahm er meist im Zusammenhang mit dem Nachlaß seines Schwiegervaters aber auch einzelne Bankgeschäfte. Sein Sohn Jakob Liebmann Beer verband die Namen des Vaters und der Mutter zu Meyerbeer. Als Giacomo Meyerbeer wurde er einer der gefeierten Komponisten seiner Zeit. Zu der Leistungsfähigkeit und Kreditwürdigkeit der Wulff, Delmar oder auch Schickler und Benecke über die Landesgrenzen hinaus gab es in anderen Städten nichts annähernd Vergleichbares.

Die Jahre 1806/07 bis 1810 waren in jeder Hinsicht Preußens schwierigste Zeit. Jüdischen Finanziers und Unternehmern brachte diese Epoche die höchste Anspannung ihrer Leistungsmöglichkeiten, aber auch enorme geschäftliche Chancen. Wie so oft in der Geschichte dieser Minderheit übernahmen die jetzt besonders dringend benötigten Finanziers auch hier die Funktion, die ihre Umgebung nicht ausüben wollte und noch weniger konnte: die Funktion von Geldbeschaffern.

Die gesetzliche Emanzipation der Juden kam nahezu zeitgleich mit dem Aufstieg dieser Finanziers. Der schier endlose Kampf, der innerhalb der Bürokratie um diese Gleichstellung ausgefochten wurde, ist besonders kompliziert. Die hierzu vorliegenden Akten und Dokumente zeigen einerseits einen Staatskanzler Hardenberg, der mit Zähigkeit für die Emanzipation kämpfte. Andererseits tauchen hier auch schon Akteure auf, die mit ihren Argumenten und Formulierungen die Resonanz eines Fichte deutlich belegen.

Das wichtigste Motiv für die Veränderung der Rechtslage der Juden bildete die Steigerung der Leistungsfähigkeit von Staat und Gesellschaft. Bei dem für alle Bevölkerungsschichten durchgeführten Modernisierungsprogramm schien es nicht mehr sinnvoll, eine soziale Gruppe auszuklammern. Die Emanzipation der Juden war in der Sicht eines Teils der Bürokratie ein Weg, um dem bedrängten Staat dankbare und engagierte Neubürger zuzuführen. Die Leistungen dieser Neubürger für das Gemeinwohl sollten somit im Sinne eines Geschäftes auf Gegenseitigkeit auf der Seite Haben des Staates stehen.

Daneben schwang die Hoffnung mit, das Judentum durch staatliche Reformmaßnahmen zur Abkehr von der eigenen Kultur bringen zu können[35]. Nicht von ungefähr wurde in der Reformzeit die völlige Gleichberechtigung deshalb von der weiteren Entwicklung der Juden abhängig gemacht. Auch aus diesem Grund blieb die Judenemanzipation trotz des vielversprechenden Anlaufs von 1812 prinzipiell ein Thema, »... bei dem die meisten preußischen Beamten liberale Grundsätze der Rechtsgleichheit außer Acht ließen«[36].

Wie standen die wichtigsten Repräsentanten dieses Apparats zu den Juden? Wer waren diese Akteure und welche Gründe führten sie für ihr Handeln oder Unterlassen ins Feld? Diese Fragen lassen sich nur mit einer Typisierung der Akteure einigermaßen einleuchtend beantworten. Zwei Gruppen – Reformer wider Willen und Liberale – standen bei den Auseinandersetzungen um die Emanzipation für die Positionen der maßgebenden Politiker und Beamten. Die Reaktionäre und Restaurateure wagten es erst später, sich zu Wort zu melden.

Reformer wider Willen: Die Minister Altenstein und Dohna, vor allem aber der Freiherr vom Stein erwarteten von den Juden nur wenig Gutes. In der katastrophalen Lage des Staates wollten sie aber auf die Leistungsfähigkeit dieser Minderheit nicht verzichten.

Liberale: Hardenberg und Wilhelm von Humboldt repräsentierten die Richtung, die mit Diskussionen über den Wert oder Unwert der preußischen Juden keine Zeit vergeudete. Vielmehr sahen die Liberalen ein Merkmal des modernen Staates darin, Minderheiten mit den gleichen Pflichten und Rechten wie die Mehrheit auszustatten.

Stein versuchte während seiner Amtszeit immer wieder, die Zusammenarbeit des Staates mit jüdischen Bankiers und Unternehmern zu unterbinden. Steins emotionale Ablehnung des Judentums war dabei durchaus mit rationalen Aspekten verbunden. Gleichwohl kann seine Haltung in dieser Frage nur als reaktionär bezeichnet werden.

Hardenberg – persönlich ein Beinahe-Bankrotteur, der die Zuwendungen reicher Juden zu schätzen wußte und auch benötigte – markierte die Gegenposition. Er berichtete: »Man sagt allgemein, Herr vom Stein habe die Judenschaft aus Vorurteil gegen solche ganz vor den Kopf gestoßen und dadurch große Hilfsquellen unbenutzt gelassen ... Unter anderem soll Herr vom Stein den Liepmann Meyer Wulff gar nicht haben sprechen wollen«[37].

Dass sich Stein in der Judenfrage überhaupt als Reformer, wenn auch wider Willen, erwies, hängt mit einem mehr oder weniger zufälligen Ergebnis seiner Politik zusammen. Denn als Nebenprodukt eines größeren Reformvorhabens bescherte Stein den preußischen Juden insgesamt doch eine Art Bürgerrecht im kommunalen Bereich. Mit der kurz vor Steins zweiter Demission erlassenen Städteordnung wurde der Staat auf bloße Kontrollaufgaben zurückgedrängt. Grundsätzlich sollten die Kommunen ihre Angelegenheiten autonom regeln.

Für die Städteordnung war in § 19 formuliert: »Stand, Geburt, Religion und überhaupt persönliche Verhältnisse machen bei Gewinnung des Bürgerrechts keinen Unterschied... Kantonisten, Soldaten, Minderjährigen und Juden kann das Bürgerrecht aber nur unter den vorschriftsmäßigen Bedingungen zugestanden werden«[38]. Dies war so zu verstehen: Ein Minderjähriger konnte das Stadtbürgerrecht ohne weiteres erwerben. Dies berührte aber die Abschnitte des Allgemeinen Landrechts, die an die Minderjährigkeit konkrete Folgen knüpften, in keiner Weise.

Anders formuliert: Indem ein Minderjähriger das Stadtbürgerrecht erwarb, konnte er nicht volljährig werden und damit zur zivilrechtlich autonomen Rechtsperson aufrücken[39]. Und ein Jude, der ja laut Landrecht kein Staatsbürger, sondern günstigstenfalls nur Schutzverwandter des Staates war, konnte sich über den Erwerb des Stadtbürgerrechts nicht in einen Staatsbürger verwandeln.

In allen Punkten, die das Staatsbürgerrecht betrafen, blieb es bei den Bestimmungen des Allgemeinen Landrechts und den zusätzlichen Spezialvorschriften für die Juden. Die Neuerungen brachten ihnen – dies allerdings bloß den Schutzjuden – somit nur die Möglichkeit, das Stadtbürgerrecht aktiv und passiv wahrzunehmen.

Obwohl es damit bei den Diskriminierungen des Ancien Régime blieb, war die Städteordnung doch ein wichtiger Schritt zur Emanzipation der preußischen Juden. Denn damit hatte die preußische Bürokratie dieser Minderheit eine Stufe unter dem Staatsbürgerrecht die Tür zur Gleichheit im Kommunalbereich geöffnet. Sofern sie die allgemeinen Voraussetzungen wie Unbescholtenheit und Einkommensnachweis erfüllten, wurden Juden kommunale Vollbürger wie jeder andere Stadtbewohner.

Konnten sie ein bürgerliches Gewerbe oder Grundeigentum vorweisen, dann mußten sie sogar, auch hier genau wie Christen, das Bürgerrecht beantragen. In § 23 des Edikts war dies ausdrücklich vorgeschrieben: »Wer bis jetzt zum Bürgertum gehörige städtische Gewerbe betrieben oder Grundstücke in einer Stadt erworben haben sollte, ohne das Bürgerrecht besessen zu haben, muß letzteres sogleich nach Publikation dieser Ordnung nachsuchen und erlangen«. Andernfalls mußte er »... das betriebene städtische Gewerbe niederlegen und das erworbene Grundstück veräußern«[40].

Im April 1809 erfolgten in allen preußischen Städten die Wahlen zu den Stadtparlamenten und Magistraten. Die Zahl der Wahlberechtigten lag in Berlin bei 7.000 bis 9.000 Personen (6,9 bis 7,5 Prozent der gesamten Einwohnerschaft). Zwischen dem 6. und 16. April 1809 erwarben 277 Berliner Juden das Stadtbürgerrecht. Bis zum Jahre 1812 sollte sich diese Zahl noch auf 330 erhöhen. Die Juden stellten damit drei bis vier Prozent aller Wahlberechtigten in Berlin.

Bis 1812 hatte rund jedes zehnte Mitglied der jüdischen Gemeinde, die in der Hauptstadt etwa zwei Prozent von der Gesamtbevölkerung ausmachte, das Stadtbürgerrecht erworben [41]. Die verhältnismäßig hohe, wenigstens aber angemessene Zahl von preußischen Juden mit Stadtbürgerrechten in Berlin, Breslau und Königsberg (die größten jüdischen Gemeinden des damaligen Preußen) muß als Indiz für die Bereitschaft zur politischen Integration angesehen werden.

Im Westen grenzte Preußen an das von Napoleon als Modellstaat konzipierte Königreich Westfalen, wo die Juden vollständig emanzipiert wurden. Preußens Friedens-Vollziehungs-Kommission berichtete am 21. Februar 1808: »Die wegen der Juden in Westfalen getroffenen Bestimmungen haben in der Tat viel Aufsehen gemacht. Wir wissen nicht, ob ... die Veranlassung dazu (zur Emanzipation) in den von Grund aus geleerten Kassen des Reichs ... gelegen hat«.

Etwa zur gleichen Zeit hatte der König die Ausarbeitung eines Kammerherrn aus Schlesien erhalten, die er an den für die Verwaltung der Provinzen zuständigen Minister Friedrich Leopold von Schrötter zur Kenntnisnahme weiterleitete. In dieser Stellungnahme wurde auf die Veränderungen der Judengesetze in allen an Preußen grenzenden Staaten hingewiesen. Bliebe Preußen in dieser Hinsicht zurück, dann würden seine gebildeten und wohlhabenden Juden in die Staaten auswandern, in denen sie mit vorteilhafteren Regelungen rechnen konnten. Hingegen dürften nach Preußen all die hereinströmen, »welche nur Wucher und Schacher treiben und deren Habsucht alles feil ist«[42].

Daraufhin unterbreitete der Minister dem König am 20. November 1808 eine Vorlage, in der er die vollständige Reform der Judengesetze forderte. Schrötter betonte, daß die Juden in fast allen Nachbarstaaten bürgerliche Rechte erhalten hätten, daneben aber auch den bürgerlichen Pflichten wie dem Militärdienst unterworfen worden wären. »Dies bewirkt ein unaufhaltsames Einströmen der Juden nach Ew. Königlichen Majestät Staaten und vermöge ihrer Verschlagenheit wissen sie die größte Aufmerksamkeit der höheren Schichten zu hintergehen und sich aller Orten, vorzüglich bei den Magistraten ... Unterstützung zu schaffen«. Mit neuen Gesetzen wäre es dagegen möglich, nützliche und reiche Juden zur Einwanderung nach Preußen zu veranlassen, »sie in die Konkurrenz beim Ankauf königlicher Vorwerke zu bringen und dadurch ansehnliche Summen bares Geldes ins Land ziehen«[43].

Steins Nachfolger Altenstein (Finanzminister) und Dohna (Innenminister) zeichneten sich in der Judenfrage ebenso wie in ihrer Politik insgesamt durch gute Absichten und wenig Wirkung aus. Als Politiker war Dohna mehr ein Konservator des Bestehenden als der kreative Umgestalter, den Preußen gerade damals so dringend benötigte. Wegweisendes brachte er in seinem eineinhalb Jahre währenden Ministeramt nicht zustande.

Dies galt auch für das ruhende Emanzipationsprojekt, das Dohna kaum vorantrieb. Zwar mahnte er die damit befaßten Behörden gelegentlich zur Eile, aber wirkliche Aktivitäten waren von ihm selbst in dieser Angelegenheit nicht zu erwarten. Wenn aus dem Innenministerium Impulse kamen, dann waren dafür einzelne Beamte verantwortlich, aber kaum der Ressortchef Dohna selbst.

Aufs Ganze gesehen blieb für die leitenden Beamten des damaligen Innenministeriums eine Beurteilung der Gewerbepolizei im Innenministerium verbindlich: »Achtung läßt sich nicht gebieten. Der Glaube, daß die Juden ein von Gott verworfenes Volk sind, herrscht hoffentlich nur noch unter den niedrigsten Klassen der Christen und muß allmählich durch besseren Unterricht ausgerottet werden. Der Jude wird öffentlich Achtung genießen, sobald er sie verdient«[44].

Der Staat müsse eine solche Entwicklung durch Einschränkung der Handelsberufe und Öffnung der produzierenden Gewerbe beschleunigen. Zu Dohnas Verantwortung für die Rolle seines Ressorts bei der Judenemanzipation kann nur so viel angemerkt werden: Einzelne Beamte hinderte er immerhin nicht daran, für die Gleichberechtigung der Juden einzutreten. Mehr war wie auch auf anderen Feldern von Dohna nicht zu erwarten. »Er blieb im tiefsten Grunde ein Anhänger der alten preußischen Ordnung, die ihm bereits im Lichte romantischer Verklärung erschien.

Sein Kollege Karl Freiherr von Stein zum Altenstein – ein ungewöhnlich gebildeter und belesener Mann – war die stärkere Figur. Im Winter 1804/05 hatte er gemeinsam mit Beyme und Klemens von Metternich, dem damaligen Botschafter und späteren Staatskanzler des Habsburger-Reiches, bei Fichte die Vorlesungen über die »Grundzüge des gegenwärtigen Zeitalters« gehört. »Das Wesen des damaligen Kabinettsrates Beyme hat die neue Wissenschaft nicht wandeln können, an dem Botschafter Metternich ist sie spurlos vorübergegangen; Altenstein dagegen fühlte sich tief ergriffen und er dachte fortan … in den geschichtsphilosophischen Kategorien Fichtes«[45].

Tatsächlich war Altensteins Staatsauffassung in wesentlichen Teilen eine Vereinfachung und Konkretisierung der Ideale seines Lehrers. Fichte hatte in Grundzügen von der Idee gesprochen, die, … wo sie zum Leben durchdringt … eine unermeßliche Kraft und Stärke … (gibt)«. Denn: »Nur aus der Idee quillt Kraft; ein Zeitalter, das der Ideen entbehrt, wird daher ein schwaches und kraftloses Zeitalter sein, und alles, was es noch treibt, und worin es Lebenszeichen von sich gibt, nur matt und siechend … ohne sichtbaren Kraftaufwand verrichten«.

Altensteins berühmte Rigaer Denkschrift »Über die Leitung des Preußischen Staates an S. des Herrn Staatsministers Freiherrn von Hardenberg Exzellenz« vom September 1807 wiederholte dies. Dort übersetzte der Beamte Altenstein die von Fichte betonte Vorrangstellung der Idee in die durchaus zutreffende Aussage, daß sich die untergegangene alte Staatsordnung als kraftloser, weil ideenloser, Mechanismus erwiesen habe. Jetzt könne es nicht bloß um ein Erwecken verschütteter Kräfte gehen.

Denn: »Die Idee des Erweckens ist … (zwar) eine höhere Stufe … (aber nur) Mittel zum Zweck. Sie muß sich beugen vor der höheren Idee der höchsten Kraftäußerung nicht bloß zum Zerstören, sondern zum Schaffen des höchsten Gutes der Menschheit … «Und Preußens Rolle konnte für den Fichte-Anhänger Altenstein nunmehr nur diese sein: »Derjenige Staat, in welchem diese Idee in ihrer vollen Klarheit und Kraft leitendes Prinzip ist …, wird der sein, an welchem Napoleons Kraft brechen und von welchem aus wieder Ruhe in den einzelnen Teilen dieser Erde sich verbreiten wird«[46].

Und in dieser Konstellation: »Ein vorzüglich wichtiger Gegenstand ist die Erziehung und der Unterricht bei den Juden. Alle Versuche, die Juden dem Staate weniger schädlich zu machen, sind vergeblich, wenn sich nicht der Staat eines großen Teils ihrer Erziehung und ihres Unterrichts bemächtigt … Das einzige Mittel, eine Reform zu bewirken, ist die Errichtung von Unterrichtsanstalten... in welchen er (der Jude) so beschäftigt wird, daß er nicht durch den Talmud verbildet werden kann. Wird dabei auf körperliche Anstrengung gesehen und dem Juden die Übernahme aller bürgerlichen Lasten zur Pflicht gemacht, dagegen aber auch …, der freie Gebrauch seiner Kräfte gestattet und nur der gemeine Schacher mit schweren Lasten belegt, so wird sich die Reform von selbst ergeben«.

Daß Altenstein auch Kants Ausführungen zu diesem Thema aufgenommen hatte, bewies er durch die Forderung: »Der Staat soll nichts als Religion anerkennen, was es nicht ist«. Denn auch und gerade im Judentum könne der Staat »… die Bedingung zur Erweckung echter Religiosität nicht ganz gesetzt … (finden)«. Solange aber Preußens mosaische »Sekte«

nicht störend wirkte, sollte man sie auch nicht beschränken. Denn: »Es wäre Vermessenheit, dem menschlichen Geist in Setzung dieser Bedingungen Grenzen vorschreiben zu wollen. Es entwickeln sich in solchen Sekten oft neue Kräfte, und es wird durch sie vorbereitet, was in anderer Form und Gestalt später als gut und richtig anerkannt wird«.

Bezeichnend war der Grund, den Altenstein für diesen Eifer zur Umerziehung der Juden nannte. Hier ging es nicht mehr um abstrakte Prinzipien, sondern um handfestes politisches Kalkül. »In dem jetzigen Augenblick ist die größte Aufmerksamkeit auf die Juden doppelt wichtig, da Frankreich sich ihrer zu bemächtigen sucht«[47].

Rund ein Jahr nach Fertigstellung seiner Rigaer Denkschrift war Altenstein der Finanzminister Preußens. In dieser Position hätte er sein Umerziehungsprogramm an den Juden durchaus erproben können. Dies geschah aber nicht, weil Altenstein trotz des angekündigten Reformeifers kaum mehr zustandebrachte als sein farbloserer Kollege Dohna.

Nur mit einer Leistung durchbrach Altenstein seine hinter kraftvoller Rhetorik steckende Passivität: »Er stellte immer willig die Gelder bereit, die Scharnhorst für den Wiederaufbau des Heeres brauchte«. In der Judenpolitik fiel der Finanzminister eigentlich nur durch ständige Auseinandersetzungen mit den Bankiers auf, die er mit einer Heftigkeit betrieb, wie sie einem Fichte-Schüler wohl angemessen war. Besonders viel hielt sich Altenstein auf folgendes Verhalten zugute: »Schon längst war es einiger hiesigen Juden, die früher Einfluß hatten, Beschwerde, daß sie keinen Zutritt zu mir hätten ... Der Ruf eines Finanzministers muß rein bleiben ...«[48].

Männer wie Stein und Altenstein standen dem rationalen Kalkül der Finanziers – egal ob diese nun Christen oder Juden waren – verständnislos gegenüber. Die Ministerialbürokratie hatte ihre Machtposition gerade ausbauen können, als sie in der Finanzpolitik eine nie zuvor gekannte Machtlosigkeit zur Kenntnis nehmen mußte. In dieser Situation appellierten Beamte wie Altenstein an patriotische Gefühle.

Dabei akzeptierten sie jedoch so gut wie nie, daß ein Bankier, der dies auch bleiben wollte, Soll und Haben keinesfalls mit einer patriotisch getönten Arithmetik berechnen durfte. Deshalb klagte Preußens Beamtenschaft in diesen Jahren fast schon gebetsmühlenhaft, daß sich die unpatriotischen Kriegsgewinnler, die vor allem Juden waren, im Handel und Geldverleih seit 1805/06 gewaltig vermehrt hätten.

Dies waren sinnlose Auseinandersetzungen. Der Staat befand sich mit seiner nicht mehr vorhandenen Kreditwürdigkeit in der schwächeren Position. Bezeichnenderweise stürzte die Regierung Dohna-Altenstein über das damals unlösbare Problem der Tribute an Frankreich und der damit zusammenhängenden Finanzsituation des Staates. Die in Paris am 8. September 1808 fixierte Kontributionssumme belief sich auf insgesamt 120 Millionen Franken. Zur Sicherung dieser Summe hatte Preußen dem französischen Staat 50 Millionen in Wechseln und 70 Millionen in Form von Pfandbriefen übergeben. Die Wechsel waren ab November 1808, die Pfandbriefe ab November 1809 in Monatsraten von vier Millionen Franken abzulösen.

Von den bis November 1809 zu entrichtenden 50 Millionen war jedoch während des Sommers 1809 (Krieg Frankreich Österreich) fast nichts bezahlt worden. Erst ab Oktober 1809 – Österreich hatte gerade in Schönbrunn einen Unterwerfungsvertrag akzeptieren müssen – kam Preußen wieder seinen Verpflichtungen nach. Vom Oktober 1809 bis zum Januar 1810 wurden monatlich 750.000 Franken überwiesen; im Februar schließlich vier Millionen. Napoleon drängte auf Erfüllung des Vertrages und stellte Preußen vor folgende Alternative: Bis Ende des Jahres 1810 vertragsgemäß noch 48 Millionen Franken zu überweisen oder die Abtretung Schlesiens hinzunehmen[49].

Finanzminister Altenstein hielt es freilich für unmöglich, die geforderte Summe aufzubringen. Der Verzicht auf Schlesien schien ihm unvermeidbar. In dieser Situation überstand Preußen dem Druck Frankreichs nur mit Mühe. Auch konnte Schlesien ohne die vollständige Bezahlung der geforderten Summen gehalten werden, weil Napoleon schon seit 1810 an die bevorstehende Auseinandersetzung mit Rußland dachte. In dieser Situation erschien es dem Kaiser wichtig, den angeschlagenen Hohenzollern-Staat als einen einigermaßen leistungsfähigen Verbündeten an seiner Seite zu halten[50].

Anfang Mai 1810 traf sich der Ex-Minister Hardenberg mit dem König. Dabei forderte er kategorisch, die Regierung Altenstein-Dohna zu entlassen, weil sie durch die Bereitschaft zum Verzicht auf Schlesien kompromittiert sei. »Ich legte die Notwendigkeit dar, daß nur ein festeres Verhalten unserem Unglück abhelfen könne. Ich sprach mit der größten Freimütigkeit und Herzensergießung wie über die Sachen, so über die Personen«. Seinen Willen zur Übernahme der Staatsgeschäfte deutete Hardenberg nur an. Lediglich aus Pflichtgefühl verabschiede er sich vom Privatleben. Sollte dies allerdings erfolgen, dann wäre er nicht bereit, nur eine »geheime und indirekte Influenz« auszuüben. Damit mußte der König wissen: »Hardenberg forderte alles oder gar nichts«[51].

Tatsächlich war Hardenbergs Position stark genug, um neuartige Kompetenzen fordern zu können. Nach Steins Sturz und dem bevorstehenden Abgang der Regierung Altenstein-Dohna war er der einzige erfahrene preußische Politiker, dem der König eine kompetente Leitung der Staatsgeschäfte zutrauen konnte. Überdies hatte Napoleon bereits signalisiert, daß er gegen einen preußischen Staatschef Hardenberg nichts einwenden würde.

Bald danach wurde Altenstein entlassen. Hardenberg konnte sich zu Beginn des Monats Juli am Ziel sehen. Er wurde zum Staatskanzler ernannt und besetzte zusätzlich die Ministerressorts Innere Angelegenheiten sowie Finanzen selbst. Der traditionsreiche Titel »Großkanzler«, der bisher dem Justizminister zugestanden hatte, wurde abgeschafft, weil er mit Hardenbergs neuem Rang kollidiert hätte.

Erstmals hatte ein preußischer Minister eine so herausragende Position einnehmen und durch einen besonderen Titel noch unterstreichen können. Hardenberg besaß von nun an eine Machtfülle, zu der es vor ihm im Hohenzollern-Staat keine Parallele gegeben hatte. Und nach ihm sollte erst wieder Bismarck eine vergleichbare Position erringen. Mit Hardenberg übernahm der engagierteste Fürsprecher der Juden unter Preußens Politikern die Macht. Eine zweifellos echte liberale Haltung in jüdischen Belangen war bei dem Staatskanzler von einer auffallenden Hinwendung zu jüdischen Geschäftsleuten nicht zu trennen.

Die Liberalen

Der Einordnung von preußischen Beamten und Politikern als Liberale haftet zweifellos etwas Willkürliches an. Mit der erst später entstehenden liberalen Bewegung wird man diese zeitgebundene Typisierung auch nicht gleichsetzen dürfen. Der Beamtenliberalismus eines Hardenberg sollte nur so zu verstehen sein: Als eine im Gegensatz zu Stein und den Reaktionären stehende Bereitschaft zur Reform der ständisch hierarchisierten Sozialstrukturen.

Die Einsicht, daß Adelsprivilegien, einseitige Belastungen von Bauern und Bürgern durch eine leistungsfähigere Beanspruchung aller Schichten im Sinne des Gleichheitsgedankens ersetzt werden mußten, ging hier relativ weit. Damit hing auch die Überzeugung zusammen, daß die Judenemanzipation erfolgen sollte. Die politischen Wirkungsmöglichkeiten dieser Frühliberalen ergaben sich in der Regel aus ihrer Nähe zum Staatskanzler.

Neben Hardenbergs engsten Mitarbeitern im Staatskanzleramt warteten nun in der Frage der Judenemanzipation vor allem die umgebauten Ministerien des Innern und des Militärwesens mit liberalen Positionen auf. Am deutlichsten galt dies für eine der Größen des deutschen Geisteslebens, den Bildungspolitiker Wilhelm von Humboldt. Er hatte von 1801 bis 1808 als preußischer Gesandter beim Vatikan gearbeitet. Seit 1809 leitete er im Rang eines Geheimen Staatsrats die Kultus- und Unterrichtssektion im Innenministerium. In dieser Funktion gab er während der Emanzipationsdebatten der preußischen Ministerien 1809 die bedeutendste Stellungnahme ab.

Humboldt trat für die umfassende Gleichstellung der Juden ein, weil für ihn eine nur allmähliche Aufhebung der gesetzlichen Beschränkungen in allen danach noch bestehenden Benachteiligungen die prinzipielle Diskriminierung umso deutlicher hervorheben mußte. Dabei ging auch Humboldt von einem Nationalcharakter der Juden aus, der durch »... altväterliche Beharrlichkeit an der Ursitte und merkwürdige Kraft passiven Widerstands« auffiel. Der Staat müßte den Absonderungsgeist der Juden durch Vorsicht bei ihrer Ansiedlung, Zerstörung ihrer kirchlichen Organisationen und Verschmelzung mit der Umwelt beseitigen. Daran knüpfte Humboldt die Ansicht, daß es die beste Gesetzgebung wäre, die die Absonderung der Juden undeutlich, ihre Vermischung mit ihrer Umwelt dagegen deutlich machen würde. Eine überzeugende Gesetzgebung müßte die Juden deshalb in einem Schritt vollständig emanzipieren.

Den Denkfehler aller Fürsprecher einer teilweisen Emanzipation – also auch der Wohlmeinenden – hatte Humboldt verstanden. »Woran soll erkannt werden, daß die Juden der öffentlichen Achtung würdiger sind«, fragte er. Die ironisch gemeinte Antwort: »Gar durch Tabellen, wie viele Juden dieses oder jenes Handwerk erlernt haben, Ackerbauer oder Soldaten geworden sind?« Schließlich: »Wenn nach solchen Äußerlichkeiten die allgemeine Achtung einer ganzen nur unglücklichen Nation abgewogen ... (und) nach ihnen bestimmt werden soll, ob der unbescholtenste Jude nun ein ebenso gültiger Zeuge sein kann als der erste Christ, so ist das, glaube ich, auch mit den schlichtesten Gefühlen von Menschenwürde unverträglich«.

Humboldt sah nur zwei kompromißlos durchzuführende Alternativen. Entweder die vollständige Gleichstellung der Juden mit allen Rechten und Pflichten oder die Ausweisung. »Denn Menschen im Staat zu dulden, die es sich gefallen lassen, daß man ihnen wenig genug traut, um ihnen, auch bei höherer Kultur, die sonst gemäßen Bürgerrechte zu versagen, ist für die Moralität der ganzen Nation im höchsten Grade bedenklich«[52].

Auf die Ansichten Humboldts kam es jedoch in der realen Judenpolitik bald nicht mehr an. Denn noch Ende April 1810, in den letzten Wochen der Regierung Dohna-Altenstein, hatte Humboldt wegen Meinungsverschiedenheiten mit seinem Vorgesetzten Dohna um die Entlassung ersucht. Damit war die politische Karriere Humboldts schon fast beendet. Hardenberg, mit dem ihn eine liberale Haltung nicht bloß in der Judenfrage eigentlich verband, sah in Humboldt einen durchaus ernstzunehmenden Konkurrenten um die politische Macht. Der Staatskanzler schob ihn deshalb bald als Preußens Gesandten in Österreich nach Wien ab. Abgesehen von seiner einmal abgefaßten, wirklich herausragenden Abhandlung kann deshalb von einer politischen Gestaltungsmöglichkeit Humboldts in der Judenemanzipation nicht die Rede sein.

Für das Kriegsministerium legte der als Reformer des Militärs wichtige Gerhard Johann David von Scharnhorst auf eine »möglichst gleichmäßige Behandlung der Juden mit den christlichen Staatsbürgern« Wert, weil ja auch beim Dienst in der Armee die gleichen Pflichten vorgesehen waren. Man sollte sich davor hüten, die Juden bei der Erfüllung dieser neuen Pflichten »... durch Erschwerungen, die den christlichen Staatsbürger nicht treffen, noch saurer und gehässiger zu machen[53].

Für Scharnhorst und die anderen Heeresreformer im Kriegsministerium war die Judenemanzipation bestenfalls ein unbedeutender Detailaspekt der großen Politik. Mehr als eine bloß deklamatorische Zustimmung zu bereits ausgearbeiteten Emanzipationsprojekten konnte von ihnen deshalb nicht erwartet werden. Somit war klar, daß die liberale Position in der Judenfrage nur von Hardenberg durchgesetzt werden konnte.

Der 1750 geborene Freiherr Karl August von Hardenberg stammte aus dem Hannoverschen und schien bereits um 1790 für eine herausragende Karriere prädestiniert. Seit Anfang 1798 amtierte er mit einer Unterbrechung als Außenminister in Berlin. Der große Bruch in seiner Laufbahn begann, als Napoleon in ihm einen Gegner der französischen Hegemonialpolitik erkannte und in Tilsit (Anfang Juli 1807) den Abschluß des Friedensvertrages von Hardenbergs Verbannung abhängig machte. Damit war die Minister-Laufbahn des damals renommiertesten Politikers im Hohenzollern-Staat vorerst beendet. Hardenberg lebte seither fern von Berlin auf seinen Gütern. Von dort betrieb er aber insgeheim seine Rückkehr an die politische Macht.

Der von 1810 bis 1822 als Staatskanzler amtierende Hardenberg blieb in seinen gesellschaftspolitischen Vorstellungen stets der Aufklärung verhaftet. Toleranz und Beseitigung der störendsten ständischen Schranken waren die wichtigsten Prinzipien. Schon während seiner Zeit als preußischer Minister in Ansbach-Bayreuth (1790 bis 1797) hatte er nach diesen Grundsätzen gearbeitet.

In dem Judentum sah der Reformpolitiker eine unterdrückte, aber verbesserungsfähige Gesellschaftsschicht. Angesichts der nach 1806 akuten Gefährdung des preußischen Staates hielt Hardenberg die Reform des Judentums für eine unausweichliche Entwicklung. In seiner 1807 in Riga verfaßten Denkschrift formulierte er den denkwürdigen Satz: »Der Wahn, daß man der Revolution am sichersten durch Festhalten am Alten (ausweichen könnte) ... hat besonders dazu beigetragen, die Revolution zu befördern ...«. Für Preußen wäre erforderlich: »Eine Revolution im guten Sinn, gerade hin führend zu dem großen Zweck der Veredelung der Menschheit, durch Weisheit der Regierung und nicht durch gewaltsame Impulsion von Innen und Außen«.

Damit hatte Hardenberg sein übergreifendes Verständnis von Staat und Gesellschaft in einer Epoche des Wandels entworfen. Über das Schicksal der Juden bestand für den späteren Staatskanzler in diesem großen Entwurf kein Zweifel. Man müßte sie durch »... zweckmäßigen Unterricht ihrer

Kinder und ihre Teilnahme an der Gewerbefreiheit und den bürgerlichen Lasten (verbessern) ... Die größte Aufmerksamkeit verdient die Bemerkung, dass Napoleon ... sich der Juden zu bemächtigen sucht. In ihrer Zerstreuung über die ganze Welt und in ihrem ausgebreiteten Einfluß liegt die Möglichkeit, den seinigen noch auf vielseitige Weise geltend zu machen«[54].

Tatsächlich förderte kein preußischer Politiker die Emanzipation der preußischen Juden so nachdrücklich wie der ab 1810 als Staatskanzler amtierende Hardenberg. Sein neu eingerichtetes Staatskanzleramt war die Zentrale, von der aus der Prozeß der Emanzipationsgesetzgebung gesteuert wurde. Preußens Juden wußten, daß sie bei Hardenberg mit weit mehr Entgegenkommen rechnen konnten als bei den Vorgängern Stein und Altenstein.

Der Weg zum Gesetz

Der Anstoß zur Durchführung des immer noch ruhenden Emanzipationsprojekts kam dann – wie so oft und in so vielen Bereichen während der Reformzeit – von der Finanzsituation des Staates. Denn ab Ende 1810 sollten die Güter aus dem Domänenbesitz der Krone im großen Stil an Privatpersonen verkauft und versteigert werden. Auf jüdische Erwerber wollte Hardenberg dabei nicht verzichten. Hierzu mußte man aber die alten Gesetze beseitigen, die den Juden beim Gütererwerb noch zahllose Beschränkungen auferlegten.

Hardenberg war davon überzeugt, daß man »... die Juden unbedingt den Christen in allen ihren Rechten und Verhältnissen« gleichstellen mußte. Bevor er dies mit einem Gesetzesentwurf ausarbeiten ließ, bat er den König um Zustimmung zu diesem Projekt. Danach gab der Staatskanzler seinem Mitarbeiter Friedrich von Raumer den Auftrag, »über die Reform der Juden, nach den, von seiner Majestät im Allgemeinen gebilligten Ansichten und den verschiedenen Abstimmungen der Behörden das Nötige zusammenzusetzen«.

Danach erfolgte ein Schritt, den es bei diesen internen Debatten der Bürokratie bislang noch nicht gegeben hatte. Erstmals wurde mit David Friedländer auch ein Repräsentant der Judenschaft um seine Stellungnahme gebeten. Friedländer wandte gegen Raumers Entwurf ein: »Und wenn in dem Reformedikt nur der leiseste Verdacht herrschen sollte, der Staat halte die Juden im allgemeinen für lasterhafter als die anderen Untertanen, so geht der ganze Zweck der Reform, d. h. die Veredelung dieser Klasse von Untertanen verloren«.

Unter der Berücksichtigung von Friedländers Darlegungen und Einwänden entwarf Raumer ein neues »Edikt über die künftigen Verhältnisse der Juden« in dem nur noch zwei Benachteiligungen zu finden waren. Das Staatsbürgerrecht wurde von der Bedingung abhängig gemacht, daß die Juden drei Monate nach Verkündung des Edikts einen selbst zu bestimmenden Familiennamen annehmen sollten. Bei der Führung ihrer Geschäftsbücher und allen anderen zum öffentlichen Gebrauch bestimmten Unterlagen hätten sie sich einer geläufigen Sprache in deutschen oder römischen Buchstaben zu bedienen.

Im Schatten dieser Aktivitäten begann sich der Stillstand des Emanzipationsprojekts für den Hohenzollern-Staat jedoch schon negativ auszuwirken. Für die einheimischen Juden hatte man zwar schon 1787 den Leibzoll beseitigt. Alle ausländischen Juden mußten aber, sofern sie nicht zu den Messen in Frankfurt an der Oder reisten, diese Abgabe in Preußen weiter entrichten. Als dann das neue Königreich Sachsen den Leibzoll im Jahre 1811 abschaffte, ließ es ihn für durchreisende Juden aus Preußen weiterhin bestehen.

Die Vorstände der Berliner Judenschaft baten deshalb Hardenberg, sich beim sächsischen Hof für die Beseitigung dieser Diskriminierung einzusetzen. Berlin wurde damit schließlich beim sächsischen Hof vorstellig. Dresden erwiderte, Preußen sollte doch erst einmal den Leibzoll in seinen Gebieten vollständig abschaffen[55]. Einige Monate nach dieser peinlichen Abfuhr intervenierte im September 1811 Frankreich durch seinen Botschafter in Berlin. Das Empire forderte die völlige Abschaffung des Leibzolls für alle Juden, die durch Preußen reisten.

Im Auftrag des Außenministeriums mußte der Polizeichef dazu einräumen, daß die neue Konstitution für die Juden noch nicht erlassen worden wäre. Man müsse ihre Rechtskraft abwarten, weil selbst eine Spezialvorschrift zur Abschaffung des Leibzolls den vorgesehenen Weg durch die Instanzen nicht schneller durchlaufen würde. Es war eine demütigende Situation, in der sich der Polizeichef nicht mehr anders zu helfen wußte, als den Staatskanzler an die Verabschiedung des Judenedikts zu erinnern. »Es kommen sehr oft Fälle vor, in denen der Mangel dieser Konstitution sehr fühlbar wird«, begründete der Beamte.

Preußen, das ja mit seiner Eigenschaft als »Rechtsstaat« stets eine Sonderrolle beansprucht hatte, befand sich in einem denkwürdigen Zustand. Die alten, aber immer noch gültigen Gesetze sollten auf Anordnung des Staatskanzlers nicht mehr angewandt werden. Mit Spezialentscheidungen und Einzelanordnungen wie in der Frage des Erwerbs von Domänengütern hatte man diese Vorschriften auch schon an vielen Stellen durchbrochen. Das neue Gesetz war bereits öffentlich angekündigt und sollte wieder für eine einheitliche Rechtslage sorgen. Da es aber nicht kam, herrschte über die derzeit anwendbaren Vorschriften in jüdischen Angelegenheiten eine völlige Verwirrung.

In dieser Phase der Konfusion und Stagnation meldeten sich auch die jüdischen Gemeinden zu Wort. Bisher hatte sie Hardenbergs Vertrauter, David Friedländer, vertreten. Am 24. Oktober baten die Juden Berlins den Staatskanzler, mit der Bekanntgabe des Edikts ihre »Wiedergeburt baldigst bestimmen zu lassen«. Dieser Initiative schloss sich die Breslauer Judenschaft an[56].

Der Druck zum Abschluß des Emanzipationsprojekts wurde somit so groß, daß sich Hardenberg der Sache wieder annehmen musste. Mitte Dezember erklärte er dem Justizminister, die Überlastung durch andere Aufgaben hätte ihn an einer Durchführung der Angelegenheit gehindert. Angesichts der Notwendigkeit, diese Sache nun endlich abzuschließen, schlug der Staatskanzler die mündliche Klärung der strittigen Punkte durch je einen Vertreter der Behörden vor. Damit näherte sich das Emanzipationsprojekt endlich einem Abschluß. Das Justizministerium formulierte einen Gesetzentwurf, den Hardenberg nach mehreren Änderungen dem König am 6. März 1812 zur abschließenden Besprechung vorlegen konnte.

Friedrich Wilhelm III. stimmte dem Entwurf grundsätzlich zu. Er ordnete jedoch vier Änderungen an. Die wichtigeren Änderungswünsche des Königs betrafen den Heeresdienst und die Zugangsmöglichkeiten zu Staatsämtern. Auf den ersten Blick unterschieden sich diese Neufassungen kaum von den Formulierungen Hardenbergs. Dennoch enthielt der vom König angeordnete und dann gültige Wortlaut wichtige Rückzugsmöglichkeiten, die die preußische Bürokratie später zu nutzen wußte.

Der Staatskanzler sandte das Dokument mit den Änderungen des Königs dem Justizminister zu. Von dort ging es an den König, der es am 11. März 1812 unterschrieb. Das jahrelange Ringen um die staatsbürgerliche Emanzipation der preußischen Juden hatte damit einen Abschluß gefunden. Abgesehen von zwei Einschränkungen in den §§ 9 und 16, die aber erst später auffielen, war das Edikt großzügig ausgefallen. Alle legal in Preußen lebenden Juden konnten das Staatsbürgerrecht erwerben. Sie waren dann den Christen gleichgestellt.

Die jüdischen Gemeinden begrüßten das Gesetz mit begeisterten Huldigungen. Die Vorstände der jüdischen Gemeinde Berlins erschienen persönlich beim Staatskanzler, um ihren Dank und ihre Ehrfurcht zu bezeugen.

Für Danksagungen war Hardenberg in der Tat der richtige Adressat. Kein anderer preußischer Politiker hat die Emanzipation so entschlossen wie der Staatskanzler vorangetrieben. Das Ergebnis – ein Kompromiß, in dem Hardenberg seine Vorstellungen nicht ganz verwirklicht finden konnte – war in erster Linie ihm zu verdanken. Und wenn es schon bald zu Einschränkungen und ungünstigen Auslegungen dieses Kompromißergebnisses kam, dann war es meist der Staatskanzler allein, der solchen Tendenzen Widerstand leistete.

In der Judenfrage stand Hardenberg für einen seltenen Liberalismus. Wo Preußens Bürokratie in Anbetracht der von Herder, Kant und Fichte ausgelösten Tendenzwende schon viel Toleranz bewies, wenn sie hier einen widerwilligen Reformkurs einschlug, wollte der Staatskanzler nichts weniger als die vollständige Gleichberechtigung. Daß dies nicht gelang, war nur ein Randproblem.

Als viel gravierender sollte sich die schwache Basis der Emanzipation erweisen. Denn neben Hardenberg wollten dieses Projekt nur wenige Beamte, vor allem seine Mitarbeiter in dem neu gegründeten Staatskanzleramt, wirklich zum Abschluß bringen. Hardenberg handelte in der Emanzipationsfrage, weil er wußte, daß Preußen nur mit einem umfassenden Reformprogramm gerettet werden konnte. Neben der Heeresreform und außenpolitischen Aspekten standen vier Bereiche im Mittelpunkt seiner Überlegungen:

- Wiederherstellung der staatlichen Zahlungsfähigkeit und Kreditwürdigkeit. Noch im Frühjahr 1810 hatte der Justizminister einen staatlichen Teilbankrott erwogen.
- Schaffung rechtssicherer Verhältnisse.
- Partizipation und Engagement der Bevölkerung.
- Förderung der Wirtschaft.

Von der Lösung dieser Aufgaben erhoffte sich Hardenberg seine »Revolution in gutem Sinn«. Denn: »Das ist unser Ziel, unser leitendes Prinzip«. Die neue Gesellschaft beschrieb der Staatskanzler mehrmals, unter anderem in einer Rede am 23. Februar 1811: »Das neue System ... beruht darauf, daß jeder Einwohner des Staates persönlich frei, seine Kräfte auch frei entwickeln und benutzen könne, ohne durch die Willkür eines anderen daran behindert zu werden; daß niemand einseitig eine Last trage ... daß die Gleichheit vor dem Gesetz einem jeden Staatsuntertan gesichert sei ...«[57].

Hardenberg ließ nie einen Zweifel daran aufkommen, daß dieses politische Manifest auch für die preußischen Juden gelten mußte. Gleichwohl wäre es naiv, unter den Motiven des Staatskanzlers für die Judenemanzipation nur solche Gedankengänge anzugeben. Denn eine weniger prinzipienfeste Beziehung zu den preußischen Juden ergab sich aus Hardenbergs Verschwendungssucht und der Unfähigkeit, seine persönlichen finanziellen Verhältnisse zu ordnen[58].

Hardenberg und seine erste Frau, eine Gräfin von Reventlow, lebten ständig über ihre Verhältnisse. Die erforderlichen Gelder konnten sie nur durch eine zunehmende Belastung ihrer Güter aufbringen. Als es dann 1787/88 zur Scheidung kam, mußte Hardenberg auf den angeheirateten Besitz verzichten und den größten Teil der Schulden übernehmen. Der spätere Minister und Staatskanzler Preußens stand damit vor dem Bankrott –

ebenso übrigens wie sein späterer zeitweiliger Verbündeter, der Fürst von Wittgenstein, der etwa zur gleichen Zeit mit dubiosen Finanzprojekten in Hessen gescheitert war.

In den Jahren vor 1800 drohte Hardenberg die völlige Vernichtung seiner aussichtsreichen Laufbahn. Nur ein glücklicher Zufall verhinderte diesen Untergang. Der braunschweigsche Hofjude Herz Samson, dessen Familie auch den Landesherrn mit Geld ausstattete, stellte Hardenberg eine so hohe Summe zur Verfügung, daß die Gläubiger befriedigt werden konnten.

Finanzielle Probleme plagten Hardenberg auch später noch. Erst im Staatskanzleramt konnte er sich völlig sanieren. »Die Macht besaß ja noch eine andere Anziehungskraft auf ihn. Er brauchte sie, um mit den Mitteln, die nur sie an die Hand gibt, die Blöße seiner stets am Rande des Bankrotts wandelnden Vermögensverhältnisse zu decken«. Hardenbergs ständige Geldsorgen hatte zuvor meist ein Bekannter aus der braunschweigschen Zeit gemildert.

Dieser Helfer war Israel Jacobson, einer der wichtigsten Fürsprecher der Emanzipation in Westfalen und Preußen, Reformator des Judentums, einer der reichsten Männer in Deutschland zu seiner Zeit und überdies der Schwiegersohn des bereits genannten Herz Samson. Tatsächlich setzte Hardenberg das Emanzipationsprojekt ja auch in Absprache mit zwei prominenten Juden durch; mit Israel Jacobson und David Friedländer[59]. Im Februar 1811 beispielsweise drängte Jacobson den Staatskanzler zur Durchsetzung der Emanzipation, weil Preußen stets »...die Fackel der Aufklärung« getragen habe.

Über diese Verbindung wußte Amalie von Beguelin, mit der Hardenberg ein Verhältnis hatte, folgendes zu sagen: »Diese Hilfe in der Not vergaß der Kanzler später nicht und vergalt sie dem Geschlecht durch die in Preußen bewilligten Freiheiten«[60]. Damit war eine durchaus zutreffende Kritik am Verhalten des Staatskanzlers geäußert. Denn neben ehrenwerten Motiven und herausragenden Leistungen gab es bei Hardenberg tatsächlich auffallende Unkorrektheiten. Und neben der nach außen hin demonstrierten fraglos aufrichtigen Absicht, die Juden zu emanzipieren, gab es hinter den Kulissen eine persönliche Zusammenarbeit mit jüdischen Geschäftsleuten.

Damit klingt auch schon das Dilemma der ersten Judenemanzipation m Preußen an, die in erster Linie durch das Betreiben des Staatskanzlers zustande gekommen war. Hardenberg hielt an den Traditionssträngen fest, die der Freiherr vom Stein hatte kappen wollen, die aber für die Geschichte der Hoffinanz so kennzeichnend waren. Der Verkauf von Ämtern und Staatsaufträgen war in legalen ebenso wie in illegalen also mit Korruption zusammenhängenden Formen eines der wichtigsten Finanzinstrumente des absolutistischen Staates im 17. und 18. Jahrhundert[61]. Da ein Kreditsystem nicht existierte, lag es für die Beamtenschaft nahe, sich die Vorfinanzierung zu erwartender Staatseinnahmen durch den Verkauf der Einnahmequellen zu sichern.

Wo es wie in Preußen einheimische Finanziers und Unternehmer kaum gab, rückten die Juden als ersatzweise herangezogene Experten mit internationalen Verbindungen fast automatisch in diese Funktionen, damit in die Nähe zum Staat. Daß man sie in einer Epoche des Wandels besonders dringend benötigte, ist hier beschrieben worden. Daß sie dies als Geschäftsleute, deren Existenz in jeder Beziehung von ihrem Kredit abhing, auch für sich selbst zu nutzen wußten, kann man ihnen genauso wenig wie christlichen Unternehmern vorwerfen.

Die Emanzipation wurde in Preußen ausgesprochen, weil es der liberale, auf Hardenberg verpflichtete Teil der Bürokratie, vor allem aber der Staatskanzler selbst, so wollte und eine katastrophale Situation zu grundlegenden Reformen zwang. Sobald aber die Bedrohung durch Napoleon nachließ, wurde der von Hardenberg entfachte Reformeifer nicht mehr benötigt.

Und worauf konnte dann ein wegen seiner Skandale im Privatbereich sowieso schon angeschlagener Hardenberg seine politische Existenz noch stützen? Sicherlich auf seine Verdienste und Leistungen. Aber auch dies nur mit dem Vertrauen des Königs, der sich, je mehr Napoleon als das historische Ereignis einer zu Ende gegangenen Epoche am Horizont der Realität versank, desto stärker den wieder zu Ehren kommenden Vertretern der preußischen Reaktion zuwandte. Hardenbergs unsichere Machtposition hatte die Königin Luise schon 1807 in ihren Briefen beschrieben. »Der König hängt an sanfter ehrerbietiger Form sehr, und darin ist Hardenberg einzig«[62].

In dieser sich während der Restauration rasch auflösenden Legitimationswolke sollte sich auch die Geschichte der preußischen Reformen und damit auch die der ersten Judenemanzipation in Preußen verflüchtigen. Und dies war das Drama dieser Gleichberechtigung dieser Minderheit: Daß hinter ihr wegen der Tendenzwende im Denken der Deutschen kein überzeitlich gültiges Prinzip wie der Toleranzgedanke mehr stand, sondern bald nur noch ein vergreisender und an Macht verlierender Staatskanzler als Repräsentant der schon nicht mehr populären Aufklärung und des noch nicht populären Frühliberalismus in Preußen.

X RESTAURATION

1814 war eine der stürmischsten Perioden der europäischen Geschichte vorüber. Über mehr als zwei Jahrzehnte hatten dramatische Veränderungen den Kontinent erschüttert und die Staatsgrenzen umgepflügt. Die Juden waren dabei nur ein Thema am Rande gewesen. Immerhin: Auch für sie und insbesondere für die Juden in den deutschen Territorien hatte es große Veränderungen gegeben. Aber: Welchen Stellenwert hatte dies? Vor allem: Vermochte dies eine künftige Richtung zu bestimmen? Und wenn ja: welche?

Um 1780 hatte die Achsenzeit der Judenemanzipation begonnen. Wie so vieles hing dieser Prozeß mit der Französischen Revolution und Napoleon zusammen. Die Länderkarte Europas nahm ein völlig verändertes Aussehen an. Große Teile West- und Mitteleuropas gehörten entweder direkt zum Territorium Frankreichs oder waren dessen Vasallenstaaten. Ein Gebilde wie Bayern hatte sich im Fahrwasser Napoleons zu einer beachtlichen Monarchie ausgedehnt. Im Westen und Norden war aus einer ganzen Reihe eigentlich unbedeutender Landstriche das Königreich Westfalen entstanden, Napoleons Modellstaat für Deutschland.

Dieses Durcheinanderwürfeln von Landesstücken bescherte Staaten wie Bayern und Württemberg einen gewaltigen Zuwachs an Einwohnern, darunter natürlich auch Juden. Die alten, sowieso schon überholten Verfassungen paßten für diese völlig neuen oder veränderten Staaten nicht mehr. Weil es hier um die Modernisierung und Vereinheitlichung der Verwaltung ging, wurden allenthalben neue Gesetzeswerke entworfen[1].

Mit diesen allgemeinen rechtspolitischen Reformen kamen mehr oder weniger vollständige Emanzipationsgesetze für die Juden. Wie für die Kodifikationen ganz allgemein war auch für diesen Teilbereich der Politik in den deutschen Teilstaaten der französische Einfluß bestimmend. Den französischen Juden hatte schon die Nationalversammlung der Revolution eine vollständige Gleichberechtigung zugestanden. Diese Regelung galt dann auch für die seit 1797 zu Frankreich gehörenden linksrheinischen Gebiete[2].

Napoleon, der sich die Juden vorwiegend als Wucherer und betrügerische Händler vorstellte, drängte diese umfassende Form der Judenemanzipation jedoch wieder in den Hintergrund. Er erließ im März 1808 ein neues

Reglement, das bald als »décret infâme« bezeichnet wurde. Dieses Gesetz erlaubte den französischen Juden Kreditgeschäfte und Handelstätigkeiten nur noch unter strengen Auflagen. Dennoch: Trotz dieser Behinderungen und Diskriminierungen war Napoleons décret immer noch großzügiger als die meisten der Emanzipationsgesetze, die die deutschen Staaten etwa zur gleichen Zeit erließen[3].

In dem 1807 von Napoleon gegründeten Vasallenstaat Westfalen emanzipierte Westfalens König Jérôme Bonaparte, der Bruder des Kaisers, die Juden nach dem inzwischen von Napoleon abgelehnten Muster der 1791er Nationalversammlung Frankreichs vollständig. Im Grundsatz blieb dies bestehen. Dieses nur wenige Jahre existierende Königreich sollte in seiner wirtschaftlichen und sozialen Entwicklung zeigen, wie sich das bonapartistische Frankreich eine grundlegende Modernisierung in seinem Herrschaftsbereich vorstellte[4].

Die Vorgehensweise gegenüber den Juden im Zusammenhang mit größeren Modernisierungsprojekten gab Aufschluß darüber, wie weit ein Land bei der Renovierung seiner gesellschaftlichen und politischen Verfassung gehen wollte oder auch konnte. Fühlte es sich wie das revolutionäre Frankreich und – wenn auch in einer anderen Interessenlage – das Königreich Westfalen der Gleichheit aller Staatsbürger verpflichtet, dann war es konsequent, dieses Prinzip auch auf eine Minderheit wie die Juden zu übertragen.

Wollte man aber wie insbesondere die deutschen Territorialstaaten im Süden die soziale Hierarchie nicht umbauen, sondern nur den aktuellen Erfordernissen vorsichtig anpassen, dann war bloß eine Emanzipation möglich, die differenzierte, indem sie den Juden weniger Rechte als den christlichen Einwohnern zubilligte. Diese Differenzierungen stellte man sich als erzieherisch und zeitlich begrenzt vor[5].

Diese erzieherische und differenzierende Emanzipation war das Raster, nach dem alle deutschen Staaten – mit Ausnahme des Königreichs Westfalens – die Reform ihrer Judengesetze in Angriff nahmen. Dies führte zu Erziehungsgesetzen, die dort, wo sie den Juden etwas gaben, auch eine Art Gegenleistung erwarteten. Das preußische Edikt paßte nicht in dieses Schema. Wesentlich großzügiger als die Gesetze Bayerns, aber infolge einiger Beschränkungen auch nicht so umfassend wie das des Königreichs Westfalen, hielt es eine Art Mittelposition.

Teils revolutionär, teils evolutionär, ansatzweise egalitär mit partiellen Differenzierungen, gestand Preußen seinen Juden 1812 mehr zu als das Gros der deutschen Staaten. Zum Zeitpunkt seines Erlasses war das Edikt des Hohenzollern-Staates als eines der umfassendsten Emanzipationsgesetze in Mitteleuropa anzusehen[6]. Was daraus wurde, stand im Kontext der Restauration.

Mit dem in Paris am 30. Mai 1814 abgeschlossenen Friedensvertrag hatten die Siegermächte unter die Ära Bonapartes einen Schlußstrich gezogen. Napoleon mußte abdanken und nach Elba ins Exil gehen. Von dort flüchtete er aber in den letzten Februartagen des Jahres 1815, um mit einer Handvoll von Getreuen das französische Festland zu betreten. Nachdem ihm die Stadt Lyon einen triumphalen Empfang bereitet hatte und sich ihm Soldaten ebenso wie Offiziere zur Verfügung stellten, war klar: Napoleon begann in Frankreich wieder die Macht zu übernehmen.

Eine der ersten Bemerkungen Napoleons nach seiner Landung in Frankreich hatte gelautet: »Der Kongress ist gesprengt«. Diese Annahme war nicht zutreffend. Der Wiener Kongreß setzte seine Tätigkeit über die nächsten Monate fort. Die juristische Kommission arbeitete die rechtliche Formulierung der verschiedenen Abmachungen aus, die dann, neun Tage vor der Schlacht bei Waterloo, in der Schlußakte zusammengefaßt wurden.

Am 18. Juni 1815 war die Episode von der zweiten Herrschaft Napoleons vorbei. Frankreich hatte bei Waterloo verloren. Napoleon dankte ab und betrat am 15. Juli in Rochefort das englische Schiff Bellerophon, das ihn nach St. Helena brachte. Eine der wichtigsten Fragen, die die Siegermächte im Rahmen des Wiener Kongresses lösen mußten, betraf die Neuordnung Deutschlands. Sollte Deutschland durch eine Zentralregierung oder in einer lockeren Föderation geleitet werden? Was sollte mit Napoleons Vasallenstaaten geschehen? Wie konnte Preußens alter Besitzstand wieder hergestellt werden? Und schließlich die im Zusammenhang damit fast automatisch entstehende Frage am Rande: die Zukunft der Emanzipation der Juden in den einzelnen deutschen Staaten.

Deutschland mit seinen 36 souveränen Territorialstaaten und einer Handvoll freie Städte überzog ein buntes Kaleidoskop von Judengesetzen. Die meisten Varianten dieser Gesetze waren als Erziehungsmaßnahmen gedacht. Zu der Emanzipation der Juden in den deutschen Territorialstaaten die folgende Übersicht.

Die Judenemanzipation in den deutschen Territorialstaaten[7]

Anhalt-Bernburg	Seit 1. 1. 1810: Juden mit bürgerlichen Gewerben; theoretisch gleichberechtigt.
Anhalt-Dessau	Schutzverhältnisse.
Anhalt-Köthen	28. 12. 1810 (bestätigt 24.10.1812): Theoretische Gleichberechtigung aller Untertanen.
Baden	31. 1. 1809: Theoretische Staats- (aber nicht Gemeinde-)bürgerrechte; keine Amtsberechtigung.

Bayern	10. 6. 1813: Staatsbürgerrechte theoretisch eingeführt; praktisch aber durch Matrikelordnung eingeschränkt; in der bayer. Pfalz durch décrêt infâme (Moralitätsgesetz) bis 1850.
Braunschweig	1808-14: Westfäl. Emanzipation; danach administrative Beschränkungen d. westf. Status, juristischer Status in der Schwebe.
Bremen	Vor 1814: Franz. Emanzipation; 1816 wieder außer Kraft gesetzt.
Frankfurt a.M.	28. 12. 1812: Emanzipation; seit 1815 wieder abgeschafft.
Hamburg	Vor 1814: Franz. Emanzipation; seit 1816 wieder außer Kraft gesetzt.
Hannover	Vor 1814: Westfäl. Emanzipation; dann bis 1842: Schutzverhältnisse und ab 30. 9. 1842: Bürgerrechte ohne politische Rechte.
Hessen-Darmstadt	Verf. 1820 und Verordnung 1821: selektive Orts- und Staatsbürgerrechte; in Rheinhessen bis 1848: Teile des décret infâme gültig.
Hessen-Kassel	Vor 1814: Westfäl. Emanzipation; 1816: selektive Staatsbürgerrechte. 1833: Staatsburgerrechte aufgrund der Verfassung von 1831.
Hohenzollern, Hechingen und Sigmaringen	Schutzbriefe und Schutzgelder.
Holstein und Lauenburg	Nur in einzelnen Städten geduldet (u. a. Altona).
Lippe-Schaumburg, Lippe Detmold	Schutzbriefe und Schutzgelder.
Lübeck	Vor 1814: Franz. Emanzipation; seit 1816 abgeschafft.
Mecklenburg-Schwerin, Mecklenburg-Strelitz	Schwerin: 1813-17: Judengesetz nach preuß. Muster; dann Schutzverhältnis mit Verbesserungen 1842, 1847. Strelitz: Schutzverhältnis; dann »Recognitionsgeld« für Kultuszwecke.
Nassau	Vor 1814: Westfäl. Emanzipation; nach 1815: Schutzjudentum.
Oldenburg	Birkenfeld: 1818 Aufhebung des décrêt infâme u. teilsweise Emanzipation. Übriges Gebiet: Schutzgenossenschaft bis 1827 (14. 8.): Konzession mit theoret. Staatsbürgerrecht auf den 1. Sohn vererbbar.

Preußen	Altpreußen: 1808: Lokalbürgerrechte. Gesetz v. 11. 3. 1812: Staatsbürgerrechte mit Einschränkungen. Neue Gebiete: 22 Judenordnungen, Juli 1847 im Judengesetz vereinheitlicht. In Posen von 1833 bis 1848: spezielle Gesetze.
Königreich Sachsen	Juden nur in Dresden (und in Leipzig zur Messe) zugelassen.
Sachsen-Weimar	Verordnung 20. 6. 1823: theor. Staats- und Lokalbürgerrecht (Nachtragsges. 6. 5. 1833).
Schwarzburg-Sondershausen	28. 2. 1815: Konzessionierte Staatsbürger; gewerbl. Einschränkungen.
Thüringische Staaten	Judenleer oder persönl. Schutzbriefe. In Meiningen: individuelle Einbürgerung ohne Lokalrechte.
Waldeck	1814: Staats- und Lokalbürgerrechte versprochen; 1817 abgeschafft.
Württemberg	25. 4. 1828: Erziehungsgesetz, das Orts- u. Staatsbürgerrechte für Kandidaten mit produktiven Berufen versprach.

Unabhängig von den unterschiedlichen Regelungen in den einzelnen Territorien fällt in dieser Übersicht schon auf: Vor 1810 (also noch unter der Herrschaft Napoleons) erlassene Emanzipationsgesetze wurden nach 1815 wieder abgeschafft oder zumindest eingeschränkt. Schon vor den Verhandlungen im Rahmen des Kongresses hatte dafür in einem anderen Zusammenhang den Ausschlag gegeben: Die deutschen Staaten wurden übereinstimmend als unabhängig, aber als durch eine föderative Verbindung geeint bezeichnet. Damit war absehbar, daß die Regelung innenpolitischer Punkte wie die Stellung der jüdischen Einwohner im Belieben der einzelnen Staaten selbst standen[8].

Die Teilnehmer des Wiener Kongresses waren entschlossen, die von Napoleon gegründeten Großherzogtümer Berg und Frankfurt ebenso wenig bestehen zu lassen wie das Königreich Westfalen. Auch für die Hansestädte, die Napoleon Teilen seines untergegangenen Empire zugeschlagen hatte, mußte eine neue Definition gefunden werden. In all diesen Ländern galten Emanzipationsgesetze, die eine inzwischen als illegitim angesehene Staatsmacht gegen den Willen der nun wieder rechtmäßigen Magistrate und Fürsten erlassen hatte. Dies nahmen vor allem die Hansestädte und Frankfurt zum Anlaß, um eine Rückkehr zu den alten Judengesetzen zu fordern.

Dagegen versuchten Preußen und Österreich (Metternich, Hardenberg und Wilhelm von Humboldt als Botschafter Preußens in Wien), die Judenemanzipation auf dem Wiener Kongreß für alle deutschen Territorien durchzusetzen. Dahinter stand die Annahme, daß die Hindernisse in den

Einzelstaaten nur mit einer einheitlichen Lösung für Deutschland überwunden werden konnten.

Die Übertragung des preußischen Edikts von 1812 auf Deutschland insgesamt gelang aber nicht. Metternich und Hardenberg scheiterten vor allem an dem Widerstand der freien Städte. Preußens Staatskanzler Hardenberg konnte das 1812 in einem verkrüppelten Staat durchgesetzte Edikt keineswegs auf ganz Deutschland übertragen. Mehr noch, das Edikt wurde nicht einmal in den neu hinzugekommenen preußischen Territorien rechtskräftig.

Als die Territorialstaaten in Wien auf ihrer Souveränität bestanden und die von den abgesetzten Regierungen stammenden Emanzipationsgesetze beseitigten, war Hardenbergs Absicht gescheitert. In die Bundesakte vom 8. Juni 1815 kam bloß noch folgender Passus: »Die Bundesversammlung wird in Beratung ziehen, wie auf eine möglichst übereinstimmende Weise die bürgerliche Verbesserung der Bekenner des jüdischen Glaubens in Deutschland zu bewirken sei. Und wie in Sonderheit denselben der Genuß der bürgerlichen Rechte gegen die Übernahme aller Bürgerpflichten in den Bundesstaaten verschafft und gesichert werden könne. Jedoch werden den Bekennern dieses Glaubens bis dahin die ... von den einzelnen Bundesstaaten bereits eingeräumten Rechte erhalten«.

Der erste Teil dieser Kompromißlösung enthielt nichts Konkretes. Der Verweis auf die Bundesversammlung bedeutete nicht viel. Da sich in der deutschen Frage die föderative Lösung durchgesetzt hatte, die den rund 40 Mitgliedstaaten des Deutschen Bundes ihre Souveränität beließ, konnte jedes Land die Judenfrage nach eigenem Gutdünken behandeln. Der zweite Halbsatz hatte ursprünglich die Formulierung enthalten: »... jedoch werden den Bekennern dieses Glaubens bis dahin die denselben in den einzelnen Bundesstaaten bereits eingeräumtes Rechte erhalten«[9].

Das Wörtchen »in« tauchte aber in der endgültigen Fassung nicht auf. Auf Betreiben Hannovers – früher ein Teil Westfalens – hatte man es durch »von« ersetzt. Diese kleine Veränderung verstanden die neuen legitimen Herren der früheren Vasallenstaaten Napoleons zu nutzen. Sie interpretierten »von« dahingehend, daß nur die Maßnahmen Bestand haben sollten, die von legitimen Regierungen erlassen worden waren. Da die abgesetzten Regierungen Satellitenstaaten als illegitim galten, konnten deren Emanzipationsgesetze ohne weiteres beseitigt werden.

Für die Juden, die selbst Napoleons décret imfâme noch als Fortschritt angesehen hatten, war dies ein schwerer Rückschlag. Denn dort, wo die Restauration der alten Ordnung gelang, lebten auch die alten Judengesetze in einer bestenfalls nur leicht modernisierten Form wieder auf. Über ganz Deutschland spannte sich somit ein diffuses Mosaik aus unterschiedlichen Judengesetzen.

Im Süden trat bezüglich der Emanzipation der Juden Stillstand oder Rückschritt ein. Die Beamten machten die Zukunft der Emanzipation von

Erziehungsfortschritten abhängig. Man forderte die Besserung der Juden als Anerkennung für die von den Staaten durchgesetzten Verbesserungen. Für die Gesetze und die Verwaltungspraxis war die Absicht der Korrektur der Juden kennzeichnend. In Baden sprach sich der Landtag dafür aus, daß die Juden einen Teil ihrer religiösen Bräuche aufgeben sollten, wenn sie Staatsbürger werden wollten.

Die teilweise oder vollständige Rücknahme der Emanzipationsgesetze, wie sie sich nach 1815 allenthalben beobachten ließ, stand im Zusammenhang mit der restaurativen Atmosphäre dieser Jahrzehnte. Fortschrittsfeindlichkeit und reaktionäre Zielsetzungen fanden ihren deutlichsten Ausdruck in der von den Herrschern Preußens, Rußlands und Österreichs 1815 gegründeten Heiligen Allianz, der später fast alle christlichen Staaten Europas beitraten. Das Christentum war für die Politik wieder bestimmend geworden. Dies beinhaltete auch die Vorstellung vom Gottesgnadentum der Herrscher sowie die Rückkehr des schon für überholt gehaltenen ständischen Ordnungssystems.

In Preußen standen der Emanzipation die Vorstellungen von einem christlichen Staat im Wege. Im Süden hingegen trugen die Regierungen eher den Interessen der Landbevölkerung und der städtischen Handwerker Rechnung. Im liberalen Baden gab es für Juden nicht mal das Ortsbürgerrecht. Eheschließungen und Freizügigkeit waren in Bayern, Österreich oder Frankfurt stark eingeschränkt. Hannover, Sachsen und Mecklenburg zeichneten sich durch antiquierte Regelungen aus.

Ausgerechnet der Hohenzollern-Staat fiel nach dem Wiener Kongreß durch die mißratenste Regelung der Judenfrage auf. Preußen, das Napoleon noch auf die vier Provinzen Brandenburg, Pommern, Ostpreußen und Schlesien reduziert hatte, wurde bei der Neuordnung des Kontinents mit gewaltigen territorialen Gewinnen bedacht. Der Staat, der früher vorwiegend in den Osten expandiert hatte, war durch den neuen gebietsmäßigen Zuwachs, der vor allem im Westen lag, stärker als je zuvor in das geografische Zentrum der deutschen und mitteleuropäischen Politik eingebunden. Fraglich war nun, welche Judengesetze in den neu erworbenen Territorien gelten sollten[10].

Mit diesen Zugewinnen war eine enorme, überaus wichtige Veränderung der Wirtschafts- und Sozialstruktur verbunden. Der im wesentlichen immer noch durch den Agrarbereich geprägte Staat, der für die bald einsetzende Industrialisierung schlecht gerüstet war, erhielt die neben Schlesien wirtschaftlich am weitesten entwickelten Gebiete in Deutschland. Preußens Aufstieg zur industriellen Großmacht sollte vor allem in diesen neuen Regionen erfolgen.

Gerade diese Zugewinne waren ursprünglich nur als Kompensationen gedacht. Denn Preußen wurde im Westen befriedigt, weil sich eine Wiederherstellung der alten Gebietshoheit im Osten gegen die Ansprüche Rußlands nicht durchsetzen ließ. Auch mit dem Ziel, das Königreich Sachsen dem Hohenzollern-Staat anzuschließen, hatte Hardenberg in Wien keinen Erfolg.

Der wirkliche Lenker der europäischen Politik in diesen Jahrzehnten, Österreichs Staatskanzler Metternich, zog folgenden Weg vor: Preußen im Westen gegen Frankreich positionieren, ein reduziertes Sachsen als Pufferstaat für Habsburgs Böhmen gegen Preußen erhalten und Rußlands Gebiet schließlich zu Lasten von Preußens Ansprüchen im Osten auf der Linie Danzig-Oberschlesien auslaufen lassen.

Deshalb erhielt Preußen im Westen den größten Teil des ehemaligen Königreichs Westfalen. Im Osten wurde Hardenberg durch einen Vertrag mit Rußland (3. Mai 1815) lediglich Westpreußen mit Danzig und den westlichen Teil der ehemaligen Provinz Südpreußen zugestanden. Aus diesen Territorien und dem Netzedistrikt (Bromberg) wurde das Großherzogtum Posen (später Provinz Posen genannt) gebildet[11]. Innerhalb kurzer Zeit war Preußens Staatsgebiet damit neuerlich verändert worden.

Durch die Neuordnung des Kontinents im Sinne Metternichs wurde Preußens Gebietsstand um rund vierzig Prozent auf 278.000 Quadratkilometer vergrößert. Noch erheblicher war die Zunahme der Einwohnerschaft: Statt vorher 4,5 Millionen zählte Preußens Bevölkerung nun über 10,3 Millionen Menschen[12].

Diese wechselvolle Entwicklung hatte dem nach 1815 neu formierten Staat ein uneinheitliches Konglomerat von Ländern mit völlig unterschiedlichen Verfassungs- und Verwaltungsvorschriften beschert. Für Preußens Politiker und Beamte stellte sich damit die Frage der Vereinheitlichung. An dem Punkt der Judenemanzipation als Teil dieser Vereinheitlichungspolitik kam es zu negativen und formaljuristisch begründeten Antworten.

Ursprünglich war tatsächlich geplant, die Judengesetze in den neues Gebieten durch das preußische Emanzipationsedikt zu ersetzen. Aber im Jahre 1816 wurde in den Ministerien nicht mehr dieser Punkt diskutiert. Vielmehr ging es um die Frage, ob in den vier Provinzen, für die die Emanzipation unzweifelhaft erlassen worden war, eine partielle Aufhebung eben dieser Emanzipation in Angriff genommen werden sollte. Zwar unterblieb eine solche Revision der Judenpolitik vorerst. Aber damit war schon klar, dass eine räumliche Ausdehnung der in den Stammländern bereits gefährdeten Gleichstellung der Juden nicht erfolgen würde.

Preußens Zentralbürokratie nahm die geografische Restriktion des Edikts von 1812 in der Folgezeit mit Einzelerlassen vor. So wies das Innenministerium am 3. Januar 1817 die Beamten einiger Teile Posens darauf hin, daß die bereits bestehenden Judengesetze angewandt werden sollten. Über das Edikt von 1812 würde erst noch verhandelt. Das Ergebnis wäre abzuwarten. Die »jetzt bestehende Verfassung mit der Verwaltungsordnung in den Landschaften Culm, Thorn und Michelau« habe man »bis auf weitere Anweisung« als gültig anzusehen[13].

Tatsächlich verfuhren Preußens Beamte bis zum Erlaß des hier angesprochenen allgemeinen Gesetzes mit Einzelanordnungen deren Inhalte meist identisch waren: Die Judenemanzipation galt nur für die preußischen Gebiete von 1812 Damit war die Zahl der preußischen Staatsbürger jüdischen Glaubens automatisch auf die schon 1812 emanzipierten Juden beschränkt.

Diese restriktive Politik wurde vom König am 8 August 1830 schließlich bestätigt. Die Anordnung des Königs ließ keinen Zweifel mehr zu, »...daß das Edikt vom 11 März 1812 nur in denjenigen Provinzen, in welchen es bei seiner Entlassung publiziert worden, gelten« (sollte), in den neuen und wieder erworbenen Provinzen dagegen ... (nicht als eingeführt angesehen werden soll). Vielmehr in Hinsicht der Verhältnisse der Juden lediglich nach denjenigen Vorschriften geachtet werden soll, welche bei der Besitznahme dieser Provinzen vorgefunden worden sind«[14].

Die Frage nach dem Geltungsbereich des Edikts von 1812 war entschieden. Der Staat hatte 1815 Gebiete gewonnen, in denen völlig unterschiedliche Gesetze für die Juden galten. Da zudem kaum eine Provinz bei dem Stand von 1812 belassen worden war, konnte selbst in den einzelnen Departements von einheitlichen Regelungen keine Rede sein.

Bis weit in das 19. Jahrhundert hinein galten in Preußen ab 1815/16 insgesamt 22 verschiedene Reglements für die Juden[15]. Diese unterschiedlichen Getzeswerke lassen sich in drei Hauptgruppen einteilen.

1. Das Edikt von 1812

Es galt nur für die vier Provinzen Mark, Schlesien, Pommern und Ostpreußen

2. Westfalen

Hier hatte das Innenministerium bestimmt, daß es bei den Judengesetzen, die vor dem Jahr 1807 bestanden hatten, bleiben sollte. Deshalb war in dieser Region ein besonderes Durcheinander kennzeichnend. Selbst innerhalb der drei Regierungsbezirke Arnsberg, Minden und Münster gab es voneinander abweichende Regelungen [16].

a) Arnsberg

In den ehemaligen Landkreisen beziehungsweise in deren Teilen Arnsberg, Brilon, Iserlohn, Olpe und Soest waren die Juden Schutzverwandte, die für ihr Aufenthaltsrecht noch bis 1832 Schutzgelder entrichten mußten. Für die ehemalige Grafschaft Wittgenstein galt theoretisch noch eine Polizeiordnung aus dem Jahre 1563, die die Juden für vogelfrei erklärt hatte. In der Praxis wurden die Juden hier aber immerhin wie Schutzverwandte behandelt. In den zum Bezirk Arnsberg gehörenden Gebieten des ehemaligen

Großherzogtums Berg wurde Bonapartes Emanzipationsgesetz zwar übernommen. Aber die preußischen Behörden höhlten es in der Folgezeit aus.

b) Minden

Hier galt eigentlich noch das Emanzipationsgesetz aus der Zeit König Jérômes. Es wurde in der Praxis durch Einzelerlasse entwertet.

c) Münster

In dem früher zu Frankreich gehörenden Teil wurden zwar Napoleons Toleranzgesetze von 1808 beibehalten. Die politischen Bürgerrechte der Juden strich man aber. Im bergischen Teil Münsters waren die Juden Schutzverwandte.

3. Posen

Diese Provinz war ein Teil des von Napoleon gegründeten Großherzogtums Warschau gewesen. Den Code Napoleon und das décret infâme hatte man dort wohl im Juli 1807 eingeführt, die partielle Emanzipation Bonapartes aber schon im Folgejahr für die Zukunft aufgeschoben. Damit waren die Juden Polens auf einen Status der Rechtlosigkeit zurückgeworfen. Dieser Zustand wurde erst im Jahre 1833 durch ein Gesetz beseitigt, das die Juden Posens in Naturalisierte (eine Zwitterstellung aus Emanzipierten und Schutzjuden) und nicht Naturalisierte (bloß Tolerierte) einteilte[17].

In den neuen Gebieten Preußens konnte somit von einer wirklichen Emanzipationspolitik nicht die Rede sein. Das Staatsbürgerrecht stand im Prinzip nur denen zu, die es schon 1812 unter preußischer Herrschaft erworben hatten. Wo ein derartiges Recht von einer anderen Landesherrschaft stammte, galt es noch zu klären, ob dieses Recht weiterbestehen konnte. In jedem Fall konnte es sich aber nur um ein teilweises Recht handeln. Denn wichtige Teile der Staatsbürgerschaft wie die Möglichkeit, öffentliche Ämter auszuüben, waren den Juden verwehrt[18].

Wäre es nach dem Willen Hardenbergs gegangen, hätten nicht bloß alle Juden Preußens, sondern auch die der anderen deutschen Staaten die aus der Emanzipation von 1812 folgenden Bürgerrechte erhalten. Die reale Politik hatte jedoch zur Folge, daß die große Mehrheit der preußischen Juden bestenfalls mit zweifelhaften Bürgerrechten ausgestattet war.

Was den gesamten Vorgang für die Juden so prekär machte, war die Tatsache, daß sich Preußens Politiker mit ihrer restriktiven Anwendung des Edikts von 1812 im formaljuristischen Sinne durchaus korrekt verhielten. Die Bundesakte und ihr schwammig gehaltener Artikel 16 konnten kein Hindernis sein.

Die westfälischen, rheinischen und polnischen Gebiete hatte Preußen von Vasallenstaaten Napoleons, illegitimen Regierungen also, übernommen Wie der Hohenzollern-Staat hier mit den vorgefundenen Judengesetzen verfuhr, stand in seinem Belieben. Die in der Bundesakte ausgesprochene Bestandsgarantie für die Emanzipation der Juden konnte nur dort wirksam werden, wo eine legitime Regierung die entsprechenden Gesetze erlassen hatte. Ein Zwang, derartige Rechte in jedem Fall zu respektieren oder durch Ausdehnung des ursprünglichen Geltungsbereichs tatsachlich zu gewähren, ergab sich aus der Bundesakte nicht.

Wie Preußens Zentralbürokratie vorgehen wollte, sollte sich an der wichtigen Frage des Militärdienstes, der laut § 16 auch für die Juden verbindlich war, bald zeigen. Bei den großen Mobilmachungen von 1813 für den abschließenden Kampf gegen Napoleon hatte die Regierung allen Einrückenden als Dank für ihren Dienst im Heer eine spätere Bevorzugung bei der Anstellung im Staatsdienst versprochen. Der König selbst sicherte im Februar 1813 jedem Soldaten ohne Unterschied eine den Leistungen entsprechende Beförderung zu. Ferner sollte jeder Dienende einen Anspruch auf die vorzugsweise Übernahme in den Zivildienst haben.

Von Sondervorschriften oder Ausnahmen für die neuen jüdischen Staatsbürger war dabei nicht die Rede. So durften die preußischen Juden glauben, daß die Zusagen des Königs auch für sie – jedenfalls nach ihrer Bewährung im Heer – gelten sollten. Diese Bewährung zeigten sie während der Befreiungskriege durchaus. Preußens Judentum stellte in den Jahren 1813 bis 1815 mehr als 730 Soldaten (Eine Bewertung dieser Zahl ist schwierig, weil nicht klar ist, aus welchen Territorien diese Soldaten stammten).

Abgesehen von dieser Sachlage, liegen zahllose Äußerungen von Zeitgenossen vor, die eine Bewertung dieses Komplexes ermöglichen. Hardenberg bescheinigte den jüdischen Soldaten eine »treue Anhänglichkeit« an den Staat. Er verwies auf Beispiele von besonderer Tapferkeit und würdigte die kameradschaftliche Haltung gegenüber christlichen Soldaten[19].

Selbst der eher bei den Reaktionären anzusiedelnde Theodor Heinrich von Rochow (preußischer Innenminister 1834–42) ließ noch im Jahre 1841 den König wissen daß die Juden »... den ihrer Nation häufig gemachten Vorwurf« der mangelnden Eignung zum Heeresdienst »... wenigstens in der Allgemeinheit widerlegt« hätten. Deshalb wäre ihnen »ein politisches Recht« zuzusprechen, »... das sie mit ihnen (den christlichen Untertanen) in dem edelsten Berufe der Verteidigung des Vaterlandes gleichstellt«.

Angesichts ihrer militärischen Leistungen mußten folglich die jüdischen Soldaten später eigentlich genauso behandelt werden wie die christlichen. Hardenberg bestätigte dies noch im Mai 1815 ausdrücklich als der jüdische Bankier Jakob Levi für seinen Sohn eine Anstellung beim Staat erbat Der Staatskanzler schrieb dem Vater: »Seine Anstellung beim Kriegskommissariat hat ... kein Bedenken, da er im Kriege wider Frankreich gedient hat mit Bezug auf die allgemeine Königliche Zusicherung, nach welcher sämtliche Freiwillige ohne Rücksicht auf ihr Glaubensbekenntnis einen Anspruch auf die Anstellung im Dienste des Staates haben, insofern sie sonst dazu qualifiziert sind«[20].

Mit dieser Sicht stand Hardenberg in der preußischen Bürokratie jedoch schon nahezu allein. Die Fachministerien und ihre Verwaltungsbehörden hatten bereits einen anderen Weg eingeschlagen. Jüdische Soldaten wurden grundsätzlich von Staatsämtern ausgeschlossen. Im April 1815, also schon vor dem Antwortschreiben des Staatskanzlers an den Bankier Levi, hatte das Finanzministerium einem freiwillig eingerückten Soldaten die bereits auf der Versorgungsliste notierte Position verweigert. Der Grund: Nach der Zusage hatte sich die Zugehörigkeit des Kandidaten zum Judentum herausgestellt.

Die preußischen Minister verständigten sich gegen ihren Vorgesetzten Hardenberg auf die Position, daß Juden generell, auch die also, die sich in der Armee bewährt hatten, für den Staatsdienst nicht geeignet wären. Den Widerspruch, der sich damit zu den Versprechungen des Königs auftat, lösten die Beamten mit einer formaljuristischen Konstruktion. Das Edikt von 1812 mit seiner negativen Aussage zu Juden als Staatsbeamte wurde als das Spezialgesetz interpretiert, vor dem allgemeine Normen wie die Verordnung des Königs vom Februar 1813 und das Wehrgesetz von 1814 zurücktreten müßten.

Der Sieg der restaurativen Partei war schließlich so vollständig, daß im Juni 1816 alle jüdischen Beamten in der preußischen Monarchie ihre Positionen aufgeben mußten. Selbst für diejenigen, die in den westlichen Provinzen von den Franzosen schon vor Jahren eingesetzt worden waren, gab es keine Ausnahmen. Hardenberg vermochte seine Position nicht mehr durchzusetzen. Er resignierte schließlich und zog sich darauf zurück, daß die Juden »durch irgendeinen Mangel ihrer Qualifikation« vom Staatsdienst ausgeschlossen wären«[21].

Universitätsabsolventen

An der exponiertesten Stelle der preußischen Judenpolitik – dort, wo man das Versprechen des Königs und das Eintreten des Staatskanzlers als eine Garantie zur Gleichbehandlung verstehen mußte – war das Schicksal der Judenemanzipation in den nächsten Jahrzehnten entschieden. Das Edikt von 1812 selbst wurde zwar noch nicht angetastet. Aber indem man seinen räumlichen Geltungsbereich begrenzte und inhaltlich über die Auslegung aushöhlte, erreichten Preußens Reaktionäre und Restaurateure ihr Ziel: Die Judenemanzipation als einen unliebsamen Akt aus früheren Zeiten der Not erscheinen zu lassen, den es jetzt, in einer besseren Zeit, zumindest sinngemäß zu revidieren galt.

Der König selbst, der stets mehr ein dumpfer Konservator der Tradition als ein aktiver, gar nach vorne gerichteter Gestalter war, ging nun mit seiner restaurativen Einstellung gleichgesinnten Politikern und Beamten voran. In dieser Konstellation konnte die Aushebelung weiterer Vorschriften des Emanzipationsedikts nicht lange auf sich warten lassen. Sie richtete sich gegen jüdische Universitätsabsolventen.

Einer der bedeutendsten unter ihnen, der junge Jurist Eduard Gans, hatte im Mai 1821 bereits eineinhalb Jahre auf eine Antwort der Universität Berlin gewartet. Es ging um ein Habilitationsgesuch, das Gans wie jeder andere, der sich für die Professorenlaufbahn qualifizieren wollte, im Dezember 1819 gestellt hatte. Dem Gesuch legte Gans sein schon 1819 erschienenes »Obligationsrecht« bei[22]. Neben dieser an den Kultusminister Altenstein adressierten Sendung hatte der Bewerber sein Werk auch an Friedrich Carl von Savigny geschickt, damals der führende Rechtswissenschaftler der Universität Berlin.

Das Kultusministerium ließ von der juristischen Fakultät dieser Universität ein Gutachten über Gans erstellen, an dem natürlich Savigny mitwirkte. Gans' »Obligationsrecht« wurde negativ beurteilt, als »in der Hauptsache gänzlich mißlungen und ohne Gewinn für die Wissenschaft«. Zudem kritisierten die Professoren den Ton, »in welchem der Verfasser über die würdigsten Gelehrten sehr häufig urteilt«.

Daß hinter diesem ablehnendem Votum wohl mehr als bloß die Beurteilung der Qualität des Gansschen Werkes stand, zeigte der letzte Abschnitt des Gutachtens. Denn dort gaben die Verfasser zu bedenken, ob ein Jude wie Gans für eine öffentliche Anstellung überhaupt in Frage kommen konnte. Damit hatte die Fakultät angedeutet, daß sie Juden nicht zum Lehrkörper zulassen wollte, was das Ministerium auch so verstand.

Als das Habilitationsgesuch unbearbeitet liegen blieb, mußte Gans wissen, daß Savignys Stimme hierfür den Ausschlag gegeben hatte. Denn dieses mächtigste und angesehenste Mitglied der juristischen Fakultät hatte sich schon früher als dezidierter Gegner des Judentums zu erkennen gegeben.

Friedrich Carl von Savigny, der die historische Rechtsschule in Deutschland gründete, stand der Romantik nahe. Wie Achim von Arnim, den er sehr schätzte, war er mit einer Schwester von Clemens Brentano verheiratet. Für Savigny war vor allem der Einfluß Herders bestimmend. »Alles politische Dasein erschien ihm gebunden an die Gestalten der geschichtlichen Nationen. Sie seien Individuen eigener Prägung ... Im Volksgeist komme die Nation dann sich selbst zum Bewußtsein. Der Lebensraum dieses Volksgeistes aber sei die Geschichte. Kein Zeitalter lebe für sich, es sei die Fortsetzung des Vergangenen«[23].

Savigny, dessen Vorlesungen in Berlin während insgesamt 74 Semestern wohl nicht weniger als 10.000 Studenten hörten, schrieb 1816 in der von ihm gegründeten und geleiteten »Zeitschrift für geschichtliche Rechtswissenschaft«: »Vollends die Juden sind und bleiben uns ihrem inneren

Wunsch nach Fremdlinge, und dies zu verkennen, konnte uns nur die unglückseligste Verwirrung politischer Begriffe verleiten; nicht zu denken, daß diese bürgerliche und politische Gleichstellung, so menschenfreundlich sie gemeint sein mag, dem Erfolg nach nichts weniger als wohltätig ist, indem sie nur dazu dienen kann, die unglückselige Nationalexistenz der Juden zu erhalten und womöglich noch auszubreiten«[24].

Der Jude Gans, der ein rationaleres, auch liberaleres Gesetzes- und Staatsverständnis vertrat, mußte Savigny hier als Repräsentant einer Rechtsphilosophie erscheinen, die nicht, wie das Herdersche Ideal es vorschrieb, vor historisch gewachsenen Strukturen verharrte, vielmehr deren jederzeitige Veränderbarkeit als Sinn der politischen Existenz begriff.

Wie sonst sollte ein Jude in einem christlichen Staat, an einer christlichen Universität Professor werden dürfen? Es war somit allen und ganz besonders Gans klar, warum sich Savigny über die Bewertung der Arbeit von Gans hinaus der Vorstellung eines jüdischen Professors als Kollegen prinzipiell widersetzt hatte[25].

Nachdem Gans so lange Zeit keine offizielle Stellungnahme zu seinem Antrag erhalten hatte, sandte er am 3. Mai 1821 dem Kultusminister Altenstein seinerseits ein Gutachten. Darin begründete er sein Recht auf Zulassung zur Professorenschaft mit dem § 8 des preußischen Emanzipationsedikts. In einem Begleitschreiben hierzu führte Gans aus: »Ich gehöre zu der unglücklichen Menschenklasse, die man haßt, weil sie ungebildet ist, und die man verfolgt, weil sie sich bildet«.

Die Zentralbürokratie entschied den Fall grundsätzlich und, wie nicht anders zu erwarten war, negativ. Eine Königliche Kabinettsorder hob die §§ 7 und 8 des Emanzipationsedikts auf. Die Unterzeichnung der entsprechenden Verordnung war eine der letzten Amtshandlungen des schon dem Tode nahen Staatskanzlers Hardenberg. Mit seiner Signatur stand die kategorische Aussage fest, daß es eine »Anstellung des Doktors Gans als außerordentlicher Professor der Rechte« nicht geben konnte[26].

Durch diese »Lex Gans« wurde allen Juden in Preußen die Universitätslaufbahn verschlossen. Sie konnten zwar weiterhin alle Studienfächer belegen. Staatsprüfungen durften sie jedoch nicht ablegen. Nicht einmal zur Anwaltskammer wurden jüdische Rechtskandidaten zugelassen, weil, so die Begründung, hierfür eine staatliche Approbation erforderlich war. Wieder einmal zeigte sich, daß Preußens Bürokratie von den jüdischen Bürgern zwar die Angleichung an die Kultur der Umwelt forderte, aber selbst bei erfolgter Annahme dieser Kultur über das Merkmal der Religionszugehörigkeit nicht hinwegsehen wollte.

Resigniert schrieb der zeitgenössische Historiker Isaak Markus Jost über das Schicksal des Judentums: »Die Wissenschaftlichen finden glatterdings keine Laufbahn und nur die Taufe rettet sie für die Menschheit. Befördern wir nicht die Handwerke, so geht unsere ganze folgende Generation zum

Christentume. Und mit Recht, was soll sie an die Religion ihrer Väter fesseln? ... Unsere Kinder leben in einer anderen Welt, sie haben keinen Grund, ihre ganze Existenz zu opfern, um Juden zu heißen, während sie es doch nicht sind ...«[27].

Diese Sätze sind nicht nur als resignierende Klage eines Zeitgenossen zu verstehen. Was sich hier zudem ausdrückt, ist die Tragik des Judentums im 19. Jahrhundert insgesamt. Wenn nämlich Juden glaubten, dass sie nur die Zugehörigkeit zur jüdischen Religions- und Kulturgemeinschaft an der wirklichen Zugehörigkeit zur Umwelt hinderte, wie ihnen diese christliche Umwelt immer wieder vorhielt, dann mußten sie letztendlich doch erkennen, daß selbst die Lösung von der jüdischen Kultur ihnen den »Makel« des Judentums nicht zu nehmen vermochte. Erst die Taufe und die damit verbundene vollständige Lossagung vom Judentum vermochte aus Mitgliedern des Staatsverbandes minderer Qualität Vollbürger zu machen[28].

Auch Eduard Gans, dem späteren Begründer der rechtsvergleichenden Wissenschaft in Deutschland, blieb diese Einsicht trotz seines selbstbewußten, wenngleich vergeblichen Pochens auf die Bestimmungen des Emanzipationsedikts nicht erspart. Er ließ sich Ende 1825 in Paris taufen. Bald nach diesem Schritt wurde er dann in Berlin zum Extraordinarius ernannt.

In den Jahren 1815-1847 sollte nur ein Jude, ohne zum Christentum überzutreten, an einer preußischen Universität als Professor oder Dozent unterkommen. Dies war Hardenbergs Leibarzt und Protégé David Ferdinand Koreff, der für seine Verdienste um das preußische Sanitätswesen 1817 zum Professor für Medizin an die Berliner Universität ernannte wurde. Als aber die Professorenschaft der Hochschule dagegen opponierte, musste Koreff zum Christentum konvertieren.

Professoren, die dem Judentum entstammten, waren wie Gans, dessen Nachfolger auf dem Lehrstuhl, Friedrich Julius Stahl, oder der Religionswissenschaftler Johann August Neander unter Preußens Hochschullehrern nur als Christen denkbar. Erst im Juli 1847 entschloß sich die preußische Regierung zu einer Lockerung der »Lex Gans«[29].

Bis dahin und darüber hinaus galt die Feststellung des Magdeburger Rabbiners und Herausgebers der Allgemeinen Zeitung des Judentums, Ludwig Philippson: »Man hatte den Juden alle Pforten, die in den Tempel der Wissenschaft und der geistigen Ausbildung führen, geöffnet, aber alle Pforten, die aus diesem Tempel in das Leben führen zu gedeihlicher Wirksamkeit und fröhlicher Anerkennung, verschlossen, dicht verschlossen«[30].

Den Schlüssel hierzu hielt die mit dem König verbundene Restaurationspartei, die auch im Kabinett des Staatskanzlers machtvoll vertreten war. Dem langsam, aber kontinuierlich an Macht verlierenden Hardenberg waren die zwei wichtigsten Mitglieder dieser Restaurationspartei bestens bekannt. Denn beide verdankten ihre Karriere in erster Linie ihm, der sich als Staatskanzler seine Minister nach Belieben hatte aussuchen können. Und beide – den Innenminister Kaspar Friedrich Schuckmann ebenso wie den für das Ressort der Justiz zuständigen Friedrich Leopold von Kircheisen – hatte Hardenberg überdies schon während seiner Ministertätigkeit in Ansbach-Bayreuth gefördert[31].

Schon am 30. August 1816 wurden Juden vom Patronat über Kirchen ausgeschlossen. Im April 1831 entzog man den 51 jüdischen Gutsherren die sich eigentlich aus dem Grundeigentum ergebende patrimoniale Gerichtsbarkeit. Abgeordnete in den Provinzialständen durften Juden schon seit 1823 nicht mehr werden. Im August 1841 verbot schließlich eine Kabinettsorder jüdischen Rittergutsbesitzern das Tragen von Uniformen – »für preußisches Empfmden eine Deklassierung bis in den Grund«.

Auch Magistratsämter gab es für Juden nach einer Revision der Städteordnung von 1808 nicht mehr. Von den Bürgermeistern wurde seit 1831 ausdrücklich das christliche Religionsbekenntnis gefordert. Bei all diesen Einschränkungen der Emanzipation war Schuckmann die treibende Kraft. Die Gesuche heimkehrender jüdischer Soldaten auf Übernahme in den Staatsdienst lehnte der Innenminister regelmäßig ab. Denn: »Nur den qualifizierten Freiwilligen ist vorzügliche Berücksichtigung der Beförderung in den Staatsdienst zugesichert. Die Juden sind aber nach dem Gesetze zum Staatsdienst nicht qualifiziert«[32].

Diese Ansicht wurde, wie schon beschrieben, zur herrschenden Meinung. In seinen Ressentiments ließ sich Schuckmann auch nicht mehr durch jüdische Soldaten beirren, die das Eiserne Kreuz erhalten hatten. »Denn der Mut, den dieser Orden bezeichnet, ist nicht die einzige Tugend, die zum Staatsdienst nötig ist, und haben wir nur erst Ausnahmen, so ist es dem savoir faire des Volkes zuzutrauen, daß sie in weniger Zeit zur Regel werden«[33].

Bei seinen Initiativen zur Einschränkung der Emanzipation konnte sich Schuckmann stets auf die Unterstützung des Ministerkollegen Kircheisen verlassen. In der Judenfrage entwickelte der von 1810 bis 1825 als Justizminister amtierende Kircheisen in Zusammenarbeit mit Schuckmann und mit Rückendeckung des Königs großen politischen Ehrgeiz. Hier ging es ihm darum, das christliche Religionsbekenntnis wieder zum entscheidenden Punkt für das Staatsbürgerrecht zu machen.

Der König hatte eine Judenemanzipation als Teil von Hardenbergs allgemeiner Reformpolitik nur solange mitgetragen, wie der Staat vom politischen und finanziellen Bankrott bedroht war. Als dieser Druck entfiel, wurde der Monarch zum wichtigsten Alliierten von Restaurateuren wie Schuckmann und Kircheisen. Der Ausschluß der jüdischen Soldaten vom Staatsdienst, ein krasser Widerspruch zu der selbst gegebenen Zusage, ging auch auf Friedrich Wilhelms III. eigenen Wunsch zurück.

Varnhagen von Ense kommentierte den Niedergang des Staatskanzlers: »Inzwischen haben andere ihm den Zugang zur höchsten Wirksamkeit umsponnen, und er kann nicht mehr, was er früher gekonnt und gewollt ...«[34]. Die Minister Schuckmann und Kircheisen, die in den Fragen der Emanzipation der Juden ihre wirklichen Vorstellungen mühelos gegen ihren eigentlichen Vorgesetzten durchsetzten, hatte Hardenberg noch wenige Jahre zuvor mühelos in Schach halten können.

Die Tatsache, daß diese beiden mittelmäßigen Bürokraten auch in der Emanzipation der Juden, ein Teilaspekt der Politik, dem geschicktesten und erfolgreichsten preußischen Politiker dieser Zeit so deutlich den Rang ablaufen konnten, beleuchtet schlaglichtartig den Defekt der gesamten Reformpolitik. Sobald sich der König den Reaktionären anschloß, hatte der Staatskanzler keine Machtbasis mehr.

Namensgebung

Wie tief für Friedrich Wilhelm III. der Graben war, der das Judentum vom christlichen Europa trennte, belegt sein Verhalten in der Namensgebung. Ausgangspunkt hierfür war die Tatsache, daß Juden keine Familiennamen führten. Sie hatten nur Rufnamen, an die sie den Namen des Vaters mit dem Zusatz »ben« (Sohn) hängten. Moses Mendelssohn war deshalb nur die deutsche Version des Originals Moses ben Mendel (= Moses Sohn des Mendel).

Für die Namensführung hatte das Edikt von 1812 angeordnet, daß jüdischen Antragstellern die Bürgerrechte nur dann erteilt wurden, wenn sie einen wirklichen Familiennamen hatten. Diese Namensführung konnte seitens der Juden freiwillig durch Heranziehung des Namens des Vaters erfolgen oder in Form der Entscheidung für eine völlig neue Bezeichnung. Traf ein Jude in Preußen die Entscheidung für den eigenen Namen nicht, so konnte ihm die Bürokratie eine Bezeichnung ihrer Wahl zuordnen.

Zum Herbst des Jahres 1812 hatten sich fast alle Juden des damaligen Preußen schon für eine eingetragene Benennung entschieden. In Berlin wählten von den hierfür betroffenen 1.175 jüdischen Einwohnern 325 einen gänzlich neuen Familiennamen. Rund zwei Drittel unter den 1.175 entschieden sich dafür, den Namen des Vaters offiziell als Familiennamen anzunehmen. Typisch jüdisch-alttestamentarische Namen wurden modifiziert, wobei Juden an dem ersten Buchstaben des ursprünglichen Namens oft fest hielten. Aus Moses wurde dann Moser oder auch Moritz; aus Aaron beispielsweise Anton, aus Abraham Adalbert, Albert oder Albrecht.

Die später als so typisch angesehenen Namen wie Rosenbaum, Bernstein, Rubinstein, Birnbaum, Edelmann, Goldstein, Karfunkelstein oder Rosenthal waren meist in dieser Zeit entstanden. In vielen Fällen hingen sie damit zusammen, daß Juden, die die deutsche Sprache nur unzulänglich beherrschten, von Beamten ein willkürlich gewählter Name zugewiesen wurde. War der Beamte antijüdisch eingestellt, konnte es zu Namen wie Abfall, Afterduft, Fleischfresser oder Kanalgeruch kommen. Für Beamte war es ein Spaß, schlecht deutsch sprechenden oder armen Juden solche Namen zu verpassen. Generell entstanden damals fünf Kategorien von jüdischen Namen: Namen von Vätern (Davidson), Berufsnamen (Perlmann), Eigenschaftsnamen (Fröhlich), Herkunftsnamen (Berliner) oder Willkürnamen (Goldberg).

Auch die Tiernamen von Juden wie Katz oder Hirsch entstanden um diese Zeit. Sie waren auf die so genannten Hausschilder zurückzuführen. Da es damals keine Straßennamen und Hausnummern gab, führte der Weg zu einer Adresse über bildhafte Schilder mit einem Tier oder einer Farbe. Wer beispielsweise in einer Stadt wie Frankfurt am Main nach dem Juden Moses suchte, hatte Schwierigkeiten, weil es mehrere Juden mit diesem Namen gab. Aussichtsreicher war es, nach dem Juden Moses zum grünen Schild zu fragen.

Dies bedeutete, daß der Gesuchte in einem Haus wohnte, an dem ein grünes Schild angebracht war. Der Name Rothschild, einer der bekanntesten jüdischen Namen überhaupt, ging auf ein solches Hausschild zurück. Fast alle Farbnamen wie Blau, Grün oder Braun leiteten sich ursprünglich von diesen Schildern ebenso ab wie Stern, Traub(e) oder Schiff. In Preußen hatten Juden die Möglichkeit, deutlich dem Alten Testament entlehnte Vornamen in neutrale zu ändern. Deshalb hießen ab 1812 beispielsweise zehn Berliner Juden nicht mehr Moses, sondern Moritz, Moser oder Martin[35].

Das Zurückdrängen der Emanzipation als ein Teilbereich der Reformpolitik erfolgte im Sinn der generellen Fortschrittsfeindlichkeit, die für diese Epoche der Restauration typisch war. Die Juden wie insbesondere ihre Gleichberechtigung ohne Ansehen des konfessionellen Unterschiedes waren für den christlichen Staat der altständischen Konservateure und Restaurateure Symbole einer verhassten Modernität.

Wollte man den Weg in die Modernität wieder abbrechen und zur alten Ordnung zurückfinden, dann sollte dies auch die Juden betreffen, indem sie wieder zu minderberechtigten Staatsbewohnern gemacht werden sollten. In einer offenen und radikalen Form wollte dies die Bürokratie in einem Rechtsstaat wie Preußen nicht unternehmen. Deshalb zog sie es im Bunde mit dem König vor, die Emanzipation durch Interpretation der Gesetze und eine gegen die Juden gerichtete Verwaltungspraxis auszuhöhlen.

Die Legitimation der Reformen, damit auch die der Judenemanzipation, hatte von Anfang an an ihrer ausschließlich defensiven Zielrichtung, der Überwindung der Notlage nach 1806, gekrankt. Als es diese Notlage nicht mehr gab, gab es auch für lange Zeit nichts mehr, was Reaktion und Restauration am Zurückdrängen der Reformen hindern konnte. Das neue, dezidiert restaurative Staats- und Gesellschaftsverständnis hatte schon in dem Beitritt zur Heiligen Allianz seinen Niederschlag gefunden.

Im Bunde mit Rußland und Österreich hatte sich der Hohenzollern-Staat am 26. September 1815 auf die feierliche Anerkennung Jesus Christus' als Oberhaupt nicht nur der religiösen, sondern auch der weltlichen Gesellschaft verständigt. Mit dieser Rückkehr zu theokratischen Tendenzen, wie sie noch das Mittelalter geprägt hatten, verpflichteten sich die weltlichen Herrscher, als bloß noch bevollmächtigte Stellvertreter Gottes ihre Macht im Sinne des Christentums auszuüben[36].

Diese Verpflichtung nahm Preußens Friedrich Wilhelm III. ernst, woraus sich die Diskriminierungen der preußischen Juden fast schon von selbst ergaben. Denn in diesem restaurativ-ständischen, christlichen Staats- und Gesellschaftsverständnis war für preußische Staatsbürger jüdischen Glaubens schlechterdings kein Platz. Über den nur wenige Jahre progressiv geführten Staat hatte sich ein schwerer Vorhang aus Beharrung und Idealisierung der Vergangenheit gesenkt.

An die Stelle von Hardenbergs Planifikation der Zukunft, die insbesondere auf die Erstellung eines zeitgemäßen Verfassungswerks gezielt hatte, war die Administration der Gegenwart mit einer gewollten Rückkehr zu den für maßgeblich erachteten Aspekten der Vergangenheit gerückt. Die Judenemanzipation sah man in diesem Zusammenhang als übereilten Akt, den eine von neumodischen Ideen beherrschte Regierung bei ihrer Suche nach zusätzlichen Finanzquellen erlassen hatte.

Eine Weiterführung der Emanzipation war erst wieder vorstellbar, als auch die preußische Restauration von der in ganz Deutschland aufkommenden liberalen Bewegung zurückgedrängt wurde. Die vollständige Emanzipation der Juden war in der Regel ein Teil der Forderungen, die die Liberalen zur Modernisierung von Staat und Gesellschaft stellten. Diese Forderungen konnten die Machthaber aber noch bis zur Revolution von 1848 abwehren.

XI ROMANTIK UND REAKTION

Die politische Macht und das ideologische Arsenal der Restauration waren gewaltig. Zugute kam ihr der sich in diesen Jahren in Deutschland entwickelnde Denkstil – ästhetisierende Romantik, weit ausholende Geschichtsphilosophie mit religiöser und reaktionärer Verbrämung.

Schon vor der Niederlage Preußens bei Jena und Auerstedt hatte sich in der Tradition Hamanns und Herders eine frühromantische Bewegung gebildet, die sich damals aber noch mit einer schwunglosen Ästhetisierung der Vergangenheit begnügte. Was diese Bewegung bald an Durchschlagskraft gewann, hatte sie ihrem Zusammengehen mit der Aristokratie zu verdanken.

Der Adel opponierte gegen Hardenbergs Reformpolitik. Er fand in der Romantik einen Bundesgenossen, der das, was die Altständischen nur als dumpf ablehnendes Murren zur Sprache bringen konnten, mit literarischem Schliff ausstattete. Ausgangspunkt des Ganzen war auch hier Napoleon, der das geschlagene Preußen in den Ruin trieb. Der Hohenzollern-Staat mußte sich erneuern. Diese Erneuerung war jedoch ohne eine Revision der Adelsprivilegien und eine Aufwertung der Untertanen zu Bürgern undenkbar.

Auf die von Hardenberg unternommenen Versuche zur Reform reagierten Adel und Romantik mit einem Rückgriff auf die Vergangenheit. »Die Romantik wird ständisch und das altständische Denken wird romantisch«[1]. Modernes Verständnis von der Machbarkeit sozialer Beziehungen und politischer Organisationen prallten auf ein rückwärtsgewandtes Idealisieren überkommener Verhältnisse. Die Judenfrage stand zwischen diesen beiden Polen.

Liberalen wie Hardenberg galt die 1812 verkündete Emanzipation der Juden als sinnvoll, wenn man zu einer leistungsfähigen und in die Zukunft weisenden Gesellschaftsform kommen wollte. Reaktionären wie Friedrich August von der Marwitz ging es dagegen um eine Zukunft, die sich so wenig wie möglich von der Vergangenheit unterscheiden sollte, von der hauptsächlich der Adelsstand profitiert hatte.

Für eine Emanzipation von Juden gab es in diesem an die Scholle und an das Herkommen gebundenen Gesellschaftsverständnis keinen Grund.

Mehr noch, die Juden waren, wie man dann an der Emanzipation zeigte, Nutznießer einer Moderne, die vor allem darin bestand, daß sie die immobilen Werte des Bodens durch den Vorrang des mobilen Kapitals ersetzte.

Der preußische Widerstand gegen die Moderne und die mit ihr gleichgesetzte Revolution hatte seinen ersten und wichtigsten Gewährsmann in Edmund Burke gefunden. Burke hatte in seinen »Betrachtungen über die Französische Revolution« schon alle Gedanken und Argumente ausgebreitet, die den Konservativen zu Gebote standen. Als im Jahre 1793 die erste deutsche Übersetzung erschien, wurde aus einer Eingeweihten schon vertrauten Schrift ein Ereignis von immenser Tragweite[2].

Adam Müller, der selbst nichts Geringeres als ein deutscher Edmund Burke werden wollte, konstatierte später: »Die wichtigste Epoche in der Bildungsgeschichte der deutschen Staatswissenschaft war die Einführung Edmund Burkes auf deutschen Boden; des größten Staatsmannes aller Zeiten und Völker ... er gehört uns mehr als den Briten ...«[3].

In seiner durchaus als Anschlußprojekt zu Burkes Schrift gedachten »Elemente der Staatskunst« entwarf Müller »drei Grundwahrheiten«:

1. Der Mensch ist mit dem Staat verflochten.
2. Vergangenheit und Zukunft prägen den in der Gegenwart stehenden Menschen.
3. »...der Staat (ist) nicht eine bloß künstliche Veranstaltung ... sondern er ist das Ganze dieses bürgerlichen Lebens selbst ....«[4].

Aus dieser Haltung ergab sich für Müller eine unüberbrückbare Gegnerschaft zu dem bloß zweckgerichteten Maschinenstaat des aufgeklärten Absolutismus und den Wirtschaftsprinzipien, die auf Dynamik abzielten. Er sah diese unheilvollen Erscheinungen in Friedrich II. und Adam Smith repräsentiert.

Von der Bewertung der Lehren des schottischen Wissenschaftlers abgesehen, schätzte Müller dessen Bedeutung für das wirtschaftspolitische Denken in Preußen durchaus richtig ein. Denn die von deutschen Universitätsprofessoren popularisierten Lehren Adam Smiths bildeten einen wichtigen Teil der theoretischen Basis, von der aus Hardenberg seine sozialpolitischen Reformen plante[5].

Erst aus dieser Konstellation wird Müllers Erbitterung gegen diese Richtung verständlich: »Noch ein Wort erlauben Sie mir über den unvergleichlichen Adam Smith, gegen dessen mechanische Nachbeter in Deutschland ... Wir können die Schatten Adam Smith's und selbst Friedrichs nicht besser ehren, als indem wir die ungeschickten Nachbeter ihrer Ideen, welche ihren wahren Ruhm beeinträchtigen, unausgesetzt verfolgen. Keine größere Schmach kann einem großen Gedanken widerfahren, als wenn er das Symptom einer Schule, das Panier einer Sekte wird«[6].

Folglich warf Müller dem friderizianischen Staat seelenlose Maschinenhaftigkeit vor. Als größten Konstruktionsfehler kritisierte er die Entmachtung der Stände, da »… keine Administration etwas Dauerndes vermöge ohne eine ihr gegenüberstehende und sie begleitende Ständeverfassung« Müller wollte eine »preußische Nationalität … jene göttliche Harmonie, Gegenseitigkeit und Wechselwirkung zwischen dem Privat- und öffentlichen Interesse«[7]. Bei diesem nationalistischen Ideal und der Forderung auf Herbeiführung einer organischen Volksgemeinschaft ergab sich die Gegnerschaft zum Judentum als eine logische Konsequenz.

Müller: »In sich selbst murrend gegen die Ungerechtigkeit des unsichtbaren Königs, der anderen weniger auserwählten Völkern Glück und Ruhm, ihnen aber immer neue Leiden und Knechtschaft bereitete, waren sie … nicht mehr mosaisch genug, um ihres hohen Vorzuges eingedenk zu bleiben. An dem Buchstaben, der Auserwähltheit und dem Mosaischen Gesetze, und an dem Begriff eines einzigen Jehova, der nun zum National-Götzen geworden war, klebten sie allmählich immer fester; und so ward aus dem uralten, gerechten und edlen Stolz nunmehr ein widerwärtiger, unerträglicher Hochmut …«

Für Müller stand fest, daß die Juden »…immer sehnsuchtsvoller einen weltlichen Retter, einen König (erwarten), der ihnen Befreiung und Weltherrschaft mitbringen soll, die sie nun für eine notwendige Mitgift der verheißenen Auserwähltheit halten«. Dabei sei ihr »Retter« schon einmal zu ihnen gekommen. Als sie ihn kreuzigten, »… ging nicht bloß ihre Nationalexistenz verloren. Sie wurden in alle Welt ausgetrieben: der Begriff ihrer Nationalexistenz ward in ihre Stirne gebrandmarkt, weil sie die Idee derselben aus den reinsten Händen nicht hatten empfangen wollen; der uralte entwichene Adel ward nunmehr zu einem Fluch, wie aller entweihte Adel notwendig zur äußersten Verworfenheit wird«[8]

Kein Satz davon in diesen Verwünschungen war neu oder originell. Mit dem für die Romantiker typischen Stil hatte Müller die Pose eines Propheten angenommen, der das Paradies in der Vergangenheit – konkret in dem durch Religion wie Politik ausbalancierten Mittelalter – sah. Der effektvoll inszenierte Einsatz bestimmter Redewendungen war das sprachliche Geräusch, das Tiefsinn vorgab, um einem bloßen Propagieren der Vergangenheit auszuweichen.

Je mehr aber die Reaktionäre die Oberhand gewannen, desto populärer wurde dieser Denk- und Artikulationsstil. In der Verstärkung, Erweiterung und Übersetzung dieses Stils ins Poetische fanden die Romantiker ihre Mission. Ausfälle gegen die Juden gehörten dazu. Müller hatte von der Plattform des politischen Publizisten gegen diese Minderheit polemisiert. Seine Freunde Ludwig Achim von Arnim und Clemens Brentano setzten diese Polemik in ihrer Dichtung fort.

Wenige Jahre nach Müllers Polemik in seinem Buch zur Staatskunst kam Arnim 1811 mit seinem Drama »Halle und Jerusalem«. Die Handlung: Cardenio, ein Student in Halle, wird von Celinde so geliebt, daß sie schwarze Magie anwendet, um ihn für sich zu gewinnen. Der Student gerät in Schwierigkeiten, als er einen Kollegen und danach einen Priester, der Celinde liebt, tötet[9]. In dieser Zuspitzung tauchen zwei Juden auf. Der legendäre Ahasver, der ewig wandernde Jude, kommt in Halle an, und bald stellt sich heraus, daß er Cardenios Vater ist. Neben ihm agiert der Geldverleiher Nathan.

Die durch den Namen gegebene Anspielung auf Lessings etwa drei Jahrzehnte vorher präsentierten Nathan war gewollt. Denn während der Aufklärer Lessing einen edlen Juden hatte auftreten lassen, zeichnete der Romantiker Arnim eine geradezu widerwärtige Figur. Reich, ungebildet, gemein, habgierig und jiddisches Kauderwelsch sprechend stellt dieser Nathan klar: »Was ist die Ehre, lieber Gott, wen hat sie satt gemacht, getränkt, gekleidet? … Geld aber, mein gelehrter Herr, vom Geld lebt man …«

Neben dem Primat des Geldes, Synonym für den Schacherjuden, repräsentiert Nathan die Unauflösbarkeit des Judentums. Die Assimilation wird als Finte oder Krankheit abgelehnt. Nathan: »… das Taufen löscht den Kredit aus, da wollen sie Staat machen wie die Christen, sprechen von der Literatur, sind nervenkrank … Du gnädiger Gott unsrer Väter, dein Segen ruht auf dem Samen dieses Volkes, abwaschen kann ihn nicht die Taufe«. Nathan stirbt in Arnims Stück bezeichnenderweise aus Gram über einen Verlust von 1.000 Talern.

Als Kontrast zu dieser Negativfigur steht Ahasver, der geläuterte Jude, der während seiner Jahrhunderte langen Wanderschaft Buße tat und zum Christentum übertrat. Ahasver: »... ich bin der Ew'ge Jude, der zum zehntenmal zur Reise um den Erdball ist gezwungen, euch zu bessern, daß ihr lernt aus meinem Jammer an den wahren Heiland glauben, den mein hartes Herz verspottet, dem ich ins Gesicht gespieen, als er trug am schweren Kreuze …«[10].

Durch das Sprachrohr Ahasver ließ Arnim seine Zeit wissen, wie die Judenfrage zu lösen wäre. Die Assimilation wird auch von Ahasver abgelehnt: »Sag mir, warum ihr Juden nicht mehr sprecht wie Juden, ich trau euch jetzt viel weniger als sonst«. Die Zeit des Judentums sieht Ahasver als fast schon beendet an. Wie er, der ewige, werde bald jeder andere Jude zum Christentum übertreten.

»Doch will ich Ihnen im Vertrauen sagen, daß unsere Zeit gar bald verlaufen … wo der Messias kann erscheinen nur wenig Jahre noch, dann müssen wir gesamt an Euren Heiland glauben«[11]. Seine Erlösung hofft Ahasver in Jerusalem zu finden. Er überredet Cardenio und Celinde, ihn auf dieser, seiner letzten Reise zu begleiten. Tatsächlich geht die Wanderschaft des zum Christen gewandelten ewigen und deshalb für die Gesamtheit des Judentums stehenden Juden in Jerusalem zu Ende. Seinen beiden Begleitern wird vergeben.

Die beiden hier als Prototypen für das Judentum insgesamt zu verstehenden Figuren Nathan und Ahasver zeigten, daß Romantik für Juden die Rolle als am Rande der Gesellschaft agierende Händler wie Nathan sah oder durch das Christentum Geläuterte wie Ahasver, der dem Judentum abschwörte.

Nathan, dem Repräsentanten der Mentalität des Geldes, wird entgegengehalten: » ... werdet arm, ihr werdet selig«. Mit Ahasver wird das dämonisierte, überzeitliche Bild des nirgends seßhaften, immer nur eines vorläufigen und oberflächlichen Bezugs zu seiner Umwelt fähigen Juden beschworen. Wo dieses Bild noch einigermaßen positiv ausfällt, kommt dieses Positive aus Ahasvers Nähe zum Christentum.

Verdeckt enthält dieses Gespinst aus romantischer Religiosität, Aktualisierung traditionsreicher Legenden und sprachlicher Verklärung auch eine massive Sozialkritik. Arnim richtete diese gegen die moderne Gesellschaft und die Juden als deren vermeintliche Profiteure. In »Halle und Jerusalem« berichtet ein Christ: »Für einen Spottpreis hat Nathanael auch mein groß Familienhaus gekauft, es ist der Sohn des Juden Nathan ... darauf hat er sich einen Grafentitel angeschafft und ein paar Klöster ...«.

Wen meinte Arnim hier? Wen wollte er treffen? In erster Linie Israel Jacobson, den Fürsprecher des Judentums in der Zeit von 1800 bis etwa 1820, der in Westfalen einige aufgelöste Klöster erworben hatte[12]. Es war bekannt, dass dieser Jacobson einer der engsten Vertrauten und Finanzberater des Staatskanzlers Hardenberg war. Bekannt war auch, dass der braunschweigsche Hoffinanzier Herz Samson, der Schwiegervater Jacobsons, Hardenberg einst vor dem Bankrott gerettet hatte[13].

In einer anderen Form als von Adam Müller, aber mit ähnlicher Tendenz wurde auch von Arnim dem Erwerbssinn, der die ständischen Traditionen bedrohte, der Kampf angesagt. Antimodernistische, religiöse und nationalistische Motive vereinigten sich zu einer Judenfeindschaft, die Herders, Kants, vor allem aber Fichtes Auslassungen bereits verinnerlicht hatte.

Arnim hatte im Jahre 1811 Streit mit Moritz Itzig, einem Enkel des Münzjuden Friedrichs II. Er schrieb Itzig: »Ich schließe den Briefwechsel mit Ihnen, indem ich Ihnen im Vertrauen eröffne, daß ich nur darum zuweilen Ihrer Glaubensgenossen gespottet habe, weil sie mich betrogen und ich lange genug in ihren Klauen steckte, aus denen mich alle ritterliche Mannheit nicht frei gemacht hätte«[14].

Diese Rolle des Unschuldigen, der heimtückischen Juden in die Hände gefallen war, schrieb Arnim in seinem Stück »Halle und Jerusalem« auch Cardenio zu, den er sagen ließ: » … nur die Juden haben Geld jetzt am End' des halben Jahres; wenn es keine Juden mehr gäbe, hätt' ich nimmermehr gespielt; hätt' ich nicht mitgespielt, hätte ich den Hauptmann nicht erstochen«[15].

Am Ende des Jahres 1810 kündete Arnim seinen Freunden Jakob und Wilhelm Grimm die Gründung einer »deutschen Tischgesellschaft« an. »Adam Müller ist Mitunternehmer, ich bin Gesetzgeber«. Alle 14 Tage sollten sich »Wohlanständige« treffen und diskutieren. »Die Gesellschaft versteht unter dieser Wohlanständigkeit, daß es ein Mann von Ehre und guten Sitten und in christlicher Religion geboren sei … daß es kein lederner Philister sei …«[16].

Aus dem Passus »in christlicher Religion geboren« wird klar, daß es selbst für getaufte Juden keinen Zugang zu dieser Vereinigung geben sollte. Ungeachtet der Tatsache, daß Vereinsstatuten völlig im Belieben ihrer Betreiber stehen, enthielt dieser Passus eine neue Form der Judenfeindschaft. Bisher war so gut wie jede Frontstellung gegen die Juden grundsätzlich mit der Taufe als hinfällig gesehen worden. Arnim, Brentano und auch Müller begnügten sich mit einer derart bedingten Ablehnung des Judentums nicht mehr[17].

Die christlich-deutsche Tischgesellschaft konnte ihre erste Zusammenkunft bereits zu Beginn des Jahres 1811 abhalten. Im kulturellen Leben Berlins waren die Sitzungen dieser Gesellschaft ein Ereignis. Karl August von Varnhagen, der spätere Ehemann der jüdischen Salondame Rahel, berichtete: » … die angesehensten Gelehrten, die höchsten Staatsbeamten, Offiziere und Hofleute fanden sich zahlreich ein«[18]. Unter den 46 Gründungsmitgliedern sind folgende Namen bemerkenswert: Arnim, Brentano, Fichte, Clausewitz, Müller, Savigny, Leopold von Gerlach.

Clemens Brentano, Arnims Freund und Schwager, hatte eigens für die erste Sitzung der Tischgesellschaft die Sottise »Der Philister vor, in und nach der Geschichte« verfaßt. Er trug diese eindeutig von Fichte beeinflußte Schrift der Versammlung vor. Die Philister standen bei Brentano für alles Muffige, Spießige und Phantasielose – wie bei Fichte also für die Aufklärung und den Erzgegner Nicolai. Das Judentum repräsentierte den Handelsgeist der Moderne und eine oberflächlich angeeignete Bildung.

Die Philister: »Sie belächeln alles von oben herab … und zwar ganze Tabakskollegien voll, wo die Aufklärung als ein ewig glimmender Zündstrick … an dem die Philister ihre Köpfe anbrennen, unmittelbar aus seinem (des Teufels) Schwanze gesponnen ist... Sie rezensieren Dinge, die sie nicht verstehen und treiben ihren Spott mit den Notformeln der Philosophen … haben nur Sinn für platte, tändelnde oder bocksteife Musik, den Beethoven halten sie für ganz verrückt …«

Die Juden: »... jeder, der sich ein Kabinett zu sammeln begierig, nicht weit nach ihnen zu botanisieren braucht; er kann diese von den ägyptischen Plagen übriggebliebenen Fliegen in seiner Kammer mit alten Kleidern, an seinem Teetische mit Theaterzetteln und ästhetischem Geschwätz, auf der Börse mit Pfandbriefen und überall mit Ekel und Humanität und Aufklärung ... einfügen«[19].

Brentano war in der Runde der Beifall gewiss. »Die ganze Tischgesellschaft geriet außer sich, jubelte und schrie vor Vergnügen. Damals war man dergleichen Darstellungen ... noch ungewohnt und von der Neuheit gewaltig ergriffen Die ganze Gesellschaft stand auf drängte sich um Brentano, sagte ihm die glühendsten Schmeicheleien, die ehrwürdigsten Männer, die vornehmsten Beamten, alle brachten ihm wahre Huldigungen dar. Es war der größte Triumph, den er je erlebt hat«[20].

Die Revolte der Aristokratie

Brentanos, Arnims und auch Müllers Äußerungen gegen die Juden wären mehr oder weniger belanglose Beispiele für eine zunehmende judenfeindliche Tendenz geblieben, wenn sie nicht in einem ganz spezifischen Kontext gefallen und verstanden worden wären. Dieser Kontext lautete: Bedrohung der Adelsprivilegien durch die Reformpolitik.

Bauernbefreiung, Gewerbefreiheit, Militärreform, Beseitigung des Adelsmonopols auf Gutsbesitz, vor allem die Steuerpflichtigkeit für alle und auch die Emanzipation der Juden standen im Mittelpunkt einer Reformpolitik, gegen die die Romantik rebellierte. Sie wurde damit zum Verbündeten der Schicht, der von der Reformpolitik die größten materiellen Nachteile drohten: des preußischen Junkertums.

Unter den drei ersten Hohenzollern-Königen schien diese Schicht bereits auf die Gutsherrschaft zurückgedrängt. Sie kam zwar für einzelne Provinzen gelegentlich noch in den alten ständischen Repräsentationsorganen zusammen. Aber diese Versammlungen waren entmachtet. Für die Entmachtung war der Adel mit Privilegien reichlich entschädigt worden. Da Hardenberg einen Teil dieser Privilegien wie die Befreiung von Steuern beseitigen wollte, kam es zum Konflikt.

Im Oktober 1810 hatte der Staatskanzler das Finanzedikt erlassen[21]. In diesem Edikt waren hohe Steuern angekündigt, unter anderem für Grundeigentum und Verbrauchsgüter. Der Adel opponierte so heftig, daß Hardenberg nach einem Weg suchte, die Erbitterung zu mildern. Er berief hierzu schließlich eine Abgeordnetenversammlung aller Grundeigentümer ein.

In diesem Gremium, das von Februar bis September 1811 tagte, erwies sich der märkische Adlige Friedrich August von der Marwitz schnell als der Wortführer der Reaktion[22]. Wie die Romantiker setzte Marwitz der Reformpolitik Hardenberg die zur Harmonie verklärte Welt des Adels entgegen. Statt Gesetze durch eine Zentralregierung zu erlassen, sollte die Krone die politische Herrschaft mit dem Adel gemeinsam in einer erneuerten Übereinstimmung ausüben.

Recht und Gesetz wurden auf gemeinsam erlassene sowie vollzogene Akte von Thron und Adel reduziert. Die Absicht, zu einer schon durch den monarchischen Absolutismus überwundenen paternalistischen Herrschaftsform zurückzukehren, war überdeutlich, als Marwitz die Bestimmung des Adels beschrieb: »...von seiner Erdscholle aus teilzunehmen an der Gesetzgebung des Landes und für die Bildung seiner Untertanen zu sorgen«[23].

Dagegen seine Sicht der Reformpolitik: »Die neuen Hardenbergschen Abgaben, das Verkaufen der Domänen um Spottpreise an Juden, die Einziehung aller geistlichen Güter, alle diese Ungerechtigkeiten, dieses Verzehren des Nationalkapitals, konnten unsere Finanzen nicht in Ordnung bringen ...«. Wie diese offen reaktionäre Kritik zu verstehen war und wer hier neben dem Kanzler in erster Linie angegriffen werden sollte, ließ Marwitz mit seinen Denkschriften, die zum Teil aus der Feder Adam Müllers stammten, erkennen.

Gegen die von Hardenberg beabsichtigte Öffnung des Gutsbesitzes für Juden wandte Marwitz ein: »Diese Juden, wenn sie wirklich ihrem Glauben treu sind, die notwendigen Feinde eines jeden bestehenden Staates (wenn sie ihrem Glauben nicht treu sind, Heuchler), haben die Masse des baren Geldes in Händen; sobald also das Grundeigentum so in seinem Werte gesunken sein wird, daß es für sie mit Vorteil zu akquirieren ist, wird es sogleich in ihre Hände übergehen. Sie werden als Grundbesitzer die Hauptrepräsentanten des Staates und so unser altes ehrwürdiges Brandenburg-Preußen ein neumodischer Judenstaat werden«[24].

Mit diesen Formulierungen war eine Art reaktionäres Manifest der Aristokratie skizziert. Die soziale Statik einer vergangenen Zeit wurde hier, wie sonst von den Romantikern auch, als die einzig mögliche Gesellschaftsform beschrieben. Im Mittelpunkt aller Überlegungen stand dabei die Bindung des Adels an den Boden als Garant dieses Systems.

Ein Staat war mit solchen Positionen natürlich nicht zu machen. Die Rittergüter waren nach der großen Spekulationswelle ab 1806 immobiles Kapital, das sich nicht einmal mehr als Basis für die Ausgabe von Pfandbriefen nutzen ließ. Die unbelasteten Güter des Staates, die Domänen, mußte man erst einmal durch Gesetze wie das Finanzedikt zu belastbaren oder veräußerungsfähigen Immobilien, mobilem Kapital also, erklären.

Der Staat brauchte zum Abtragen seiner Verpflichtungen gegenüber Frankreich Geld. Und in dieser Notlage gab es tatsächlich nur wenige

Möglichkeiten, den Staatsbankrott zu vermeiden. Zum einen, die Bankiers als Repräsentanten des mobilen Kapitals in Preußen, stärker heranzuziehen. Zum anderen, wie es Hardenberg vorhatte, den Grundbesitz des Staates zu belasten und wo immer es Sinn machte, an zahlungskräftige Privatleute zu veräußern. Damit dieser Eigentumsübergang geschehen konnte, mußte der Krone aber erst einmal erlaubt werden, ihre Güter in Handelsobjekte zu verwandeln. Diese Konstellation ist von Preußens Romantikern und Reaktionären so gut wie nie verstanden worden.

Der Boden wurde von ihnen zu einem nicht veräußerlichen Erbe der Geschichte hochstilisiert. Sobald man begänne, dieses Gut wie eine Ware zu behandeln, wäre der Untergang gewiß. »Wir wagen es zu sagen«, warnte Marwitz, »daß, wenn der Grundsatz der Willkür, die Gleichmachung der Stände und die Mobilisierung des Grundeigentums wirklich durchgeführt werden, uns keine Rettung für diesen Staat und (für des Königs) hohes Haus mehr erscheint«.

Schon der preußische Bürger, der als Gutsbesitzer in die ständisch gegliederte Welt eines Autokraten wie Marwitz eindrang, war hier das Feindbild. Umso mehr galt dies für die jüdischen Finanziers bei denen ja tatsächlich ein großer Teil der Aristokratie ebenso wie der Staat verschuldet war.

Der Bürger konnte, so in die Irre geleitet er von der Reformpolitik eines Hardenberg oder der Revolution in Frankreich auch sein mochte, immerhin noch ein preußischer Patriot sein. Die Juden hingegen waren für Marwitz wie für seinen Autor Müller und beider Vordenker Fichte »die notwendigen Feinde eines jeden bestehenden Staates«[25].

In dieser Sicht nutzten Juden die gesellschaftliche und politische Krise, um sich selbst an die Stelle der alten Elite zu setzen. Hatte man die Juden erst einmal als Profiteure dieser Krise identifiziert, dann war es nur logisch, sie auch als Urheber dieses Umbruchs zu identifizieren. Die Analyse der Krise war damit vermieden. Denn die Schuldzuweisung konnte genügen, um die Moderne, hier in Gestalt einer frühliberalen Reformpolitik, zu desavouieren.

In der für Reaktionäre typischen Haltung wurde hier eine irreale Schreckensvision heraufbeschworen, um jegliche Neuerungsabsicht blockieren zu können. Marwitz: »Der mit seinem Eigentum ... handelnde Grundbesitzer ist losgerissen vom Staat und eilt dahin, wo mehr Geld zu erwerben ist; dadurch wird alles Spekulation und mit dem Verfall des Ackerbaus tritt allgemeine Nahrungslosigkeit ein«[26] Der Jude war in dieser Vision der Beschleuniger und Nutznießer der Neuerungen. Für die preußische Wirtschaft stimmte dies sogar – allerdings in sehr engen Grenzen, und keineswegs auf die überdimensionierte Weise, mit der die Reaktion Erklärungsmodelle für die Krise von Staat wie Gesellschaft an die Wand malte.

Mit Sichtweisen à la Marwitz wurden vor dem Zwang zu Neuerungen die Augen verschlossen. Man forderte die Beibehaltung einer tatsächlich fast nur noch in der Phantasie existenten feudalen Welt. Für Marwitz wurden Reformen eigentlich deshalb eingeleitet, weil politische Wirrköpfe und jüdische Finanziers dies wollten. Hardenberg hatte sofort verstanden, daß er die Haltung eines Marwitz, der am äußeren altständischen Rand des preußischen Adels stand, als Revolte zu werten hatte. Er ließ Marwitz und dessen Verbündeten Ludwig Karl Graf Finck von Finckenstein in Haft nehmen. Damit schien die Adelsopposition zerschlagen.

Zum Merkmal der folgenden Jahre wurde indessen, daß Preußens Aristokratie durch eine diplomatischere und gefälligere Vorgehensweise als sie für Marwitz so typisch war, beim König bald das Ansehen wieder zurückgewann, das sie anscheinend so endgültig verloren hatte[27]. Je mehr das altständisch-konservative Lager beim König und dem sich in romantisch-reaktionären Posen ergehenden Kronprinzen wieder zu Ehren kam, desto schwächer wurde Hardenberg mit seinen Kompetenzen zur Durchführung der Reformpolitik.

Die Rolle der Romantik lag dabei vor allem darin, daß sie Staat und Gesellschaft zu einer rückwärtsgewandten Utopie verklärt hatte, deren geschichtsträchtige Kräfte mit großem sprachlichen Aufwand der rationalen Reflexion entzogen wurden. Dieses Staats- und Weltbild der Romantik verschmolz mit dem paternalistisch-fortschrittsfeindlichen Ideal der altständischen Reaktionäre zum Konservatismus.

In den Juden sah diese rasch an Macht gewinnende Richtung die gefährlichsten Agenten des Fortschritts. In dieser Form konnten dann die altständischen Positionen eines Marwitz ganz nahe bei den Restaurations-Ideen der Heiligen Allianz stehen, die bald auch Preußens Politik kennzeichnen sollten.

Aus dieser Logik wurde die Reformpolitik, damit auch die Judenemanzipation als Teil dieser Reformbemühungen, in den folgenden Jahren nicht mehr weitergeführt, sondern mehr und mehr zurückgedrängt. Die Gedanken, die in diesen Rückschritten lagen, waren die eines Marwitz, Müller oder Armin. Marwitz räumte der Tradition einen so hohen Rang ein, daß er jeden, der dieses Herkommen ändern wollte, in die Nähe eines Robespierre rückte.

Aus einem Brief an den Kronprinzen vom Mai 1832: »Es liegt diesem Zerschneiden althistorischer Verbindungen genau dasselbe Prinzip zum Grunde, welches die französische Nationalversammlung bewog, die alten Provinzen in neu geschaffene Departements umzuwandeln. Die gemeinsamen Interessen sollten auf die kleinen des Individuums beschränkt, die Zentralisation befördert, und jedes Hindernis, welches den philanthropischen Bemühungen der Ideologen entgegenzustehen möchte, aus dem Weg geräumt werden«[28].

Das Ideal, das sich daraus ergab, war das des christlichen, im Mittelalter wurzelnden Staates. In einem solchen Staat, den die Heilige Allianz Rußlands, Preußens und Österreichs ja ausdrücklich wollte, sollte das Staatsbürgerrecht wieder mit dem Bekenntnis zum Christentum verknüpft werden.

Frankreich und ein als demagogisch-verfälschend angesehenes Kulturverständnis wurden im Gefolge der Romantik damals als Gegensatz zu Deutschland oder Preußentum und dem echten Kulturverständnis der Deutschen empfunden. In Flugschriften forderte Ernst Moritz Arndt, die »Art des deutschen Volkes« gegenüber den »Demagogen der Allerweltsliebe« in Schutz zu nehmen. »Verdammt sei die Humanität«, schrieb Arndt, »dieser Allerwelts-Judensinn«.

Polemik

Im Prinzip haben wir es hier mit einem bedeutsamen Zwischenschritt in der Entwicklung der Judenfeindschaft in Deutschland zu tun. Die erste Treppe dieser neuzeitlichen Judenfeindschaft war von Fichte und durch die Betonung einer völkisch-kulturellen Trennung zum Judentum errichtet worden. Die zweite Treppe baute darauf und die Ressentiments von Romantik wie Reaktion auf.

Diese zweite Stufe ist von Polemiken geprägt, denen eine sensationell zu nennende Populrarität zukommen sollte. Die bald zum Ausbruch kommenden heftigen Ausschreitungen gegen Juden hingen damit zusammen. Danach brach der auf der zweiten Stufe der Judenfeindschaft zum Politikum gewordene Haß gegen die Juden zwar in Ereignissen wie den Erhebungen von 1830 und 1848/49 wieder auf. Insgesamt schien er jedoch an Heftigkeit und Unversöhnlichkeit zu verlieren.

Dann aber entbrannte er in den Jahren nach 1873 auf der dritten Stufe des Antijudaismus in Deutschland erneut. In dieser dritten Stufe waren die beiden vorangegangenen Stufen enthalten. Es kam aber noch so viel Zusätzliches hinzu, daß diese dritte Stufe des Antijudaismus in Deutschland als eine Art Portal zu dem Antisemitismus der Moderne führen konnte.

Sofort nach dem Wiener Kongreß hatte in Deutschland eine christlich-germanische Hetze gegen die Juden eingesetzt. Zwei Flugschriften lösten dabei besonderes Aufsehen aus. Friedrich Rühs, in Berlin Professor für Geschichte verwies die Juden in Deutschland auf die Rechtlosigkeit.

Denn: »Ein fremdes Volk kann nicht Rechte erlangen, welche die Deutschen zum Teil nur durch das Christentum genießen«. Rühs empfahl die Wiedereinführung der mittelalterlichen Kennzeichnung, »damit ein Deutscher, selbst sei er durch Aussehen, Verhalten und Sprache irregeführt, seinen hebräischen Feind erkenne«[29].

Wie Arndt faßte auch Rühs die Religion als das entscheidend Trennende im Verhältnis der Christen zu den Juden auf. Die Juden wurden als fremd und furchterregend gesehen. Jeglicher Anspruch auf das deutsche Bürgerrecht wurde den Juden abgesprochen, sofern sie nicht zum Christentum übertreten und sich dadurch zugleich zum Deutschtum bekennen würden. Der Handel als unproduktive, »die Christen aussaugende Erwerbstätigkeit« war schon seit Jahrhunderten ein Bestandteil von antijüdischer Agitation.

Bei Rühs kam etwas hinzu, was schon die Romantiker auf beschwörende Weise als große Gefahr dargestellt hatten; die Tätigkeit von Juden als Fabrikanten und Unternehmer, was die Handwerker um ihre Erwerbsmöglichkeiten und ins Elend bringen würde[30].

Rühs stieß mit seinen Ausführungen 1816 auf eine fast sensationell zu nennende Resonanz. Nicht weniger Beachtung fand der Heidelberger Philosophieprofessor Jakob Friedrich Fries als Verfasser des Pamphlets »Über die Gefährdung des Wohlstandes und Charakters der Deutschen durch die Juden«. Dies war eine ausführliche Rezension des Pamphlet von Rühs, die 1816 als Sonderdruck der Heidelbergischen Jahrbücher für Literatur erschien. Fries sah zur Rettung der Deutschen vor dem Aufkommen des Freihandels und der Industrie keinen anderen Ausweg als: »Austreibung der Juden« oder die »Ausrottung des Judentums mit Stumpf und Stil«[31].

Den Juden sprach er jede Bereitschaft ab, sich zu »bessern«. Um dem deutschen Volk nicht noch größeren Schaden zuzufügen, sollten nach seinen Vorstellungen durch Einwanderungsverbote und Heiratsbeschränkungen eine Reduzierung der Zahl dieser »Volksschädlinge«, gegebenenfalls auch ihre Vertreibung erfolgen. Sofern sich die Juden jedenfalls nicht rückhaltlos von ihrer Religion und den darauf gegründeten »ehrlosen« Verhaltensweisen im Zusammenleben mit den Christen lossagten.

Bei Fries und Rühs war die Kritik an der jüdischen Religion ein Punkt, aber nicht mehr der wichtigste. Das Thema Religion war nur noch eine im Hintergrund ablaufende Sammlung von Negativwertungen, die bei Bedarf und nach Ermessen hervorgeholt wurden. Deutlicher und auch umfangreicher als zuvor wurde jetzt der Vorwurf der nationalen Absonderung der Juden stilisiert. Dabei stützte man sich insbesondere auf Fichte, der die Judenfrage schon mit der epochemachenden Bezeichnung vom »Staat im Staate« beantwortet hatte.

Durch und über diesen Begriff war eine aktualisierte Aufladung und Radikalisierung der Judenfrage erfolgt. Bei Fichte hatte es in seinen seinerzeitigen Ausführungen zwar noch Differenzierungen gegeben. Diese Differenzierungen kamen jedoch bei Polemikern wie Rühs oder Fries, selbst wenn sie Fichte als Gewährsmann für ihre judenfeindlichen Ausführungen nannten, nicht mehr vor. Zudem: Die religiös begründete Ablehnung der Juden als traditionelle Haltung war wirkungsmächtig geblieben.

Mit der nationalkulturell verstandenen Sicht war etwas Neues und politisch ungleich wirkungsvoller Einsetzbares hinzugekommen. In dieser Sicht waren die Juden ein Volk, das angeblich keinem Staat gegenüber eine Loyalität verspüren und somit auch die einmal verliehene bürgerliche Gleichstellung mit keinerlei Dank honorieren würde. Der Begriff Staat im Staate stand als unüberbrückbarer Gegensatz zwischen Judentum und deutscher Nation im Mittelpunkt der Diskussion.

Diese Aufladung des Themas hatte unmittelbar nach dem Wiener Kongreß eingesetzt und sich über viele Jahre in einer Flut von Veröffentlichungen ausgedrückt. In der Zeit von 1815 bis 1850 erschienen etwa 2.500 Publikationen jüdischer und nichtjüdischer Autoren, die mit den Rechten der Juden zu tun hatten.

Kein anderes Thema schlug sich in diesen Jahrzehnten so nachhaltig in Büchern, Broschüren, Flugschriften und Zeitungsartikeln nieder. Und immer wieder ging es um die Grundsatzfrage, ob der als christlich verstandene Staat dieser nichtchristlichen Minderheit als Kollektiv die Rechte von Staatsbürgern geben konnte und sollte[32].

Auf christlicher Seite war dabei schon die Tendenz zur Ausgrenzung festzustellen. Diese Ausgrenzung einer als fremd empfundenen Bevölkerungsgruppe wurde dabei nicht nur hingenommen, sondern befürwortet und in vielen Fällen mit Verweis auf die national-kulturellen Unterschiede sogar ausdrücklich gefordert.

Auf jüdischer Seite war in den Veröffentlichungen die Hoffnung formuliert, unter Beibehaltung einer gelockerten religiösen Identität eine Anerkennung als gleichberechtigte Staatsbürger erreichen zu können. Es war eine in die Zukunft gerichtete, trotz allem von Zuversicht und Fortschrittsoptimismus geprägte Einstellung, die für die Juden in Deutschland kennzeichnend bleiben sollte.

Auf diese Einstellung gab es vielfältige Antworten. Oft aber dominierten Antworten – für die Jahre der Restauration und Reaktion nach 1815 gilt dies ohne Zweifel –, die die Zuversicht der Juden als illusionär erwiesen. So im Sommer und im Herbst 1819 in weiten Teilen Deutschlands, als die von Gelehrten wie Rühs und Fries angestellten Unterscheidungen zwischen »Ausrottung des Judentums« und »Ausrottung der Juden« als Aufforderungen zum Handeln aufgefaßt werden konnten.

Ausschreitungen

Im Sommer 1819 setzten die Hep-Hep-Krawalle ein, benannt nach dem Hetzruf, der die sich rasch ausweitenden antijüdischen Ausschreitungen begleitete[33]. Ausgehend von Würzburg breiteten sich ab Anfang August 1819 die Tumulte rasch über Bayern, Kurhessen, Franken, Baden, Rheinland und Westfalen aus, bis in die Freie Stadt Frankfurt und in die Hansestadt Hamburg. Zum ersten Mal seit dem Mittelalter war Deutschland wieder Schauplatz von größeren Judenverfolgungen.

Der Ablauf der Gewalttätigkeiten: Fensterscheiben wurden eingeworfen, Läden geplündert, Brände gelegt, Synagogen verwüstet, jüdische Grabsteine geschändet und Juden auf offener Straße mißhandelt. Ähnliche Krawalle sollten in dem Revolutionsjahr 1830 und in der Anfangsphase der Revolution von 1848/49 ausbrechen.

In den Ausschreitungen von 1819 hielten sich die Polizei und die Bürgergarden deutlich zurück. Sie griffen häufig erst ein, nachdem sich der Mob ausgetobt hatte. In vielen Fällen versuchten die örtlichen Behörden, die gewalttätigen Ausschreitungen als »Neckereyen« unreifer Jugendlicher herunter zu spielen. Er verstehe nicht, so 1819 der Gemeinderat von Berlichingen in Württemberg, warum um die Krawalle soviel Aufhebens gemacht würde, da hier »seit mehr als 30 Jahren zuweilen solche Auftritte durch ungezogene Buben veranlaßt worden seien, in dem nicht bald diesem, bald jenem Juden Fenster ein- oder Steine an die Türen der Judenhäuser geworfen seien«[34].

Gewalt gegen Juden wurde in der ersten Hälfte des 19. Jahrhunderts noch weithin als Normalität betrachtet und daher kaum als Unrecht empfunden. In Hamburg ermahnte der Rat der Stadt nach den Hep-Hep-Krawallen nicht etwa die Täter, sondern »die sämtlichen jüdischen Einwohner … fernerhin alle Veranlassung zur Unzufriedenheit und zu gerechten Beschwerden bey ernstlicher Ahndung zu vermeiden, die hiesigen Polizey-Gesetze strenge zu befolgen«. In den Augen von Hamburgs Stadtvätern waren also nicht die Täter, sondern die Opfer schuld an den Ausschreitungen[35].

Die Krawalle standen auch im Zusammenhang mit den aktuellen Debatten um die Emanzipation der Juden. In Bayern beispielsweise hatte die Öffentlichkeit die entsprechenden Beratungen des ersten bayerischen Landtages im Frühjahr und Sommer 1819 mit großer Aufmerksamkeit verfolgt. In Würzburg war darüber eine heftige Kontroverse entstanden.

Diese Kontroverse entlud sich am Abend des 2. August 1819 in den ersten Unruhen nach der Rückkehr eines Würzburger Abgeordneten von den Beratungen des Landtags. Sein Bericht und die Angriffe auf einen Würzburger Universitäts-Professor, der sich während einer Feier für die Emanzipation der Juden ausgesprochen hatte, waren die konkreten Auslöser für die Hep-Hep-Unruhen[36].

Der Ausbruch der Hep-Hep-Krawalle in Würzburg stand in dem Kontext von lokalen und überörtlichen Konflikte, die sich in ihrer Verklammerung gegenseitig verschärften. Das Echo, das der Ausbruch der Unruhen an anderen Orten fand, zeigte ein Ineinanderfließen dieser Konfliktthemen mit unterschiedlichen Motiven der Judenfeindschaft.

Die Teilnehmer an den antijüdischen Ausschreitungen kamen wie die Aufwiegler nicht nur aus den unteren Schichten, dem »Pöbel«, sondern auch aus Angehörigen der »höheren Stände« – den Gebildeten und der Studentenschaft. Nicht selten übernahmen diese sogar, nach reichlichem Alkoholgenuß in Wirtshäusern, die initiierende Rolle. Die Gewalt kam also nicht vom Rande, sondern aus der Mitte der bürgerlichen Gesellschaft.

Schon die Wortwahl belegt dies. Denn Hep war die Abkürzung für den lateinischen Satz »Hierosolyma est perdita« (Jerusalem ist verloren). Der Ursprung aus dem Lateinischen stützt die Annahme, daß die Krawalle von Gebildeten ausgingen. Ludwig Robert, Rahel Varnhagens jüngerer Bruder schrieb seiner Schwester am 22. August 1819 aus Karlsruhe: »Merkwürdig! Wie kommt das Volk zu dem Wort Hep, dessen Ursprung es nicht wissen konnte? In Würzburg scheint doch also gelehrter Pöbel die Sache begonnen zu haben«[37].

Zu dem Zusammenhang von antijüdischen Diskussionen in Zeitungen, Broschüren und Flugschriften mit den Ausschreitungen schrieb der Korrespondent der Weimarische Zeitung anläßlich der Ausschreitungen gegen Juden im Großherzogtum Baden am 3. Sept. 1819: Daß »Gassenjungen und Handarbeiter schwerlich die Schriften von Fries, Rühs etc. gelesen und daß die Ursachen für die Unruhen auch nicht in den rechtlichen Zugeständnissen für die Juden im Rheinbunde zu suchen seien, sondern eher in den allgemeinen politischen Erschütterungen, in denen die Regierungen den Völkern und der Einzelne den Regierungen mißtraut«.

Genau die gegenteilige Annahme vertrat die Neue Speyerer Zeitung (Nr. 103 vom 28. Aug. 1819): »Aber freylich wenn Professoren dem Volke Ausrottung des Judenthums predigen, so hatten sie nicht darauf gerechnet, daß die Gassenbuben so unlogische Köpfe seyen, darunter die Juden selbst zu verstehen. Und wenn Flugschriften und Zeitungen täglich den Judenhaß anfachen, so hat ja von Aristoteles an bis Fries noch Niemand einen solchen Fehlschluß begangen, daß er sich deshalb zur Judenplünderung befugt gehalten«.

Diese Sichtweise war berechtigt. Die zeitgenössischen Quellen zeigen, daß die zahllosen Broschüren und Publikationen in der Öffentlichkeit auf enormes Interesse stießen und die Diskussion bestimmten[38]. Generell hatte die Frage nach der Zukunft der Juden in Deutschland eine Explosivität erhalten, die sich zwar wieder beruhigte, aber seit dieser Zeit latent immer vorhanden war.

Wichtig war von nun an, ob oder wie sich für die undeutlich und diffus vorhandene Judenfeindschaft ein Auslöser ergab, der die latent mögliche Explosivität zur Entladung bringen konnte. Solche Auslöser ergaben sich zu dieser Zeit oft schon aus den Sonderregelungen der Gesetze für die Juden.

Besonders umstritten war beispielsweise in Baden und Kurhessen die Frage, ob Juden die Ortsbürgerrechte oder Gemeindebürgerrechte zustanden. Bereits im Vormärz war es in verschiedenen hessischen Kleinstädten zu Ausschreitungen gekommen, mit denen die jüdischen Ortsbürger zum Verzicht auf die Inanspruchnahme ihrer Rechte gezwungen werden sollten. In Kirchhain bei Marburg forderten von 1828 bis 1919 mehrere Generationen christlicher Bürger und jüdischer Einwohner solange die Ortsbürgerrechte für Juden, bis schließlich erstmals ein Kirchhainer Jude als Ortsbürger registriert werden konnte [39].

In Hamburg ging der Rat der Stadt nach den Hep-Hep-Krawallen nicht etwa gegen die Gewalttäter vor, sondern ermahnte sämtliche jüdischen Einwohner, die Gesetze streng zu befolgen. In Hamburg wurden 1835 in Kaffeehäusern jüdische Gäste mißhandelt und »zur Belustigung des draußen versammelten Pöbels hinausgeworfen«. Die zahlreich postierten Polizeibeamten schienen, so die Beschwerde des Rechtsanwalts und Kämpfers für die Emanzipation der Juden, Gabriel Riesser, »eher da zu sein, um den Frevel zu sanktionieren. als um ihn zu verhüten« [40].

In Bayern konnten die Juden trotz wiederholter Eingaben und Petitionen bis 1848 die Aufhebung des Matrikelgesetzes von 1813 nicht erreichen. Dieses Gesetz beschränkte die Zahlen der jüdischen Einwohner in den Städten und Dörfern. Eine Mobilität innerhalb der Landesgrenzen war damit praktisch nicht möglich. Was in Bayern vorwiegend aus dem Blickwinkel der Bürokratie heraus erfolgte, geschah in Baden auf andere Art unter Beachtung der Stimmung in der Bevölkerung, die die Emanzipation ablehnte, weil sie die jüdische Konkurrenz im Wirtschaftsleben fürchtete.

Heftig bewegter Stillstand

In so gut wie allen Staaten des Deutschen Bundes war für die Emanzipation der Juden in der Zeit der Restauration bestenfalls eine Stagnation festzustellen. Preußen, in dessen Staatsgebiet nun etwa die Hälfte der Juden in Deutschland lebten, wirkte dabei wegen seiner Bedeutung auf vielfältige Weise stilbildend. Immerhin, in den alten Gebieten Preußens gab es keine Krawalle gegen die Juden. Solchen Unruhen stand hier das Gewaltmonopol des Staates entgegen, das derartige Unruhen grundsätzlich als Verstöße ahndete.

Die preußischen und die österreichischen Behörden betrachteten die Hep-Hep-Krawalle als revolutionäre Umtriebe. Dies auch zu Recht, weil die Ausschreitungen gegen die Juden auch im Zusammenhang mit der großen Enttäuschung über die nicht zustande gekommene Einheit der Deutschen zu sehen waren. Dieser Fehlschlag wurde Österreich und Preußen angelastet. Judenverfolgungen begannen in diesem Kontext als ein Ventil des Protests gegen die Politik der Großmächte zu wirken.

Aus den Beratungen der ersten Provinziallandtage über die künftige Judengesetzgebung (1824–1826) kam durchgehend die Empfehlung, die Judenfrage in den Provinzen restriktiv zu behandeln bzw. die alten Schutzverhältnisse wiederherzustellen. Auch wurden Eingriffe des Staates in das jüdische Kultus- und Unterrichtswesen gefordert, um der »Absonderung« entgegenzuwirken und die Juden »zur möglichst vervielfältigten Annahme des Christentums herbeizuführen«.

Während der siebentägigen Debatten des Ersten Vereinigten Preußischen Provinziallandtages in Berlin im Dezember 1824 hatten Vertreter aus ländlichen Gebieten und Protestantisch-Konservative wie der Staatsminister Ludwig Gustav von Thile gegen die Gleichstellung der preußischen Juden offen Stellung bezogen. Begründung: Es wäre dem Christentum »unerträglich, den Juden obrigkeitliche Rechte« (d. h. höhere Ämter im Staatsdienst) zu übertragen[41].

Solche Aussagen deckten sich mit den Überzeugungen Friedrich Wilhelms IV. (1840–1861), der als »Romantiker auf dem preußischen Königsthron« für den »christlich-germanischen Staat« eintrat. Unter ihm verschärfte sich die Situation der Juden weiter. Sie galten nun wieder als »fremde Körperschaft«, als »Staat im Staate«. Die revidierte Städteordnung von 1831 hatte den Juden bereits den Zugang zum Bürgermeisteramt versperrt und ihnen 1833 die Ausübung des Amtes des Schulzen in ländlichen Gemeinden verboten. Das Gesetz vom 23. Juli 1847 bestätigte diese und andere Benachteiligungen zum wiederholten Male. Juden waren damit in Preußen ebenso wie in den anderen deutschen Staaten zwar Staatsbürger, aber dies nur in einer unteren Kategorie.

Lediglich der Zugang zu solchen Staatsämtern mit denen »die Ausübung einer richterlichen, polizeilichen oder exekutiven nicht verbunden« war, wurde erlaubt. Diese Beschränkung auf subalterne Funktionen galt auch für Kommunalämter. Von der Beratung und Abstimmung über christliche Kultus- und Unterrichtsangelegenheiten waren sie grundsätzlich ausgeschlossen.

Für zwei Fünftel der in der preußischen Monarchie lebenden Juden – für die in der Provinz Posen – blieb es unverändert bei dem Ausschluß von den Rechten auf Freizügigkeit. Für die Juden Posens gab es eine Gewerbefreiheit ebenso wenig wie die Möglichkeit, subalterne Staats- und Kommunalämter oder den Unterricht an christlichen Fachschulen zu übernehmen.

Ein anderes Bild bot das Rheinland, das Preußen ja erst als Resultat der Verhandlungen beim Wiener Kongreß als neue Provinz erhalten hatte.

Hier hatten die Juden bei dem zu Beginn des 19. Jahrhunderts neu entstandenen Liberalismus einen starken Rückhalt. Die liberale Bewegung wollte gegen Restauration und Reaktion in der Politik die Ideale der Aufklärung, Freiheit und Würde des Menschen, verwirklichen. Die feudale Gesellschaftsordnung sollte von freizügigen Staats- und Gesellschaftsformen abgelöst werden.

Die Liberalen forderten die Beseitigung der ständischen Ordnung und der feudalen Privilegien, die Trennung von Kirche und Staat, die Gleichheit aller vor dem Gesetz, die Freiheit des Glaubens und des Gewissens. Damit zeichneten sich die Konfliktlinien zur Restauration und Reaktion schon ab. Enorm verstärkt wurde dies durch das Ziel, die altständische Monarchie konstitutionellen Herrschaftsformen anzunähern, die in Landesparlamenten verfassungsmäßige Gegengewichte haben sollten[42].

In diesem Programm sollten alle Menschen, unabhängig von ihrer Abstammung gleichberechtigt sein. Die Gesellschaft wurde im Gegensatz zu den Volkstümlern, den Germanomanen und den Germanozentristen wie Fries oder Rühs nicht als einheitliche »naturwüchsige« Verwandtschaft definiert. Sondern als Manifestation rationaler und sittlicher Prinzipien, was auch und gerade das Nebeneinanderbestehen unterschiedlicher Religionsgemeinschaften zulassen sollte. In diesem Zusammenhang verstand der Liberalismus den Glauben als eine persönliche Gewissensangelegenheit des Bürgers, die mit seinen Rechten als Staatsbürger nichts zu tun hatte.

Dies sollte auch für die Juden gelten, die die Liberalen den Christen gleichgestellt sehen wollten. Eine weitere Ausschließung der Juden aus der staatlichen Gemeinschaft stand im Widerspruch mit der Forderung der Rechtsgleichheit sowie dem Prinzip der Trennung von Kirche und Staat. Die Absonderung der Juden wäre eine »Verletzung der Menschenrechte«, und im »Widerspruch mit der Freiheit überhaupt«. Denn, so eine zeitgenössische Schrift: »Die Emanzipation der Juden ist der »Probstein des deutschen Liberalismus, weil es die Einzige ist, die ohne materielle Vorteile für die Liberalen durchgekämpft werden soll«[43].

Der neue liberale Mittelstand des preußischen Rheinlands trat auch in den Ständeversammlungen für die unbeschränkte Emanzipation der Juden ein. Dies geschah jedoch nicht nur, wie es auf den ersten Blick erscheinen mochte, aus humanistischen Prinzipien. Die Forderung der jüdischen Gleichberechtigung war für den rheinischen Partikularismus eine Waffe im Kampf gegen den preußischen Staat. Die Emanzipation wurde dabei grundsätzlich als eine »allgemeine politische Frage« behandelt[44].

Ihren Verfechtern ging es weniger um das Schicksal der Juden als um die Beseitigung der ständischen Ordnung und um die Gleichstellung des aufkommenden industriellen rheinischen Bürgertums. Selbst die katholische Kirche unterstützte die Emanzipationsbestrebungen. Ihr Kalkül: Sobald die Juden in Preußen emanzipiert wären, würde sich auch das »christlich-germanische«, das heißt das protestantische Prinzip des preußischen Staates nicht mehr halten lassen. Die katholische Kirche würde dann gleichberechtigt sein. Katholische und bürgerliche Tageszeitungen im Rheinland untermauerten die ganze Debatte mit zahllosen Artikeln und Kommentaren[45].

In den einzelnen Rheinischen Landtagen wurde eine Fülle von Petitio nen vorgelegt, die die Emanzipation befürworteten. Die Autoren dieser Petitionen waren christliche und jüdische Kaufleute, Fabrikbesitzer, Bankiers und Versicherungsdirektoren, die die Anträge mit zahlreichen Unterschriften einreichten. Für diese Schicht stand die Befreiung der Juden auch in dem größeren Zusammenhang der Religions- und Gewissensfreiheit der christlichen Bürger.

»Die Folgen von konfessionellen Berücksichtigungen sind nie zu ermessen«, hieß es in einer Eingabe aus Aachen. Der Staat könne schließlich »in die Gewissens- und Eigentumsrechte aller Bürger eingreifen«. Einige Bürger der Stadt Düsseldorf, äußerten die Überzeugung, sie würden die gleichen Interessen wie die Juden vertreten. Denn in der fortgeschrittenen Wirtschaft des Rheinlandes wäre der »jüdische Wucher« neuerdings als »Zinswesen« zu Ehren gelangt. Trotz Fürsprache des zunehmend selbstbewußter werdenden städtischen Bürgertums wurde die Emanzipation der Juden noch auf dem Vierten und Fünften Provinziallandtag (1833 und 1837) mit überwältigender Mehrheit abgelehnt.

Im Juli 1843 tagte der Siebte Rheinische Provinziallandtag, um den Regierungsentwurf für eine neue Gemeindeordnung zu beraten, die die Juden vom passiven Bürgerrecht ausdrücklich ausschloss. Die Führer des liberalen Bürgertums im Landtag (unter anderen der Krefelder Bankier Hermann von Beckerath, die Kölner Unternehmer August von der Heydt, Ludolf Camphausen und Gustav Mevissen) traten gegen diesen Entwurf energisch auf. Sie argumentierten, daß der Staat durch die Sonderstellung der Juden die Gewissensfreiheit verletze. Kritisiert wurde auch das monarchistische Prinzip, das nur die »Existenz und nicht die Rechte des Bürgers berücksichtigt«[46].

Schließlich kam es im Landtag zur Abstimmung über den Entwurf der Gemeindeordnung, der Juden von der Wählbarkeit ausschließen sollte. Mit 54 gegen 19 Stimmen wurde am 16. Juli 1843 die völlige Gleichstellung befürwortet. Die Reaktionen auf die Ergebnisse der Abstimmung für die Emanzipation waren euphorisch. Juden und Christen jubelten. Die Abgeordneten des Landtages sollen vor Freude geweint haben. In den Wirtshäusern brachte man Hochrufe auf die Juden aus. Und »es ist nichts Seltenes«, berichtete eine Zeitung, »christliche Bürger jüdischen freudig die Hand schütteln zu sehen«.

Jüdische Bürger aus Duisburg schrieben an den Landtag: »Soeben trifft wie ein Sonnenstrahl aus düsterer Luft die Nachricht bei uns ein … Auch wir sollen befreit von den unseligen Fesseln, die uns banden, ungehindert teilnehmen dürfen an den Fortschritten der Zeit … Oh, wie wahr ist es, daß die Menschheit in herrlicher Entwicklung begriffen sei«.

In Berlin, Aachen, Trier, Koblenz, Düsseldorf und Köln veranstalteten die Juden Dankgottesdienste. Sie stifteten Kohlen und Brot für die Armen. Öffentliche Krankenhäuser und Armenanstalten erhielten große Spenden. Es war vergeblich. Der König lehnte die Wünsche des Landtags ab. Dies wiederholte sich im Jahre 1845, als der Achte Provinziallandtag die Angelegenheit erneut zur Sprache brachte[47].

So bewegten sich die deutschen Staaten vor den Revolutionen von 1848 mit ihren Judengesetzen zwischen Stillstand und Rückschritt im Kreise. Regierungen und Verwaltungen behielten das restaurative Heft in der Hand. Dagegen konnten zwar die Liberalen, wo es denn diese Richtung als Machtfaktor überhaupt gab, intervenieren. Die Herrscher und die Aristokratie waren aber noch in der Lage, solche Initiativen abzublocken.

Eine entscheidende Rolle spielte bei all dem Preußen und der preußische König. Die deutschen Mittelstaaten waren zu schwach, um gegen Österreich und Preußen eine eigenständige Politik durchführen zu können. Österreich stand mit dem »System Metternich« für eine Politik des unbedingten Beharrens. In der Unterdrückung der nationalen Bewegungen in Mitteleuropa sah Wien die Voraussetzung für die Existenz der Habsburger Monarchie. Zumal im Jahre 1835 eine kaum zurechnungsfähige Person Kaiser von Gottes Gnaden geworden war.

Gefestigter erschien die Position Preußens, wo man anfangs noch große Hoffnungen auf Friedrich Wilhelm IV. setzte, als dieser im Jahre 1840 seinem Vater auf dem Thron gefolgt war. Aber rasch wurde deutlich, daß der König in den Kategorien der politischen Romantik dachte und handelte – patrimoniale Staatsauffassung, organisch-ständisches Gesellschaftsverständnis, religiöse Dogmatik. An der Spitze einer nationalen Verfassungsbewegung sah sich dieser König nie, obwohl er im Verständnis der Bürger die Einrichtung eines verfassungsgebenden Parlaments zugesagt hatte. Damit wurde der Gegensatz zu dem bürgerlichen Liberalismus immer deutlicher[48].

Das politische Handeln dieses Königs war verhängnisvoll – eine Kette des Scheiterns und von nur ansatzweise erkennbaren Leistungen, verursacht durch eine merkwürdige Persönlichkeit. Man nannte ihn rätselhaft, den »Romantiker auf dem Thron«, bezeichnete ihn als »Hamlet«, als »Don Quichotte der Legitimität« und auch als geisteskrank. Mit seinem weit in die Ferne Abschweifen zu Legitimität, Gottesgnadentum und seinen grundsätzlich gegen die Moderne stehenden Positionen verkörperte er, ins Groteske gesteigert, die Probleme Deutschlands während Restauration und

Revolution – den über die realen Probleme gesenkten schweren Vorhang von romantischen Posen als vermeintliche Antwort auf reale Probleme.

Von der Monarchie praktisch unbelästigt hatte die Aristokratie schon unter dem Vater von Friedrich Wilhelm IV. gestärkt in das 19. Jahrhundert gehen können. » restauriert und konserviert präsentierte sich die alte gesellschaftliche Elite — die zudem in Bürokratie und Militär die angestammten Instrumente ihrer Macht sehen konnte – als ein Block, an dem alle Kräfte scheitern konnten, die mit dem Blick auf eine andere Gesellschaft diese Eliten zu überholen trachten würden. Mit der ambivalent wirkenden Bürokratie, dem funktionierenden Militärapparat und vor allem mit einer wirtschaftlich erstarkten adligen Herrschaftselite, die den Zugriff auf Bürokratie und Militär nicht im geringsten aufgegeben hatte, sind die Hypotheken benannt, die sich – obwohl aus einer anderen Gesellschaftsformation stammend –, noch lange in der bürgerlichen Gesellschaft Preußen-Deutschlands und ihrer Entwicklung auswirken sollten«[49].

XII BÜRGER UND BÜRGERTUM

Die sozial-ökonomische Situation in Mitteleuropa um 1830: starkes Bevölkerungswachstum, steigende Agrarproduktion, Stagnation im gewerblich-industriellen Bereich und eine allgemeine Verelendung. Mehr als die Hälfte der deutschen Bevölkerung lebte im Vormärz am Rande des Existenzminimums. Jede akute Krise konnte Hunger, Krankheit und Tod bringen. Um die Mitte der dreißiger Jahre zeichnete sich zwar mit steigenden Agrarpreisen und zunehmender Mechanisierung in der Textilproduktion (Baumwolle, Leinen, Wolle) eine Wende zum Besseren ab.

Dies brachte aber Probleme für das im Verlagssystem arbeitende Heimgewerbe. Das Verlagssystem war damals der wichtigste Bereich zur Herstellung von Massenwaren. In ganzen Landstrichen ging die Existenzgrundlage der Bevölkerung verloren. Handwerksmeister fanden keine ausreichende Beschäftigung. Gesellen waren ohne Arbeit und ohne Aufstiegsperspektiven. Bauern und Winzer litten unter ungenügenden Erlösen.

Bei den besitzlosen Unterschichten in Stadt und Land sah es trostlos aus. Mühsam um ihren Lebensunterhalt ringende Gelegenheitsarbeiter und Tagelöhner. Wäscherinnen und Näherinnen, Dienstboten und Gesinde, in die Prostitution getriebene arbeitslose Frauen, Obdachlose, Verarmte und Vagabunden, bettelnde Kinder, Männer, die sich angesichts der Misere mit Alkohol betäubten – das waren zu dieser Zeit Bestandteile einer ungeheuren Spirale des Elends[1].

Die Probleme wurden durch die Frühindustrialisierung noch verschärft. Vom Eisenbahnbau konnten erst lange nach 1835 (Eröffnung der Strecke Nürnberg-Fürth) wesentliche Impulse ausgehen; insbesondere für die Eisen- und Stahlherstellung sowie für den Maschinenbau. Den finanziellen Bedarf für den Eisenbahnbau deckten bis zur Mitte des Jahrhunderts privatwirtschaftliche Investoren und der Staat etwa je zur Hälfte ab.

In Süddeutschland stieg die Staatsverschuldung infolge der Beteiligung an den Eisenbahninvestitionen stark an. In Preußen erfolgte dies noch nicht, weil hier der Kapitalmarkt dem Staat wegen des Staatsschuldengesetzes von 1820 verschlossen war. Diese Sperre konnte nur durch Beschlüsse von gesamtpreußischen »Reichsständen« für eine Erhöhung der Staatsverschuldung geändert werden.

Die zunehmende Massenverelendung (»Pauperismus«) schlug sich im deutschen Vormärz in der zeitgenössischen Literatur auf deutliche Weise nieder. Als Hilfe zur Selbsthilfe entstanden bald Einrichtungen wie Kranken-, Hilfs- und Sparkassen, Kreditinstitute sowie Einkaufs- und Verkaufsgenossenschaften des städtischen und ländlichen Mittelstands (Raiffeisen und Schulze-Delitzsch). Ein Nebeneffekt dieser neuen Einrichtungen: Zu der vor allem auf dem Land traditionell starken Stellung der jüdischen Händler und Geldwechsler entstanden damit Alternativen.

Die durch Mißernten noch verschärften wirtschaftlichen und sozialen Probleme (in den Jahren 1845/1846 zwei große Mißernten in der europäischen Landwirtschaft hintereinander; Vernichtung der Kartoffelernten durch die so genannte Kartoffelfäule) spiegelten sich in der Diskussion der politischen Grundsatzfragen wider. Über allem stand die Verfassungsfrage mit ihren Forderungen auf Eindämmung der Macht der Landesherren und des Adels. Als Gegengewichte sollten Parlamente in den politischen Entscheidungsprozessen eine bestimmende Macht erhalten. In den Provinziallandtagen Preußens stand die Einführung einer konstitutionellen Verfassung für den Gesamtstaat immer wieder auf der Tagesordnung.

In so gut wie allen deutschen Staaten verstärkten freie Vereinigungen, Bürgerversammlungen und eine Flut von Schriften die auf Reformen drängende Stimmung. Die Regierungen befanden sich zunehmend in der Defensive. So wie sich dies die Restaurateure und Reaktionäre an den Schalthebeln der Macht vorstellten, waren die Verhältnisse nicht mehr zu halten[2].

Allgemein begann sich die Überzeugung durchzusetzen, daß in der Entwicklung des politischen Lebens in Deutschland eine neue Phase beginnen müsste. Diese neue Phase sollte das Jahr 1847 mit der Aufsehen erregenden Einberufung des Vereinigten Landtags in Berlin durch den König bringen. Aber anders als dies gedacht war.

Ursprünglich war seitens des Königs beabsichtigt, in dieser Versammlung der insgesamt acht Provinziallandtage zu einer Verständigung mit der Opposition zu kommen[3]. In dem Vereinigten Landtag fanden jedoch die wichtigen Wortführer der liberalen Opposition ein nationales Forum für ihre Forderungen.

Im November 1847 nutzten Stadt- und Gemeindeparlamente das ihnen jüngst zugestandene Recht zur Abhaltung öffentlicher Sitzungen für öffentliche Kundgebungen zur Veränderung der Verfassungsgrundlagen[4]. Aus Protest gegen wirtschaftliche Probleme wie die Knappheit an Lebensmitteln kam es zu spontanen Demonstrationen.

Eine der wichtigsten Aufgaben des Vereinigten Landtags hätte die Bewilligung einer großen Staatsanleihe für den Bau einer Eisenbahn von Berlin nach Königsberg sein sollen. Hierzu sprach sich der Landtag aber die Kompetenz ab, weil er nach eigenem Bekunden den Charakter jener echten Nationalrepräsentation nicht hatte, an deren Zustimmung nach dem Staatsschuldengesetz von 1820 die Aufnahme neuer Kredite gebunden war.

Nachdem auch in anderen Fragen eine Verständigung nicht erreicht werden konnte, sahen sich der König und seine Minister gezwungen, den Landtag zu schließen. Dies heizte die in Preußen herrschende Unzufriedenheit zusätzlich an. Wie sich gezeigt hatte, war die preußische Verfassungsfrage mit konventionellen Reformversuchen nicht mehr zu lösen.

Die Vorgänge in Berlin strahlten weit auf die Territorien des Deutschen Bundes aus. Auf lokaler Ebene organisierte Bewegungen führten in den Staaten des Südens und Südwestens zu politischen Aktivitäten in einem vorher nicht gekannten Ausmaß. In Württemberg trat die politische Opposition während einer außerordentlichen Sitzung des Landtags mit ungewöhnlicher Aggressivität auf. In Sachsen und Hessen-Darmstadt verwickelten Liberale die Regierungen in heftige Auseinandersetzungen. In Bayern kam es über die Affäre des Königs mit Lola Montez zu Empörungen. Der König mußte abdanken und mit ihm trat auch eine Reihe reaktionärer Minister ab[5].

Landauf, landab hielten im Sommer 1847 Ärzte, Anwälte, Philologen, Philosophen, Förster, Turner und andere Gruppen nationale Kongresse mit durchweg politischen Themen ab. Die informellen Kontakte zwischen den Befürwortern von Reformen aus verschiedenen Teilen Deutschlands nahmen zu. Die einzelnen Gruppen begannen, sich auf gemeinsame Vorgehensweisen und Ziele zu verständigen[6]. Am Vorabend der Revolutionen von 1848 fehlte zu der sozialen Explosion nicht mehr viel.

Revolution

Dann, in den ersten Wochen des Jahres 1848, die Eruptionen in Italien und in Frankreich. In Paris wurde die Monarchie gestürzt. Die Nachrichten aus Paris lösten östlich des Rheins sofort politische Agitation und öffentliche Unruhen aus. In ganz Mitteleuropa zeigte sich die Bevölkerung bereit, für grundlegende politische Veränderungen zu kämpfen. Es schien ein leichter Sieg zu werden, weil die etablierte Staatsmacht überall zurückwich.

Besonders dramatisch die Entwicklungen in Wien und Berlin, den beiden Machtzentren des Deutschen Bundes. In Wien kam es bei Massenumzügen zu gewalttätigen Ausschreitungen. Steuerbehörden wurden besetzt, Ladengeschäfte geplündert. Die Aufständischen fanden Rückhalt beim Bürgertum und wurden von den unterschiedlichen politischen Gruppierungen aktiv unterstützt. Das Militär leistete keinen nennenswerten Widerstand[7].

Metternich, der Gestalter der Restauration in Mitteleuropa, dessen Rücktritt vehement gefordert wurde, gab dem Druck nach und floh zutiefst resigniert nach England. Die radikalisierte Bewegung belagerte die Wiener Hofburg. Sie erzwang ein Verfassungsversprechen und die Aufhebung der Zensur. Da gleichzeitig auch in Prag, in Ungarn und in den italienischen Provinzen revolutionäre Erhebungen entstanden, schien die Existenz des Kaiserreichs insgesamt gefährdet. Auch die Herrscher von Baden, Württemberg, Bayern, Sachsen, Hannover und Hessen kapitulierten in dieser Situation rasch.

Und nur wenige Tage nach der dramatischen Wende in Wien wankte mit Berlin das letzte Bollwerk des alten Systems. Berlin, 22. März 1848: An diesem Tag waren die meisten Geschäfte geschlossen. In der ganzen Stadt wehten schwarzrotgoldene Flaggen und Trauerfahnen. Auf den Fronttreppen der beiden Kirchen am Gendarmenmarkt lagen 183 Särge aufgebahrt. Darin die Überreste der Zivilisten, die am Abend des 18. und dem Morgen des 19. März während der Barrikadenkämpfe vom Militär getötet worden waren. Die Toten, darunter auch mehrere Juden, wurden von den Berlinern in einer feierlichen Prozession zu Grabe getragen. An der Spitze des Leichenzuges ging neben dem protestantischen und katholischen Geistlichen auch der jüdische Prediger Michael Sachs, der bei der Bestattung ein besonderes Trauergebet sprach, das Aufsehen erregte.

In den Barrikadenkämpfen vom 18. auf den 19. März 1848 hatte sich vieles zugespitzt, was über Jahre, Monate, Wochen und zuletzt über Tage entstanden war. Seit den Nachrichten vom Sturz Louis Philippes, der Februarrevolution in Paris und den Tumulten in Wien war zum 18. März in Berlin eine ständig steigende Spannung entstanden. Die Bürger brachten ihre Forderungen zunehmend aggressiver zur Sprache. In einer Stellungnahme der Berliner Stadtverordneten war davon die Rede, daß die Bürger seit 33 Jahren nur »Zuschauer der Ereignisse« gewesen wären. Jetzt hoffte man, die »fast erstorbene Tatkraft« wieder zu finden.

Die Obrigkeit lavierte und versuchte beruhigend zu wirken. Tatsächlich schien sich die Situation nach mehreren Zusammenstößen der Stadtbevölkerung mit dem Militär am 18. März doch noch zu entspannen. Zwei Wünsche der Versammlungen wurden erfüllt: Zusicherung der Pressefreiheit und Einberufung des Landtags. Vor dem Schloß versammelte sich eine Menge, um dem König zu danken. Dann fielen zwei Schüsse.

»Der Eindruck der Bevölkerung war, daß trotz aller Zugeständnisse das Militär genau wie an den Tagen vorher auf die Bürger losgelassen wurde. Die böse Absicht schien bewiesen ... Alle Schichten der Bevölkerung von Berlin haben an dem denkwürdigen Kampfe teilgenommen, der nun begann. Es war, wie nirgends sonst in Deutschland, ein bewußter Kampf des Bürgertums gegen das Militär, des freiheitlichen und demokratischen Geistes gegen brutale Gewalttätigkeit ... Deshalb baute es (das Volk) Hunderte von Barrikaden in wenigen Stunden; deshalb setzten Tausende von Menschen ihr Leben aufs Spiel, unbekümmert und heroisch ... Alle Anwohner, Frauen, Kinder haben sich an der Errichtung der Barrikaden beteiligt, diese sahen auch ganz verschieden aus, so wie es den örtlichen Umständen entsprach«[8].

In Berlin kam es für kurze Zeit zu einer Verschmelzung der politischen mit der sozialen Unzufriedenheit. Revolutionäre Gewalt, Haß auf das Militär und die seit langem schwelende Enttäuschung über das königliche Regime ließen eine breite, gegen die Regierung gerichtete Koalition entstehen. Wie beinahe jede moderne Revolution war auch die von 1848 eine »Revolution der entgegengesetzten Erwartungen, gemacht von Menschen, die keine gemeinsame Perspektive hinsichtlich der Art und Weise besaßen, wie die soziale Unzufriedenheit beseitigt werden könnte«[9].

Die Durchschlagskraft und die anfänglichen Erfolge der Revolution hatten damit zu tun, daß vor allem in Deutschland viele unterschiedliche Gruppen gegen die bisherigen Verhältnisse kämpften und sich dabei als Verbündete trafen. Diese Uneinheitlichkeit verlieh der Revolution anfangs ihre Durchschlagskraft. Später wurde dies ihre Schwäche.

Regionen und Revolutionen

Die Revolten und Revolutionen verliefen in den einzelnen Regionen Deutschlands mit unterschiedlicher Heftigkeit und zum Teil auch mit unterschiedlichen Intentionen. Für das Großherzogtum Baden beispielsweise, den Mittelstaat im Südwesten Deutschlands mit über einer Million Einwohner, galt dies in besonderem Maße. Hier verschränkten sich Modernität und Fortschrittlichkeit in Städten wie Karlsruhe oder Mannheim auf eine eigenartige Weise mit den Altlasten aus der Vergangenheit in ländlichen Gebieten. Dies sollte für die Juden in dieser Region zu Konsequenzen führen.

Baden war schon seit der napoleonischen Zeit, vor allem aber seit der französischen Julirevolution von 1830, das reformfreudige liberale »Musterländle« Deutschlands. Hier hatte man bereits 1820 mit der Abschaffung des feudalen Systems begonnen (in Württemberg 1817). Diese Modernisierung sollte sich jedoch noch über viele Jahre hinziehen. Denn in den Parlamenten, in deren Ersten Kammern der Adel Sitz und Stimme hatte, wurde eine Politik der kleinen Schritte praktiziert.

Mit seiner Verfassung von 1818 war Baden jedenfalls der Staat im Deutschen Bund, der mit seiner Modernisierung die Spitze des Fortschritts bildete. Hier kam aus den »... schon gewonnenen Freiheiten die Erwartung noch größerer Reformen; jeder kleine Mißgriff bürokratischer Anmaßung, der in Preußen als selbstverständlicher Alltag gegolten hätte, wurde von den badischen Liberalen als Zumutung, als Mißachtung ihrer konstitutionellen Bürgerfreiheiten verstanden[10].

Die Mannheimer Volksversammlung am 27. Februar 1848 bildete den Beginn der Revolution in Baden. Die etwa 4.000 Teilnehmer beschlossen eine Petition mit einem Forderungskatalog, den in den folgenden Tagen und Wochen andere Städten und Gemeinden im ganzen Land kopierten. Die Inhalte dieses Katalogs: Volksbewaffnung, Pressefreiheit, Schwurgerichte und sofortige Bildung eines »deutschen Parlamentes«.

All das lief schon zumindest ansatzweise auf die Umwandlung des Systems in Richtung Republik hinaus. Was Baden hierbei von anderen deutschen Territorialstaaten unterschied: Die Anhänger der Republik waren in Baden alles andere als eine kleine Minderheit. Der republikanischen Staatsform kamen hier breite Sympathien zugute, bis hinein in das gewerbliche Bürgertum und in das Kleinbürgertum.

Zeitweise verbanden sich in Baden die akademisch-städtischen Führerfiguren mit den Teilen der ländlichen Bevölkerung, die sich als Freiheitskämpfer gegen die Grundherrschaft verstanden und dabei auch mit antijüdischen Ausschreitungen hervortraten. Solche Ausschreitungen hatte es in Baden wie in Württemberg schon 1819 und 1830 gegeben. Denn revolutionäre Stimmungen und ökonomische Konflikte waren hier wie auch in anderen Regionen meist Ventile für eine latente Judenfeindschaft[11].

In Baden hatten die Juden nach und nach die Gleichstellung als Staatsbürger erhalten. Auf Gemeindeebene blieben sie jedoch weiterhin vom Gemeindewahlrecht und von der Nutzung des Gemeindeeigentums (Allmende) ausgeschlossen. In Baden und in Württemberg – für beide Länder war eine notorische Geldknappheit kennzeichnend – bedeutete dies viel, weil damit Punkte tangiert waren, die weit in die agrarischen Strukturen dieser Regionen hinein reichten.

Hier hatte man die Abgaben und Zwangsleistungen der Bauern an den Adel zum großen Teil abgeschafft. Allerdings mußten diese Leistungen durch hohe Geldzahlungen abgegolten werden. Diese zwangsweise Ablösung war seit 1834 ein ständiger Streitpunkt. Denn um bezahlen zu können, hatten sich Bauern und Gemeinden bei Juden verschulden müssen. In der wirtschaftlich allgemein schwierig gewordenen Situation forderten jüdische Gläubiger die Rückzahlung der Darlehen. Die Bauern konnten in der Regel aber nicht zahlen.

Schon ihre Situation als Schuldner rief bei den Bauern Ärger und Haß gegen Juden als Gläubiger hervor. Hinzu kam noch, daß Juden, nachdem sie die Rechte als Staatsbürger schon hatten, in dieser Zeit auch die Rechte als Ortsbürger erhalten sollten. Aus diesen Rechten, die seit Jahrhunderten nur Christen hatten ausüben können, resultierte in der Regel eine Teilhabe an den Erträgen aus dem Gemeindeeigentum (Allmende, Bürgernutzen). Neu hinzukommende Berechtigte wie jüdische Ortsbürger konnten die Erträge der Altberechtigten aus der Allmende schmälern. Dies mußte die Wut der Landbevölkerung gegen die Juden verstärken.

Liberale und radikale Abgeordnete traten ab 1846 der badischen Zweiten Kammer für die Zubilligung von Ortsbürgerrechten an die Juden mit den daraus resultierenden materiellen Vorteilen ein. Vor allem der Mannheimer Lorenz Brentano, der wie viele andere Liberale und Freiheitskämpfer nach der Revolution von 1848/49 nach Amerika auswanderte (und dort starb), setzte sich für eine entsprechende Petition ein, die von fast 1.400 badischen Juden an das Parlament gerichtet worden war.

Diese Initiative, die die Gleichstellung der jüdischen Bevölkerung auch auf Gemeindeebene forderte, rief wie auch andere dieser Art heftigen Widerstand hervor. Im ganzen Land kam es zu Ausschreitungen, vor allem in den ländlichen Gebieten, wo in den ärmeren Gemeinden viele Bauern von jüdischen Geldverleihern abhängig waren.

Weil man den mit der Allmende zusammenhängenden Bürgernutzen auf keinen Fall mit noch mehr Neubürgern teilen wollte, wurden Juden häufig gezwungen, »freiwillig« auf ihre neuen Rechte zu verzichten. Erst das Gesetz vom 12. März 1848, das den Gemeinden alle Kosten, die bei den Ausschreitungen gegen die jüdische Bevölkerung entstanden waren, aufbürdete, beendete die Übergriffe.

Die Ausschreitungen gegen die Juden hatten hier also meist mehrere Gründe. Zum einen waren die Bauern nicht in der Lage, die Kredite zu tilgen. Gleichzeitig fürchteten sie, daß die Juden als Ortsbürger die aus dem Gemeindeeigentum kommenden Erträge beeinträchtigen würden. Wie in anderen Orten widersetzten sich beispielsweise auch in Bretten die Stadtbürger den Versuchen, Juden die Rechte von Vollbürgern zu geben.

Der Stadtschreiber Brettens notierte für die Nächte vom 6., 7. und 10. März: Einwohner drangen in die Häuser von Juden ein, verlangten die Herausgabe ihrer Schuldurkunden und forderten Quittungen über bezahlte Forderungen. Nach den nächtlichen Ausschreitungen vom 10. März 1848 bestellte man die Brettener Juden ins Rathaus. Dort mußten sie Urkunden unterschreiben, wonach sie im Falle ihrer Aufnahme in den Status als Gemeindebürger von vornherein auf den Bürgernutzen (= Erträge aus der Allmende) verzichteten[12].

Über die Ereignisse in Bruchsal am 4. März 1848 schrieb die Karlsruher Zeitung vom 6. März: »Auf das gestern hier verbreitete Gerücht, daß die hiesigen Israeliten dem Abgeordneten Brentano einen Fackelzug zu bringen beabsichtigten, weil er sich in der Kammer der Abgeordneten warm und lebhaft für die Emanzipation der Juden ausgesprochen, versammelte sich abends gegen 8 Uhr eine große Menschenmenge auf dem Marktplatze, und zog von da in die Vorstadt, wo sie sich alsbald unter tobendem Lärm gegen fünf von jüdischen Haushaltungen bewohnte Häuser wendete. Es wurden Türen, Fenster und Läden zerbrochen, auch einige Kanapees, Kommoden, Stühle und sonstiger Hausrat in den nah vorüberfließenden Saalbach getragen, jedoch keine persönliche Mißhandlung verübt«[13].

Die Bruchsaler Bürgerwehr griff nicht ein. Erst der (zögerliche) Einsatz der in der Stadt einquartierten Dragoner verhinderte weitere Ausschreitungen. Der Abgeordnete Lorenz Brentano, der in Bruchsal ein Haus besaß, wurde bedroht und mußte durch Militär geschützt werden. Brentano kritisierte anschließend, daß die örtlichen Behörden keine Anstrengungen unternommen hätten, die Gewalttätigkeiten zu verhindern.

In Bühl forderte eine Bürgerversammlung am 31. März 1848 die jüdischen Einwohner auf, soweit sie Bürgerrechte schon hatten, auf den damit zusammen hängenden Bürgernutzen zu verzichten. Andere, denen man Wucher vorwarf, sollten die Stadt verlassen. Als Gegenleistung wollten die christlichen Bürger die Sicherheit der jüdischen Einwohner garantieren. Eine Verzichterklärung wurde von den Juden Bühls tatsächlich unterschrieben[14].

Auch in anderen Orten kam es zu solchen erzwungenen Verzichtserklärungen. Die »Allgemeine Zeitung des Judentums« (AZJ) schrieb am 25. März 1848 hierzu: »Sind Bürger, die solches tun, zur Freiheit reif?«. Der Frankfurter Rabbiner Leopold Stein in der AZJ: »Unsere Sache ist eins mit der Sache des Vaterlandes, sie wird mit ihr siegen oder fallen«[15].

In Bayern wandte sich die Bevölkerung kleinerer Städte und Dörfer gegen Juden. Man rief ihnen zu: »Staatsdienste wollt ihr haben? Tot geschlagen müßt ihr werden«. In Hamburg kam es mehrmals zu Zusammenstößen. Diese antijüdischen Aktionen, die in vielem an die Hep-Hep-Unruhen von 1819 erinnern, klangen nach dem März 1848 wieder ab[16]. Sie standen im wesentlichen in der Tradition der seit dem Mittelalter bekannten Pogrome, in denen eine latent stets vorhandene Feindschaft gegen die Juden durch Anlass bezogene Aktualisierungen in Gewalt umschlagen konnte.

In den Jahren nach 1848 wurde die Judenfrage rasch wieder von den dominanten Fragen der Zeit – verfassungsmäßig garantierte politische Mitwirkung der Bürger, konstitutionelle Regierungsformen, sozial-ökonomische Reformen und Pressefreiheit – überlagert. Die bürgerliche Gleichstellung der Juden in Form der Emanzipation gehörte nicht zu diesen großen Fragen. Auf die Tagesordnung kam sie aber wieder gleichwohl – und auch dann wieder im Kielwasser größerer Themen.

Parlament und Politik

Frankfurt, 18. Mai 1848, nachmittags drei Uhr: Einige hundert gewählte Abgeordnete, in bürgerliches Schwarz gekleidet und von einer Menge umringt, gehen in einem festlichen Zug über den Römerberg zum nördlichen Tor der Paulskirche. Die Stadt ist mit schwarzrotgoldenen Fahnen geschmückt. Kanonen schießen Salut. Es ist der Tag, an dem die Deutsche Nationalversammlung erstmals zusammentritt. Der große Durchbruch, den die Revolution bewirken sollte, scheint damit auf eindringliche Weise belegt.

Das von den Zeitgenossen genannte Modell der »National-Repräsentation« war seit 1830 von den Liberalen immer wieder gefordert worden. Mit dem Parlament der Paulskirche schien diese neue Form der politischen Teilhabe in Deutschland verwirklicht[17]. Sie war aus der Ratlosigkeit und der Resignation der Restauration Metternichscher Observanz entstanden.

In ihrer Hilflosigkeit hatten sich die Herrscher seit Ende Februar 1848 um die Unterstützung der revoltierenden Gruppierungen bemüht. Nachdem am 10. März ein Siebzehnerausschuß mit »Männern des öffentlichen Vertrauens« gewählt worden war, der einen Verfassungsentwurf erarbeiten sollte, traf sich Ende März in der Paulskirche das Vorparlament, das aus Repräsentanten der deutschen Staaten bestand.

Dieser Versammlung gehörten vier Juden an: der Jurist und Publizist Gabriel Riesser aus Hamburg, der Verleger Moritz Veit aus Berlin sowie die Journalisten Ignaz Kuranda und Moritz Hartmann aus Wien. Die vier Männer belegen das Engagement, mit dem Juden von nun ab im öffentlichen Leben Europas wirkten. In Frankreich gehörten der ersten Regierung nach der Februar-Revolution mit Adolphe Crémieux (Justiz) und Michel Godchauy (Finanzen) als Minister zwei Juden an.

In Wien waren zwei jüdische Ärzte, Adolf Fischhof und Josef Goldmark, die unumstrittenen Führer der Revolution. In Deutschland fiel der später zum Vizepräsidenten der Nationalversammlung gewählte Riesser als glänzender Redner auf. Wie andere jüdische Abgeordnete in den Landes- und Provinzialparlamenten sah auch Riesser die politische Einheit der Deutschen und die Emanzipation der Juden als eine gemeinsam zu lösende Frage der Zeit an.[18]

Für die Richtung der Nationalversammlung in der Judenfrage sollte die Sitzung des Parlaments am 29. August 1848 eine Vorentscheidung bringen. Zur Diskussion stand eine Passage des Verfassungsentwurfs an, in der eine Beschränkung der staatsbürgerlichen Rechte durch das religiöse Bekenntnis ausgeschlossen war.

Die im Frühjahr 1849 verkündeten »Grundrechte des deutschen Volkes« garantierten den Bekennern aller Konfessionen, somit auch den Juden, eine uneingeschränkte Gleichberechtigung. Zwar konnte diese Deklaration der Frankfurter Nationalversammlung wegen der politischen Gegensätze unter den deutschen Bundesstaaten nicht Reichsgesetz werden. Es war aber schon ein Durchbruch. In den Hansestädten Bremen und Lübeck erhielten Juden die vollständigen Bürgerrechte, die selbst in den 1850er Jahren nicht mehr zurückgenommen wurden. Bis 1848 hatten Juden in diesen Städten nicht einmal wohnen dürfen.

Formal war die verfassungsrechtlich garantierte Gleichberechtigung im Jahre 1848 in fast allen deutschen Einzelstaaten, selbst in so rückständigen wie Sachsen und Mecklenburg, in Kraft getreten. Allerdings: Insgesamt brachte die Revolution von 1848 für die seit 1815 in der Schwebe befindliche Judenfrage nicht die erhoffte Klärung.

In Wirklichkeit konnten die Juden in der ersten Zeit nach der Revolution lediglich von dem parlamentarischen Wahlrecht Gebrauch machen, während die Abschaffung der noch geltenden Rechtsbeschränkungen erst auf dem ordentlichen Gesetzgebungswege erfolgen sollte. Weil es dazu vorerst nicht kam, konnten Juden einerseits als vollberechtigte Parlamentsmitglieder tätig sein. Andererseits standen ihnen aber als Einzelne und als Gesamtheit die Bürgerrechte noch nicht zu.

Die ab 1849 einsetzende neuerliche Restaurationswelle drängte viele Ansätze wieder zurück. Die Revolution selbst war von zu vielen unterschiedlichen Zielen und Stimmungen in den einzelnen Staaten geprägt, denen Rechnung getragen werden mußte. Und: Um nachhaltig wirken zu können, hielt sich die Revolution nicht lange genug.

Denn schon im Juni 1849, auf den Tag genau 13 Monate nach dem Festzug in Frankfurt a. M. zur Eröffnung der Nationalversammlung, wurde das aus nur noch gut 100 Abgeordneten bestehende, nach Stuttgart übergesiedelte Rumpfparlament von königlich-württembergischen Reitern auseinandergetrieben.

Österreich und Preußen als die wichtigen Mächte im Deutschen Bund waren schon 1848 nach einigen Zugeständnissen an die Liberalen wieder stark genug, um ihre Abgeordneten zu Massenaustritten aus dem Parlament zu veranlassen. Viele der noch vor kurzem erlassenen Gesetze wurden wieder zurückgenommen. Andere, die sich noch im Stadium der Ausarbeitung befanden, blieben liegen. Die Zeit der neuen Restauration und des Umschwungs hatte eingesetzt.

In Bayern hatte der neue König Maximilian II. nach dem Rücktritt seines Vorgängers den jüdischen Untertanen schon im März 1848 die rechtliche Gleichstellung zugesagt. Folglich sicherte ihnen im Dezember 1849 die Kammer der Abgeordneten, wo die Liberalen noch in der Mehrheit waren, mit Zweidrittelmehrheit die volle bürgerliche und politische Gleichstellung zu.

Aber bereits in der Debatte hierüber hatten die »Ultramontanen«, die Vertreter des politischen Katholizismus, darauf hingewiesen, daß sie das Volk gegen diese Entscheidung mobilisieren würden. Der politische Katholizismus, dessen Macht seit der Revolution auf einem gut organisierten Vereinswesen beruhte, setzte diese Macht gezielt in einem »Adressensturm« und in Volksversammlungen ein.

Die Kammer der Reichsräte lehnte das von den Abgeordneten beschlossene Gesetz ab. Das dann 1851 verabschiedete Gesetz brachte den Juden in Bayern keine wesentliche Veränderung ihrer rechtlichen Stellung. Von einer bürgerlichen Gleichstellung mit den Christen konnte nicht die Rede sein.

In Kurhessen wurde 1852 eine »provisorische Verfassung« durchgesetzt, die die bürgerlichen und politischen Rechte von der Zugehörigkeit zu einer christlichen Konfession abhängig machte. Auf Grund dieser Bestimmung wurden den Juden ihre seit 1813 verbrieften Rechte entzogen.

In Baden blieb neben dem in der Verfassung verankerten Prinzip der Gleichberechtigung das alte Gesetz in Kraft, wonach sich Juden in bestimmten Städten (Konstanz, Freiburg, Baden-Baden) ohne Genehmigung des zuständigen Magistrats nicht niederlassen durften. Solche Genehmigungen wurden aber nur selten erteilt.

Die preußische Regierung traf 1851 die grundsätzliche Entscheidung, daß den »Bekennern der jüdischen Religion (dem Wortlaut der Verfassung gemäß) zwar nicht verschränkt werden könne, sich die Qualifikation zu Staatsämtern jeder Art zu erwerben«. Die Erlangung dieser Qualifikation sollte aber noch kein Recht auf Verleihung eines bestimmten Staatsamtes begründen.

Vielmehr müßte es der Beurteilung des betreffenden Departementchefs vorbehalten bleiben, ob der Bewerber, ganz abgesehen von seinem religiösen Bekenntnisse sich seiner Persönlichkeit und seinen Fähigkeiten nach für dieses Amt eigne. Was damit gemeint war, zeigte folgende Erläuterung: Die Praxis habe gezeigt, dass schon allein die »Persönlichkeit des Juden, über welche Fähigkeiten er sonst auch verfüge ...« ihn für ein Amt von vornherein ausschließe.

Das Gleichberechtigungsgesetz des Norddeutschen Bundes nahm schließlich den preußischen Ministern die Entscheidung über eine unbeschränkte Zulassung der Juden zu den Staatsämtern ab. Die im Edikt von 1812 angelegte bürgerliche und politische Gleichstellung wurde vollendet. Das von Wilhelm I. am 3. Juli 1869 unterzeichnete und von Bismarck gegengezeichnete Gesetz lautete: »Alle noch bestehenden, aus der Verschiedenheit des religiösen Bekenntnisses hergeleiteten Beschränkungen der bürgerlichen und staatsbürgerlichen Rechte werden hierdurch aufgehoben. Insbesondere soll die Befähigung zur Teilnahme an der Gemeinde- und Landesvertretung und zur Bekleidung öffentlicher Ämter vom religiösen Bekenntnis unabhängig sein«[19].

Damit bestätigte das Parlament der vereinigten deutschen Staaten das Grundgesetz, das die Revolution von 1848 den deutschen Regierungen zwei Jahrzehnte früher abgerungen hatte. Es war ein vorläufiger Abschluß, weil die Bestätigung der bürgerlichen Gleichheit mit Zustimmung des die

Gesamtheit der Landesregierungen repräsentierenden Bundesrats erfolgt war. Es war nun nicht mehr möglich, daß ein Mitgliedsstaat dagegen Bedenken erhob und sich an einer Uminterpretation des Gleichheitsgrundsatzes versuchte.

Der erste Staat, der im Sinne des Bundesgesetzes handelte, war das im Norddeutschen Bund führende Königreich Preußen, das sich noch wenige Jahre vorher der Zulassung von Juden zum Staatsdienst hartnäckig widersetzt hatte. Das preußische Justizministerium gab den Juden nun den Zutritt zur Rechtsanwaltschaft und, dies allerdings nur auf beschränkte Weise, auch zu richterlichen Ämtern. Seit 1872 begann überdies das Unterrichtsministerium, jüdische Akademiker in Lehrämtern an Mittel- und Hochschulen zu bestätigen.

Das im Juli 1869 erlassene »Gesetz betreffend die Gleichberechtigung der Konfessionen in bürgerlicher und staatsbürgerlicher Beziehung« in dem als Folge des deutschen Krieges von 1866 errichteten Norddeutschen Bund galt nicht nur für die Juden im alten Preußen, sondern auch für diejenigen, die in den nach dem Krieg von 1866 von Preußen einverleibten Staaten Hannover, Holstein, Kassel, Nassau und Frankfurt lebten. Mit der Reichsgründung und der Übernahme der Gesetze von 1869 galt dieses Prinzip schließlich in ganz Deutschland.

Allerdings: Die in Aussicht gestellte Ordnung des Kultuswesens wurde nicht ausgeführt. Die preußische Regierung griff in die Rechtstellung der jüdischen Gemeinden nicht ein. Man beließ es bei der Duldung als Privatgesellschaften. Eine Anerkennung des Judentums als religiöse Gemeinschaft und kulturelle Gesamtheit schien mit dem Konzept der bürgerlichen Gleichberechtigung und Verbesserung als Individuen als schwer vereinbar[20].

Die Emanzipation im Norddeutschen Bund und in dem neuen Deutschen Reich hing damit zusammen, daß man die wirtschaftliche und gesellschaftliche Einordnung der Juden nur noch für eine Frage der Zeit hielt. Zudem wurde das Gleichberechtigungsgesetz zu einem Zeitpunkt beschlossen, als die Konservativen und die kleinstaatlichen Regierungen als Gegner entmachtet waren – erstere zeitweilig, letztere auf Dauer.

Die an den Schalthebeln der Macht sitzenden Befürworter Bismarcks und die liberalen Parteigruppen hatten in der Judenfrage aus unterschiedlichen Gründen vorübergehend die gleichen Ziele. Das Wirtschaftsdenken ging auch bei dem hohen Beamtentum bis hin zu der Ministerialbürokratie in die Richtung von Expansion, freier Handel und freier Konkurrenz. Diese Einstellung wirkte sich für die Gleichberechtigung generell günstig aus. Das Ausnahmerecht für die Juden war beseitigt.

Ob damit auch aus der Ausnahmestellung eine Normalstellung werden konnte, mußte die Zukunft zeigen. Für die sich bald zu Wort meldenden Antisemiten war typisch, daß sie eine Nomalstellung der Juden nicht akzeptierten, weil es in ihrem Weltbild um eine sozusagen natürlich gegebene Ausnahmestellung der Juden ging.

Bürger

Während der Kampf um die Staatsbürgerrechte einen wechselvollen, lange Zeit negativen Verlauf nahm, geriet auf einer anderen Ebene gerade die erste Hälfte des 19. Jahrhunderts für die deutschen Juden insgesamt zu einem spektakulären Aufstieg. An der Spitze etablierte sich aus den Nachkommen von Hoffinanziers und Aufsteigern eine Finanzelite, die das jetzt erst wirklich entstehende Bankwesen zu dominieren schien.

Neben ihnen standen aus dem Nichts und fast über Nacht nach oben gekommene Unternehmerpersönlichkeiten, die ihresgleichen suchten. Und mehrere Stufen unter diesen herausragenden Repräsentanten des Erfolgs etablierten sich armselige Trödler nachhaltig im unternehmerischen Mittelstand. Aus herumziehenden Hausierern wurden Geschäftsinhaber.

Auch diese Entwicklung hinterließ im deutschen Wirtschaftsleben insgesamt wie bei der sozialen Struktur der Juden tiefe Spuren. Die Veränderungen in wirtschaftlichen und gesellschaftlichen Bereichen wurden von einer Festigung der Assimilierungsideologie begleitet. Als Konsequenz hiervon nahmen Glaubensübertritte vor allem bei den gesellschaftlich und kulturell avancierten Teilen des Judentums zu[21].

All dies war untrennbar mit der Entwicklung des Kapitalismus verbunden, die ganz Mitteleuropa dramatisch verändern sollte. Schon mit der Beseitigung des Zunftwesens hatten die deutschen Staaten ein wichtiges Zeichen gesetzt. Die beginnende Industrialisierung war dann Anlaß genug, um die Liberalisierung der Wirtschaft weiter voran zu treiben.

Obwohl von einem klaren Kurs und einer Verlässlichkeit der Politik in den Jahren 1848 bis 1870 nicht die Rede sein konnte, verstand doch ein wachsender Teil der Juden in Deutschland, daß ihre bürgerliche Gleichberechtigung und ihre Anerkennung als Staatsbürger tendenziell nur eine Frage der Zeit war. Vor allem in Preußen faßten sie das Ganze (Wegfall beruflicher Beschränkungen, ansatzweise Freizügigkeit in der Ansiedlung, Zulassung zu Bildungseinrichtungen) so auf, daß es schon jetzt sinnvoll und möglich war, sich mit bürgerlichen Lebensformen zu etablieren.

Außerhalb Preußens gab es eine auch nur ansatzweise ähnliche Entwicklung allenfalls in Bayern, dem Land mit der zweitgrößten jüdischen Bevölkerungsgruppe. Während es in Franken, Schwaben und in der Pfalz – die Landesteile mit einer zahlenmäßig bedeutenden jüdischen Bevölkerung – zu erheblichen Rückgängen kam, wuchs die jüdische Bevölkerung in dem bis dahin kaum von Juden bewohnten Altbayern (vor allem in München) deutlich.

Insgesamt wurden zu dieser Zeit in Deutschland zwei Tendenzen deutlich:

1. Der Anteil der Juden an der jeweiligen Gesamtbevölkerung nahm zu.
2. Juden wanderten aus ländlichen Gebieten verstärkt ab und siedelten sich in den rasch wachsenden Großstädten an.

Zu den Gründen hierfür: Die prozentuale Zunahme der jüdischen Bevölkerung während der fünfziger Jahre hing auch mit einer niedrigeren Sterblichkeitsrate (geringere Säuglings- und Kindersterblichkeit) zusammen. In der zweiten Hälft des 19. Jahrhunderts änderte sich mit dem Rückgang der Geburtenrate unter den Juden und der sinkenden Sterblichkeitsrate bei der Bevölkerung allgemein das Bild wieder.

Die gesellschaftliche Integration der Juden wurde vor allem in den Städten deutlich. Zwar gab es noch viele Diskriminierungen, aber immer mehr Vereine und Gesellschaften akzeptierten Juden als Mitglieder. Der Liberalismus, der zwar nach 1849 vor allem in den Länderparlamenten Preußens an Boden verloren hatte, blieb in den Städten und Gemeinden auf lokaler Ebene stark.

Dies gab Juden weiterhin Gelegenheit, sich politisch zu betätigen. An der Spaltung der Bürgerlichen in konservative und radikalere Fraktionen waren viele Juden beteiligt. So Ferdinand Lassalle oder Johann Jacoby, für die die Arbeiterbewegung gleichsam die Fortsetzung der Revolution von 1848 bildete[22].

Begünstigt vom allgemeinen Wirtschaftswachstum nahm das jüdische Groß- und Mittelbürgertum in den größeren Städten um bis zu 40 Prozent zu. Jüdische Bankiers investierten nicht nur in Industrieunternehmen, sondern auch in den Ausbau der Verkehrsnetze und der städtischen Infrastruktur. Im Zuge der Urbanisierung gelang es zahlreichen jüdischen Hausierern und Krämern, sich in den Städten als selbständige Kaufleute zu etablieren.

In landwirtschaftlichen Berufen oder in dem immer stärker anwachsenden Proletariat waren Juden dagegen kaum vertreten. »Pauperismus, also Proletariat«, konnte die AZJ 1855 behaupten, »diese Erscheinungen sind den Juden in allen Teilen Deutschlands völlig unbekannt«[23].

Jüdische Sozialstruktur in Deutschland		
	1848	1871/74
Bürgerlich gesicherte Existenzen (obere und mittlere Steuerstufen)	15–33%	60%
Kleinbürgerliche und knapp am Minimum	25–40%	35–15%
Arme, marginale, nicht verbürgerte Existenzen	40–50%	5–25%

Für 1848 trafen die Zahlen in Zeile eins auch auf Preußen zu, die in Zeile zwei auf Bayern (ähnlich Württemberg). In Österreich war mindestens die Tendenz ähnlich, obwohl nach Gestattung der Freizügigkeit die Zahlen der armen Juden aus den Ostgebieten der Monarchie besonders hoch lagen. Aufschlussreich hier insgesamt: Der Anstieg der »bürgerlich gesicherten Existenzen« und der Rückgang der »Armen«. Das erstaunliche Phänomen dieser Jahrzehnte: Verbürgerlichung und Aufstieg in die wirtschaftlichen und kulturellen Ober- oder Mittelschichten[24]. Diese Entwicklung zeigte sich in den Großstädten am deutlichsten. Ländliche Bezirke und der Osten hinkten nach.

Mit dem bürgerlichen Aufstieg hing die zunehmende Akzeptanz der bürgerlichen Bildungsmöglichkeiten zusammen. Der Anteil der jüdischen Gymnasiasten in Preußen stieg seit 1852 von 5,9 Prozent auf 8,4 Prozent (1866), während ihr Anteil an der Bevölkerung höchstens bei 5,34 Prozent lag. Bei den Studenten war der Anteil noch höher. 1872/73 waren in Wien und Prag 11,6 Prozent der Studenten jüdisch.

Den Zugang zu den Bildungsberufen hatte die Gesetzgebung lange Zeit versperrt. Nachdem Juden schon seit dem späten 18.Jahrhundert zum Medizinstudium zugelassen wurden, kam die Öffnung für Juristen und Lehrberufe erst ab Mitte des 19. Jahrhunderts. Jüdische Privatdozenten (ohne Gehalt) gab es in Preußen seit 1854, danach in den 50er und 6oer Jahren auch außerordentliche Professoren.

Diesen Prozeß der Verbürgerlichung begleitete und unterstrich der Eintritt in die deutsche Kultur. Dieser hatte zwar schon im letzten Drittel des 18. Jahrhunderts begonnen. Er war aber vorerst in einem quantitativ überschaubaren Rahmen verlaufen. Vormärz und Revolution von 1848 deuteten Veränderungen an. Sie bildeten bei den Juden wohl erst die Auslöser für die auch zahlenmäßig verstärkte Hinwendung zur deutschen Kultur.

Für die Masse der bereits verbürgerlichten oder sich noch auf die Verbürgerlichung hin bewegenden Juden waren Akkulturation und Assimilation die wichtigen Lebensziele. Sie verstanden sich als liberale deutsche Staatsbürger jüdischen Glaubens und waren in der Regel auch so national gestimmt wie ihre Umwelt.

Für viele Juden war die Assimilation zugleich der Ausbruch und die Befreiung aus dem sozial-kulturellen Ghetto. Auf die Probleme eines solchen Bruchs wollte das so genannte Reformjudentum reagieren, indem es den Versuch einer Erneuerung der Religion durch Lösung von den überkommenen Sozial- und Lebensformen unternahm. Damals entstand auch die Wissenschaft des Judentums als Historisierung und Verwissenschaftlichung der Tradition. Für die bürgerlichen Juden wurde der philosophisch-liberal ausgelegte Glaube zu einem Bereich innerhalb der übergreifenden nationalen und bürgerlichen deutschen Kultur[25].

In dem Gebiet des späteren Reiches gab es 1820 rund 270.000 Juden, davon über die Hälfte in Preußen (davon wiederum 40 Prozent in Posen, weitere 20 Prozent in Westpreußen und Oberschlesien). In den Gebieten Österreichs: 85.000.

1850: 400.000 in Deutschland und 130.000 in Österreich.

1871: 512.000 und knapp 200.000; 1,25 Prozent von der Bevölkerung im Deutschen Reich und 1,5 Prozent der Bevölkerung der österreichischen Bundesländer.

Der Zuzug in die größeren Städte nahm in dieser Zeit zu. Berlins jüdische Gemeinde hatte 1817 lediglich 3.700 Mitglieder gezählt; im Jahre 1870: 36.105 oder 4,4 Prozent der Gesamtbevölkerung Berlins. Zehn Jahre später: 53.916 bzw. 4,8 Prozent. Im Jahre 1848 lebte in Preußen mit 218.750 Personen knapp die Hälfte der jüdischen Bevölkerung Deutschlands. Mit der territorialen Ausweitung von 1866 stieg diese Zahl auf 314.797 (= 62 Prozent der damals in Deutschland lebenden Juden).

Vor allem in drei Bereichen waren Juden überproportional stark vertreten: Geldwirtschaft, Handel und Textilindustrie. Im Jahre 1862 gehörten allein 550 von den 642 Banken in Preußen Juden. Als Beispiele hierfür standen Finanzunternehmer wie die Rothschilds, die Warburgs in Hamburg, die Oppenheims in Köln, das Bankhaus Mendelssohn in Berlin sowie Bismarcks Bankier Gerson von Bleichröder, der reichste Mann Berlins, der mit den französischen Rothschilds die Kriegskontributionen aushandelte, die Frankreich nach 1871 an Preußen zu zahlen hatte.

Gerade Bleichröder illustriert auf besondere Weise den Aufstieg von jüdischen Unternehmern. Noch sein Großvater hatte sich um 1740 nur deshalb in Berlin ansiedeln können, weil die Gemeinde bereit gewesen war, ihn als Totengräber für den jüdischen Friedhof einzustellen[26].

Der Beginn der Industrialisierung in Deutschland überlappte sich mit der wirtschaftlichen Erfolgsgeschichte der deutschen, zumal der preußischen Juden. Hierfür gibt es viele Gründe. Ein wesentlicher war sicherlich, daß geschäftliche Erfolge für Außenseiter wie Juden fast den einzigen Weg des gesellschaftlichen Aufstiegs darstellten.

Gleichzeitig enthielt die erfolgreiche Rolle, die die deutschen Juden im 19. Jahrhundert in dem ökonomischen Prozeß der Abwendung von überkommenen Wirtschafts- und Sozialvorstellungen und der Entstehung des Kapitalismus spielten, aber auch eine Gefahr. Sobald diese Rolle nämlich im Sinne einer Verschwörungstheorie auf eine »jüdische Komplizenschaft« reduziert wurde, sobald Reaktionäre in den Juden die angeblich entscheidende Antriebskraft einer als negativ gesehenen Moderne auszumachen vermochten und hiermit auch Zuspruch in der Öffentlichkeit fanden, war die Lage dieser Minderheit gefährdet.

Anders formuliert: Als der Liberalismus 1860 seinen Höhepunkt erreicht hatte, befand sich die stets latent vorhandene Judenfeindschaft auf dem

Tiefpunkt. Eine Wende setzte mit dem Börsenkrach von 1873 ein. Der Kapitalismus demonstrierte hierbei erstmals, dass allgemeine Prosperität und profitable Haussespekulation nur eine, eben die positive Seite der Medaille waren.

Mit der Desillusionierung begann der Niedergang des Liberalismus. Der Wind blies nun aus einer anderen Richtung und den Juden ins Gesicht – je länger desto mehr.

Politische Orientierungen				
	Juden in allen deutschen Staaten		Berliner Juden (a)	
	Vormärz	Revolution	Vormärz	Revolution
Gesamtheit				
Konservative/Loyalisten (b)	55–60%	50–55%		
(gemäßigte) Liberale	30–35%	30–35%		
Demokraten/Sozialisten	9%	15%		
Aktive Politiker				
Konservative/Loyalisten (b)	21%	9–10%	12–22%	12–14%
(gemäßigte) Liberale	32–35%	31–33%	40–55%	15–30%
Demokraten/Sozialisten	43–47%	58–62%	30–40%	55–70%

(a) Erfasst wurden als aktive Politiker 1848 insgesamt 66 Personen; für den Vormärz: Zu den aktiven Politikern wurden nicht nur diejenigen gerechnet, die in den politischen Klubs hervortraten, als Stadtverordnete oder als Berliner Abgeordnete der Preußischen bzw. Deutschen Nationalversammlung fungierten, sondern auch diejenigen, die bei herausragenden politischen Ereignissen der Revolutionszeit eine wichtige Rolle spielten. Nicht berücksichtigt wurden die jüdischen Wahlmänner, denn die Wahl der Abgeordneten für die beiden Nationalversammlungen war geheim: Wie der einzelne Wahlmann abstimmte, ist nicht bekannt.
(b) Einschließlich von als National bezeichneten Personen[27].

XIII WIRTSCHAFT UND GESELLSCHAFT

In der Ära der Industrialisierung boten sich entschlossenen Unternehmern völlig neue geschäftliche Chancen. Juden standen hierbei einmal mehr in einer besonderen Situation. Denn gerade in den so stark von der Obrigkeit geprägten deutschen Staaten, für Preußen als dem größten und auf vielfache Weise entscheidendem dieser Staaten gilt dies umso mehr, fehlte es sowohl an verfügbarem Kapital wie an risikobereiten Unternehmern.

Die Funktion dieser Schicht hat Joseph Schumpeter, ein Klassiker der modernen Wirtschaftswissenschaften, eindringlich beschrieben. Sie besteht darin, so Schumpeter, »... die Produktionsstruktur zu reformieren oder zu revolutionieren entweder durch die Ausnützung einer Erfindung oder, allgemeiner, einer noch unerprobten technischen Möglichkeit zur Produktion einer neuen Ware bzw. zur Produktion einer alten auf eine neue Weise, oder durch die Erschließung einer neuen Rohstoffquelle oder eines neuen Absatzgebietes oder durch die Reorganisation einer Industrie«[1].

Neuerungskraft und Innovationsfähigkeit von dieser Art brachten während der hier abgehandelten Zeit in Deutschland ungewöhnlich viele Juden auf. Die Emanzipation, so bruchstückhaft sie auch sein mochte, hatte ihnen in der Masse ein Maß an bürgerlicher Sicherheit gebracht, das es vorher, von den Privilegien einzelner Familien abgesehen, nicht gegeben hatte. Statt des diskriminierten Lebens am Rande des Abgrunds, statt des Ausschlusses aus der Gesellschaft und der Verweisung auf ganz wenige Erwerbsmöglichkeiten bestand nun für die Juden in ihrer Gesamtheit erstmals die Möglichkeit, über berufliche Erfolge in der sozialen Hierarchie aufzusteigen.

Der Wunsch nach gesellschaftlicher Anerkennung (Respektabilität), die Hinwendung zur deutschen Kultur, natürliches Erfolgsstreben, die Bereitschaft, die bereits zugesprochene Emanzipation zu rechtfertigen und weiterzuführen: Das waren die Impulse, die das deutsche Judentum nach vorne trieben. Und dies erfolgte mit einem ungewöhnlich hohen Qualifikationsniveau.

Denn vieles von dem, worauf es in der sich anbahnenden Wirtschaftsgesellschaft während der Frühindustrialisierung ankam – unternehmerischer

Wagemut und Energie sowie Beschlagenheit in finanziellen Dingen – hatten die Juden schon angesichts ungleich schwieriger Bedingungen aufbringen und unter Beweis stellen müssen. Indem sie nun aber sich an ein neues Umfeld anpaßten, verwandelten sie sich selbst und wirkten daran mit, auch ihre Umwelt zu verwandeln.

Und indem dies geschah, wurden die Juden für die vom aufsteigenden Kapitalismus Bedrohten oder gar bereits Deklassierten zu deutlich sichtbaren Nutznießern der eingeleiteten Moderne. So konnten dann trotz ihrer Abstrusität Sichtweisen plausibel erscheinen, die die Entstehung des Kapitalismus mit dem Komplott eines Finanzjudentums zu erklären trachteten. Die Ablehnung und der Kampf gegen die Moderne, was auch dazu führte, dass Juden auf die Rolle von Provokateuren und Nutznießern des Ganzen hin modelliert wurden, waren die Basis, auf der sich schließlich im letzten Viertel des 19. Jahrhunderts ein neuartiger Antisemitismus entwickelte[2].

Zuvor, in den Jahren und Jahrzehnten von 1815 bis 1870, hatten Themen von ganz anderer Art dominiert. Die neu formierten Monarchien und Fürstentümer befanden sich nach 1815 in sich in einem desolaten Zustand. Ost- und Westpreußen, Posen und Pommern waren besonders heruntergewirtschaftet. Dies verschärfte sich noch, als Rußland neue Zollgrenzen einführte. Die in den östlichen Provinzen betriebene Tuchmacherei brach dadurch völlig zusammen.

In Berlin und Brandenburg hatte sich dank der Kontinentalsperre Napoleons in den Jahren ab 1810 immerhin eine kleine Textilindustrie entwickeln können. Als aber die Handelsblockade des großen Korsen so wie er selbst verschwunden war, überschwemmten die Waren der ungleich leistungsfähigeren britischen Industrie den Kontinent. Die Manufakturen der Hauptstadt und im Umland verzeichneten Rückgänge von bis zu 80 Prozent, sofern sie überhaupt überleben konnten.

Zusätzlich zu der dadurch schon bedingten Knappheit an Arbeitsplätzen drängten die frei gewordenen preußischen Bauern wie in alle größeren Städte auch nach Berlin. »Und wo sollte dann die Unternehmungslust, die Selbsthilfe der Berliner herkommen«, fragte angesichts dieser Konstellation ein Historiker unserer Zeit. Schließlich: »Die Schuldenlast des Staates erzwang die äußerste Anspannung der Steuerkraft und verlangsamte mindestens durch Erschwerung der Kapitalbildung das Wiederaufblühen der Gewerbe«[3].

Wege aus diesen Schwierigkeiten konnten nur über die Stärkung der eigenen Ressourcen führen. Deshalb wurde die für die neuzeitliche Wirtschaftsgeschichte Deutschlands insgesamt so wichtige berufliche Qualifizierung schon in den 20er Jahren des 19. Jahrhunderts mit neuen staatlichen Institutionen wie dem Berliner Polytechnikum eingeleitet[4]. Insgesamt beschleunigend wirkte in erster Linie der beginnende Eisenbahnbau, der fast allen Ländern auf dem Kontinent ein massives Konjunkturprogramm bescherte.

Diese Neuerung, die unter anderem Maschinenbauern wie dem Berliner August Borsig zugute kam, wurde von den Banken ermöglicht. Für die damit zusammenhängenden Finanzoperationen, die sich in einer völlig neuen Größenordnung abspielten, waren vor allem die Bankhäuser mit jüdischen Inhabern gut gerüstet. Aus den Befreiungskriegen war diese Schicht mit bedeutend gestärkter Finanzkraft und Ansätzen zu einer wirklich professionellen Handhabung der Geschäfte hervorgegangen.

Hinzu kamen ihre über die Landesgrenzen hinausgehenden Kontakte, die ein auf Projekte bezogenes Zusammenwirken mit Instituten in anderen Staaten ermöglichten. Der in der Startphase nur von Privatbanken unternommene Eisenbahnbau war das Geschäftsfeld, auf dem sich für diese Ausrüstung der größte Bedarf zeigen sollte. Jüdische Finanziers – die Rothschilds waren hier unter vielen anderen Namen nur der herausragende – spielten im europäischen Eisenbahnbau eine wichtige Rolle[5].

Berufe

Im Jahre 1816 wiesen Preußens Territorien rund 124.000 Juden auf. Mit den hinzugewonnenen Gebieten hatte sich diese Minderheit gegenüber dem Stand von 1812 um etwa 200 Prozent vermehrt. Sie stellte damit aber von der Gesamtbevölkerung bestenfalls 1,2 Prozent. Zwar lebte die Masse dieses neuen Teils der Staatsbevölkerung in der Provinz Posen (fast 52.000). Große Judengemeinden wiesen aber auch Westpreußen (12.630) und Westfalen (nahezu 9.500) sowie die Rheinprovinz (über 17.000) auf.

Dabei lebten die Juden vorwiegend in den Städten. Während damals 72,5 Prozent der Bevölkerung Preußens insgesamt noch in ländlichen Gegenden zu finden waren, galt dies bloß für 16,6 Prozent der Juden. Nur in den Regierungsbezirken Trier, Aachen, Koblenz, Köln und Düsseldorf war das ländliche Judentum stärker als in den betreffenden Städten. Die Städte mit den größten zahlenmäßigen Anteilen an Juden waren Breslau, Posen und Berlin.

Das Judentum wies in fast allen Gegenden eine Berufsstruktur auf, die sich von der ihrer Umwelt deutlich unterschied. Um die Jahrhundertwende lebten 66 Prozent der preußischen Gesamtbevölkerung von der Landwirtschaft und verwandten Erwerbsmöglichkeiten. In Handwerk und Industrie fanden 27 Prozent ihre Erwerbsmöglichkeiten, während sich nur sieben Prozent von Dienstleistungen wie dem Handel ernährten. Ganz anders sah die berufliche Schichtung bei den Juden aus[6].

Berufsstruktur der preußischen Juden 1800 (ohne Posen)	
Großhandel, Bankiers und Fabrikanten	2 Prozent
Mittelhandel	8 Prozent
Kleinhandel	40 Prozent
Hausierer	20 Prozent
Bereich Handel insgesamt	**70 Prozent**
Handwerker	7 Prozent
Hausdiener u. Bedienstete	10 Prozent
Geistliche und Synagogenbeamte	2 Prozent
Freie Berufe	1 Prozent
Berufslose, Unterstützungsempfänger u. Bettler	10 Prozent
Sonstige Bereiche insgesamt	**30 Prozent**

Berufsstruktur der preußischen Juden 1813	
Handel u. Gastwirtschaft	91,8 Prozent
Handwerk	4,6 Prozent
Wissenschaftliche u. künstlerische Arbeiten	3,1 Prozent
Ackerbau	0,5 Prozent

Der Befund aus diesen Globalzahlen: Bei den Juden zeigte sich ganz im Sinne der über viele Jahrzehnte erfolgten Berufsschichtung eine eindeutige Konzentration auf die Handelsberufe. Dies blieb noch lange Zeit typisch. Noch im Jahre 1852 übten 51,5 Prozent der erwerbstätigen Juden in Preußen Handelsberufe aus. Bei Nichtjuden waren es nur zwei Prozent. Wenn handwerkliche Sparten bei den preußischen Juden nach 1816 generell stärker auffielen, dann hing dies in erster Linie mit der neu hinzugekommenen Provinz Posen zusammen. Denn dort hatte es, wie in Osteuropa generell, immer schon relativ viele jüdische Handwerker gegeben[7].

Auch hieraus ist zu folgern: Die Juden waren im Handel überproportional stark vertreten. In handwerklichen und landwirtschaftlichen Berufen tauchten sie dagegen so gut wie gar nicht auf. Dies war ein Erbe der Geschichte. Denn dort, wo sich das Handwerk in Zünften mit strengen Zutrittsregelungen organisiert hatte, gab es für Juden keinen Platz. Dass dies auch als der entscheidende Grund für ihr Fernbleiben von handwerklichen Berufen anzusehen ist, zeigt die hohe Zahl der jüdischen Handwerker in den östlichen Provinzen. Auch dort hätten die Gilden und Zünfte Juden von diesen Gewerben gerne ausgeschlossen. Aber im Gegensatz zum Westen hatten sie nicht die Macht dazu.

Ähnliches gilt für die Landwirtschaft. Der Grundbesitz war die Grundlage der Sozialordnung und folglich den Juden verwehrt. Für das wenig erstrebenswerte Los der über Jahrhunderte entwickelten Gutshörigkeit kamen sie hier wie in ganz West- und Mitteleuropa als Zuwanderer ohnehin nicht in Frage.

Aus der im völligen Kontrast zur Berufsschichtung der Umwelt stehenden Erwerbstätigkeit der Juden hatte bereits die Aufklärung gefordert, daß die »Besserung« dieser Minderheit mit einer Veränderung ihrer Berufe einhergehen müßte[8]. Die Vorstellung von der menschlichen und bürgerlichen Verbesserung der Juden war schon damals mit der Einleitung eines beruflichen Wandlungsprozesses unter den Juden verflochten.

Tatsächlich war in den ländlich geprägten Gesellschaftsstrukturen des 18. und 19. Jahrhunderts die starke Stellung einer Minderheit wie der Juden in Handel und Geldwirtschaft eine Abnormität. Diese Abnormität, so verallgemeinernd und vielfach zutreffend sie gesehen wurde, wurde mit bestimmten Eigenschaften der Juden, so unzutreffend und verallgemeinernd man dies man nun wiederum thematisierte, in einen Zusammenhang gebracht.

Aus dem Abschleifen dieser Abnormität, so der Plan der Aufklärung, sollten jüdische Gewerbetreibende entstehen, die sich von ihren christlichen Zeitgenossen nicht mehr unterschieden. Der Wegfall der beruflichen Unterscheidungsmerkmale bildete in diesem Plan die Voraussetzung für ein tolerierbares, weil nicht mehr störend wirkendes Judentum, das sich durch Angleichung an den Werthorizont seiner Umwelt assimiliert hatte. Dieser Werthorizont war von einem tiefen Mißtrauen und Unbehagen gegen die Wirtschaftstätigkeiten geprägt, die außerhalb der beruflichen Konventionen Landwirtschaft, Handwerk, Armee oder Staatsdienst standen.

Juden hatte man von diesen Konventionen stets ausgeschlossen. Deshalb waren Juden seit Jahrhunderten in die erwerbsmäßigen Bereiche gegangen, die ihnen offen standen, weil sich Christen dort nicht betätigten. Damit verkörperten Juden auch in der Wirtschaft das unkonventionelle, das schwer oder überhaupt nicht einzuordnende Element. In der Absicht, dieses Element anzupassen und damit vielleicht schon zum Verschwinden zu bringen, waren die Versuche zur Reform der jüdischen Berufsschichtung begründet[9].

Die Hinführung zu den vermeintlich respektablen Berufen nahm ein großer Teil der preußischen Juden engagiert auf. Das fast zeitgleiche Entstehen der zahlreichen Handwerkervereine und deren massive Förderung durch bereits assimilierte Teile des Judentum belegen dies. Mit der Zunahme der handwerklichen Berufe hofften die jüdischen Förderer des Übergangs, das Judentum insgesamt respektabel und damit einer weiter geführten Emanzipation würdig erscheinen zu lassen.

Es gehörte zu der Emanzipationsvorstellung dieser Jahrzehnte, daß man es dem Staat überließ, ja ihn sogar aufforderte, die Juden zu erziehen – auch seitens der Juden selbst. Ein gewisses Verständnis für die von beiden Seiten unternommenen Versuche, die Juden vom Handel abzuziehen, wird man aufbringen können. Rund 20 Prozent der Juden, die außerhalb des preußischen Kernbereichs lebten – für Posen lag der Anteil wohl bei weit über 30 Prozent – waren vagabundierende Bettler, die mit einer Art Nothandel ihren Unterhalt nur mühsam bestreiten konnten.

Diese Unterschichten auf produktivere und für den Staat leichter zu kontrollierende Wege zu führen, war das Ziel beider: der Beamten wie der bereits assimilierten Juden, die über eine unterstellte Glaubenszugehörigkeit zudem fürchteten, mit diesem Lumpenproletariat und Einwanderern aus dem Osten auf eine Stufe gestellt zu werden[10]. Eine berufliche Umorientierung der Juden hatte der preußische Staat schon früh herbeiführen wollen. Handwerksmeister, die jüdische Lehrlinge aufnahmen, waren deshalb mit besonderen Prämien belohnt worden.

Die Versuche der preußischen Juden selbst, die Jugend verstärkt in den gewerblichen Bereich zu lenken, hatten dazu geführt, dass 1831 in Berlin bereits 50 jüdische Handwerksmeister wie Schuhmacher oder Schneider und 120 Gesellen lebten. Insgesamt ermöglichte der Verein von 1825 bis 1898, dem Jahr seiner Auflösung, 1.105 jüdischen Handwerkern eine entsprechende Ausbildung.

Die Berliner Gesellschaft fand in vielen größeren jüdischen Gemeinden Nachahmer. Bis zur Mitte des 19. Jahrhunderts entstanden in den deutschen Territorien rund 50 Vereine zur Förderung von handwerklichen und landwirtschaftlichen Berufen unter den Juden[11]. Symptomatisch für diese Gründungen war das Schicksal des 1823 in Danzig gegründeten »Vereins zur Verbreitung handwerklicher Gewerbe unter Israeliten«, der jüdische Lehrlinge bei christlichen Handwerksmeistern unterbringen sollte.

Zwar konnte der Verein in den Folgejahren 1824 und 1825 insgesamt 18 Knaben Lehrstellen verschaffen. Aber schon 1827 »wollten sich ungeachtet aller Mühe, die der Verein sich gab ...« keine weiteren Lehrlinge mehr finden lassen. Das so vielversprechend begonnene Unternehmen mußte seine Mittel danach für den Schulbesuch begabter jüdischer Knaben verwenden. Den Grund für dieses Scheitern hatte der Verein schon 1825 genannt, als er feststellte, »... daß kein zünftiger Meister sich entschließen will, einen jüdischen Lehrling einschreiben zu lassen«[12].

Die Schwierigkeiten lagen auf beiden Seiten. Selbst wenn sich Handwerksmeister überhaupt bereit fanden, jüdische Lehrlinge aufzunehmen, entstanden schwer lösbare Probleme. Denn der Lehrling trat ja nicht bloß in den Betrieb, sondern auch in die Hausgemeinschaft seines Herrn ein. Wollte er dann zum Beispiel die jüdischen Speisevorschriften mit ihrer strikten Trennung von Milch und koscher zubereitetem Fleisch befolgen, dann konnte er an den gemeinsamen Mahlzeiten nicht teilnehmen. Und wie schließlich wollte der jüdische Lehrling die Frage der Arbeit an einem Samstag – der Sabbat war doch der heilige Tag der Ruhe – oder an einem jüdischen Feiertag beantworten? Diese Probleme ließen sich durch Ausgleichszahlungen der Vereine vielleicht vorübergehend mildern, aber nicht lösen[13].

Unter diesen Umständen war es schon erstaunlich genug, daß sich junge Juden den mit der Ausbildung zu einem Handwerk verbundenen Mühen überhaupt aussetzten. Der Bericht des Schriftsetzerlehrlings Leopold Freund vermittelt eine Ahnung von den Entbehrungen. Nach dem Tod seines Vaters und etlichen Wanderschaften hatte er 1828 in Berlin eine Lehre begonnen.

Aus seiner Lebensgeschichte: »In Berlin angekommen, ging ich zu der früheren Wirtin meines Bruders Josef, zur Frau Kuhfahl, Schlafstellwirtin in der Mittelstraße Nr. 36 und zu meinem wahrem Freunde Josefson … Ihm teilte ich vertrauensvoll meine Lage mit, ich wollte unter keinen Umständen Christ werden, wollte als Jude studieren, wenn das nicht ginge, ein Gewerbe oder eine Kunst lernen. Ich entschied mich für meinen alten Plan, Schriftsetzerei zu erlernen, und sofort führte mich Herr Josefson zu dem Pflegevater des »Israelitischen Vereins zur Förderung und Erlernung der Handwerke unter den Israeliten«, Herrn Ullmann. Dieser, allen Berlinern von damals bekannte alte und wohltätige Herr, brachte mich zu Herrn Leopold Krause, Adlerstr. Nr. 6, jetzt Geh. C. R. Littfaß, und nach kurzen Unterhandlungen war ich, Ende Januar 1828, wohlbestallter Setzerlehrling bei Herrn Krause mit einem Taler Kostgeld pro Woche …

Frohen Mutes trieb ich mein Gewerbe mit einem Eifer, daß ich schon nach einjähriger Lehrzeit zu schwierigem Satz herangezogen werden konnte und nach eineinhalbjähriger Lehrzeit (mit ein und zwei Drittel) Taler Kostgeld und den Kurier, ein mit 4 Oktavseiten täglich erscheinendes kleines Feuilletonblatt … zum Nachtsetzen bekam … Durch unsere Druckerei, die sämtliche Arbeiten der königlichen Theater lieferte, war ich mit den Theaterverhältnissen sehr vertraut geworden und später zu der unverdienten Ehre gelangt, Chef einer Claqueurgesellschaft zu werden, die ich für den Bruder des Generalmusikdirektors Meyerbeer, den reichen Bankier Beer, im Interesse seiner Geliebten, der Solotänzerin St.-Romain, welche damals die gefährliche Nebenbuhlerin Fanny Elslers war, organisierte. Es waren fast nur Studenten der verschiedenen Fakultäten und von mir sehr gut instruiert, und häufig überflügelten wir, durch donnernden Applaus, zweckentsprechend angebracht, die größere Anzahl der Elsler-Enthusiasten vom Garde du Corps und sonstigen Offizieren«[14].

Erst für die Jahre 1834 bis 1852 liegen statistische Angaben vor, die eine gewisse Veränderung der Berufsschichtung der Juden erkennen lassen. Von handwerklichen und industriellen Berufen lebten 1852 statt 9,8 (1834) bereits 14,8 Prozent der preußischen Juden (ohne Posen). Diese Zunahme in den handwerklichen und industriellen Berufen war eigentlich mehr als man erwarten konnte. Denn das Handwerk befand sich wie die Fertigung im Verlagssystem gerade zu dieser Zeit in der Krise. Zahlreiche Meister und Gesellen waren in dieser Übergangsphase zur Frühindustrialisierung in Not[15].

Für Juden bestand somit recht wenig Anlaß, sich diesen für sie neuen Erwerbssparten zuzuwenden. Der jüdische Journalist Ludwig Philippson schrieb 1836: »Der Handwerksstand (hat) in den jetzigen Zeitverhältnissen so wenig Verlockendes ..., daß wir auch bei anderen Glaubensgenossen selten einen Kaufmann seinen Sohn ein Handwerk erlernen lassen sehen«. Ähnlich pessimistisch wertete Philippson – zu Recht – die Versuche, den Ackerbau populär zu machen: »Die Juden sind außer geringer Ausnahme, nur in den Städten seßhaft. Wo sieht man aber die Städter ihre Wohnungen verlassen und Bauern werden ...«[16].

Im Gegensatz zu den wenig verheißungsvollen Aussichten, die die so genannten produktiven Berufe boten, gab es gerade im Handel bessere Möglichkeiten als je zuvor. So war es verständlich, daß aus Hausierern kaum Handwerker, dafür aber um so mehr Ladeninhaber wurden. Und selbst dort, wo sich Juden für das Handwerk entschieden, gaben sie meist den Sparten den Vorzug, die eine Nähe zum Handel aufwiesen. Bereiche wie die Schneiderei oder Weberei wurden am häufigsten wahrgenommen. Von hier aus fiel eine Etablierung im Handel oder der Übergang in die aufkommende industrielle Textilwirtschaft, schon bald eine Domäne der Juden, relativ leicht[17].

Abgesehen von den zahlenmäßigen Ergebnissen spielten diese Bemühungen zur beruflichen Umorientierung der Juden auch für ihre Angleichung an die Umwelt eine argumentativ wichtige Rolle. Die zunehmende »Verbürgerlichung« der preußischen Juden war ein Prozeß, der sich in beruflichen Veränderungen ausdrückte, durch sie aber auch zusätzlich beschleunigt wurde.

Händler und Industrielle

Von 1815 bis zur Mitte des Jahrhunderts wandten sich die Juden immer deutlicher von den unseßhaften Trödelberufen ab. Emanzipation und Berufsfreiheit hatten ihnen tendenziell erstmals die Möglichkeit gegeben, Ladengeschäfte ohne große Formalitäten und ohne Restriktionen zu eröffnen. Dadurch und wegen der Erleichterung zur Aufnahme eines Geschäftsbetriebs bestand in den Großstädten an Hausierern bald kein Bedarf mehr. Die zahlreichen ambulanten jüdischen Händler wurden dadurch noch mehr zur Seßhaftigkeit gezwungen. Damit entstand ein bis dahin unbekannter Bedarf an Gehilfen. Diese Gehilfen machten sich nach einer gewissen Zeit der Abhängigkeit meist selbständig. Dies verstärkte zusätzlich den Trend, daß jüdische Händler sich als Geschäftsinhaber etablierten[18].

Der jüdische Hausierer kam ab Mitte des 19. Jahrhunderts eigentlich nur noch in den ländlichen Gebieten vor. Die neuen geschäftlichen Chancen in den Städten und in den entwickelten Gebieten wurden von jüdischen Händlern relativ schnell erkannt. Die Folge: Aus den rückständigen östlichen Gebieten zogen Hausierer verstärkt in den Westen, um sich dort mit festen Adressen niederzulassen. Generell war bei den Juden des Ostens der Zug in den Westen und für die Juden im Westen der Umzug in die größeren Städte zu beobachten.

Jacob Lestschinsky, der vielleicht bedeutendste Sozialhistoriker des Judentums im 20. Jahrhundert, faßte zusammen: »Im Lande vollzog sich langsam, aber unaufhaltsam ein sozialer Aufstieg der jüdischen Bevölkerung. Nicht allein, daß der Oberbau der Großfinanziers, Großhändler und Großfabrikanten beständig zunahm an Umfang und Macht, sondern es erstarkte auch die zahlenmäßig angewachsene Gruppe der mittelgroßen Krämer und Kaufleute in den größeren und größten Städten ... Die Physiognomie des deutschen (vor allem aber des preußischen) Judentums hat sich (bis zur Mitte des 19. Jahrhunderts) verwandelt«[19].

Geradezu musterhaft spiegelt sich die wirtschaftliche Erfolgsgeschichte des deutschen Judentums im Leben des Berliner Bankiers Aaron Heymann (1802–1880) wider[20]. Heymann, der Sohn eines Wollhändlers, war in das Geschäft des Vaters bereits als Fünfzehnjähriger eingetreten. Aus seinen Lebenserinnerungen: »Das nicht in regulärer kaufmännischer Weise geführte Geschäft war ein vielseitiges. Da wurde in Wolle, Schaffellen, rohen Ledern, Rauchwaren und in allem, was da vorkam, gehandelt; aber der Lehrling (Heymann) wurde niemals über die Qualität der betreffenden Waren unterrichtet ...

Wo nahm nun der Jüngling die Mittel zu seiner Bekleidung her? Er sammelte die Hörner, welche von den eingekauften Rindledern abfielen, ebenso schnitt er von den Schaffellen, an welchen noch die Pfoten saßen, diese ab und verkaufte sie an Leimlederfabrikanten, das Hundert zu 3 Groschen, die Hörner dagegen an Horndrechsler. Später verschaffte er sich eine Unterkollekte von Lotterielosen und erwarb sich endlich so viel, daß er seine Kleidung in Berlin anfertigen lassen konnte. Wenn er auch dadurch seinen bisherigen Kleidermacher benachteiligte, so war dieser doch darob sehr erfreut; denn er erbat sich die in der Residenz angefertigten Kleider als Muster und verzichtete dabei gern auf jeden anderen Gewinn. Konnte er doch nun seinen Kunden moderne Kleider liefern und so einen Vorsprung vor seinen Mitmeistern haben ...«.

Dies alles war für sich schon eine Erfolgsgeschichte. Denn Heymanns Vater hatte es immerhin zu einem Geschäft gebracht. Er war kein einfacher Hausierer mehr, sondern neben der Tätigkeit in seinem Laden immerhin schon ein reisender Ein- und Verkäufer von Rohmaterialien in größerem Stil. Der Sohn ging später nach Berlin und betrieb dort mit seinem Bruder ein florierendes Bank- und Wechselgeschäft. Zusätzlich handelte er mit Wollwaren und verlegte sich später auf den Handel mit Eisenbahnaktien.

Heymann war einer der zahllosen Aufsteiger, die neben und unterhalb der schon seit längerer Zeit etablierten Finanzelite den sozialen Aufstieg eines unternehmerischen Mittelstands dokumentieren. Die auch bei Heymann anzutreffende Verbindung von Waren- und Geldgeschäften war für das Gros der jüdischen Karrieren typisch[21]. Jüdische Unternehmer begannen im deutschen Wirtschaftsleben eine wichtige Rolle zu spielen. Die Zentren dieser Aktivitäten waren Brandenburg mit Berlin als Hauptstadt des Gesamtstaates, Oberschlesien und ab 1850 immer mehr das Rheinland.

In den durch Kohle, Eisen und Stahl gekennzeichneten Wirtschaftsbereichen waren die Juden generell kaum vertreten, weil hier technische Fachkenntnisse und handwerkliche Fertigkeiten den Ausschlag gaben[22]. Solche Eigenschaften sind trotz gewisser Veränderungen für die Juden nicht typisch geworden. Ihre Stärke als Unternehmer lag mehr im Aufspüren neuer Märkte für Gebrauchsgüter wie Textilien, im Handel und mit Abstrichen in der Chemie.

Eine Erklärung hierfür ist bereits genannt worden: Diese Sparten hatten eine Nähe zum Handel. Es kam hier weniger auf Innovationen technischer Art an als auf das Gespür für künftige Märkte und für die Bedürfnisse der Kunden. Ohne daß der moderne Begriff vom Marketing damals auch nur annähernd bekannt gewesen wäre, taten jüdische Unternehmer mit ihrer Konzentration auf nicht abgedeckte Kundenbedürfnisse und Märkte mit Zukunft intuitiv schon das, was sich für die moderne Betriebsführung als ein wichtiger Erfolgsfaktor erwiesen hat[23].

Dass eine solche Innovationskraft bei der Vermarktung von Gütern nicht geringer einzuschätzen ist als die revolutionäre Erneuerung des Produkts selbst, gehört heute zum Standardwissen von Wirtschaftsstudenten. Jüdische Unternehmer hatten sich diese Erkenntnis aus ihrer Nähe zum Handel und aufgrund ihrer Außenseiterrolle intuitiv angeeignet, ja aneignen müssen. Ihrer Umwelt, die im konsumnahen Bereich auf eine wirtschaftliche Statik vertraute und von den Erfolgsfaktoren für Investitionsgüter noch nicht viel wußte, stand diese Einsicht noch bevor. Dies erklärt, warum sich das im 20. Jahrhundert aufkommende Begriffspaar von »schaffendem Kapital« (= deutsch-germanisch) und »raffendem Kapital« (= jüdisch) zu einem vom Antisemitismus so wirkungsvoll eingesetzten Terminus entwickeln konnte.

Die Konzentration der jüdischen Industriellen auf konsumnahe Bereiche und hier vor allem auf die weit zu fassende Sparte Textil, ergibt sich aus den vorliegenden Statistiken eindeutig.

Jüdische Unternehmer in Berlin 1809–1848		
	Abs. Zahlen	%
Textil- u. Bekleidungsindustrie	52 Werke	51,0
Nahrungs- u. Genußmittel-Industrie	16 Werke	15,7
Herstellung v. Luxuswaren u. Bijouterie	10 Werke	9,9
Herstellung v. Schreib- und Malutensilien	6 Werke	5,9
mit Chemie zusammenhängende Unternehmen	5 Werke	4,8
andere	13 Werke	12,7
Insges.	**102 Werke**	**100 Prozent**

Für die Relation zur Unternehmerschaft insgesamt ist hier wiederum auf Berlin zu verweisen, wo jüdische Geschäftsleute besonders ins Gewicht fielen. Rund die Hälfte der insgesamt 150 für die Jahre 1835–1870 in der Hauptstadt nachweisbaren Unternehmer waren Juden. Und dies bei einem Anteil an der Bevölkerung, der in dieser Zeit von zwei auf allenfalls drei Prozent stieg. Zweifellos hat »die Berufsstruktur dieser Minorität ... die einseitige Herkunft der frühindustriellen Berliner Unternehmer stark mitgeprägt, da sie ebenfalls extrem einseitig war«[24].

Als Indiz für die trotz dieser »Einseitigkeit« herausragende Rolle jüdischer Unternehmer in der preußischen Gesellschaft insgesamt sind die vom Staat zu Kommerzienräten erhobenen Unternehmer anzusehen. Dieser Honoratiorentitel wurde von 1819 bis 1850 an 150 erfolgreiche und erwiesenermaßen am Gemeinwohl orientierte Geschäftsleute vergeben. Darunter befanden sich 15 Juden (also zehn Prozent). Bedenkt man, daß die Juden in dieser Zeit kaum mehr als 1,3 Prozent der preußischen Gesamtbevölkerung ausmachten und es sicher Widerstände gab, die Leistungen von Nichtchristen auf eine so offenkundige Weise auszuzeichnen, wird man einen Anteil von zehn Prozent als sehr hoch einschätzen müssen.

Eine der spektakulärsten Karrieren als Textilindustrieller machte Joseph Liebermann (ca. 1783–1860), der aus einer Händlerfamilie in Märkisch-Friedland und Sprottau stammte. Liebermann ging nach Berlin und verlegte sich bald auf die Produktion. Ihm war wie so vielen anderen Zeitgenossen klar, daß bei der Baumwollfertigung gegen die übermächtigen englischen

Hersteller nicht anzukommen war. Liebermann wandte sich deshalb dem relativ neuen mechanischen Druck von Kattun und anderen Geweben zu, in dem die Briten noch nicht dominierten.

Damit war er so erfolgreich, daß er sich in den vierziger Jahren dem König als »der Liebermann« vorstellen konnte, »der die Engländer vom Kontinent vertrieben hat«[25]. Joseph Liebermann wurde bereits 1843 mit dem Titel eines »Kommerzienrats« ausgezeichnet. Seinen insgesamt neun Kindern soll er jeweils 100.000 bis 150.000 Taler hinterlassen haben. Zwei seiner Söhne betrieben nach dem Tod des Vaters die Unternehmen weiter und wurden ebenfalls Kommerzienräte.

Eine Tochter von Joseph Liebermann heiratete Moritz Rathenau, der als junger Mann aus der Uckermark nach Berlin gezogen war. Dessen Sohn Emil, der Gründer der AEG und Vater des 1922 von rechtsextremen Gewalttätern ermordeten deutschen Außenministers, absolvierte noch in einer Fabrik des Großvaters Liebermann »als Proletarier in blauer Bluse und mit zerschundenen Händen« seine Lehrzeit[26]. Max Liebermann, einer der bedeutendsten deutschen Maler des 20. Jahrhunderts, war ein Enkel des Berliner »Kattunkönigs«.

Daß Industrielle wie Liebermann für ihre Produkte mit jüdischen Händlern als wichtige Absatzvermittler in und auch außerhalb Preußens zusammenarbeiteten, kann als gesichert gelten. Carl Fürstenberg, gegen Ende des 19. Jahrhunderts eine überragende Figur unter den deutsch-jüdischen Bankiers, berichtete hierzu in seinen Memoiren. Der junge Fürstenberg war 1868 von Danzig nach Berlin gezogen und dort in das Textilhandelsgeschäft der Gebrüder Simon als Gehilfe eingetreten. Fürstenberg über den Inhaber dieses Geschäfts: »Als Louis Simon sich dann im Jahre 1852 mit seinem Bruder Isaak selbständig machte, brachte er die eigene Firma schnell an die Spitze seiner Branche. Das Unternehmen spezialisierte sich auf den Handel mit Baumwollgeweben und insbes. Kattun ...«[27].

Als typisch kann hier auch die Geschichte des schlesischen Großwebers Salomon Kauffmann (1824–1900) gelten. Der Vater hatte 1824 in Schlesien eine Wäschehandlung gegründet, aus der dann eine Weberei entstand. Der Sohn arbeitete seit 1839 im väterlichen Betrieb. Etwa zu dieser Zeit war das Unternehmen »... vergrößert worden ... Später wurden Arbeitskräfte in den Strafanstalten zu Schweidnitz, Striegau, Brieg und Ratibor mit Weben beschäftigt. Die Handwebestühle dafür hatte unser Vater angeschafft. Als dann die Maschinenweberei die Handweberei verdrängte, hörte diese Arbeit auf... die meisten der Angestellten gingen nach wenigen Jahren wieder ab, meist um sich selbständig zu machen«[28].

Die von Kauffmann genannten Angestellten, die selbst Unternehmer wurden, dürften hauptsächlich Juden gewesen sein. In einem Ausriß liegt damit eine eindringliche Beleuchtung der Energie vor, mit der Juden geschäftliche Chancen wahrnahmen.

Weitere wichtige Textilindustrielle waren Joel Wulff Meyer und sein Bruder Philip, deren Ururgroßvater sich 1714 in Berlin als Seidenhändler niedergelassen hatte. Oder der ebenfalls in Berlin ansässige Alexander Goldschmidt, dessen Vater noch 1809 als Beruf »Seidenhändler« angegeben hatte. Ebenso Leonor Reichenheim aus Magdeburg, der in Berlin eine Manufakturwarenhandlung betrieb. Die Mitte des 19. Jahrhunderts übernommene, ursprünglich staatliche Weberei in Wüstegiersdorf (Schlesien) führte Reichenheim gemeinsam mit drei von seinen Brüdern so erfolgreich, daß sie nach wenigen Jahren bereits 2.400 Mitarbeiter beschäftigte. Gegen Ende des Jahrhunderts wurde der Textilkonzern der Reichenheims von den hier schon genannten Kauffmanns übernommen[29].

Mühelos ließe sich diese Erfolgsgeschichte jüdischer Textilindustrieller anhand weiterer Einzelkarrieren fortsetzen[30]. Von hier führte dann schon fast reibungslos der Weg zur konfektionsmäßigen Erstellung von Damen- und Herrenbekleidung, bald der wichtigste Industriezweig der Juden. Die Brüder Manheimer waren 1837 die ersten, die Mäntel serienmäßig fertigten und über die zahllosen jüdischen Händler oder auch über bereitwillige Schneider, unter denen es ja auch viele Juden gab, vertrieben.

Die Firma Hermann Gerson beschäftigte schon in den fünfziger Jahren fünf Meister, drei Direktricen und bis zu 150 Näherinnen fest. Außer Haus vergab Gerson Arbeiten an 150 Schneider mit insgesamt 1.500 Mitarbeitern. In den sechziger Jahren gab es in Berlin bereits mehr als 50 Konfektionsfabriken, von denen etwa die Hälfte jüdische Inhaber hatten.

Die konfektionsmäßige Fertigung von Oberbekleidung war eine grundsätzliche Innovation, die in die bisherige Konvention der Maßanfertigung durch Schneider oder Kauf beziehungsweise Umarbeitung getragener Bekleidungsstücke stieß. Diese »jüdische Erfindung« brachte vielen Schneidern wirtschaftliche Probleme und zwang Geschäftsinhaber zu Umstellungen. Antijüdische Ressentiments konnten daraus einmal mehr reale Argumente beziehen. Andererseits schuf diese Neuerung neue Märkte und neue geschäftliche Chancen[31].

In der Findigkeit und Schnelligkeit, mit der Juden wie die Manheimers diese Chancen aufspürten, lagen ihre Erfolge begründet. Während sich beispielsweise christliche Textilfabrikanten allenfalls im Rheinland zeigten, dachten Unternehmer wie Hermann Elias Weigert und Salomon Kauffmann schon an mehr. Sie wollten ihre Produktkenntnisse verbessern und neue Absatzmöglichkeiten erschließen. Deshalb machten sie als einzige Vertreter dieser Branche aus Deutschland bei der ersten Weltausstellung 1851 in London, praktisch in der Höhle des Löwen, mit[32].

Unternehmer wie Weigert und Kauffmann hatten zudem früh verstanden, daß sie ihre Chancen in den Großstädten suchen mußten. Deshalb übernahm Salomon Kauffmann schon 1841, nur zwei Jahre nach seinem

Eintritt in das väterliche Geschäft (Schweidnitz in Schlesien), die Niederlassung in Breslau. Elias Weigert stammte wie sein Vater und Großvater aus Rosenberg in Oberschlesien. Auch ihm kam die mit der Emanzipation verbundene Freizügigkeit zugute. Er ging als kaum 18jähriger nach Berlin, um dort bei seinem Bruder die Webereitechnik zu erlernen.

Für die Tüchtigsten unter den jungen Juden Deutschlands wurde es in dieser Zeit typisch, daß sie in wirtschaftliche oder kulturelle Zentren wie Berlin, Breslau, Köln, Frankfurt a. M., Hamburg oder München gingen. Aus dem Prozess des Abwanderns in die größeren Städte, der mit einer anderen geistigen und materiellen Beweglichkeit erfolgte, als sie christliche Landarbeiter aufbringen konnten, erklärt sich die geradezu dramatische Zunahme des jüdischen Bevölkerungsteils in den Zentren.

Juden in Großstädten					
	1816	1850	Zunahme (Prozent)	1871	Zunahme (Prozent)
Berlin	3.373	9.595	285	36.015	1.068
Breslau	4.489	7.384	200	13.000	351
Köln	150	1.286	857	3.172	2.115

Mit dem Abwandern in die Großstädte, der Dominanz im Handel und in der Textilindustrie hängt eine weitere, erst am Ende des 19. Jahrhunderts eingeführte Innovation zusammen: Die großen, in vielen Fällen von Juden gegründeten Warenhäuser[33]. Die Warenhaus-Pioniere jüdischer Abstammung hatten ihre Karrieren in der Regel in Städten begonnen, die in den weit im Osten liegenden Teilen Preußens lagen.

Abraham Wertheim betrieb seit 1876 ein Weißwarengeschäft in Stralsund. Im Jahre 1884 eröffnete er eine Niederlassung in Rostock. Von dort folgte der Sprung nach Berlin. Typisch also auch für die Geschichte der deutschen Warenhauskonzerne: der Weg aus der Provinz in die Großstädte. Wertheim erhielt 1879 Konkurrenz durch Leonhard Tietz, der ebenfalls in Stralsund ein Kurz-, Weiß- und Wollwarengeschäft aufmachte. Es war der Grundstein für die spätere Kaufhof AG.

Im Jahre 1882 ließ Hermann Tietz, der Onkel des Kaufhof-Ahnherrn Leonhard Tietz, das Publikum in der thüringischen Stadt Gera wissen, daß er »am hiesigen Platze ein Garn-, Knopf-, Posamentier-, Weiß- und Wollwarengeschäft, en gros und en detail« aufgemacht habe. Sein Kompagnon war Oscar, der jüngere Bruder von Leonhard Tietz. Daraus entstand das Warenhausunternehmen, das später den Namen »Hertie« tragen sollte. Weitere Namen von Juden, die in vielen deutschen Städten Warenhäuser gründeten: Nathan Israel, das Leinenhaus F. V. Grünfeld oder Adolf Jandorf.

Die Warenhaus-Pioniere jüdischer Herkunft hielten in Deutschland untereinander familiäre und geschäftliche Verbindungen.

Die Sozialleistungen dieser Kaufhäuser für ihre Mitarbeiter waren ungewöhnlich großzügig. Hermann Tietz unterhielt beispielsweise eine Pensionskasse für die Angestellten; zwei Drittel zahlte der Arbeitgeber, ein Drittel der Arbeitnehmer. Der Höchstsatz p.a.: 10.000 Mark. Das große Leinenhaus Grünfeld gewährte seinen Angestellten 1896 ausnahmslos fünf Tage bezahlen Urlaub. Das war damals neu und verdächtig »sozialistisch«.

Das Abwandern in die Großstädte führte zu einem auffallenden Punkt in der Entwicklung der preußischen Juden. Die örtliche und berufliche Zusammenballung hob die beruflichen Aussichten der Angestellten, an denen es einen erhöhten Bedarf ja ohnehin schon gegeben hatte. Ein Kenner wie Jakob Lestschinsky schrieb hierzu: »Der Übergang selbständiger kleinkrämerischer und hausiererischer Elemente in die Klasse abhängiger Angestellter bildete das Strombett für die Entwicklung der jüdischen Ökonomik in der Neuzeit und drückte der Entwicklung des deutschen Judentums ein charakteristisches Gepräge auf«[34].

Die Großstadt war der Boden, auf dem sich ein expansives Unternehmertum aus den Glaubensgenossen, die den Hausierhandel verlassen wollten oder eine Selbständigkeit in größerem Stil nicht schafften, leistungsfähige Hilfskräfte heranzog. In dem Umfang, in dem dann später die Rolle des unabhängigen Unternehmers zugunsten des angestellten Managements zurückging, waren Juden für diese Positionen schon qualifiziert. Besonders deutlich sollte sich dies im Bankwesen zeigen.

Eisenbahnbau

Bis zur Mitte des 19. Jahrhunderts spielten einzelne Juden auch in dem für die Industrialisierung so entscheidenden Bereich eine herausragende Rolle: In der Verbindung von Eisenbahnbau und schon entstandener, aber nun noch mehr aufstrebender Hochfinanz. Die Ursprünge dieser Entwicklung illustrieren einige, noch vergleichsweise bescheiden wirkende Beispiele.

Der Armeelieferant, Versorger von Lazaratten und Bankier Israel Moses Henoch war bereits während der Reformzeit Preußens durch nicht immer glücklich ausgegangene Geschäfte aufgefallen. Nach dem Krieg richtete er in Berlin einen Droschkenbetrieb ein. Die »Henochschen Droschken« waren stadtbekannt und offenbar so profitabel, daß sie um einen Omnibusverkehr am Potsdamer Bahnhof ergänzt wurden. Israel Henochs Sohn Hermann wurde Direktor der Niederschlesisch-Märkischen Eisenbahn. Im Jahre 1853 war er einer der Gründer der bedeutenden Versicherungsgesellschaft Victoria[35].

Eine Jente Henoch, eine Vorfahrin der hier genannten Henochs, war mit Herz Beer verheiratet. Aus dieser Ehe stammte der Bankier und Unternehmer Juda Jacob Herz Beer, der Vater des Komponisten Giacomo Meyerbeer. Beers Schwiegervater wiederum war der hier schon mehrmals genannte Liepmann Meyer Wulff, der reichste Jude Preußens an der Wende vom 18. zum 19. Jahrhundert. Nach dem Tode Wulffs übernahmen die Güterbocks, Juden polnischen Ursprungs, dessen Postfuhr-Unternehmen. Sie betrieben Speditions- und Transportgeschäfte in größerem Stil[36].

Diese »Speditions- und Transportjuden« waren für den beginnenden Eisenbahnbau als Subunternehmer gut gerüstet. Einer von ihnen, der Spediteur Rudolf Pringsheim (1821–1901), hatte 1844 den Pachtvertrag für die oberschlesische Schmalspurbahn erhalten. Von dieser Linie hing das gesamte Transport- und Verkehrssystem in dieser Region ab. Pringsheim investierte in dieses Geschäft. Es wurde für ihn selbst und für den Staat ein großer Erfolg. Sein Sohn Alfred war ein bekannter Mathematikprofessor in München, in dessen Haus sich die kulturelle und wirtschaftliche Elite der Zeit traf. Alfred Pringsheims Tochter Katja, die Enkelin des oberschlesischen Eisenbahnpioniers, heiratete den Schriftsteller Thomas Mann[37].

In ganz Mitteleuropa hatte das Zeitalter von Schiene und Dampf eingesetzt. Diese Projekte brachten Unternehmern eine breite Palette von Mitwirkungsmöglichkeiten Sie konnten sich schon auf der ersten Stufe, dem Ersuchen um eine Konzession und der Vorlage des benötigten Finanzplanes, beteiligen. Die Organisation des Baus der Linie selbst und die des Materials wie Schienen und Waggons waren die nächsten Schritte. Dann konnte man auch das Betreiben der fertiggestellten Linie übernehmen.

Letztlich blieb es dann den Banken überlassen, ob sie schon bei der Planung eines solchen Vorhabens mitwirkten oder ob sie die anschließenden Emissionen und den Absatz der Aktien dieser Eisenbahngesellschaften steuerten. Denn mit dem Boom im Eisenbahnbau und der gesellschaftsrechtlichen Konstruktion der Aktiengesellschaft setzte eine Wertpapierspekulation ein, die vor allem der Berliner Börse ein gigantisches Handelsvolumen bescherte.

»Die Spekulationswut kannte kaum noch Grenzen, sie wandte sich auch den nicht zinsgarantierten (= Dividende) Aktien zu, ja Aktienpromessen (= Bezugsrechte) der neu zu gründenden Gesellschaften wurden mit 20 bis 30 Prozent Agio gehandelt«. Jede Mitwirkungsstufe beim Eisenbahnbau war für sich schon ein eigenständiger, vorerst nur von Privatleuten wahrgenommener Geschäftsbereich. Unternehmer, die über genügend Finanzkraft verfügten, konnten aber auch das ganze Paket übernehmen. Dies trauten sich aber allenfalls Konsortien, also Unternehmensgruppen zu.

Auf jeder einzelnen Stufe dieser Unternehmungen war aber bereits ein Investitionsbedarf erforderlich, der alle bisher vertrauten Dimensionen sprengte.

Juden traten dabei in nahezu allen Funktionen hervor, vor allem aber als Finanziers oder wie Pringsheim und Henoch als Betreiber der Linien. Zahllose jüdische Banken wirkten als Geldbeschaffer mit. Für regionale Bahnlinien waren dies unter anderen Heimann, Ullmann und Friedenthal in Breslau, Jaffé in Posen oder der in Dessau geborene Moritz Cohn[38].

Die Kölner Bankiers Oppenheim nahmen auf diesem Feld eine besondere Stellung ein. Im Jahre 1835 war Abraham Oppenheim Mitbegründer einer Gesellschaft zum Bau und Betreiben der Eisenbahnlinie Köln-Antwerpen. Er leitete dieses wichtige Unternehmen bis 1844. Der Bau der Linie hatte drei Millionen Taler gekostet. Diese Summe wurde so aufgebracht: »... hatte sich Abraham Oppenheim in der Tat schon durch lange zuvor geführte Verhandlungen der Bereitschaft namhaftiger, zum Teil schon international bekannter Häuser zum Bau dieser ersten Bahn versichert«. Seine Kooperationspartner bestanden aus insgesamt 27 befreundeten Firmen, darunter die Rothschildschen Häuser in Frankfurt, Paris und Neapel, Mendelssohn in Berlin und Heine in Hamburg.

Auch an der Eisenbahnverbindung Köln-Minden, der in der Entwicklung der westfälischen Industrie eine überragende Bedeutung zukam, wirkte Oppenheim entscheidend mit. Es trifft vorwiegend auf die Oppenheims zu, was über den Anteil der rheinischen Banken beim Eisenbahnbau in Preußens westlichen Provinzen geschrieben wurde: »... und wenn man die Annalen auch nur oberflächlich durchblättert und bei den entscheidenden Gründungen der dreißiger und vierziger Jahre immer wieder dem gleichen Vorgang mit fast den gleichen Namen begegnet, so erkennt man bald, daß die Bildung solcher finanziellen Kraftzentren eine der wesentlichen Bedingungen und Voraussetzungen für die industrielle Erschließung des ganzen rheinisch-westfälischen Wirtschaftsraumes war«[39].

Abraham Oppenheims Bedeutung für den Eisenbahnbau beschränkte sich aber nicht auf Preußen. Er war in Frankreich und Österreich kaum weniger aktiv. Bei diesen grenzüberschreitenden Aktivitäten zeigt sich ein Charakteristikum der jüdischen Hochfinanz in Deutschland und Europa: Sie stand sich durchweg auch familiär nahe. So war einer von Oppenheims Schwägern, der Pariser Bankier Fould, an der Gründung des französischen Finanzgiganten Crédit Mobilier beteiligt. Ein anderer Schwager Oppenheims, der bedeutende badische Bankier Moritz von Haber, gehörte zu der schärfsten Konkurrenz des Crédit, der Rothschild-Gruppe[40].

In Deutschland waren alle Banken, die auch nur irgendwie zählten, an der Finanzierung der Eisenbahnen und den damit verbundenen Wertpapierspekulationen beteiligt. Joseph Mendelssohn schrieb im Februar 1845 an einen anderen Bankier: »... in Rücksicht auf Eisenbahnaktien gleichen sich Paris, London und Berlin wie ein Ei dem andren. Diese Aktien verschlingen alles Geld, alle Spekulation und alles Interesse der Börse. Wer da nicht mitspielt, der ist auf die Seite geschoben – wir sind darin ganz neutral. Wir haben in ... Eisenbahnen etwas angelegt und das liegt ruhig. Indessen ist bei uns ... das Spiel auch nach den Provinzen gelangt und wir haben ... täglich recht hübsche Aufträge darin, die wir wohl unserer vollkommenen Neutralität in diesen Aktien verdanken«[41].

Der Bau und das Betreiben von Eisenbahnlinien waren bis in die zweite Hälfte des 19. Jahrhunderts das große Geschäft. In Preußen bis 1873. als dies nach dem großen Börsenkrach der Staat übernahm. Zuvor war mit dem Eisenbahnbau ein Abschnitt der Wirtschaftsgeschichte verknüpft, in dem Juden eine besonders bemerkenswerte Rolle spielten[42].

Der bekannteste unter diesen Unternehmern war der »europäische Eisenbahnkönig« Henry Strousberg. Aufstieg und Fall des Bethel Henry Strousberg stehen für die unternehmerischen Chancen und Risiken während der ersten Industrialisierungsphase in den Jahren 1850 und 1870. Strousberg. 1823 in einer jüdischen Kaufmannsfamilie in Neidenburg/Ostpreußen geboren, mußte seinen Lebensunterhalt schon früh selbst verdienen. Als ältestes von acht Geschwistern wanderte er 1939 nach England aus, wo er zum Anglikanismus übertrat, bei einer Bau und Immobiliengesellschaft arbeitete, und sich wirtschaftliches wie juristisches Wissen aneignete.

Er war dann noch für eine kleine Lebensversicherung tätig, bevor er nach Deutschland zurückkehrte. In Berlin startete er mit dem in England erworbenen Rüstzeug den großen Aufstieg, der ihn tatsächlich innerhalb einer erstaunlich kurzen Zeit weit nach oben führte. Interessant die Art, wie er den Doktortitel erhielt. Ohne Abitur und ohne akademisches Studium hatte Strousberg der Universität Jena Schriften eingereicht und um Promotion »in absentia« gebeten. Der Titel wurde ihm tatsächlich verliehen – wohl auf Empfehlung von oben und weil dies bei einem getauften Juden unbedenklich erschien.

Im Finanzmanagement für den Eisenbahnbau konzipierte Strousberg ein »System«, mit dem einerseits die gesetzlichen Vorschriften erfüllt und andererseits die Finanzierung neuer Eisenbahnen ermöglicht werden konnten. In diesem System war Strousberg der Generalunternehmer, der mit Subunternehmern zusammenarbeitete. Und obwohl er selbst über keinerlei Kapital verfügte, übernahm er bei diesen Geschäften gegenüber englischen Kapitalgebern das Projektrisiko.

Neben der Durchführung dieser Eisenbahnprojekte kaufte Strousberg während der Jahre 1860 Industrieunternehmen, Erzgruben und Verhüttungsanlagen, mit deren Hilfe er die erforderlichen Ausrüstungen (Schienen, Signalanlagen, Waggons, Lokomotiven) selbst herstellen und liefern konnte. Erstaunlich und überzogen wirkt die Zahl der meist nebeneinander betriebenen Projekte. Allein in Preußen waren es 1868 sieben Eisenbahnlinien, die bereits 1870 weitgehend fertiggestellt waren. Auf dem Höhepunkt seines Erfolgs beschäftigte er direkt und indirekt insgesamt etwa 150.000 Arbeiter und Angestellte.

In wenigen Jahren hatte Strousberg mit einem Finanzierungsaufwand von 300 Millionen Mark (umgerechnet etwa drei Milliarden Euro) fast 15 Prozent des damaligen preußischen Eisenbahnnetzes gebaut. Zudem war er in Rußland, Ungarn und dem gerade entstandenen Rumänien aktiv. Seine Kapitalgeber kamen anfangs aus dem Ausland, dann folgten der preußische Hochadel und schließlich viele Kleinanleger. Die etablierten Banken hielten zum »System Strousberg« eine kritische Distanz.

Wie kam es zu Strousbergs Sturz? Und was hatte das für Folgen? Sein Konkurs zerstörte die Zukunft von Tausenden Aktionären, leitete die Gründerkrise von 1873 ein und damit jene Phase ökonomischer Stagnation, die als große Depression gilt. Sein Zusammenbruch gab den Anstoß zur Verstaatlichung der preußischen Eisenbahnen. Und als Unternehmer, der trotz seiner Konversion als Jude galt, war die Karriere des Strousberg sowie die Schädigung der Anleger durch seinen Zusammenbruch für Gegner der Juden unterschiedlichster Couleur ein ergiebiges Thema.

Die Fragilität des Konzerns hatte sich erstmals mit dem stockenden Eisenbahnbau in Rumänien angedeutet. Strousberg kam in Bedrängnis. Den entscheidenden Schlag brachte der deutsch-französische Krieg 1870/71, der zum Stillstand zahlreicher Baumaßnahmen führte. Dadurch verzögerte sich der Rückfluss von Kapital aus eigentlich bereits abgeschlossenen Projekten, während die Zahlungsverpflichtungen weiter liefen. Am 1. Januar 1871 mußte der Eisenbahnkönig seine Zahlungsunfähigkeit eingestehen.

Danach begann das Ende. »Meine Effekten wurden entwertet«, schrieb er, »meine Einnahmen versiegten plötzlich, die Unternehmer wurden entweder unfähig oder unwillig in gewohnter Weise zu arbeiten (...) und so geriet alles ins Stocken«. Der Eisenbahnkönig benötigte Kredite und mußte dafür seine Aktien den kreditgebenden Banken übertragen. Strousberg war wirtschaftlich entmachtet.

Dieser zunehmend enger werdenden Situation folgte das Aus, als der nationalliberale Abgeordnete Eduard Lasker am 7. Februar 1873 das System Strousberg angriff. Lasker bezeichnete Strousberg als den Prototyp des Unternehmers, der Anleger um ihr Geld gebracht, Gesetze verletzt und Steuern hinterzogen hatte. Er nannte Strousberg einen »Eisenbahnwucherer«, was schon am folgenden Tag zur Einsetzung eines parlamentarischen Untersuchungsausschusses und wenig später zum Rücktritt führender Beamter einschließlich des preußischen Handelsministers führte.

Bald danach war Strousberg bankrott und erledigt. Leidtragende waren vor allem die zahlreichen Kleinanleger, die nur hilflos protestieren konnten. Faktisch waren sie enteignet, während vor allem der Bankier Bleichröder die preußische Aristokratie, die in Strousbergs Unternehmen massiv investiert hatte, durch auf geschickte Weise vollzogene Transaktionen vor dem Schlimmsten bewahrte. Schließlich übernahmen die Berliner und Kölner Großbanken die Reste des früheren Wirtschaftsimperiums[43].

Banken

Jüdische Münz- und Warenhändler waren in das professionell betriebene Finanzgeschäft hineingewachsen. Aus der Pfandleihe hatte sich der Übergang in das Lombardgeschäft ergeben. Mit dem Lombardgeschäft streiften die Geldhändler das Odium des bloßen Zwischenhändlers ab und traten als Finanziers oder Anleihevermittler des Staates auf.

Die Unterbringung der Anleiheeffekten an den Börsen wurde zur Hauptaufgabe dieser Banken, vor allem in den Ballungszentren, wo sich die neuen Umschlagsplätze für den Wertpapierhandel rasch entwickelten. In Berlin, auch in Köln, Frankfurt und Hamburg wurde das Geld eingesammelt, das dann in Industriebetriebe und Eisenbahnlinien floß.

In Deutschland hatten sich Privatbanken erst im Laufe des 18. Jahrhunderts herausgebildet. Auch in Deutschland wurden Handels- und Geldgeschäfte bis dahin meist unter einem Dach kombiniert betrieben. Nur vereinzelt kam es zu der Gründung reiner Bankhäuser wie M. M. Warburg & Co. in Hamburg 1798. Im Rheinland beteiligten sich Bankiers wie Oppenheim, Stein oder Mevissen schon früh an der Finanzierung der entstehenden Industrie und vor allem des Eisenbahnbaus. Den Warenhandel gaben auch sie meist auf.

Bis in letzte Drittel des 19. Jahrhunderts, als die großen Aktienbanken in Form von Universalkreditinstituten entstanden, blieben die Privatbankiers die entscheidenden Finanziers von Handel und Industrie. In dem in zwei Schüben in den Jahren 1870 und 1890 einsetzenden Konzentrationsprozeß übernahmen dann die neuen Großbanken immer mehr die Privatbankhäuser, die einst zu ihren Gründern gezählt hatten[44].

Bei dem im Jahre 1795 in Berlin von Joseph Mendelssohn, dem ältesten Sohn des Philosophen Moses Mendelssohn und dem Onkel des Komponisten Felix Mendelssohn-Bartholdy, gegründeten Haus Mendelssohn & Co. spielte das Kreditgeschäft mit Firmenkunden nur eine geringe Rolle. Zu Ruf und Geschäft kam das Institut über Anleihen für deutsche Fürstenhäuser und die Plazierung von Staatspapieren.

Bis 1828 fungierte es als Korrespondenzbank der Frankfurter Rothschilds. Im Jahr 1823 wurde der Berliner Cassen-Verein auf Initiative Joseph Mendelssohns gegründet. Dieser Zusammenschluß Berliner Privatbanken hatte die Vereinfachung des Zahlungsverkehrs und eine Ausweitung des Umlaufs der Zahlungsmittel zum Ziel.

Bei Anleihen für den preußischen Staat war Mendelssohn & Co im ersten Drittel des 19. Jahrhunderts mehrfach engagiert. Im Jahr 1859 wurde das Haus auch so genanntes erstklassiges Mitglied in dem für das Prestige wichtigen Preußen-Konsortium, das Staatsanleihen und Eisenbahnobligationen des preußischen Staates emittierte. Als dann um die Jahrhundertmitte deutlich wurde, daß die vielen, relativ kleinen Privatbanken den steigenden Kapitalbedarf der Industrie in Deutschland nicht mehr decken konnten, wirkte Mendelssohn & Co. auch an Konsortien und an der Gründung der neuen Großbanken in Form von Aktiengesellschaften mit[45].

Im März 1870 übernahm Alexander Mendelssohn einen Sitz im Verwaltungsrat der Commerz- und Disconto-Bank in Hamburg. Das Institut war mit dem ausdrücklichen Ziel gegründet worden, der Wirtschaft mehr Kapital zuzuführen. Zur Förderung des Ostasienhandels wurde 1889 die Deutsch-Asiatische Bank in Berlin und Shanghai gegründet, die auch als Emissionshaus eine große Rolle spielte. Hieran war Mendelssohn & Co. ebenso beteiligt wie an mehreren Konsortien für die Unterbringung russischer Anleihen.

Diese Konsortien waren vor allem in der Förderung von Industrieprojekten in Ausland engagiert. Mendelssohn & Co. vor allem im russischen Anleihegeschäft, wobei Eisenbahnobligationen eine besonders große Rolle spielten. Nach der Liquidation des Frankfurter Hauses der Rothschilds im Jahre 1901 war Mendelssohn & Co. die kapitalkräftigste Privatbank Deutschlands[46].

Berlin, das noch am Ende der Befreiungskriege eine unbedeutende Börse gewesen war, hatte schon in den dreißiger Jahren jeden anderen deutschen Finanzplatz übertroffen. Ein Kenner dieser Entwicklung schrieb im Oktober 1845: »Als die Eisenbahnen das Triebrad der Zeit wurden, konnte die (Berliner) Börse vermöge ihrer so sehr gewachsenen Kapitalfähigkeit sich desselben so gänzlich bemeistern, daß sie der Leiter aller anderen großen Börsen Deutschlands geworden ist. Ihre Leistungen in den letzten Jahren sind erstaunlich. Während die Wiener Börse fünf oder sechs Eisenbahnen auf ihrem Kurszettel notiert, hat Berlin deren etwa 50. Und doch steigen oder fallen die wenigen dortigen nach dem von Berlin gegebenen Impulse«[47].

Indem die Banken das Aktiengeschäft von der Emission bis zum Handel betrieben, wurden sie zu den treibenden Kräften von Kapitalismus und Industrialisierung. Mit ihren ständig vergrößerten Arbeitsbereichen wuchsen den Finanzinstituten weitere Aufgaben zu. In diesem allgemeinen Aufschwung zum professionell betriebenen Bankgewerbe stieg eine Unternehmensgruppe zu einzigartiger Größe empor. Nie zuvor und auch nie danach – die Rede ist hier von den Jahren 1815 bis 1860 – gab es in Europa eine Familie wie die Rothschilds, die für die Deckung des Finanzbedarfs fast aller Staaten des Festlands so wesentlich war.

Ein entscheidender Punkt: Zu der Zeit, als sich ein eng gespanntes Niederlassungsnetz noch nicht rentieren konnte, setzten die Rothschilds Korrespondenzbanken ein. Institute, die es als wesentliche Aufwertung ihres Namens zu nutzen wußten, daß sie namens des Giganten aus London, Paris, Wien und Frankfurt dessen Geschäfte vor Ort wahrnehmen konnten.

Diese Rolle erkämpften sich in Berlin Joseph Mendelssohn und Samuel Bleichröder, der Vater von Bismarcks Bankier. Im Rheinland waren dies die Kölner Oppenheims, in Hamburg die Warburgs und Salomon Heine. Im Süden Deutschlands kamen bedeutende Finanziers wie die Habers (Karlsruhe), Kaullas (Stuttgart) oder Seligmann-Eichthals (unter anderem Mannheim und München) hinzu. Letzteren war 1835 bei der Gründung der Bayerischen Hypotheken- und Wechselbank in München eine wichtige Rolle zugefallen[48].

Auf dem Festland wirkten viele von denen, die mit den Rothschilds liiert waren, an den späteren Gründungen der Großbanken mit, was dann die übermächtige Stellung der Rothschilds beendete. Ohne Abraham Oppenheim wäre beispielsweise 1853 die Darmstädter Bank für Handel und Industrie nicht entstanden[49]. Bei der 1870 gegründeten Deutschen Bank war einer der Gründungsdirektoren Hermann Wallich. Er hatte in den fünfziger Jahren bei einem Verbündeten der Rothschilds, seinem Onkel Cahen in Paris, die Banklehre absolviert.

Zu Oppenheim in Köln, Mendelssohn und Bleichröder in Berlin, Kaskel (Dresden), Ladenburg (Mannheim), Heimann (Breslau), Erlanger, Speyer sowie Wertheimer (Frankfurt), Kaulla (Stuttgart) und vielen anderen gab es lange Zeit keine Alternative, weil in den noch vom Feudalismus gekennzeichneten Ländern nur diese Häuser über den Sachverstand und die internationalen Kontakte verfügten, um Finanzoperationen größeren Stils durchzuführen. Auch führte schließlich für die ständig an Geldmangel leidenden Regierungen nur über diese Korrespondenzbanken der Zugang zu den finanzkräftigen Rothschilds.

Von den Rothschilds, ihren jüdischen Korrespondenzbanken und den sich formierenden Wettbewerbern gingen Wachstumsimpulse für die in neue Größenordnungen wachsende Kreditwirtschaft aus, die sich auch in der Beschäftigtenstruktur dieser Branche niederschlugen. Aufstrebenden jungen Juden, die ihren Broterwerb als Angestellte zu finden suchten, boten sich hier viele Möglichkeiten.

In Preußen fanden 1844 bereits 1.100 Juden ihr Auskommen im Geldgewerbe. Nur zwölf Jahre später waren es 1.774, um 1895: 17.896. Im Jahre 1882 gab es in ganz Preußen 2.733 Direktoren und Inhaber von Banken. Über 43 Prozent davon (1.182) waren Juden – ob nun an ihrem Glauben festhaltend oder getauft[50].

Der Aufbau der Kreditwirtschaft, der einerseits als Folge der Dominanz der Rothschilds geschah und andererseits auch als Konsequenz im Kampf gegen ebendiese Dominanz erfolgte, hatte die Affinität der Juden zum Geldgewerbe noch verstärkt. Den Kapitalismus schufen sie damit freilich in Deutschland ebenso wenig wie in anderen Ländern. Kapitalismus und Industrialisierung entstanden auf dem Festland im 19. Jahrhundert als Folgen technologischer Entwicklungen sowie neuer Bedarfssituationen. Hierfür hatte Großbritannien schon einige Jahrzehnte zuvor den Maßstab gesetzt.

Die wirtschaftliche und gesellschaftliche Entwicklung hätte sich in Deutschland auch ohne die Juden ergeben – allerdings mit einer Verzögerung und wohl auch anderen Akzenten – in der Textilindustrie beispielsweise. Indem die Juden nun aber die Entwicklung des Kapitalismus beschleunigten, wurden sie mit ihm identifiziert – in Deutschland ebenso wie in Frankreich oder Österreich.

So trat das ein, was den Mythos vom jüdischen Finanzkapital befestigte: An der Spitze finanzstarke Banken mit jüdischen Inhabern. Eine Stufe darunter zahlreiche jüdische oder getaufte Finanzmanager. Im Mittelbau und an der Basis schließlich jüdische oder ehemals jüdische, weil inzwischen getaufte Beschäftigte im Finanzwesen, deren Zahlen in keinem Verhältnis zum tatsächlichen Anteil der Juden als Minderheit an der Gesamtbevölkerung standen.

Das Bankwesen bildete den sensibelsten Bereich des Kapitalismus. Hier konnte sich die alte Verachtung für Geld und Handelsberufe mit den Ängsten vor dem Geschäftsprinzip des Kredits vermischen. Damit wurde eine neue Sicht über die angeblich wahren Herrschaftsverhältnissen produziert. Keine Gesellschaftsschicht hatte à la longue soviel Grund wie die Juden, sich davor zu fürchten. Denn sie, ob nun glaubenstreu, assimiliert, getauft, arm oder reich, wurden als eine kompakte Gruppe identifiziert – so uneinheitlich und zerrissen sie in Wirklichkeit auch sein mochten.

Für Frankreich, Österreich und Preußen spielte der Punkt mit, daß man nur noch dann in der europäischen Machtpolitik einigermaßen mitwirken konnte, wenn der Rückstand zu England als Maßstab nicht allzu groß ausfiel. Dass Preußen und das spätere deutsche Kaiserreich in diesem Wettbewerb zusehends besser abschnitten, lag auch an den Juden als Beschleuniger und Beweger in dieser Phase des Frühkapitalismus. Allerdings: Je reifer dieser Kapitalismus in Deutschland wurde, desto umfassender wurden Juden aus ihrer führenden Rolle im Finanzgeschäft wieder verdrängt.

Die großen Familien

Der gruppenspezifische Zusammenhalt war für einen ganz kleinen Teil des Judentums in Europa und über den alten Kontinent hinaus unverkennbar.

Die großen Erfolge der jüdischen Privatbanken hingen mit ihrer ungewöhnlich intensiven Kooperation zusammen, die so gut wie stets durch familiäre Bindungen untermauert wurde. Dieser Zug hatte schon die Hoffaktoren im 17. und 18. Jahrhundert ausgezeichnet.

Die wichtigsten jüdischen Familien Berlins waren schon seit der Wende vom 18. zum 19. Jahrhundert durch Heiraten untereinander liiert. Die Ephraims und Itzigs, die ersten Magnaten unter den preußischen Juden, hatten ihre Kinder im ausgehenden 18. Jahrhundert mit den Familien verbunden, die während der Befreiungskriege und danach die neue Finanzaristokratie Preußens und Österreichs bildeten.

Nathan Mendelssohn war ebenso wie sein Bruder Abraham mit einer Enkelin Itzigs, des Münzjuden von Friedrich II., verheiratet. Joseph Mendelssohns Frau war eine Tochter des mecklenburgischen Hofagenten Nathan Meyer. Die Fränkels und die Gomperz waren kaum weniger wichtige Familien. Ihre zahlreichen Mitglieder lebten in vielen Ländern Mitteleuropas. Und wie die Fränkels waren schließlich auch die Gomperz über Heiraten mit den Mendelssohns verbunden.

Joseph Maximilian Fränkel, ein Neffe von Joseph Mendelssohns Frau, hatte an den Anfängen des Bankgeschäfts Mendelssohn mitgewirkt. Aus der Ehe des Hermann Joseph Fränkel mit einer Ephraim-Tochter stammte der bedeutende Berliner Bankier Wilhelm Zacharias Friebe. Eine Fränkel-Tochter war mit dem Berliner Bankier Emanuel Meyer Magnus verheiratet. Aus Magnus' Nachkommenschaft stammte der an der Gründung der Deutschen Bank maßgeblich beteiligte Viktor Freiherr von Magnus[51].

Im Rheinland hatte der Bankier Salomon Herz Oppenheim jun. über seine zehn Kinder vielfältige Verbindungen zur europäischen Hochfinanz geknüpft. Die Frau seines Sohnes Simon Salomon war beispielsweise mit der Bankiers-Familie Kaulla in Karlsruhe verwandt. Eine Enkelin Simons heiratete den Diplomaten Casimir Graf von Leyden, der mütterlicherseits ein Enkel der Münchener Bankiers Seligmann-Eichthal war.

Eine weitere Enkelin Simons hatte den Dresdner Bankier Felix Freiherr von Kaskel geehelicht, den Inhaber des führenden Instituts in Sachsen und Mitbegründer der Dresdner Bank. Simons Bruder Abraham der auch im Zusammenhang mit dem Eisenbahnbau hier schon genannt wurde, hatte 1838 eine Tochter des Frankfurter Bankiers Sigmund Leopold Beyfuß und der Babette Rothschild geheiratet[52].

Wie die Rothschilds waren alle diese Familien aus den Befreiungskriegen gegen Napoleon gestärkt hervorgegangen. Sie blieben unter sich. Somit wurden Liquiditätsreserven nicht angegriffen, sondern noch gestärkt. Mit ihren über die Landesgrenzen hinausreichenden Verbindungen schuf diese Finanzaristokratie ein konkurrenzloses internationales Netzwerk. Mühelos hatten beispielsweise die Londoner Rothschilds durch Transaktionen mit den Rothschilds in Paris Wellingtons Feldzug in Spanien finanzieren können, ohne daß Napoleon dies auch nur geahnt oder gar die Pariser Rothschilds damit in Verbindung gebracht hätte[53].

Nach dem Wiener Kongreß wickelten die mit den Rothschilds verbundenen Oppenheims und Mendelssohns die mehr als 100 Millionen Taler hohen Reparationszahlungen Frankreichs ab. Und 1871 schließlich, als die große Zeit der jüdischen Privatbanken sich schon dem Ende genähert hatte, wurden die Abwicklungsmodalitäten für die milliardenschwere Entschädigungssumme des unterlegenen Frankreich an Preußen durch Verhandlungen zwischen Rothschild, Paris und Bleichröder, Berlin geregelt[54].

Familien wie die Mendelssohns, Oppenheims, Fränkels oder Gomperz entfernten sich schon ein oder zwei Generationen nach dem Aufstieg in die Hochfinanz vom Judentum. Für das Gros dieser Familien galt das, was sich bereits zuvor bei den Itzigs und Ephraims auf ähnliche Weise gezeigt hatte: »Aufstieg aus bescheidenen Anfängen in die israelitische Oberschicht im Dienste deutscher Fürsten durch Salz- und Tabakmonopole, Heereslieferungen, Industrie-Unternehmungen, Bankgründungen, Gewährung von Anleihen an Fürsten und Regierungen zu maßvollen Bedingungen, Aufstieg in den Adel, Einheirat der Nachkommen in den alten Land- und Reichsadel ... schließlich Trennung vom vererbten Bankgeschäft ...«[55].

Diese Bankiers und Unternehmer vollzogen mit ihrer Assimilierung an die Umwelt das, was sich schon vor der Wende vom 18. zum 19. Jahrhundert, damals noch auf einer schmalen Basis, als Lebensmodell des wirtschaftlich arrivierten Judentums abgezeichnet hatte. Nun, ein bis zwei Jahrzehnte danach, profitierte die Assimilationsideologie bereits von dem ökonomischen und sozialen Aufstieg vieler einzelner Juden. Aufs Ganze gesehen hatten die deutschen Juden im Schatten und auch im Sog der großen, spektakulären Einzelkarrieren das günstige Umfeld für ihre eigene Weiterentwicklung genutzt.

Wohlstand

Als Bezugsrahmen für die soziale Schichtung des Judentums im Jahre 1848 soll hier zum einen Berlin um 1750 genommen werden. Anzumerken ist hierbei noch, daß der Wohlstand der Berliner Juden lange Zeit weit vor dem der Juden in anderen Städten lag[56].

Noch 1843 waren 61 Prozent der insgesamt 21.739 jüdischen selbständigen Händler in Preußen bei den niedersten Arten dieses Gewerbes angesiedelt (Hausier- und Trödelhandel). Schon im Jahre 1861 betrug die Zahl aller im Handel tätigen Juden, also einschließlich der Unselbständigen, 38.683. Und von ihnen waren 22.771 (59 Prozent) bereits »richtige Kaufleute«.

Soziale Schichtung der Juden		
	Berlin (1750)	Preußen (1849)
Reich (= Groß- u mittleres Bürgertum)	9,0%	30–33%
Mittelschicht (Kleinbürgertum)	26,3%	25–27%
Marginale Existenzen (= noch nicht zum Bürgertum gehörend)	64,7%	40–43%
Jew. in Prozent der jüdischen Erwerbstätigen in der Region insgesamt		

Jüdische Kaufleute Preußen 1861 (absolute Zahlen)	
Bankiers	550
Kaufleute mit Läden	9.736
Großhändler	2.785
Agenten, Makler, Pfandleiher	2.035
Angestellte	7.665
Insgesamt	22.771

Den Aufstieg der preußischen Juden belegen weitere Detailinformationen wie diese: Im Jahre 1816 besaßen von insgesamt 27.251 jüdischen Familien 7.355 eigene Grundstücke und Häuser, die einen Wert von knapp neun Millionen Talern repräsentierten. Das heißt, 27 Prozent aller preußischen Juden waren Grundeigentümer. Und dies trotz einer Gesetzgebung, die bis 1812 den Haus- und Grundstückserwerb durch Juden verhindert hatte[57].

Für alle deutschen Großstädte zeigen die Einkommensteuertabellen eine verhältnismäßig wohlhabende jüdische Einwohnerschaft. Zu Beginn des 20. Jahrhunderts zahlten Juden in Frankfurt im Durchschnitt viermal soviel Steuern wie Protestanten und achtmal soviel wie Katholiken. In Berlin lag das durchschnittliche Steueraufkommen der Juden doppelt so hoch wie das der Nichtjuden: Um 1908, als die Juden 15 Prozent der Steuerzahler Berlins stellten, brachten sie 30 Prozent der Steuern der Stadt auf. Breslau im Jahre 1874 als Beispiel[58]:

Einkommen in Talern von je 100 Breslauer Steuerzahlern (1874)			
Taler	Evang.	Kathol.	Jüdisch
100–500	81,03	89,41	35,92
500–1.000	12,04	7,40	32,71
1.000–2.000	4,22	2,08	16,15
2.000–4.800	2,01	0,95	10,04
über 4.800	0,706	0,01	5,18

Ein auch für andere Großstädte geltender Befund: In den unteren Einkommensgruppen waren die Breslauer Juden relativ schwach vertreten, in den höheren Gruppen dafür um so stärker. Diese und andere Zahlen belegen: Die Situation der Juden in Deutschland war vergleichsweise günstig.

Zu Beginn des 20. Jahrhunderts lebten mehr als ein Viertel aller Juden in Städten mit mehr als 100 000 Einwohnern, während der entsprechende Anteil der Gesamtbevölkerung zu jener Zeit bei zwölf Prozent lag. 1910 lebten 30 Prozent der preußischen Juden in Großstädten, zwei Drittel davon in Berlin, während 95 Prozent aller Orte im Deutschen Reich überhaupt keine jüdischen Einwohner zählten.

Die Verstädterung hing auch mit der besonderen Berufsstruktur zusammen. Im Jahre 1895 war über die Hälfte der jüdischen Erwerbstätigen im Handel tätig; übrige deutsche Bevölkerung generell; zehn Prozent. Das soziale Profil der Juden in Deutschland: eine breite wohlhabende Mittelschicht mit einer zahlenmäßig sehr kleinen, sehr reichen Schicht an der Spitze und einer kleinen armen Unterschicht. Viele Juden hatten es geschafft, sich von ihrer Zuordnung zu den armen Unterschichten zu lösen und gehörten dem Mittelstand an.

Assimilation

Wirtschaftlicher Erfolg ging mit sozialem Aufstieg Hand in Hand. Die großen Familien wie die Itzigs, Ephraims, Oppenheims, Fränkels, Gomperz und Mendelssohns lösten sich innerhalb weniger Generationen nahezu vollständig vom Judentum. Ähnlich, wenn auch erheblich langsamer und komplizierter verlief die Entwicklung des an Zahl rasch zunehmenden jüdischen Besitz- und Bildungsbürgertums. Der ökonomische Aufstieg des jüdischen Bürgertums führte in nahezu allen kulturellen Fragen zu einer Angleichung an die Lebensformen der Umwelt.

Das jüdische Besitz- und Bildungsbürgertum konnte sich seinem christlichen Pendant vor allem deshalb nähern, weil die wirtschaftlichen, sozialen und politischen Ziele in etwa identisch waren. Jüdisches wie christliches Bürgertum hatten in der ersten Hälfte des 19. Jahrhunderts nur von Fortschritten in Wirtschaft und Gesellschaft Gutes zu erwarten. Aus den vergleichbaren Interessenlagen ergab sich für einen Teil des christlichen nationalliberalen Bürgertums eine logische Akzeptanz gegenüber der Integration des Judentums.

Der Bankier Carl Fürstenberg bemerkte für 1870: »Nationalliberal war damals fast alles, was in der preußischen Wirtschaft irgendwie Anspruch auf Geltung erheben durfte«[59]. Jüdische Neubürger, die ihre wirtschaftliche Lage soeben bemerkenswert verbessert hatten, fanden vorwiegend bei den nationalliberalen Kreisen Zutritt.

Natürlich gab es für Juden weiter schmerzhafte Zurücksetzungen in ihrem Wunsch sich dem deutschen Bürgertum als Gleiche unter Gleichen zu nähern. Auch war es gerade in dieser Zeit besonders verletzend, wenn Juden in unzähligen Romanen und Erzählungen als Haupt- wie auch als Randfiguren erschienen, die alle üblichen Negativ-Klischees verkörperten. Das berühmteste Stück dieses Genres war Gustav Freytags 1853 erschienener Roman Soll und Haben, der zu Beginn der achtziger Jahre bereits in der 36. Auflage gedruckt wurde.

Gustav Freytag beschrieb in diesem meistgelesen deutschen Roman des 19. Jahrhunderts zwei Karrieren, eine erfolgreiche christliche – die des Anton Wohlfart – und eine gescheiterte jüdische – die des Veitel Itzig. Wohlfart kommt aus der Provinz in die Stadt, wird dort Mitarbeiter im Kontor eines großen Handelshauses und arbeitet sich durch Redlichkeit nach oben. Schließlich heiratet er die Schwester des Eigentümers und wird Teilhaber. Am Ende des Romans ist Wohlfart als Bürger mit Vermögen und Familie etabliert.

Anders die Entwicklung von Itzig. Er wird Lehrling bei einem jüdischen Kaufmann, gelangt schnell zu Reichtum, scheitert aber. Itzig will unter allen Umständen zu der oberen Schicht des Bürgertums gehören und schreckt bei diesem Drang nach oben auch vor Manipulationen nicht zurück. Am Ende hat er sich wegen seines Mangels an Redlichkeit aus der Gesellschaft heraus manövriert und ertrinkt in einem Fluß.

Die zwei von Freytag geschilderten, so unterschiedlichen Karrieren waren Zerrbilder, die sich als Gegensätze, dort eine als typisch präsentierte deutsche Redlichkeit und Zuverlässigkeit, hier eine als ebenso typisch präsentierte jüdische Verschlagenheit und Veranlagung zum Betrug gegenüber standen. Freytag hatte diese tatsächlich klischeehaft gezeichneten Figuren im Sinne der von ihm gewollten Dramaturgie des Romans modelliert. Ein Gegner der Juden oder gar ein Antisemit war er nicht.

Über Zerrbilder gegen die Juden wie die von Freytag konnten sich die Deutschen bei all ihren unterschiedlichen Gemütslagen und wechselnden Stimmungen auf einen gemeinsamen Nenner verständigen. Die Historikerin Shulamit Volkov spricht in diesem Zusammenhang zu Recht von dem kulturellen Code des Antijudentums und des Antisemitismus, der für Deutschland im Laufe des 19. Jahrhunderts den Zug einer über die parteilichen Grenzen hinausreichenden einigenden Ideologie angenommen hatte[60].

Dies wurde damals in Deutschland wohl von den Juden mit Bitternis zur Kenntnis genommen. Über die Hoffnung auf ein schließlich doch noch mögliches Leben in Respektabilität durch kulturelle Angleichung an die deutsche Kultur war dies aber ausgeblendet. Insgesamt schien diese Hinwendung vieler Juden zum deutschen Bürgertum tatsächlich auf einer sicheren Basis zu verlaufen. Schließlich wurde in der Religionszugehörigkeit – ob nun aktuell noch bestehend oder durch Abwendung bis hin zur Taufe weit zurückliegend und ohne aktuellen Bezug – überwiegend ein Merkmal gesehen, dem für die Gegenwart keine große Bedeutung mehr zuzukommen schien.

Selbst für eine eigentlich der Finanzaristokratie zuzurechnende Familie galt: »Der natürliche Platz der Angehörigen der Mendelssohnschen Familie war in dem großen liberalen Block, der den größten Teil des Bürgertums umfaßte, und dessen Wortführer in Deutschland damals die akademisch-wissenschaftliche Elite war. Diese Elite beherrschte dann auch den sozialen Kreis, der sich in den gastfreudigen Häusern Josephs und Abrahams versammelte«[61]. Große und größer werdende Teile des jüdischen Mittelstandes tendierten zu den dort vorherrschenden Lebensprinzipien. Streben nach wirtschaftlichem Erfolg, patriotisches Engagement, politischer Freisinn und kulturelles Niveau hatten die Frage der Religion überlagert.

Eine Assimilationsideologie hatte bereits die Generation nach Moses Mendelssohn formuliert. Indem sich in der zweiten Hälfte des 19. Jahrhunderts die Masse des jüdischen Mittelstands, und nicht mehr bloß Teile der kulturellen oder wirtschaftlichen Elite wie in den ersten zwei Jahrzehnten nach Mendelssohns Tod, für diese Ideologie als Lebensprinzip entschied, wurde die Annäherung an die deutsche Kultur und an das Bürgertum beschleunigt, die sich ja schon während der Aufklärung abgezeichnet hatte. Jetzt aber in einer so deutlich gesteigerten Größenordnung, daß sich die deutschen Juden in den größeren Städten ganz überwiegend der Assimilationsideologie und dem dazu komplementären Liberalismus nationalpreußisch-deutscher Prägung zuwandten.

Ein so entscheidender Punkt wie die Erziehung belegt dies. Die Veränderung der jüdischen Erziehung hatte in Preußen schon an der Wende vom 18. zum 19. Jahrhundert eingesetzt. Gleichwohl stand für den jüdischen Historiker Isaak Markus Jost fest: »Bis zur Zeit der Freiheitskriege war Gymnasialbildung unter Juden eine große Seltenheit«. Geschwindigkeit und Ausmaß der danach eintretenden Veränderungen dokumentiert die 1859/60 durchgeführte Konfessionszählung in den preußischen Gymnasien. Von allen Gymnasiasten waren damals 6,8 Prozent Juden. Ihr Bevölkerungsanteil belief sich aber nur auf 1,3 Prozent. Im Schnitt besuchten also fünfmal so viele Juden wie Christen die Gymnasien.

Deshalb: »Was den Juden im Vormärz trotz des Emanzipationsgesetzes an sozialer Anerkennung und Integration versagt blieb, das suchten sie nicht zuletzt mit Hilfe der höheren Schul- und Unterrichtsbildung zu erreichen ... Ausgeschlossen von staatlichen und militärischen Laufbahnen, konzentrierten sich die Juden ganz auf die Aufstiegsmöglichkeiten, die sich ihnen im Kultur- und Wirtschaftsleben boten. Bildung und Besitz mußten die wichtigsten Voraussetzungen für den erstrebten Eintritt in das Bürgertum werden«[62].

Taufen

Mendelssohn hatte die Assimilation als vermittelnde Position zwischen aufgeklärtem Christentum und aufgeklärtem Judentum befürwortet und auch selbst repräsentiert. Aber schon die auf Mendelssohn folgende Generation von Juden sah das überragende Ziel in der Hinwendung zur Kultur ihrer Umwelt. Ein irgendwie geartetes Festhalten an der eigenen Herkunft rückte dabei mehr und mehr in den Hintergrund.

Um die Mitte des 19. Jahrhunderts war aus der Abstammung und der spezifischen Kultur schon für viele ein Manko geworden, das sie durch die Aneignung von christlicher Kultur korrigieren, durch die Taufe schließlich ganz entfernen wollten. Die meisten gebildeten Juden begannen, ihrer angestammten Religion und ihrem angestammten Kulturkreis zunehmend »gleichgültig, wenn nicht gar feindselig« gegenüber zu stehen.

Moses Mendelssohns Söhne Abraham und Nathan haben sich beispielsweise schon am Ende des 18. Jahrhunderts taufen lassen. Nur Joseph, der älteste Sohn des Philosophen, blieb beim Judentum. Er trat aber für eine gereinigte und der Vernunft gemäße Form ein, wie dies ja auch schon der Vater getan hatte. Joseph Mendelssohn brachte diese Haltung vor allem in der »Gesellschaft der Freunde«, der er als Mitinitiator angehörte, zum Ausdruck. Josephs Sohn Alexander war dann der letzte Jude unter den näheren Nachkommen Moses Mendelssohns[63].

Isaak Markus Jost, der erste neuzeitliche Historiker des Judentums, hatte 1813/14 in Göttingen studiert. Rückblickend schrieb er, daß nahezu alle jüdischen Studenten an den deutschen Hochschulen schon damals zur

Taufe bereit gewesen wären. Aufschlussreich sind die Ergebnisse der Berliner Heiratsstatistiken.

Zwischen 1800 und 1810 gab es insgesamt 248 Vermählungen unter den Juden Berlins. In 180 Fällen waren beide Ehepartner jüdisch. Dagegen heirateten 21 Männer Christinnen und 47 jüdische Frauen ehelichten Christen. Mehr als ein Drittel (180:68) aller innerhalb eines Jahrzehnts festgestellten Heiraten der jüdischen Gemeinde Berlins waren also schon gegen die Ritualgesetze der Juden erfolgt[64].

Die Glaubensübertritte der Juden im einzelnen[65]

Provinz	1800–1811	1812–1821	1822–1831	1832–1841	1842–1846	Insgesamt 1800–1846	
						Abs. jährl. Zahlen	Promille
Ostpreußen	35	53	114	180	105	487	2,48
Westpreußen	12	21	21	28	15	97	0,13
Posen Bromberg	45	67(+10)*	94	59	22	297	0,11
Brandenburg	278	323	441	442	228	1.712	3,16
Pommern	15	29	53	50	14	161	0,66
Schlesien	130	169	290	223	92	904	0,90
Prov. Sachsen	10	37(+6)*	85	48	38	224	1,77
Westfalen	45	28(+25)*	50	32	27	207	0,40
Rheinland	70	36(+48)*	126	91	40	411	0,46
Insges.	640	763(+89)*	1.275	1.153	581	4.500	0,64

* in den offiziellen Unterlagen nicht erfaßt

Heinrich Graetz, einer der großen Historiker des Judentums im 19. Jahrhundert, schätzte, daß etwa die Hälfte aller jüdischen Gemeindemitglieder Berlins während der ersten drei Jahrzehnten des Jahrhunderts zum Christentum übergetreten war. So übertrieben solche Mutmaßungen absolut gesehen wohl waren, in den landeskirchlichen Zählungen und statistischen Auswertungen findet sich eine gewisse Bestätigung. Danach konvertierten zwischen 1800 und 1811 insgesamt 640 Juden zum Christentum. Während der Jahre 1812 bis 1831: schon etwa doppelt so viele.

Glaubensübertritte (wie oben, nach Provinzen aufgeschlüsselt)		
	% der Übertritte	% der jüdischen Bevölkerung
Ostpreußen	10,8	3,0
Westpreußen	2,2	10,5
Posen-Bromberg	6,6	38,6
Brandenburg-Berlin	38,0	8,2
Pommern	3,6	2,7
Schlesien	20,1	13,9
Prov. Sachsen	5,0	2,3
Westfalen	4,6	7,0
Rheinland	9,1	13,8

Von allen Konvertiten kamen in den Jahren 1818 bis 1843 rund 35 Prozent aus Berlin, obwohl hier nur fünf Prozent der preußischen Juden lebten. Unter quantitativen Aspekten war die Taufbewegung für das Judentum zwar wesentlich weniger bedeutend als dies zeitgenössische Kommentare darstellten. Denn trotz der Abgänge vermehrten sich in Preußen die Juden zwischen 1816 und 1847 wegen hoher Geburtenüberschüsse und Zuwanderungen aus dem Osten von 123.823 auf 206.106 Personen.

Qualitativ jedoch bedeutete das für das Judentum neuartige Phänomen einer Taufbewegung eine Herausforderung. Es verlor wirtschaftlich und kulturell wichtige Gemeindemitglieder. Wenn die Taufbewegung um die Mitte des 19. Jahrhunderts zeitweise abflachte, so hing dies mit dem Aufstieg des Liberalismus zusammen, der aus der Zugehörigkeit zum Judentum keine Folgerungen – ob positiver oder negativer Art – zog und deshalb den Glaubensübertritt entbehrlich zu machen schien.

In den Jahren ab 1875 häuften sich die Glaubensübertritte wieder, auch wegen des mit zunehmender Heftigkeit auftretenden Antisemitismus,. Ein Motiv hierfür beschrieb eine Jüdin so: »Das war damals modern, mit Glauben oder Religion hatte es nichts zu tun. Die Taufe sollte die gesellschaftliche Zurücksetzung der Juden von uns nehmen«[66]. Zwischen 1871 und 1919 konvertierten etwa 23 000 Juden. Rund drei Viertel aller Konvertiten zwischen 1873 und 1906 waren Männer.

Respektabilität, Bildung, Kultur

Was war das deutsche Bürgertum, dem sich am Ende des 19. Jahrhunderts so wesentliche Teile des Judentums auch im Hinblick auf die Taufe auf eine so wesentliche Weise angenähert hatten? Das deutsche Bürgertum war in seiner Fähigkeit zur politischen Willensbildung schwach und in der Ära Bismarck politisch quasi entmündigt worden. Die Stimmungslagen des Beamtentums vermochten es beispielsweise mühelos, die des Bürgertums zu überlagern und von den Entscheidungsprozessen fern zu halten. Das Bürgertum ließ dies zu, weil es eigentlich weder eine Klasse noch ein um die politische Entscheidungsgewalt kämpfender Stand war, sondern eine in unterschiedlichste Interessen zersplitterte Gruppierung von Staatsbürgern.

Es wies politische Parteien, Vereine, Verbände und Verbindungen in einer solchen Vielzahl auf, daß dieser von partikularen Interessen und Organisationen bestimmte Korporatismus, der sich durchweg national-deutsch verstand, als ein Kennzeichen dieses Bürgertums aufgefaßt werden muß. Grundsätzlich standen diese das Leben des Bürgertums bestimmenden Korporationen zwar jedem offen. In der Wirklichkeit galt dies jedoch nur für eine arrivierte Elite, die sich durch soziale, konfessionelle und kulturelle Schranken abgrenzte – auch und gerade gegen Juden, die solchen Korporationen angehören wollten, weil die Mitgliedschaft in diesen Organisationen Signalwirkung für die begehrte Respektabilität hatte und haben sollte. In dieser Situation, in der soziale Respektabilität vielleicht nicht schon alles, aber gewiß sehr viel war, konnte die Verbürgerlichung der Juden nur ein Versuch mit vielen weißen Flecken sein.

Die Juden Deutschlands wähnten sich in ihrer absoluten Mehrheit noch bis in den Ersten Weltkrieg hinein in einer gelungenen Integration. Und trotz des immer festzustellenden Zwiespalts von erreichter Respektabilität, Verbürgerlichung durch Bildung und erfahrener Ablehnung im Grundsätzlichen galt ihnen die hochgradige Bildung als die den Ausschlag gebende Eintrittskarte in die deutsche Gesellschaft. Freilich setzte die gewollte Respektabilität die Erfüllung einer Vielzahl von formalen Kriterien wie untadeligen Lebenslauf und gesicherte materielle Verhältnisse voraus. Aber selbst bei der Erfüllung solcher formaler Kriterien konnte sich die vermeintliche Eintrittskarte in die deutsche Gesellschaft als wertlos erweisen.

Für das Bürgertum standen Aspekte wie Beruf, Bildung, Disziplin, nachvollziehbare Lebensplanung und guter Ruf auf der Werteskala ganz oben. Eine rebellierende oder gegen die Obrigkeit wehrhafte Qualität wies dieses deutsche Bildungsbürgertum gar nicht oder nur in geringem Maße auf. Vom Beamtentum gezähmt, von Militär wie Polizei notfalls arretiert, von den Werthorizonten des Adels adaptiert, stand das deutsche Bürgertum mit seinem Staatsverständnis und seinem Selbstverständnis noch in der

Tradition des aufgeklärten Absolutismus und des monarchisch-bürokratischen Konstitutionalismus.

In der Revolution von 1848 hätte nicht viel gefehlt und diese Haltung wäre untergegangen, um dann von einem in den politischen Kämpfen zunehmend selbstbewußter gewordenen, politische Mitsprache fordernden Bürgertum abgelöst zu werden. Es kam anders und Bismarck vermochte es als preußischer Ministerpräsident – als Reichskanzler später erst recht –, der sich in Zurückhaltung und Demut gegenüber der Staatsgewalt bescheidenden Haltung des deutschen Bürgertums zu einer Renaissance zu verhelfen.

In diese Bismarcksche Renaissance eines allenfalls auf Randbereiche der politischen Mitwirkung verwiesenen Bürgertums mischten sich mit einem sich verstärkenden Zug national-deutsche Einstellungen. Diese Einstellungen faßten Realpolitik je länger desto mehr als Bereitschaft und Fähigkeit zur Gewalt gegen anders Denkende auf. In der Form einer Art mentalen Sammlungsbewegung grenzte sich das arrivierte Bürgertum zunehmend aggressiver von Aufsteigern, von Kleinbürgern, vor allem aber von den als Gefahr empfundenen Sozialisten und der Arbeiterbewegung nach unten ab

»Der Fortschrittsglaube des wissenschaftlichen und industriellen Spezialismus ersetzte ihm (= Deutschland)) den Mangel eines politischen Fortschrittsglaubens. Versagte einmal die Wirtschaft, so musste sich zeigen, daß Deutschland der Industrialismus zum geistigen Schicksal geworden war. Sein Kulturbegriff weckte und steigerte den Drang nach schöpferischer Aktivität und unendlicher Unruhe, der sich im fortschreitenden Industrialismus ausleben konnte. Dieser Arbeitsgeist trug das Gepräge des 19., nicht des 17. und 18. Jahrhunderts, und einer titanischen Weltfreudigkeit, die dem puritanischen Arbeitsgeist fremd ist. Ihn führt ein rein weltlich gewordener Fortschrittsglaube ohne politische Verankerung in den Ideen der Aufklärung (von denen er objektiv gleichwohl abstammt), die in dem von Preußen gemachten deutschen Reich keinen Boden haben«[67].

Mit dieser »Bodenlosigkeit« seines Fortschrittsglaubens steuerte Deutschland das 20. Jahrhundert an. In der Gründung des Einheitsstaates als eines Aktes von oben war das Bürgertum bestenfalls zweitrangig geblieben. In der danach einsetzenden nationalen Sammlungsbewegung wollte das Bürgertum diese seine offenbar gewordene Zweitrangigkeit im politischen Prozeß zumindest etwas korrigieren und den Einheitsstaat mit dem als fehlend empfundenen nationalen Tiefgang ausstatten.

Jede Form von nationaler Sammlungsbewegung trägt in sich die mal aggressiv auftretende, mal in Mäßigung bleibende Veranlagung, Außenseiter und Minderheiten als latenten Verstoß gegen die als Wunschziel erträumte Einheit durch Harmonie auszugrenzen – somit sich insbesondere auch gegen die Integration einer deutlich erkennbaren Minderheit wie die Juden zu wenden.

Von diesen Problemen unter der durch nationale Einheit, wirtschaftliche Entwicklung, Industrialisierung und Wohlstand aufpolierten Oberfläche, die mit dem ab 1880 deutlich an Wucht zunehmendem Antisemitismus zu zersplittern begann, ahnten die Juden in Deutschland nicht viel. Sie nahmen die glatt polierte Oberfläche des deutsch-national-liberalen Bürgertums als den dominanten Teil der Realität wahr. Und auf ihr hofften sie, zu der als Lebensziel verstandenen Respektabilität zu kommen, was in vielen Fällen tatsächlich gelang.

Das Streben nach beruflichem Erfolg und gesellschaftlicher Anerkennung drückte sich in dem hohen Bildungsniveau aus. In Preußen wiesen jüdische Kinder mit höheren schulischen Abschlüssen als der Volksschulbildung eine prozentual achtmal so hohe Zahl wie ihre nichtjüdischen Altersgenossen auf. In Berlin war ein Viertel der Gymnasiasten jüdisch. An den Gymnasien stellten sie fast ein Drittel der Schüler, obwohl Juden von der gesamten Einwohnerschaft Berlins nur 4,26 Prozent ausmachten. Besonders auffallend dabei die Schulbildung jüdischer Mädchen. Zu Beginn des 20. Jahrhunderts besuchten in den preußischen Provinzen jüdische Mädchen höhere Schulen zehn- bis fünfzehnmal so häufig wie nichtjüdische Mädchen. In Berlin war zu dieser Zeit sogar ein Drittel der Mädchen an höheren Schulen jüdischer Herkunft[68].

Die Verbürgerlichung der Juden durch Bildung, durch schulische und universitäre Qualifikationen , das Leben der Juden unter und mit den Deutschen ist in unzähligen Dokumenten beschrieben worden. Ein Beispiel: Die Erinnerungen des 1885 in Berlin geborenen und 1962 in Jerusalem gestorbenen Richard Lichtheim. Der studierte Volkswirt Lichtheim war lebenslang ein Verfechter des Zionismus, der dem entsprechend schriftstellerisch, diplomatisch wie auch organisatorisch agierte. In der hier wiedergegebenen Passage aus seinen Erinnerungen beschrieb er die gesellschaftlichen Verhältnisse zwischen Juden und Christen im Berlin des Kaiserreichs.

»Ich kann nicht sagen, daß ich in der Schule unter dem Antisemitismus persönlich litt ... Aber die jüdischen wie die christlichen Schüler waren sich des Unterschiedes ständig bewußt, der sie trennte, auch wenn sie ihn fast nie in aggressiver Weise betonten. Wie konnte es auch anders sein, da die bürgerlichen Familien, aus denen die Gymnasialschüler stammten, diese Unterscheidung in ihrem Privatverkehr so deutlich spüren ließen! Ich empfand dies um so lebhafter, als ich mit einigen christlichen Schulkameraden befreundet war und privat mit ihnen verkehrte ... waren wir uns stillschweigend der Tatsache bewußt, gewissermaßen feindliches Gebiet zu betreten, da ... kein Christ die (Wohnung) meines Vaters aufsuchte. Das erzeugte eine gewisse Verlegenheit ...

Sogar in den Häusern der reichsten und angesehensten Juden erschien fast niemals ein Christ, sofern es sich nicht um eine Berufs- oder Geschäftsangelegenheit handelte ... Im ... jüdischen Berlin ... blieb der gesellschaftliche Verkehr der Juden ganz auf ihre eigenen Kreise beschränkt. Gewiß gab es gelegentlich Ausnahmen von dieser Regel. Einzelne christliche Herren verkehrten in jüdischen Häusern, und als es mehr und mehr Mode wurde, sich sportlich zu betätigen, trafen sich die Angehörigen des jüdischen und des christlichen smart set von Berlin auf dem Golf- und Tennisplatz. Im häuslichen Verkehr dagegen blieb – von seltenen Ausnahmefällen abgesehen – die Scheidung bestehen ...

Später, als ich die Judenfrage in allen ihren Nuancierungen besser verstand, wurde mir klar, worauf das Gefühl der persönlichen Sicherheit beruhte, in dem die Juden Deutschlands zur Zeit des Kaiserreichs lebten und leben durften. Gewiß, Deutschland war damals ein Rechtsstaat. Aber besser noch als das Gesetz schützte die Juden die strenge Gliederung des Klassenstaates. Das war eine sehr viel verläßlichere Garantie für Leben und Eigentum, als die Demokratie sie ihnen später gewähren konnte. In der gottgewollten Rangordnung des preußischen Militärstaates hatte auch der Jude seinen Platz, den ihm niemand streitig machen durfte. Er konnte zwar nicht Offizier oder höherer Beamter werden, aber als Arzt, Rechtsanwalt, Kaufmann oder Bankdirektor stand er unter dem Schutz eines Regimes, das keine Unordnung duldete. Ruhe ist die erste Bürgerpflicht, war die Parole«[69].

Berufe, Zahlen, Perspektiven

Gegen Ende des 19. Jahrhunderts lebten von insgesamt einer halben Million Juden in Deutschland 10.000 in Berlin. Ein weiterer großer Teil wohnte in den wichtigsten deutschen Städten (in erster Linie Frankfurt, aber auch Hamburg, München und Stuttgart). Für Süddeutschland bleib das Landjudentum, das sich vor allem im Handel, dabei insbesondere im Viehhandel betätigte, lange Zeit typisch. Noch im Jahre 1789 hatten etwa neun Zehntel der Juden in Deutschland zu den ärmsten Bevölkerungsschichten gehört. Ein Jahrhundert später war es umgekehrt: Nur noch ein Zehntel konnte als arm bezeichnet werden.

Berufe der Juden in Preußen	1834		1852	
	mit Posen	ohne Posen	mit Posen	ohne Posen
Handel u. Kredit	51,0	60,8	51,5	58,0
Handwerk u. Industrie	17,7	9,8	19,4	14,8
Landwirtschaft	1,0	1,3	1,1	1,3
Freie Berufe u. Beamte	3,3	4,2	3,5	4,2
Rentner u. Pensionäre	2,6	3,9	2,8	3,6
Verkehrsgewerbe	0,3	0,1	0,4	0,2
Tagelöhner u. Dienstboten	13,6	13,7	13,0	10,2
Erwerbslose, Unterstützungsempfänger u. Bettler	10,5	6,2	8,3	7,7
Angaben jeweils in Prozent				

Von 1870 bis 1925 sank der jüdische Bevölkerungsanteil in Deutschland von 1,25 Prozent auf unter ein Prozent. Anders lagen die Dinge in Preußen. Hier stieg der prozentuale Anteil der Juden an der Gesamtbevölkerung bis 1885 an (1,362 Prozent), um dann aber schnell abzusinken (1910: 1,036 Prozent). Nimmt man die hier nicht aufgeführten Zählungen hinzu, so ergibt sich bis 1885 eine gleichmäßig steigende Tendenz, von da an eine gleichmäßig fallende [71].

Jüdische Bevölkerung in Preußen 1816 bis 1925			
Jahr	Gesamtbevölkerung	davon Juden	in Prozent
1816	10.349.031	123.938	1,198
1840	14.928.501	194.558	1,303
1855	17.202.831	224.248	1,362
1871	24.639.706	325.587	1.321
1885	28.318.470	366.575	1,362
1890	29.955.281	372.059	1,242
1900	34.472.509	392.322	1,138
1910	40.165.219	315.926	1,036
1925	28.120.173	403.969	1,058

Die Zahl der Geburten bei der jüdischen Bevölkerung Preußens fiel von 1881 bis 1909 von 10.269 auf 7.123 jährlich, die Zahl der Sterbefälle von

6.265 auf 5.725. Für die jüdische Bevölkerung war zudem eine Überalterung anzunehmen (generell typisch bei Stadtbewohnern mit verhältnismäßig hohem Lebensstandard). Der Anteil der Juden an der Gesamtbevölkerung des Reiches sank.

Jüdische Bevölkerung in Deutschland 1871 bis 1925
Verhältnis der Gesamtbevölkerung zu den Juden

Jahr	Gesamtbevölkerung	davon Juden	in %
1871	41.062.444	512.153	1,25
1880	45.234.061	561.612	1,24
1890	56.367.178	586.833	1,04
1910	64.926.000	615.021	0,95
1925	63.225.000	564.000	0,93

Berufe der Juden in deutschen Staaten

Land bzw. Provinz jew. in %	Landwirtschaft	Industrie u. Handwerk	Handel und Verkehr	Häusliche Dienste u. Lohnarbeit wechselnder Art	Öffentliche Dienste u. freie Berufe	Berufslose Selbständige
Königreich Bayern						
1895	3,67	13,43	53,85	0,16	5,73	23,16
1907	2,66	15,02	54,44	0,32	6,00	21,56
Königreich Württembg.						
1895	1,49	15,15	56,55	0,11	5,60	21,10
1907	0,63	19,08	54,19	0,24	5,76	20,10
Großherzogtum Baden						
1895	1,69	15,40	57,37	0,23	5,74	19,57
1907	0,77	18,00	51,13	0,24	6,03	23,83
Großherzogtum Hessen						
1895	2,14	15,77	62,72	0,16	5,08	14,13
1907	1,37	20,07	55,66	0,24	4,75	17,91
Provinz Westfalen						
1907	2,72	20,54	59,21	0,83	3,85	12,85
Rheinprovinz						
1907	2,16	24,58	53,86	0,39	4,49	14,52
Prov. Hessen-Nassau						
1907	2,53	20,87	51,34	0,41	5,57	20,90

Die Konzentration der Juden in Berlin und im Rheinland hing mit der jüdischen Binnenwanderung während der zweiten Hälfte des 19. Jahrhunderts zusammen. Folglich waren die Juden in ihrer Gewerbe- und Sozialstruktur nicht mit der Gesamtbevölkerung des Reiches, sondern eher mit der städtischen Bevölkerung zu vergleichen. Bereits um die Mitte des 19. Jahrhunderts lebte weit mehr als die Hälfte von ihnen in Städten. Auch in dörflichen Umgebungen wohnten sie ausschließlich in größeren Orten. Der allgemeine Zug in die Städte war bei ihnen noch stärker als bei der übrigen Bevölkerung ausgeprägt. Umso deutlicher wurde dies, je mehr sich von 1870 an das wirtschaftliche und kulturelle Leben in den Großstädten konzentrierte.

Es stieg aber nicht nur der Anteil der jüdischen Großstadtbevölkerung innerhalb der Gesamtheit der Juden an. Auch der prozentuale Anteil der Juden an der Gesamtbevölkerung vieler Großstädte nahm zu. In Köln vergrößerte sich die jüdische Gemeinde zwischen 1806 und 1925 weit über das Hundertfache, während die Gesamtbevölkerung sich kaum um das Siebzehnfache vermehrte.

Handel: Bis auf den vergleichsweise unbedeutenden Buch-, Kunst- und Musikalienhandel fand hier ein viel stärkerer Anstieg auf nichtjüdischer als auf jüdischer Seite statt. Besonders im Geld- und Kredithandel, wo sich die Zahl der nichtjüdischen Beschäftigten von 1895 bis 1907 fast verdoppelte, die der jüdischen Erwerbstätigen aber nur um 12,8 Prozent stieg.

Anteile im Handel				
	Zuwachs in den einzelnen Arten des Handelsgewerbes bei der Gesamtbevölkerung u. bei den Juden (1895 bis 1907)		Anteil der Juden an der Gesamtzahl der in den einzelnen Arten des Handelsgewerbes Beschäftigten	
	Gesamt	Juden	1895	1907
Waren- und Produkthandel in stehenden Geschäfts-betrieben	45,8%	8,7%	10,9%	8,1%
Geld- und Kredithandel	96,9%	12,8%	13,8%	7,9%
Handelsvermittlung,Agentur usw.	35,5%	9,3%	18,8%	15,2%
Buch-, Kunst- und Musikalienhandel	74,7%	98,3%	3,1%	3,5%

Die absoluten Zahlen der jüdischen Beschäftigten in den verschiedenen Sparten des Handels in Deutschland wie folgt:

	1895	**1907**
Waren- und Produktenhandel in stehenden Geschäftsbetrieben	109.140	118.610
Geld- und Kredithandel	4.654	5.251
Handelsvermittlung, Agentur usw.	7.763	8.484
Buch-, Kunst- und Musikalienhandel	673	1.335
Insgesamt	**127.081**	**137.356**

Zu den Zahlen der jüdischen Beschäftigten im Handel: Über das Fünfzigfache stieg die Zahl der nichtjüdischen Beschäftigten im Handel. Anders ausgedrückt: Auf einen Juden, der sich dem Handel zuwandte, kamen 50 Nichtjuden. Die Zahlen der jüdischen Beschäftigten stiegen also im Handelsgewerbe nur noch relativ langsam. Dagegen nahmen die jüdischen Beschäftigten in Industrie und Handwerk (genaue Abgrenzung der beiden Bereiche nicht möglich) um 36,9 Prozent zu. Dieser Zuwachs war prozentual etwas höher als der der nichtjüdischen Beschäftigten in Industrie und Handwerk.

<table>
<tr><th>Industrie und Handwerk</th><th>Gesamtzahl der Erwerbstätigen</th><th>Zuwachs 1895 bis 1907</th><th>Davon iüdische Erwerbstätige</th><th>Zuwachs 1895 bis 1907</th><th>Anteil der iüdischen Erwerbstätigen an der Gesamtzahl der Beschäftigten in Industrie und Handwerk</th></tr>
<tr><td>1895</td><td>8.300.000</td><td rowspan="2">36,3%</td><td>45.993</td><td rowspan="2">36,9%</td><td>0,55%</td></tr>
<tr><td>1907</td><td>11.300.000</td><td>62.995</td><td>0,56%</td></tr>
</table>

Bei den Berufen, die eine spezielle Qualifikation voraussetzten, konzentrierten sich Juden ab etwa 1870 vor allem auf die in der Vergangenheit lange Zeit verbotenen Berufe. Da sie als Angestellte in Unternehmen unter Nichtjuden kaum Chancen hatten, ging die große Zahl der Juden in die freien Berufe. Noch bis 1851 wurden in Berlin Juden als Rechtsanwälte nicht zugelassen, Im Jahre 1910 stellten Juden in Deutschland etwa 15 Prozent der Anwälte, sechs Prozent der Ärzte, acht Prozent der Schriftsteller und Journalisten. Zur Wiederholung ihr Anteil an der Gesamtbevölkerung: nur etwa ein Prozent[72].

Dies war übrigens im benachbarten Österreich von der Tendenz her nicht anders, dort allerdings noch viel markanter. In Wien waren 62 Prozent der Anwälte, und 51 Prozent der Ärzte oder Zahnärzte Juden (um 1910). Auch unter den Journalisten stach ihr Anteil hervor. Zudem: Wie die Frankfurter Zeitung und das Berliner Tageblatt in Deutschland waren in Österreich die Neue Freie Presse, das Wiener Tageblatt und das Prager Tageblatt in Böhmen von Juden gegründet worden. In Deutschland gehörten so wichtige und renommierte Verlagshäuser wie Ullstein, Mosse oder Fischer Juden[73].

In Berlin gab es 1901 bei insgesamt etwa 5,9 Millionen Einwohnern (davon rund 92.000 Juden) 851 Rechtsanwälte, davon Juden: 526. Einer der bekanntesten unter ihnen war Max Hachenburg, der sich auch als »rechtswissenschaftlicher Journalist«, so seine eigene Bezeichnung, als Verfasser des berühmtesten Kommentars zum Handelsrecht seiner Zeit und in den anwaltlichen Standesvertretungen einen Namen gemacht hatte. Nach dem Untergang des Kaiserreiches war er im Volkswirtschaftsrat der Weimarer Republik vertreten[74].

Juden in freien Berufen
(im Vergleich zur Gesamtbevölkerung 1895 bis 1907)

	1895		1907		Zunahme 1895–1907 in Prozent		Anteil der Juden	
Berufsart	**Gesamt**	**Juden**	**Gesamt**	**Juden**	**Gesamt**	**Juden**	**1895**	**1907**
Rechtsanwälte, Patentanwälte, Notare								
	nicht ermittelt		12.798	1.877	nicht ermittelt			14,67%
Gesunheits- u. Krankendienst, Ärzte und Direktionspersonal	53.835	2.973	78.550	4.719	45,90%	58,73%	5,52%	6,01%
Privatgelehrte, Schrifsteller, Journalisten	5.507	412	8.753	712	58,94%	72,81%	7,48%	8,13%
Theaterdirektionspersonal, Künstler (Musik und Theater)	58.880	835	81.415	1.775	38,27%	1.1257%	1,41%	2,18%

Von den höheren Rängen im Militär und im Beamtentum wurden Juden trotz der gesetzlichen Gleichstellung fern gehalten. Bis 1910 dienten in Preußen schätzungsweise zwischen 2.500 und 30.000 Einjährig-Freiwillige jüdischen Glaubens. Das Reserveoffizierspatent hat kein einziger von ihnen erhalten. Nur in Bayern und Baden war dies anders.

Im Deutschland dieser Zeit rangierte das Sozialprestige des Offiziers in der Armee ganz weit oben. Daß ihnen der Eintritt in diese Kaste verwehrt war, mussten Juden als eine besonders gravierende Diskriminierung und gesellschaftliche Degradierung empfinden. In den Jahren nach 1900 wurde im preußischen Abgeordnetenhaus häufig diskutiert, warum es für Juden so gut wie unmöglich war, Reserveoffiziere zu werden. Die Zurücksetzung der Juden in der Armee wurde als eines Rechtsstaates »unwürdig« bezeichnet[75].

Von nahezu allen staatlichen Ämtern waren Juden vor 1914 in den deutschen Bundesstaaten ausgeschlossen. In ganz wenigen Ausnahmen gelang es Männern jüdischer Abstammung, in der Ministerialbürokratie Fuß zu fassen. Sofern dies gelang, traf dies aber fast nur für Getaufte zu. In allen anderen Fällen kamen Juden allenfalls für politisch unbedeutende Positionen in nachgeordneten Behörden wie Eisenbahn, Baubehörden oder Reichspost in Frage.

Verwaltung und Justiz (im Vergleich zur Gesamtbevölkerung des Reiches 1907			
Gesamtzahl		Davon Juden	Anteil derJuden in Prozent
Höhere Reichs- und Staatsbeamte	12.588	244	1,93
Richter und Staatsanwälte	21.131	906	4,28
Höhere Hofbeamte aller Art	739		
Höhere Kommunalbeamte	7.304	42	0,57
Höhere Beamte der Standes- und grundherrlichen Verwaltung	478	4	0,83
Reichs- und Staatsbeamte mittleren Ranges	167.579	589	0,35
Hofbeamte mittleren Ranges	1.872	4	0,21
Kommunalbeamte mittleren Ranges	85.900	131	0,15
Beamte der Standes- und grundherrlichen Verwaltung mittleren Ranges	1.996	2	0,10
Niedere Reichs-und Staatsbeamte	28.111	49	0,17
Niedere Hofbeamte	4.989		
Niedere Kommunalbeamte	42.806	55	0,13
Niedere Beamte der Standes- und grundherrlichen Verwaltung	1.714	1	0,06

Im Justizdienst sah es für Juden nicht viel anders als im Militär aus. Zwar war 1860 mit Gabriel Riesser in Hamburg der erste ungetaufte Jude Richter an einem Obergericht geworden. Auch hatte es im Jahre 1864 zum ersten Mal die Ernennung eines Juden zum Staatsanwalt gegeben, und zwar in Heidelberg. Dies blieben aber Einzelfälle. In Sachsen und Hessen waren Juden von der Richterlaufbahn ausgeschlossen.

In Preußen konnten Juden nach 1870 lediglich zu Kreis- oder Stadtrichtern ernannt werden. Für die Position eines Landesgerichtspräsidenten oder gar eines Oberlandesgerichtspräsidenten kamen sie nicht in Frage. Jüdische Richter konnten erst ab 1907 zumindest zu Oberlandesgerichtsräten ernannt werden, nachdem Kaiser Wilhelm II. eine entsprechende Anordnung erlassen hatte.

Staatsanwälte konnten Kandidaten jüdischer Abstammung in Preußen nur unter einer einzigen Voraussetzung werden. Diese Voraussetzung war die Taufe und die Annahme des christlichen Religionsbekenntnisses. Offensichtlich erkannten die Justizverwaltungen die Taufe als eine der Prämiierung würdigen Charaktereigenschaft an. Ließ sich nämlich ein Jude taufen, so wurde dies als Nachweis für eine höher stehende charakterliche Ausrüstung aufgefaßt[76].

Die Beförderungsaussichten solcher Aspiranten stiegen jedenfalls nach ihrer Taufe sprunghaft an. Von den 1907 gezählten 265 Beamten der höheren Justizverwaltung waren 108 getaufte Juden. Von ihnen wurden 67,8 Prozent befördert, während es bei den Nichtjuden nur für 18,8 Prozent zu Beförderungen kam. Eugen Schiffer beispielsweise, war jahrelang lediglich Amtsrichter in Schlesien. Als er sich taufen ließ, wurde er rasch Kammergerichtsrat und Oberverwaltungsgerichtsrat. Ab 1905 spielte er im Reichstag für die Nationalliberalen eine führende Rolle und fungierte 1917 als Unterstaatssekretär. Zu Beginn der Weimarer Republik war er mehrmals Minister[77].

Juden und Nichtjuden im höheren preußischen Justizdienst
(1895 bis 1907)

	Zahl der Assessoren 1885 bis 1907	Davon gelangten in den höheren Justizdienst	in Prozent	Davon wurden Landgerichtsdirektoren und Präsidenten	in Prozent
Nichtjuden	3473	661	19 %	349	52,7 %
Juden	155	4	2,6%	0	0

Auch an den Universitäten bestanden für Juden nur in Ausnahmefällen Chancen. 1910 gab es im Reich rund 200 jüdische Hochschullehrer, davon mehr als die Hälfte an medizinischen Fakultäten. Die meisten waren Privatdozenten ohne eine feste Anstellung und ohne feste Besoldung. Einige wenige wurden zu außerordentlichen Professoren ernannt. Die Besetzung eines Ordinariats mit einem Juden war die absolute Ausnahme. Auf einen Lehrstuhl für deutsche Sprache und Literatur oder für klassische Altertumswissenschaft und Sprachen wurde vor 1933 kein Jude berufen.

Der Altphilologe Jacob Bernays erhielt lediglich eine außerordentliche Professur. Der zu den bedeutendsten Philosophen seiner Zeit zählende Hermann Cohen war zwar Lehrstuhl-Inhaber in Marburg. Im Vergleich zu Berlin war das aber nur Provinz, was auch Cohen selbst natürlich klar war. Er konnte daran aber nichts ändern. Denn nach Berlin wurde er nicht berufen, obwohl es an der Berliner Universität entsprechende Vakanzen mehrfach gab.

Auch so herausragende Geisteswissenschaftler wie der auf die Urkundenforschung des Mittelalters spezialisierte Harry Breßlau, der Soziologe Georg Simmel oder der Philosoph Ernst Cassirer mußten sich wegen ihrer jüdischen Abstammung lange Zeit mit unangemessenen akademischen Positionen begnügen und Anfeindungen ertragen. Simmel erhielt erst im Alter von 56 Jahren ein Ordinariat. Cassirer war auf die besondere Unterstützung von Wilhelm Dilthey angewiesen, als er eine Lehrbefugnis anstrebte. Erst im Jahre 1919 bekam er an der fortschriftlichen Universität der Stadt Hamburg eine Professur[78].

Als ein »Fürst der juristischen Wissenschaft« galt zu seiner Zeit Heinrich Dernburg (1829–1907), der aus einer verzweigten Gelehrtenfamilie des Rhein-Main-Gebiets stammte. Sein Vater Jacob war zum Luthertum übergetreten. Dernburg verkehrte als Student im Kreise Savignys. Er habilitierte sich mit 22 Jahren und wurde bald darauf Professor. Mehrmals wurde er als Mitglied einer der Kommissionen zur Ausarbeitung des Bürgerlichen Gesetzbuches (BGB) vorgeschlagen. Zu dem damals noch geltenden römischen und preußischen Privatrecht verfaßte er die letzten großen Standardwerke, um dann noch als Siebzigjähriger die Lehrbuchliteratur für das neue BGB erarbeiten[79].

Bernhard Dernburg, der Neffe dieses großen Zivilrechtslehrers, war Direktor der Darmstädter Bank. Das christliche Religionsbekenntnis Dernburgs gab wohl auch dafür den Ausschlag, daß er 1907 für die Position des Staatssekretärs des Reichskolonialamtes gegen Walther Rathenau den Vorzug erhielt. Dernburg war über viele Jahre ein hoch angesehener und einflußreicher Politiker, 1919 als Mitglied der Nationalversammlung sowie Reichsfinanzminister und dann zehn Jahre lang Reichstagsabgeordneter[80].

Über die Beziehung zu einem Studenten im München der Jahre 1894/95 berichtete der spätere Altertumsforscher Ludwig Curtius: »Erst allmählich entdeckte ich das Geheimnis, aber auch die Wunde seines analytischen Geistes, sein Judentum inmitten einer leidenschaftlichen Liebe für Deutschland und deutsches Wesen ... Mein Freund, es war der spätere Professor ... Hugo Sinzheimer hatte damals schon viele Wunden empfangen, von denen ich nichts wußte. Daher der vorsichtig prüfende Blick seiner Augen. An ihm zuerst ist mir die tiefe Tragik des deutschen Judentums allmählich aufgegangen«[81].

XIV DER WEG IN DAS VERHÄNGNIS

Ziehen wir hier einleitend die Perioden und Periodisierungen der Geschichte der Juden in Deutschland heran. Mit dieser Leitlinie ist die Zeit von 1780 bis 1918 in folgende Abschnitte einzuteilen.

1. 1780 bis 1815: Die Achsenzeit. Hier begann der Weg des deutschen und mitteleuropäischen Judentums in die Moderne. Hier fielen die Anfänge der Assimilation mit den ersten Projekten zusammen, die Juden den anderen Bewohnern des jeweiligen Staates rechtlich gleichzustellen. Hier schien vieles auf folgende Lösung der Judenfrage hinzudeuten: partielle Preisgabe ihrer Tradition durch die Juden selbst und mehr oder weniger vollständige bürgerliche Gleichstellung durch die Staatsobrigkeiten, unbeschadet des Unterschiedes in der Religion. Die Französische Revolution und Napoleon schlugen hierzu wichtige Schneisen.

2. 1815 bis 1847: Restauration und Reaktion. In dieser Zeit überlagerte die dominierende Restauration auch die Judenfrage. Akkulturations- und Assimilationstendenzen wurden bei den Juden als kollektive Bewegungen deutlicher erkennbar. Aber: Von ihrer vollständigen Emanzipation war nun nicht mehr die Rede. Vielmehr standen in allen deutschen Staaten die Rücknahme und Einschränkung der bereits erlassenen Emanzipationsgesetze auf der Tagesordnung. Das erneuerte Gottesgnadentum der Herrscher, die ihrer der Reaktion nahe stehenden Bürokratie freien Lauf ließen, und das Verständnis vom christlichen Staat manövrierten die rechtliche Lage der Juden in einen prekären Schwebezustand.

3. 1848/50: Revolution. Die Restauration wurde von dem rebellierenden Bürgertum hinweg gefegt. In der sich zu einem europäischen Ereignis ausweitenden Revolution forderte das Bürgertum Teilhabe an der Macht und ein Staatsverständnis, in dem die Religion des Staatsbürgers weitgehend als Privatsache gelten sollte. In diesem Kontext erhielten Juden annähernd vollständige Bürgerrechte – mit gewissen regionalen Unterschieden. Die Revolution brach aber in Deutschland gegen die wieder erstarkenden Kräfte der Beharrung rasch zusammen. Restauration und Reaktion waren wieder an den Schalthebeln der Macht. Für die Juden hatte es nur eine kurzfristige Reform ihrer Existenz im staatsbürgerlichen Sinne gegeben.

4. 1850–1860: Neuerliche Restaurationswelle. Die durch die Revolution herbeigeführten Veränderungen waren eingeschränkt und beseitigt worden. Im Großen und Ganzen standen die Juden Deutschlands in dieser Zeit wieder dort, wo sie sich schon von 1815 bis 1847 befunden hatten.

5. 1860–1872: Liberalismus und Reichsgründung. In den 60er Jahren konnte mit dem auch in der Wirtschaftspolitik einsetzenden Liberalismus die lange Zeit in der Schwebe befindliche Frage der Bürgerrechte für die Juden Deutschlands zu einem Abschluss gebracht werden. Der Norddeutsche Bund sprach unter Bismarck 1869 die vollständige Emanzipation der Juden aus, die dann auch für das neue Deutsche Kaiserreich gültig wurde.

6. 1873–1890: Der Börsenkrach von 1873 und die anschließend anhaltende wirtschaftliche Depression provozierten Kritik am Kapitalismus, damit insbesondere an den Juden als den vermeintlichen Profiteuren dieses Kapitalismus. In diesem Zusammenhang nahm der Antisemitismus des 19. und 20. Jahrhunderts eine neue, radikale Form der Judenfeindschaft an, die sich bald auch in entsprechend ausgerichteten politischen Parteien und Organisationen niederschlug. Der in der Tat spektakulär zu nennende Aufstieg vieler Juden überlappte sich in Deutschland mit dem Aufstieg des Deutschen Kaiserreichs als wirtschaftliche und politische Großmacht. Der Liberalismus wurde zunehmend schwächer. Das Bürgertum wandte sich vom Liberalismus ab und schwenkte auf eine nationalstaatliche Einstellung um, die das Trennende der kulturellen und historisch gewachsenen Unterschiede betonte – sich somit auch in einer Distanzierung gegenüber Juden ausdrückte. Gleichwohl schienen sich Deutschlands Juden trotz nach wie vorhandener Besonderheiten in das deutsche Bürgertum integriert zu haben.

7. 1890–1914: Ein merkwürdig amateurhaftes Regierungssystem, ein sich in der Pose des Herrschers gefallender ebenso oberflächlich sprunghafter wie geschwätziger Kaiser und eine auf materiellen Fortschritt beschränkte Grundstimmung lenkten Deutschland in das 20. Jahrhundert. Die Juden waren in diesem System und in der sozialen Hierarchie etabliert, aber schon von dem an Virulenz heftiger werdenden Antisemitismus bedrängt. Großmachtstaatliche Ambitionen und eine inkompetente politische Elite waren für einen hegemonialen Größenwahn des Kaiserreichs verantwortlich.

8. 1914–1918: Die Auslösung des Weltkriegs hing neben anderen Ursachen auch mit diesem Größenwahn und dieser politischen Inkompetenz zusammen. Der entscheidende militärische Schlag gegen die Entente gelang Deutschland nicht. So musste sich der militärische Elan im Westen in dem Stellungskrieg abnutzen. Die Erfolge im Osten konnten für die Abnutzung im Westen kein Ersatz sein. Die Blockade durch die britische Flotte brachte der deutschen Bevölkerung Hunger und vielfache Entbehrungen anderer Art. Juden trugen in vielen Positionen dazu bei, dass die Versor-

gung des Staates und der Armee sowie auch der Bevölkerung im Kriege wenigstens einigermaßen sichergestellt werden konnte.

Das einschneidendste Ereignis für die Juden Deutschlands war die 1916 durchgeführte Judenzählung im deutschen Heer, ein mehr als deutliches Signal dafür, dass jüdische Staatsbürger und Soldaten als ein minderwertiger Teil der Gesellschaft betrachtet wurden. Der Krieg ging verloren. Die Niederlage führte zu einem von Dolchstoßlegenden und politischem wie wirtschaftlichem Chaos aufgewühlten Deutschland. Die Verantwortung für die Niederlage und die Folgen wurde Juden zugeschrieben. Ob Deutschland eine Demokratie bleiben konnte oder auf eine Diktatur zusteuerte, war die Frage der Weimarer Republik. Die Juden Deutschlands standen als Kollektiv schon am Rande des Abgrunds.

Gefahren und Probleme

Die Beziehungen zwischen Juden und Deutschen waren ein Prozess, der auf einer Vielzahl von Wegen verlief und verlaufen konnte. Zwar gab es unter den Juden selbst mehr und mehr warnende Stimmen. Gleichwohl schien die Annahme berechtigt, Juden hätten in Deutschland eine Heimat und ihren Weg in die Moderne gefunden. Bei ihrer Assimilation an das deutsche Bürgertum bauten die deutschen Juden insbesondere auf ihre Annäherung an diese Gesellschaftsschicht, auf die Stabilität und die Zukunftssicherheit des Liberalismus in Deutschland.

Die Emanzipation der Juden, die Zukunft der Assimilation und der Assimilierten schienen in Deutschland in der zweiten Hälfte des 19. Jahrhunderts lange Zeit unumstritten. Aber der Liberalismus wurde zusehends schwächer. Und in den Jahren nach 1880 traten dezidiert antisemitische Gruppierungen immer öfter und heftiger auf. Damit gerieten Emanzipation und Assimilation in eine neuerliche, dieses Mal an Lautstärke enorm zunehmende Diskussion. Eine zunächst kaum erkennbare Gefahr hing mit der Energie zusammen, mit der Juden die Erleichterungen der Emanzipationsgesetzgebung genutzt hatten, um ihre wirtschaftliche und soziale Lage zu verbessern.

Der Aufstieg der Juden verlief mit dem Aufstieg Deutschlands zeitlich gleichsam auf einer Achse. Indem jüdische Bankiers und Kaufleute sich in den Lücken betätigten, die es wegen fehlender christlicher Unternehmer gab, schienen sie die alten stereotypen Vorstellungen von einer jüdischen Überlegenheit in wirtschaftlichen Dingen zu bestätigen. Von dort war kein weiter Weg mehr, um die Vorurteile von einer gleichsam naturgegebenen und naturgebundenen Unterschiedlichkeit zwischen Juden und Deutschen in erneuerten Versionen zu konstruieren.

Die deutschen Juden wirkten bei der Entwicklung von Kapitalismus und Industrialisierung an herausgehobenen Position offenkundig ungleich stärker mit als es ihrem vergleichsweise geringen Anteil an der Gesamtbevölkerung entsprochen hätte. Die stets vorhandenen antijüdischen Stereotypen konnten damit eine entscheidende antisemitische Aufladung erhalten. Deklassierte Handwerker, Bauern, bedrängte Kaufleute und andere Gruppen begannen in einzelnen Juden wie in den Juden als Gesamtheit die Macher und die Profiteure der bedrohlichen Moderne in Einem zu sehen.

Der Kapitalismus und seine Schattenseiten wurden mit den Juden identifiziert. Die sichtbar werdenden Schattenseiten des Kapitalismus – konjunkturelle Anfälligkeit, neue Gefahren für die Besitzstände der Bürger, ein schwieriger werdendes Umfeld für Landwirte und Handwerker – verstärkten dies. Mit der Zunahme der wirtschaftlichen Ängste und der beruflichen Probleme speziell bei den Schichten, die vom Kapitalismus nichts Gutes erwarteten, stellte sich die Judenfrage neu, und dies in einer größeren Heftigkeit als zuvor[1].

Schon in dieser Zeit konnte der in seiner Forderung nach dem kulturell einheitlichen Nationalstaat noch vergleichsweise harmlos auftretende Nationalismus für Juden, sofern man in ihnen Fremdkörper der Gesellschaft sah, eine Gefahr bedeuten. Diese Gefahr nahm zu, als eine nationale rechts-konservative Grundstimmung in Deutschland zu dominieren begann und sich zunehmend extremer gebärdete. Demagogisch-völkische Elemente und der in den 90er Jahren aufkommende Drang zur Weltmacht drangen rasch in den Gefühls- und Sprachhaushalt des Bürgertums ein. Das Bürgertum entfernte sich vom herkömmlichen Liberalismus immer stärker.

Die weltbürgerlich-freisinnigen Ideale, die für den Aufstieg der nationalliberalen Partei entscheidend gewesen waren, wurden in den Hintergrund gedrängt. Und wie die an Anklang bei der Wählerschaft sukzessive verlierenden Liberalen feststellen mussten, bedeutete mit den schwächer werdenden liberalen Positionen auch das Verständnis für die Werte der bürgerlichen Toleranz in Deutschland immer weniger. Für die Juden in Deutschland war dies verhängnisvoll. Denn so assimiliert und der deutschen Kultur angeglichen sie auch sein mochten, eine Haltung, die das Trennende von Kulturen und Volksgruppen wieder hervorhob, musste Juden wieder als Fremdlinge erscheinen lassen.

Zwar hatten »... die alten, zahmen ... manchmal sogar gutmütigen antijüdischen Ressentiments des ökonomisch florierenden Reichsgründerzeitalters nach 1873 rasch an Gewicht« verloren. Aber die leidenschaftlich negative Reaktion gegen das in den unmittelbar vorangegangenen Jahrzehnten aufgestiegene Judentum markierte den Beginn eines säkularen Bewusstseinswandels – und den Übergang zu einem modernisierten Antisemitismus in dem Zeitalter von Industrialisierung und Kapitalismus[2].

Dieser neue Antisemitismus betrachtete die Juden zwar auch als manipulierende Händler, Kreditbetrüger oder Wucherer. Er tat dies aber in einer veränderten Perspektive. In der Perspektive nämlich, dass in der modernen Welt mit dem Vorrang von rasch beweglichem Kapital jüdische Händler und jüdische Publizisten, jüdische Bankiers, jüdische Parlamentarier wie Ludwig Bamberger (gleichzeitig einer der Gründer der Reichsbank) oder Eduard Lasker (im Reichstag die führende Persönlichkeit unter den Nationalliberalen) die besten Plätze einzunehmen schienen[3].

Es ist hier schon dargestellt worden, wie der alte Judenhass in unterschiedlichen Perioden angesichts von sozialen und wirtschaftlichen Schwierigkeiten in aktualisierten Formen auftreten konnte. Fichte hatte den stilbildenden Begriff vom »Staat im Staate« geprägt. Die Romantik hatte die Juden als Profiteure und Zerstörer der aristokratischen Gutsherrschaft beschrieben. Nach den Befreiungskriegen hatten dies Publizisten wie Fries und Rühs weiter getrieben.

Die Juden als Gesamtheit wurden dabei als ein dem europäischen Kulturkreis grundsätzlich fremdes und gegensätzliches Element betrachtet. Die Ausschreitungen gegen die Juden im Jahre 1819 standen damit ebenso in einem Zusammenhang wie das lange und über Jahrzehnte vergebliche Ringen um die Emanzipation. All das schien mit der Gründung des Kaiserreichs und der schließlich für das ganze Reich ausgesprochenen Emanzipation ausgeblendet und einer vergangenen Zeit anzugehören.

Es schien jedoch nur so – und dies lediglich für kurze Zeit. Denn was danach, zuerst am Rande der Gesellschaft, und von dort in die Kernbereiche mit einer völlig neuen Wucht kam, war der neue Antisemitismus, der tiefer ging als alles, was zuvor an Judenfeindschaft erlebt worden war. Dieser neue Antisemitismus der Moderne fasste vieles an Vorwürfen, Ablehnung und Hass gegen die Juden in einem Weltbild zusammen, das mit dem später hinzu kommenden, scheinbar wissenschaftlich untermauertem Rassismus eine fundamentalistische Antwort auf die Judenfrage geben wollte.

Gleichzeitig war dies eine weltanschauliche Haltung, die mit der Konzentration auf einen als fundamental aufgefassten Gegensatz zum Judentum die Identität der eigenen Nation umso deutlicher und trennender hervorheben wollte. In diesem neuen Antisemitismus war jede Möglichkeit eines Dialogs zwischen Deutschen und Juden ausgeschlossen. Denn im Mittelpunkt dieses Weltbildes stand der als eine Art Schicksalsfrage empfundene Kampf gegen Juden.

Dieses Weltbild fand Anklang als ein Angebot zum Verständnis der Welt. Es richtete sich an alle Schichten und Klassen der Gesellschaft, vor allem aber an den städtischen und ländlichen Mittelstand. Die Ideale dieses städtischen und ländlichen Mittelstandes in Deutschland umfassten vor allem stabile Lebensverhältnisse, ein festes Einkommen und gerechten Lohn für ehrliche Arbeit. Mit der Dynamik der kapitalistischen Wirtschaft war in diesen Werthorizont etwas grundsätzlich Neues eingedrungen:

Das für Bürger, Kleinbürger und Handwerker unbekannte, abstrakte, anonyme und bedrohliche Finanzkapital als das Unsichere, das Unmoralische, das Wucherische wie auch das Unheimliche einer beängstigend anderen Epoche. Dieses Andere einer beängstigend anderen Epoche schien von Juden gemacht und auch die Domäne von Juden zu sein.

Börsenkrach

Die Negativ-Stereotypen von jüdischen Zwischenhändlern, Bankiers, Börsenhändlern und Spekulanten konnten sich auf den hohen Anteil der Juden in diesen Bereichen stützen. Zusätzlich fand eine Vermischung statt mit den alten, nie völlig verschwundenen Stereotypen, wonach Juden insgesamt sozusagen orientalisch codierte Wucherer, Betrüger und Unruhestifter wären. Diesem und vielem anderen ließen sich aktualisierte Fakten zuführen. Denn: Die Schwerpunkte der wirtschaftlichen Tätigkeitsfelder von Juden und Nichtjuden schienen in der Tat völlig unterschiedlich zu sein. Zudem: Juden schienen den Kapitalismus zu dominieren und gleichzeitig – in Gestalt von Ferdinand Lassalle, Karl Marx wie auch von führenden Sozialdemokraten – die Bedrohung ebendieses Kapitalismus und des Bürgertums zu verkörpern.

In dieser Situation gewann eine im letzten Viertel des 19. Jahrhunderts entstehende Unterscheidung zwischen »jüdischem« Kapital (spekulativ an den Börsen) und »deutschem« Kapital (innovativ in der Industrie) schnell an Popularität. »Dem Geschmack des Mittelstandes war diese Zweiteilung wie auf den Leib geschnitten, gab sie doch Gelegenheit, an der bestehenden Ordnung zu nörgeln, ohne ihre Grundlage, das Privateigentum, anzutasten. Antisemitische Agitatoren ließen sich nie die Gelegenheit entgehen, Antikapitalismus dieser zweigleisigen Art auf ihre Fahnen zu schreiben. Er barg nicht die Gefahr, die Anhänger des Antisemitismus den herrschenden Gruppen zu entfremden, im Gegenteil: er förderte die Pseudosolidarität des christlichen Staates und führte später dem Mythos der Volksgemeinschaft neue Nahrung zu«[4].

Der Beginn und die zunehmende Popularität dieses neuen, sozusagen modernisierten Antisemitismus lässt sich für Deutschland ziemlich genau bestimmen. Beides hing mit einer sprunghaft veränderten wirtschaftlichen Situation zusammen. Den Boom der Gründerjahre hatte 1873 eine strukturelle Krise abgelöst. Noch im Jahre 1871 hatte die Gründung des Deutschen Kaiserreichs die sich seit den 60er Jahren des 19. Jahrhunderts entwickelnde wirtschaftliche Prosperität enorm verstärkt.

Die ersten drei Jahre des neuen deutschen Kaiserreichs standen im Zeichen eines wirtschaftlichen Booms ohnegleichen. Die Gründung des Deutschen Reiches im Januar 1871 produzierte euphorische Zukunftserwartungen. Erstmals gab es einen deutschen Nationalstaat mit einem einheitlichen Wirtschafts- und Währungsraum, dem ökonomisch in Europa nur noch Großbritannien überlegen war. Die Reparationszahlungen des im Krieg unterlegenen Frankreich hatten dazu erheblich beigetragen.

Von den insgesamt an Deutschland gezahlten 5,57 Milliarden Franc (4,455 Milliarden Mark) gingen infolge der Rückzahlung von Staatsschulden etwa zwei bis 2,5 Milliarden Mark an private Anleger. Wegen der vorzeitigen Rückzahlungen von gezeichneten Staatsanleihen verfügten viele Anleger auf unerwartete Weise über frei gewordenes Kapital. Der Bedarf an Anlagemöglichkeiten für Privatpersonen nahm in Deutschland bis zum Herbst 1873 gewaltig zu. Pro Jahr wurden nun mehr als fünf Prozent des gesamten deutschen Volkseinkommens angelegt, bevorzugt im Aktienmarkt.

Damit beschleunige sich ein Trend, der sich schon während der 50er Jahre vor allem in Preußen gezeigt hatte: Nennenswerte und zunehmende Teile der Bevölkerung beteiligten sich spekulativ an Aktienemissionen. Dies musste naturgemäß die ohnehin schon zunehmende Gründung von neuen Aktiengesellschaften verstärken. Allein während der drei »Gründerjahre« 1871 bis 1873 wurden im Deutschen Reich 2,9 Milliarden Mark in neu gegründete Aktiengesellschaften investiert; eine halbe Milliarde mehr als in den vorangegangenen 20 Jahre insgesamt. Während dieser Hausse kam es häufig zu Überzeichnungen des ausgeschriebenen Gründungskapitals und Tumulten vor den Subskriptionsbüros[5].

Die Anleger bewegten sich dabei auf einem Feld, das einen überhitzten Gründerboom entwickelte, der sich nach relativ kurzer Zeit abkühlte und dann Verluste produzierte [6]. Wie für »unreife Märkte« ohne eine funktionierende staatliche Überwachung der Börsen typisch, waren die in Aussicht gestellten Renditen gigantisch und entsprachen in vielen Fällen nicht annähernd der Realität. Ein Beispiel: Für die in Vorbereitung befindlichen Zechen »Dorstfeld«, »Karlsglück« und »Wiendalsbank« bei Dortmund stellten die Gründer als jährliche Bruttogewinne völlig utopische 30 Prozent und Dividendenzahlungen von 20 Prozent in Aussicht[7].

Neu gegründete Aktiengesellschaften in Preußen		
	1850–1857	1870–1874
Neugründungen von Aktiengesellschaften*	295	857
Eigenkapital insgesamt	801.585.105 Taler	1.429.925.925 Taler
* einschließlich Versicherungen, Banken und sonstigen nichtindustriellen Gesellschaften		

Der Preis für die Übertreibungen und Manipulationen wurde auf dramatische Weise deutlich, als es in ganz Europa zu einer Phase des Abschwungs kam (1873–1896). Zwar war dies kein durchgängiger Trend in Richtung Rezession oder Krise. Denn wirtschaftliches Wachstum gab es ja vor allem in Deutschland weiterhin und weit über das Jahr 1873 hinaus; wenn auch nicht in der Geschwindigkeit der vorangegangenen Jahre. Was eintrat, war eher ein längerfristiger Richtungs- und Stimmungswechsel, der sich in den ökonomischen Alltag hineinschob[8].

Ein Auslöser für den Niedergang der Börsenkurse war der Zusammenbruch der Quistorpschen Vereinsbank am 10. Oktober 1873 gewesen. Dieses Institut war keine Bank im üblichen Sinn, sondern ein verschachtelter Immobilienkonzern mit 27 Tochtergesellschaften und einem nominalen Aktienkapital von mehr als 66 Millionen. Mark. Die Konstruktion und das Schicksal dieses Unternehmens waren in vielerlei Hinsicht typisch. Denn die Gründung immer neuer Gesellschaften hatte auch dazu gedient, um Grundstücke mit viel zu hoch angesetzten Werten in den Bilanzen führen zu können. Der Wert des Unternehmens wurde auf diese Weise künstlich erhöht.

Das Aktiengesetz von 1870 hatte solche Machenschaften begünstigt, weil es als tatsächliche Einzahlung einen Bruchteil des nominal ausgewiesenen Aktienkapitals erlaubte. Spekulation mit vergleichsweise geringen Mitteln war damit möglich. Ergebnis: Den später fällig werdenden Nachzahlungsverpflichtungen konnten die Aktionäre mangels ausreichender Liquidität in vielen Fällen nicht nachkommen, was zum Konkurs des Unternehmens und zur Vermögensvernichtung bei Aktionären führte.

Im Herbst 1873 traf dies insbesondere für Banken, Eisenbahn- und Immobiliengesellschaften zu, die vorher im Mittelpunkt der Gründungswelle und der Börsenspekulation gestanden hatten. Sie gingen unter oder wurden von Konkurrenten übernommen. Von den insgesamt 444 Aktiengesellschaften verschwand mehr als ein Drittel innerhalb eines einzigen Jahres; bis Ende 1874 sogar fast die Hälfte. Rückblickend steht fest, dass die durch den Börsenkrach eingeleitete und bis 1879 andauernde Gründerkrise in der deutschen Gesellschaft tiefere Spuren hinterlassen hat als jede andere Wirtschaftskrise vor der Inflation des Jahres 1923 und der Weltwirtschaftskrise von 1929.

Wie sich zeigte, hatten Initiatoren von Aktiengesellschaften, damit vor allem auch die Banken, mit Betrug und üblen Manövern zum Schaden der Anleger gearbeitet. »Ankauf von Fabriken und Kohlenfeldern, die einem oder mehreren Gründern gehörten, zu weit überhöhten Preisen durch die Gesellschaften, Festlegung eines den Wert des geplanten Betriebes weit übersteigenden Aktienkapitals, um hohe Gründergewinne zu erzielen, Hochtreiben der Börsenkurse ... Verteilung bedeutender Provisionen für die Unterbringung der Aktien, Begünstigung der Gründer in den Gesellschaftsstatuten, Festlegung übertriebener Tantiemen und Direktorengehälter, Bezahlung von Dividenden aus dem Aktienkapital, ja selbst Fälschungen der Bilanzen und andere Täuschungsmanöver gehörten zu den von einzelnen gewissenlosen Gründern angewandten Praktiken. Die ausgebeuteten Gesellschaften überließen sie dann ihrem Schicksal – vielfach nach Sicherung des eigenen Gründergewinns«[9].

Es kam zu Prozessen und öffentlichen Auseinandersetzungen, die im Reichstag vor allem ein Jude zur Sprache brachte – der Abgeordnete Eduard Lasker, der führende Sprecher der Nationalliberalen Partei. Großes Aufsehen erregte Lasker im Reichstag Anfang 1873, als er die Geschäftspraktiken des Strousberg-Konzerns und Strousbergs Verbindungen zu der Hocharistokratie Preußens publik machte. Diese Enthüllungen wurden populär, weil an den Börsen viele Anleger aus den unterschiedlichsten Gesellschaftsschichten spekuliert und verloren hatten.

Nicht nur das Großbürgertum und der Adel, auch Anwälte, Ärzte, der unternehmerische Mittelstand, Handwerker, sogar Hausmeister und Dienstboten studierten in dieser Zeit die Kurszettel täglich. Das Wort von der »Dienstmädchenhausse« entstand damals. Damit war die letzte Phase eines Booms gemeint, in dem für Fachleute die Überhitzung schon so erkennbar wurde, dass sie begannen, ihre Wertpapiere zu verkaufen. Anders die Laien, die angesichts der Nachrichten von sensationellen Renditen während dieser letzten Phase – der Dienstmädchenhausse – noch Aktien kauften und bald ohnmächtig ›zusehen mussten‹ wie die Kurse ihrer Papiere fielen; oft bis ins Bodenlose. Unter den Geschädigten begann eine irrationale Suche nach den Verantwortlichen für den »Gründungsschwindel«[10].

Diese Zeit ist auch im Hinblick auf den dadurch ausgelösten Mentalitätswandel in Deutschland als die »Große Depression« bezeichnet worden. Die depressive, auf kollektive Absicherung gegen die wirtschaftlichen und sozialen Risiken des modernen Kapitalismus gerichtete Stimmung überschattete die Phase der Reichsgründung. Mit der Krise des Wirtschaftsliberalismus geriet der Liberalismus insgesamt in eine tiefe Legitimationskrise – damit auch das liberale Prinzip der Emanzipation der Juden[11].

Bezeichnend wurde in der Panikstimmung der Jahre 1873 bis 1879 und danach »vor allem in Produzenten-, Investoren- und Kaufmannskreisen bis gegen Ende des Jahrhunderts, dass das Gefühl vorherrschte, in einer Flaute«, im Ungewissen, in ständiger Spannung und Bedrohung, in einer Großen Depression zu leben. Ein nahezu chronisches, zu starken Übertreibungen neigendes Klagen und Stöhnen über die kurzen Aufschwünge und die langen Stockungs- und Niedergangsspannen ... die Notlage, die Flaute und entmutigende Eintönigkeit und die unverschämten Arbeiter war nicht nur für die Kleingewerbetreibenden und die Landwirte, die großen wie die kleinen, typisch, sondern vielfach auch für die zu Selbstmitleid neigenden industriellen Großproduzenten, die sich selbst in zyklischen Aufschwungsjahren über die gewinnlose Prosperität beschwerten«[12].

Diese depressive Stimmung war das Umfeld, in dem für die in dieser Art neuen Schwierigkeiten vermeintlich Schuldige verantwortlich gemacht werden konnten. Die großen Erwartungen, die mit der Gründung des Nationalstaats entstanden waren, hatten zunächst die liberalen Parteien und die bürgerlichen Inhaber von Vermögen begünstigt. Mit der ökonomischen Wende änderte sich dies. Der Liberalismus fiel zurück. Sparer standen vor den Trümmern ihrer Vermögen und einer unsicheren Zukunft.

Eduard Lasker, der als Mitglied des Reichstags auch dem Fraktionsvorstand der nationalliberalen Partei angehörte, fasste den Umschwung so zusammen: »Mit dem ökonomischen Einbruch breitete sich die Unzufriedenheit über alle Gegenden des Reichs, über alle Klassen der Bevölkerung aus und schuf eine Atmosphäre, aus der jedermann die Missstimmung mit dem Atem einsog. Unschwer war es, diese Stimmung agitatorisch auszubeuten, unschwer, sie der herrschenden Richtung zur Last zu legen. Dies taten denn auch nach dem Maße ihrer Geschicklichkeit und der Verwendbarkeit alle an der herrschenden Richtung nicht vorwiegend beteiligten Parteien ... Aber zur Höhe eines politisch geschichtlichen Motivs wurde diese Agitationsweise erst erhoben, als die Regierungsorgane in dieselbe eintraten«[13].

Vor allem die extrem Konservativen und Antisemiten fanden hier agitatorisches Potenzial vor. Sie begannen die Methoden und Folgen des Gründungswesens sowie die Beziehungen der Gründer zu liberalen Parlamentariern, Persönlichkeiten der Regierung und den Juden zu enthüllen. Zu nennen ist hier neben vielen anderen der Journalist Otto Glagau, der im Sommer 1874 in der vor allem in kleinbürgerlichen Kreisen gelesenen, ursprünglich liberalen Familienzeitschrift »Die Gartenlaube« eine Artikelserie über den »Börsen- und Gründungsschwindel in Berlin« veröffentlichte[14].

Finanzkapital

Glagau hatte anscheinend selbst an den Börsen spekuliert und dabei Verluste erlitten. Anhand von recht guten Kenntnissen der Berliner Finanzszene beschrieb Glagau den Typus des »jüdischen Spekulanten« und präsentierte ihn der auf Erklärungen für das Börsendebakel versessenen Leserschaft als »Sündenbock«. In einer Flut von antisemitischen Broschüren fand nun eine Gleichsetzung von Wirtschaftsliberalismus, Börsenspekulation und angeblich jüdischem Finanzgebaren statt. Das traditionelle Stereotyp des »Geld-

und Wucherjuden« wurde aktualisiert und stieß vor allem bei den über die erlittenen Verluste verbitterten Anlegern auf ein dankbares Publikum.

Demagogen wie Glagau kamen hierbei mit einer partiellen Kapitalismuskritik, die sich nur gegen das jüdische Finanzkapital richtete und vor allem deshalb in kleinbürgerlichen Kreisen Anklang fand. Bis 1890 erschienen über 500 derartige antisemitische Schriften[15]. In seinem 1878 erschienenen Buch Der Bankerott des Nationalliberalismus und die Reaktion behauptete Glagau: »Unter dem ökonomischen Liberalismus kann sich ein tüchtiger und behäbiger Handwerkerstand nicht behaupten, er wird von der Großindustrie erbarmungslos verdrängt; ebenso verdrängt der Großhändler den Kleinhändler, verschwindet mehr und mehr der Bauernstand und wird verschlungen von dem Großbesitz. Wie einst im alten Rom, so zerfällt auch im neuen Deutschen Reich der kräftige Mittelstand, und es wächst lawinenartig das besitzlose Kapital«[16].

Die Verantwortung für diese Zerstörung der herkömmlichen Lebensverhältnisse stand für Glagau fest: »Das Manchestertum ist die Midaslehre vom Gelde, es will alles in Geld verwandeln, Grund und Boden, Arbeit und Menschenkraft; es feiert den Egoismus, das völlig ungebundene Walten der rohen Selbstsucht, und verwirft Gemeinsinn, Humanität und alle sittlichen Prinzipien; es predigt das Streben nach unbedingter Herrschaft des Capitals, den krassen Materialismus. Sein Grundsatz ist das berüchtigte Laissez faire et passer ... Die erste Forderung des Manchestertums ist daher: unbeschränkte Gewerbefreiheit und Freizügigkeit; damit glaubt es für den Arbeiter alles getan zu haben, aber wie dieser begriffen hat, ist es nur die Freiheit, sich die Beschäftigung und den Ort zu wählen, wo er verhungern mag. Gerade Freizügigkeit und Gewerbefreiheit versorgen den Fabrikherrn mit einem unversiegenden Strom von wohlfeilen Arbeitskräften, indem sie das platte Land entvölkern, die Städte aber überfüllen«[17].

Und wer trieb dieses Manchestertum voran? Glagaus Antwort: »Das Judentum ist das angewandte, bis zum Extrem durchgeführte Manchestertum. Es kennt nur noch den Handel, und auch davon nur den Schacher und Wucher. Es arbeitet nicht selber, sondern lässt Andere für sich arbeiten, es handelt und spekuliert mit den Arbeits- und Geistesprodukten Anderer. Sein Zentrum ist die Börse ... Als ein fremder Stamm steht es dem deutschen Volk gegenüber und saugt ihm das Mark aus. Die soziale Frage ist wesentlich Gründer- und Judenfrage, alles übrige ist Schwindel«[18].

Demagogen und Vereinfacher wie Glagau brachten mit ihren Ansichten über Judentum, Liberalismus, Wirtschaft und politische Parteien schon vieles von dem, was später für den Nationalsozialismus typisch wurde. Dieselbe Kritik am liberalen Wirtschaftsverständnis, die gleiche absolute Selbstgewissheit bezüglich der alleinigen Richtigkeit ihrer Ansichten wie auch das Werben um Arbeiterschaft und Mittelstand. »Wir finden hier dieselbe Kritik und die Forderung nach sozialen Reformen, die fünfzig Jahre später typische Bestandteile der faschistischen Propaganda wurden. In der Beschreibung des kapitalistischen Systems benutzt Glagau jene unverkennbar marxistische Terminologie, die später bei den linken Nazis gängig wurde«

Glagau hatte als einer der Ersten das Argumentarium des Antisemitismus auf die aktuellen Fragestellungen ausgerichtet und daraus einen standardisierten Vorrat an agitatorisch wirksamen Redewendungen entwickelt. Er war dabei aber nicht mehr als der Trommler, den bald wichtigere und ihm überlegene »Propheten des Antisemitismus« überflügelten. En solcher Prophet war Adolf Stoecker, der kaiserliche Hofprediger und als solcher in den Jahren zwischen 1870 und 1890 in Deutschland eine einflussreiche Persönlichkeit.

Stoecker stand für einen parteipolitisch agierenden christlich-sozialen Antisemitismus. Damit gewann er rasch eine große Anhängerschaft. Einige Jahre nach Glagau betonte Stoecker, dass er nur das »mobile« Kapital, das »Börsenkapital« bekämpfte. Stoeckers Sicht: »Marx und Lassalle haben das Problem nicht nach der Börse, sondern nach der Industrie hin gesucht, die Industriellen für alle sozialen Missstände verantwortlich gemacht und den Hass der Arbeiter auf sie gelenkt. Unsere Bewegung korrigiert das ... Wir zeigen dem Volk die Wurzeln seiner Not in der Geldmacht, den Mammonsgeist der Börse.«[19].

Dass dies ankam, belegen zwei für die politischen Parteien des Kaiserreiches wichtige Blätter mit ihrer jeweiligen Sichtweise der Judenfrage; die Kreuzzeitung als das Sprachrohr der preußischen Konservativen protestantischer Oberservanz und die Germania, das Organ der dezidiert katholischen Zentrumspartei. In einer Serie unter der Bezeichnung »Ära-Artikel« startete die Kreuzzeitung im Juni 1875 einen heftigen Angriff auf »die Finanz- und Wirtschaftspolitik des neuen deutschen Reiches«, die »auf unbefangene Beurteiler den Eindruck reiner Bankierpolitik« mache[20].

Als Verantwortliche dafür wurden die Männer um Bismarck genannt; vor allem natürlich Bismarcks »regierender Bankier« Bleichröder. Das Blatt kritisierte aber nicht nur einzelne Personen und spezielle Fehlentwicklungen, sondern die Ära insgesamt, die »von und für Juden betriebene Politik und Gesetzgebung«. Durch Reichstagsabgeordnete wie Lasker und Bamberger würden die Juden die Nationalliberalen, durch die Nationalliberalen das Parlament und durch die nationalliberale Presse die öffentliche Meinung beherrschen[21].

Nahezu zeitgleich mit der Kreuzzeitung kam im Sommer 1875 die Germania mit einer Serie von antisemitischen Artikeln. Gegen Bismarck richtete sich der Abdruck einer Rede, die er im ersten Vereinigten Landtag von 1847 zur Judenemanzipation gehalten hatte. Damals hatte Bismarck erklärt, er gönne den Juden alle Rechte, »nur nicht das, in einem christlichen Staat ein Obrigkeitsamt zu bekleiden«. Weiter machte die Germania in mehreren Artikeln auf die berufliche Verteilung der Juden aufmerksam. Die Juden wären in den »produzierenden Schichten« kaum vertreten, sehr stark jedoch in »lukrativen Geschäften«, wo sie auf Kosten der christlichen Bevölkerung Reichtümer ansammelten[22].

Bismarcks »Kulturkampf« gegen die katholische Kirche interpretierte die katholische Germania einerseits als einen Feldzug der Juden gegen Rom, andererseits als ein Ablenkungsmanöver, das es den Juden ermöglichen sollte, das deutsche Volk ungestört zu beschwindeln und auszubeuten. Vor diesen Hintergrund stellte die Germania das Programm des Katholizismus für eine »Emanzipation der Christen von den Juden«. Das Blatt appellierte an die wirtschaftliche Solidarität der Christen. Es brachte Schlagworte wie »Kauft nicht von Juden!« oder »Leiht nicht von Juden!«. Zugleich wurde die Gründung von Sparkassen und Kreditanstalten zur Befreiung vom jüdischen Wucher empfohlen.

Der Zustimmung des Papsttums hierzu, das die Unterstellung des Katholizismus unter die staatliche Aufsicht des deutschen Reiches vehement ablehnte, konnte sich der deutsche Katholizismus sicher sein. Papst Pius IX. (1846–1879) hatte in »Syllabus Errorum« schon 1864 den Liberalismus und die moderne Wissenschaft als »Zeitirrtum« kritisiert und die Unterordnung des Staates unter die kirchliche Autorität gefordert. Übrigens: Das Dogma von der Unfehlbarkeit des Papstes (1870) stammte von Pius IX.

Katholizismus und Protestantismus waren Facetten in der Formierung des Antisemitismus als politische Ideologie. In den Worten des antisemitischen Abgeordnete Liebermann von Sonnenberg, im Dezember 1893 im Reichstag formuliert, erkennt man unschwer schon Redewendungen, die in der politischen Agitation nur wenige Jahrzehnte später erfolgreich wurden. Sonnenberg konstatierte, dass er und andere Antisemiten gegen Kapital an sich nichts einzuwenden hätten. Man müsse aber unterscheiden zwischen »schädlichem und nützlichem Kapital«.

Nützliches Kapital wäre in der Landwirtschaft und in der gesamten Industrie angelegt, in »redlichem Handel« und »in dem Sparvermögen, das das Ergebnis eines an Arbeit reichen Lebens darstellt«. Schädliches Kapital: »...welches sich, ohne wirkliche Arbeit zu leisten, ins Ungemessene vermehrt« durch »Lug und Trug und Schwindel. Dieses Kapital finden wir an der Börse, und dass dieses Kapital meist ein jüdisches ist, dafür können wir doch nichts«[23]. Die Angriffe auf »jüdischen« Finanzschwindel, mit denen auf den großen Krach von 1873 reagiert wurde, sind im Zusammenhang mit dieser tieferen ökonomischen und weltanschaulichen Auseinandersetzung zu sehen.

Wiederholung und Erinnerung: Die Geschichte der Juden in Deutschland war im ganzen 19. Jahrhundert von einem spektakulären Aufstieg gekennzeichnet. In der Wirtschaft wie auch für Bereiche wie Wissenschaft, Literatur und Publizistik hatte sich gezeigt: Die Beziehung zwischen Deutschen und Juden schien im Vergleich zu anderen Ländern besonders intensiv zu sein. Allerdings verlief diese Beziehung einseitig. Im deutschen Kulturkreis konnten Juden nur dann mit Akzeptanz rechnen, wenn sie national, etabliert, assimiliert und auf deutsche Weise kultiviert waren – im eigentlichen Sinn also schon eine Distanzierung gegenüber dem Judentum vollzogen hatten.

Die Beziehung der Juden zu den Deutschen endete als Katastrophe. Dazu gab es Warnungen, Befürchtungen und Ahnungen. Und trotz des an Popularität wie an Heftigkeit in Deutschland ab 1875 deutlich zunehmenden Antisemitismus hielten es die deutschen Juden bis auf ganz wenige Ausnahmen für undenkbar, dass sie sich mit ihrer Assimilation an die deutsche Kultur auf einer schwankenden Basis bewegen sollten.

Nun ist es rückblickend aus der Sicht der Wissenden um das, was aus der Beziehung der Juden zu den Deutschen und umgekehrt wurde, ebenso leicht wie auch verführerisch, hier eine Zwangsläufigkeit zu konstruieren. Von einer Zwangsläufigkeit kann aber bei der Emanzipation der Juden in Deutschland bis zu ihrer etwa um 1914 großteils vollzogenen Verbürgerlichung nicht die Rede sein. Sicher, es gab Gründe für die sich gegen die Juden immer bedrohlicher wendende Situation, über die hier noch zu sprechen sein wird.

Aber zwischen der Benennung von Gründen für diese negative Entwicklung und dem Versuch, diese Entwicklung sozusagen als einen sich in der Geschichte der Deutschen im 19. und 20. Jahrhundert zwangsläufig ergebenden Automatismus in Richtung Auschwitz darzustellen, besteht ein gewaltiger Unterschied. In der Tat verlief die Entwicklung so, dass die deutschen Juden trotz vieler einzelner gesellschaftlicher Zurücksetzungen bis in die Endphase des Weltkrieges von 1914 bis 1918 annehmen konnten, dass Deutschland ihre Heimat und ihr Vaterland wäre.

Die Vorstellungen dieses auf den Rechtsstaat und die Kultur der Deutschen bauenden Judentums liegen in unzähligen Schriften, Reden und Artikeln vor. Stellvertretend die besonders eindringlich formulierte Stellungnahme eines Berliner Arztes aus dem Jahre 1847: »Wir erklären hierdurch feierlichst, dass wir kein besonderes nationales Interesse als das des deutschen, resp. preußischen Vaterlandes kennen; dass wir im Befreiungskriege unser Blut vergossen haben, es als unser eigentliches Vaterland betrachten und keine Sehnsucht nach Jerusalem fühlen, dass wir unserem angestammten Herrscherhause treu anhängen und für König und unser preußisches Vaterland leben und sterben; dass wir auf keinen andern Messias hoffen, als auf unsere Freiheit, dass die Idee des Messias mit unserer endlichen Erlösung vom Druck identisch ist, und dass alle, welche diese Ansichten nicht teilen, den wahren Geist des Judentums nicht erfasst haben«[24].

Für Gabriel Riesser, den bedeutenden jüdischen Liberalen und den Kämpfer für die Emanzipation, hatte es zwischen jüdischem Selbstverständnis und der Hinwendung zu Deutschland und der deutschen Kultur nicht den geringsten Widerspruch gegeben. Riesser: »Bietet man mir mit der einen Hand die Emanzipation, auf die alle meine innigsten Wünsche gerichtet sind, mit der anderen die Verwirklichung des schönen Traums von der politischen Einheit Deutschlands mit seiner politischen Freiheit verknüpft, ich würde ohne Bedenken letztere wählen: denn ich habe die feste, tiefste Überzeugung, dass in ihr auch jene enthalten ist«[25].

Deutschland war so etwas wie ein neues Jerusalem, auf dessen rechtsstaatlichen Schutz und Eintreten für die Juden man wie Riesser oft auch in einer pathetischen Weise vertraute: »Einen Vater in den Höhen, eine Mutter haben wir: Gott, ihn aller Wesen Vater, Deutschland unsere Mutter hier«. Für das nationalliberale Judentum waren die Gewichte eindeutig verteilt. Der deutsch-preußische Staat, sein Wohl und seine Interessen, gaben auf der Werteskala den Ausschlag. Ludwig Philippson, mit seiner Allgemeinen Zeitung des Judentums der Repräsentant dieser Richtung, versicherte am Geburtstag des Königs: »Ich bin ein Preuße. Darum ist mir der dritte August ein heiliger gesegneter Tag. Mein König ward an ihm geboren. Einen Gott und einen König ... Alles was Preuße ist, dessen König ist er. Preuße bin ich aber, wenn auch Jude«[26].

Selbst orthodoxe Gruppierungen des Judentums, die eigentlich aus Prinzip gegen jede Form von Assimilation und Akkulturation stehen mussten (weil in ihrer Sicht daraus eine Gefährdung für das Fortbestehen des Judentums lag), äußerten die Bereitschaft zur Integration. Der »Zionswächter«, das maßgebliche Organ der deutschen Juden dieser Richtung: »Nicht allein, dass das orthodoxe Judentum den Staat und seine Obrigkeit als ein erhabenes, unantastbares Heiligtum, als ein heiliges Werkzeug des göttlichen Willens anerkennt, nicht allein, dass der Talmud die höchste Untertanentreue befiehlt, verbietet er ausdrücklich, dass der Jude Schritte tut, die seine Stellung im Staate ändern könnten, indem er das Verhältnis zum Staate als ein Verhältnis zur Gottheit darstellt, dem dann auch jede Leitung unseres Geschickes vorbehalten bleiben muss«[27].

Die Eingliederung in den Gesellschaftsverband über die kulturelle Angleichung mit der gleichzeitigen Absicherung durch den Rechtsstaat war die Hoffnung des deutschen Judentums. In einem solchen Staat mussten

Vorurteile und Hetzkampagnen wohl besorgniserregend erscheinen. Solange aber den Ausschreitungen von unten durch die Macht von oben ein Riegel vorgeschoben wurde, konnten sich die deutschen Juden abgesichert fühlen.

Wie berechtigt war diese Annahme? In diesem Zusammenhang hat Gershom Scholem, der bedeutende Interpret des Judentums im 20. Jahrhundert, die Existenz eines Dialogs zwischen Juden und Deutschen verneint. Scholem zufolge gab es diesen Dialog nicht. Denn der Dialog »starb gleich bei der Geburt und fand nie statt«, weil Juden in der deutschen Kultur immer als fremde Elemente galten.

Scholem: »Ich bestreite, dass es ein solches deutsch-jüdisches Gespräch in irgendeinem echten Sinne als historisches Phänomen je gegeben hat. Zu einem Gespräch gehören zwei, die aufeinander hören, die bereit sind, den anderen in dem, was er ist und darstellt, wahrzunehmen und ihm zu erwidern. Nichts kann irreführender sein, als einen solchen Begriff auf die Auseinandersetzungen zwischen Deutschen und Juden in den letzten 200 Jahren anzuwenden«. Die Frage: »Zu wem also sprachen die Juden in jenem viel berufenen deutsch-jüdischen Gespräch?« Scholems Antwort: »Als sie zu den Deutschen zu sprechen dachten, da sprachen sie zu sich selber, um nicht zu sagen: Sie überschrien sich selber«[28].

Scholem war ein Philosoph und Religionshistoriker von überragender Bedeutung. Als überzeugter Zionist argumentierte er von einem kompromisslosen Standpunkt aus. Aus dieser Sicht wie auch im Wissen um die Vernichtung des Judentums konnte und wollte er rückblickend die Möglichkeit eines konstruktiven Zusammenlebens von Juden und Nichtjuden nicht sehen. Er warf den Juden vor, sie hätten »in gottverlassener Würdelosigkeit fordernd, flehend und beschwörend, kriecherisch und auftrotzend« die Nähe zu den Deutschen gesucht. In ihrem »unendlich sehnsüchtigen Schielen nach dem deutschen Geschichtsbereich« hätten sich die Juden von ihrer Nation gelöst. Wirklich aufgenommen hätten die Deutschen sie aber nie.

Heinrich Mann bezeichnete die Geschichte der Beziehungen zwischen Deutschen und Juden als eine einseitige Leidenschaft, die gegen eine Mauer des Unverständnisses und der Zurückweisung stoßen musste. Er schrieb: »Dreizehn Millionen Juden sprechen auf der ganzen Erde einen Dialekt, der dem Deutschen entnommen oder mit dem Deutschen vermischt ist. In manchen Ländern, wo sonst niemand Deutsch versteht, erhalten die Juden sich ihre deutsche Bildung und empfinden sie als Auszeichnung. Jedes andere Volk, außer dem deutschen, jeder Staat, außer diesem, würde hieraus den größtmöglichen Nutzen ziehen. Deutschland will nicht. Dieselben Juden, die Deutschland wie ihre zweite Heimat durch die ganze Welt trugen, in Deutschland selbst werden sie für minderen Rechtes erklärt, sie dürfen keine öffentlichen Ämter bekleiden, aber man darf sie ermorden oder zugrunde richten, wenn man nicht gerade gut gelaunt ist und sich damit begnügt, sie auf öffentlichem Platz mit ihren Zähnen das Gras ausreißen zu lassen«[29].

Joseph Roth, der Autor des Radetzkymarsch, das Epos des untergehenden Reiches der Habsburger, formulierte im Jahre 1934: »Die in Deutschland ansässigen Juden hatten den Deutschen zu viel moralischen Kredit gewährt. Juden sind leicht geneigt, ein Volk nach seinen Genies zu beurteilen. Juden lesen nämlich gerne. Sie sind das Volk der Bücher. Sie beurteilen auch die anderen Völker nach deren Büchern. Sie sahen in den Deutschen die Nation Lessings, Herders, Goethes ...

Das deutsche Genie fühlt sich keineswegs in Deutschland zu Hause. Beispiele sind bekannt. Die Genies spielen in Deutschland beinahe die gleiche Rolle wie die Juden. In preußischen Städten heißen die Hauptstraßen nach Generalen und die Torten nach Goethe. Es gibt eine Kleiststraße in Berlin, aber gemeint ist der General Kleist, nicht das einzige literarische Genie, das Preußen hervorgebracht hat. Die Juden lebten ferne von den deutschen Offizieren, Beamten, Adeligen, Bauern. Sie lebten nur nahe den deutschen Büchern.

Es ist rührend, mit welcher Vertrauensseligkeit dieses alte skeptische Volk, das seinen Propheten misstraute und Jesus Christus auslachte, ohne zu prüfen, den Grundsatz aufstellte: die Deutschen seien das Volk Goethes – und damit basta ... Seit Generationen gefesselt an die deutschen Klassiker, in den letzten 30 Jahren auch an den deutschen Handel, gute Verdiener und loyale Steuerzahler, hofften sie bestimmt, mit der Zeit aus Feldwebeln zu Oberleutnants werden zu können – lange konnte doch die noble germanische Seele nicht mit der Anerkennung zurückhalten.

Törichte Optimisten, diese deutschen Juden! Während sie auf die volle Gleichberechtigung warteten, vertrieben sie sich die Zeit mit der Teilnahme am Weltkrieg, mit philanthropischen Gründungen, mit der Aufklärung dieses Volkes, von dem sie glaubten, es könnte schon die Kirchen entbehren ... mit wohltätigen Stiftungen für Witwen, Waisen, Krüppel, Arme, ohne Unterschied der Konfession«[30].

Schon zu Beginn des Ersten Weltkrieges war in Deutschland im Vergleich zu Westeuropa »die politische Rechte antisemitischer, die Mitte schwächer, die Linke stärker, der Liberalismus blasser und die politische Kultur autoritäter. Zudem waren die Juden auffälliger«[31].

An eine kulturelle Synthese mit der jüdischen Tradition hatten die Deutschen in der Tat zu keinem Zeitpunkt gedacht. Grundsätzlich akzeptierten sie Juden allenfalls dann, wenn diese sich – gleichsam geläutert von ihrer Herkunft – nicht als Juden betrachteten oder vom Judentum entfernt und ihrer Umwelt angenähert hatten. In diesem folglich nur begrenzt möglichen Dialog war eine Seite, die der Deutschen, die dominante Partei, die

Hinwendung zum Deutschtum forderte und Abwendung vom Judentum erwartete.

Ein Teil der Tragödie der Juden in Deutschland sollte daher rühren, dass die Juden selbst die Begrenztheit der Möglichkeit des Dialogs nicht erkannten, nicht erkennen konnten oder auch nicht erkennen wollten. Schon Heinrich Heine, der den größten Teil seines Lebens in Frankreich verbrachte, hatte Deutschland als das empfunden, »was dem Fische das Wasser«. Sich selbst sah Heine als ein »Archiv deutschen Gefühls«. Freilich sah Heine auch dies voraus: »Die deutsche Revolution wird darum nicht milder und sanfter ausfallen, weil ihr die Kantsche Kritik, der Fichtesche Transzendentalidealismus oder gar die Naturphilosophie vorausging. Durch diese Doktrinen haben sich revolutionäre Kräfte entwickelt, die nur des Tages harren, wo sie hervorbrechen und die Welt mit Entsetzen und Bewunderung erfüllen können«[32].

Heines Empfindung als ein »Archiv deutschen Gefühls« und Kultur hätte der verbürgerlichte Teil des Judentums in Deutschland noch am Ende des 19. Jahrhunderts nicht viel anders ausgedrückt – unabhängig von unterschiedlichen Positionen im Einzelnen. Während die Gegner der Juden eine Art antisemitischer Code über Parteigrenzen hinweg vereinigte, vermochte das jüdische Bürgertum selbst noch ein übergreifender kultureller deutschnationaler Code zu einigen. In München betonte der anarchistische Schriftsteller Gustav Landauer 1913 seine doppelte Zugehörigkeit zu Judentum und Deutschtum. Er betrachtete diese Zugehörigkeit als zwei Aspekte einer einzigen Existenz in der keiner von den beiden Aspekten Vorrang hätte. Er verglich sie mit zwei Brüdern, die von der Mutter auf verschiedene Weise, aber gleich stark geliebt werden.

Nicht anders als der Anarchist Landauer sahen dies selbst Zionisten wie der Soziologe Franz Oppenheimer. Oppenheimer war auf sein Deutschtum »ebenso stolz« wie auf seinen jüdischen Ursprung. Er war »froh, im Vaterland Kants und Goethes geboren« und erzogen worden zu sein, ihre Sprache zu sprechen und Teil ihrer Kultur zu sein. »Mein Deutschtum ist mir ebenso lieb wie meine jüdische Abstammung ... Ich vereinige in mir ein jüdisches und ein deutsches Nationalgefühl«. Oppenheimer, der die Assimilation ablehnte, gab zu, dass er selbst ein »assimilierter« Jude wäre. Aber: »Mein Deutschtum ist mir ein Heiligtum«[33].

Mit der von ihm geschilderten Doppelexistenz war Oppenheimer, der nach der Judenzählung 1916 während des ersten Weltkriegs seine Haltung aufs Deutlichste revidierte, selbst unter den wenigen Zionisten in Deutschland kein Einzelfall. Und es ist auch kein Zufall, dass Theodor Herzl, der Begründer des politischen Zionismus, im Deutschtum die Grundlage der nationalen Erneuerung des Judentums sah und Deutsch zur Amtssprache eines künftigen Staates der Juden in Israel machen wollte[34].

Die für sie unvorstellbare und von Juden sich selbst zugebilligte Möglichkeit einer Doppelexistenz lehnten aber Deutsche jeglicher Couleur ab. Nicht immer offen und eindeutig, aber im Grundsatz doch ohne Aussicht auf Kompromisse in einer solchen Frage. Theodor Fontane, Deutschlands bedeutendster Schriftsteller seiner Zeit, galt zu Recht als ein toleranter und versöhnlicher Mann, der den Juden viel Verständnis entgegenbrachte[35]. Aber selbst bei Fontane gab es eine weniger bekannte ausgesprochen feindselige Tonart gegen Juden. Aus einem Brief Fontanes an den Pädagogen und Philosophen Friedrich Paulsen:

»Wir standen bis (18)48 oder vielleicht auch bis (18)70 unter den Anschauungen des vorigen Jahrhunderts, hatten uns ganz ehrlich in etwas Menschenrechtliches verliebt und schwelgten in Emanzipationsideen, auf die wir noch nicht Zeit und Gelegenheit gehabt hatten, die Probe zu machen. Dies die Probe machen, trägt ein neues Datum und ist sehr zu Ungunsten der Juden ausgeschlagen. Überall stören sie (viel mehr als früher), alles vermanschen sie, hindern die Betrachtung jeder Frage als solcher. Auch der Hoffnungsreichste hat sich von der Unausreichendheit des Taufwassers überzeugen müssen. Es ist, trotz all seiner Begabungen, ein schreckliches Volk, nicht ein Kraft und Frische gebender Sauerteig, sondern ein Ferment, in dem die hässlicheren Formen der Gärung lebendig sind – ein Volk, dem von Uranfang an etwas dünkelhaft Niedriges anhaftet, mit dem sich die arische Welt nun mal nicht vertragen kann. Welch Unterschied zwischen der christlichen und jüdischen Verbrecherwelt. Und das alles unausrottbar«[36].

Peter Gay (in Berlin als Peter Fröhlich aufgewachsen), einer der herausragenden Historiker unserer Zeit, bezeichnet dies als »ein erschreckendes Dokument«. Und, so schreibt Gay: »... es war nur gut für den Seelenfrieden von Deutschlands Juden, dass es jahrzehntelang unveröffentlicht blieb. Es enthüllt ein Ressentiment und eine Bigotterie, die man bei Fontane nicht vermutet hätte ... Das ist mehr als der launische Ausbruch eines alten Mannes; es ist nur ein weiteres Beispiel für die bekannte Erfahrung, dass der Antisemit zu seinem Antisemitismus keine Juden braucht; denn Augenschein und Erfahrung haben keinen Einfluss auf seine Ansichten. Und Fontanes Brief bezeugt noch mehr; er rechtfertigt eine skeptischere Einschätzung der Situation der deutschen Juden ... er macht begreiflich, dass die Pessimisten unter Deutschlands Juden realistischer gewesen sind als die Optimisten ...«[37].

Das deutsche Bürgertum hatte den judenfeindlichen Klischees eines Romanciers wie Freytag, der Judenfeindliches bei sich zu jeder Zeit als eine Unmöglichkeit zurückgewiesen hat, großen Beifall gezollt. Dem deutschen Bürgertum sprach eine literarische Lichtgestalt wie Fontane mit dem wohl noch aus der Seele, was er offen an Versöhnlichem zu den Juden zu sagen wusste. Für die Gemütslage dieses Bürgertums sprach Fontane aber wohl noch ungleich stärker, wenn er hinter der Folie des Versöhnlichen einen Teppich des Hasses, aus welchen Motiven und Stimmungen auch immer, entrollte.

Antisemitismusstreit

In der realen Politik brachte es der parteipolitisch agitierende Antisemitismus in Deutschland bis 1914 nur zu einer Serie des Scheiterns. Rückblickend lag sein Stellenwert darin, dass er als Exerzierplatz und Übungsfeld Späteres vorbereitet hatte. Helmut Berding zieht in seiner Geschichte des Antisemitismus in Deutschland folgende Bilanz: »Erstens schafften es die Antisemitenparteien, über den Abschluss der Emanzipationsgesetzgebung hinaus die Judenfrage als ständigen Gegenstand der Diskussion in der Öffentlichkeit lebendig zu erhalten. Zweitens verfehlte die antijüdische Hetzkampagne keineswegs ihre schleichende und nachhaltig verwildernde Wirkung. Messbar sind, zugegeben, die Langzeitfolgen nicht ... Drittens führten unmittelbare Kontinuitätslinien ... zum Nationalsozialismus. Viertens blieb die Wirkung der Antisemitenparteien nicht auf den politischen Bereich beschränkt. Von den Parteien gingen Anstöße zur Gründung antisemitischer Vereine und Verbände aus, oft besetzten Parteiantisemiten Führungspositionen in schon bestehenden gesellschaftlichen Organisationen. Auch diese Ausstrahlung in den gesellschaftlichen Bereich hinein enthält ein Element der Kontinuität ... Während der Antisemitismus seit Mitte der neunziger Jahre auf der politischen Ebene an Bedeutung verlor, nahm sein Einfluss im gesellschaftlichen Bereich ständig zu. Er drang in Vereine und Verbände ein und setzte sich hier fest«[38].

Obwohl der Antisemitismus durch Agitatoren wie Glagau oder Stoecker – die Namen ließen sich ohne Mühe erheblich vermehren – rasch an Popularität gewann, konnte es noch eine Zeit lang danach aussehen, als ob sich damit lediglich ein Ventil ohne größere gesellschaftliche Bedeutung geöffnet hätte. Als wäre hier lediglich eine Möglichkeit aufgetan worden, um angestautem Ärger und Enttäuschungen Luft zu verschaffen.

Solche Verharmlosungen wurden aber durch das Auftreten des Historikers und Publizisten Heinrich von Treitschke bald widerlegt. Treitschke war Geschichtsprofessor in Berlin und zu seiner Zeit ein berühmter Mann, weit über die Fachwelt hinaus. Seine Vorlesungen waren gesellschaftliche Ereignisse, zu denen sich die Elite Deutschlands um Zutritt drängte.

Was Treitschke über die Juden zu sagen hatte, war nicht neu und in Wirklichkeit lediglich eine Aktualisierung der Tiraden, die schon viele Jahre und Jahrzehnte zuvor geäußert worden waren. Was jedoch Treitschkes

»Unsere Aussichten«, die er 1879 in den von ihm selbst herausgegebenen Preußischen Jahrbüchern veröffentlichte, die große Durchschlagskraft und Akzeptanz gab: »Radau-Antisemiten« wie Glagau und andere konnten zwar viel Lärm verursachen. Für das gebildete und damals noch bei den Liberalen stehende Bürgertum blieben sie aber Außenseiter.

Anders der renommierte Universitätsprofessor Treitschke, der den so genannten Antisemitismusstreit in Deutschland in einem der wichtigsten und renommiertesten akademischen Fachorgane seiner Zeit eröffnete: Den Antisemitismus bezeichnete Treitschke als eine »wunderbare, mächtige Erregung, die in den Tiefen unseres Volkslebens» arbeitet … der Instinkt der Massen hat in der Tat eine schwere Gefahr, einen hochbedenklichen Schaden des neuen deutschen Lebens richtig erkannt … Wenn Engländer und Franzosen mit einiger Geringschätzung von dem Vorurteil der Deutschen gegen die Juden reden, so müssen wir antworten: Ihr kennt uns nicht. Ihr lebt in glücklicheren Verhältnissen, welche das Aufkommen solcher Vorurteile unmöglich machen. Die Zahl der Juden in Westeuropa ist so gering, dass sie einen fühlbaren Einfluss auf die nationale Gesittung nicht ausüben können; über unsere Ostgrenze aber dringt Jahr für Jahr aus der unerschöpflichen polnischen Wiege eine Schar strebsamer hosenverkaufender Jünglinge herein, deren Kinder und Kindeskinder dereinst Deutschlands Börsen und Zeitungen beherrschen sollen; die Einwanderung wächst zusehends, und immer ernster wird die Frage, wie wir dies fremde Volkstum dem unseren verschmelzen können … Bis in die Kreise der höchsten Bildung hinauf, unter Männern, die jeden Gedanken kirchlicher Unduldsamkeit oder nationalen Hochmuts mit Abscheu von sich weisen, ertönt es heute wie aus einem Munde: Die Juden sind unserer Unglück«[39].

In dem von ihm 1879 ausgelösten Berliner Antisemitismusstreit zeigte sich Treitschke als ein grundsätzlicher Gegner der Juden, ihrer Emanzipation und der Akkulturation. Zwar war von dem Rassismus als dem relativ neuen Verstärker des Antisemitismus bei Treitschke nur wenig zu spüren. Treitschke wollte ein nach seinem Verständnis verdeutsches und entjudetes Judentum. Er gab der öffentlichen Diskussion eine neue Qualität, indem er sich nicht als eine unbekannte Randerscheinung zu der Judenfrage äußerte, sondern als eine der prominentesten geistigen Größen seiner Zeit. Seine Reputation gab seinen Äußerungen die Aura der wissenschaftlichen Reputation. Treitschkes Losung »Die Juden sind unser Unglück« wurde später von den Nationalsozialisten für ihre Propaganda übernommen[40].

Insbesondere geht es auf Treitschke zurück, dass der vorher eigentlich nur von Außenseitern akzeptierte Antisemitismus beim Bildungsbürgertum, in den Universitäten, den höheren Schulen und im Geistesleben populär wurde. Studentische Verbände beriefen sich auf Treitschke und entwickelten sich unter seinem Einfluss zu Zentren des Antisemitismus. So vor allem die 1881 zum Kyffhäuserbund zusammengeschlossenen »Vereine Deutscher Studenten«, die die »Hebung des Nationalgefühls« erstrebten und es für eine patriotische Aufgabe hielten, »das nationale Bewusstsein der deutschen Studentenschaft einer gewissen Vaterlandslosigkeit gegenüberzustellen«. Sie wollten Deutschland »von fremdem Geiste« befreien, der den deutschen Charakter verderbe, einem » Schachergeist, der Germania Krone und Szepter raubt«[41].

Treitschke über Heinrich Heine: »Unter seinen Händen ward ... alles unrein ... Er besaß, was die Juden mit den Franzosen gemeinsam haben, die Anmut des Lasters, die auch das Niederträchtige und Ekelhafte auf einen Augenblick verlockend erscheinen lässt, die geschickte Macht, die aus niedlichen Riens noch einen wohlklingenden Satz zu bilden vermag, und vor allem jenen von Goethe so oft verurteilten unfruchtbaren Esprit, der mit den Dingen spielt, ohne sie zu beherrschen. Das alles war undeutsch von Grund auf... Es währte lange, bis sie sich eingestanden, dass deutschen Herzen bei Heines Witzen nie recht wohl wurde ... sein Himmel hing voll von Mandeltorten, Goldbörsen und Straßendirnen; nach Germanenart zu zechen, vermochte der Orientale nicht«[42].

Mit Hinweisen auf ein irgendwann und irgendwie gewesenes wahres, angeblich unverfälschtes Deutschtum (»nach Germanenart zu zechen«) wurde die Moderne stilbildend ausgeblendet. Und wie dies schon in den Spuren Fichtes die Romantiker und die preußischen Reaktionäre getan hatten, so wurden auch hier die Gegenwart und die Moderne in den Gegensatz zu einer rückwärtsgewandten, romantisierten Utopie gesetzt.

So willkürlich dies war, so willkürlich und mit nur geringem Bezug zur Realität war auch nahezu alles, was der Antisemitismus gegen die Juden vorbrachte. Theodor Mommsen hatte dies 1894 in einem Interview mit dem Journalisten und Schriftsteller Hermann Bahr zum Ausdruck gebracht: »Sie täuschen sich, wenn Sie glauben, dass man da überhaupt mit Vernunft etwas machen kann. Ich habe das früher auch gemeint und immer und immer wieder gegen die ungeheure Schmach protestiert, welche Antisemitismus heißt. Aber es nützt nichts. Es ist alles umsonst. Was ich Ihnen sagen könnte, was man überhaupt in dieser Sache sagen kann, das sind doch immer nur Gründe, logische und sittliche Argumente. Darauf hört doch kein Antisemit. Die hören nur auf den eigenen Hass und den eigenen Neid, auf die schändlichen Instinkte. Alles andere ist ihnen gleich. Gegen Vernunft, Recht und Sitte sind sie taub. Man kann nicht auf sie wirken ... Gegen den Pöbel gibt es keinen Schutz – ob es nun der Pöbel auf der Straße oder der Pöbel im Salon ist, das macht keinen Unterschied: Canaille bleibt Canaille, und der Antisemitismus ist die Gesinnung der Canaille. Er ist wie eine schauerliche Epidemie, wie die Cholera – man kann ihn weder erklären noch heilen«[43].

Was Mommsen hier über den Antisemitismus schrieb, trifft auch für Richard Wagner zu, ohne den die Popularisierung des Antisemitismus in Deutschland schwer denkbar ist. Wagners Antisemitismus, der als vereinfachter wie vereinfachender Gegenentwurf zu einer komplizierten Realität zu verstehen ist, ging tief, wesentlich tiefer beispielsweise als der von Treitschke.

Was Treitschke über Heinrich Heine zu sagen hatte, erinnert in vielem an das, was Richard Wagner über einzelne Juden ebenso wie über Juden als Gesamtheit äußerte. So wie sich Treitschke einen Schriftsteller wie Heinrich Heine als Folie für seine Wortkaskaden ausgesucht hatte, so fand Wagner in jüdischen Komponisten wie Felix Mendelssohn Bartholdy und Giacomo Meyerbeer seine mit tiefem Hass beschriebenen Protagonisten des Judentums.

Bezeichnend: Sowohl Treitschke wie Wagner wollten mit der Verabsolutierung der Bereiche, die sie verstanden, aus ihrer jeweiligen Sicht als Identitätsstifter der Deutschen auftreten. Zu der Erfolg versprechenden Dramaturgie benötigte diese dem Predigertum nahe stehende Identitätsstiftung in ihrem als Kampf der Gegensätze gezeichneten Weltbild der Schurken ebenso wie der Helden.

Mit den als Schurken in die Identitätsstiftung der Deutschen eingeführten Juden war eine Möglichkeit geschaffen, die Deutschen so darzustellen, als wären sie von den Ihrerseits auf unschuldige Weise aufgenommenen Schurken – den Juden – in die unselige Welt der Moderne verführt worden. Die eigene Gemütslage eines Wagner, der den Deutschen die als Diskriminierung empfundene Vernachlässigung seiner eigenen Kunst zugunsten von jüdischen Komponisten wie Mendelssohn Bartholdy und Meyerbeer nicht vergeben konnte, war damit etwas erleichtert.

Denn für die angebliche Diskriminierung der Kunst Wagners waren, so die Auslegung, nicht die Deutschen verantwortlich, sondern Juden, die die Deutschen zu diesem »Frevel« und zu anderen Versündigungen gegen ihre Kultur verführt hätten. Zu Wagnerschen Helden konnten die Deutschen aber doch noch werden, wenn sie diese Verführung durchschauten und beseitigten. In diesem inszenierten Welttheater, in dem sich Wagner als Regisseur seine Realität auf der Bühne zurecht formte, waren sachliche Auseinandersetzungen über das Judentum nicht möglich.

Die Phraseologie diente zum Abheben in eine Sphäre, in der mit Verstand nichts mehr bewiesen oder widerlegt, mit Phantasie dagegen alles behauptet werden konnte. Wagner zeichnete ein deutsches Wesen voll der »Innigkeit und Reinheit seiner Anschauungen und Empfindungen«, das allenthalben von Vorteil suchenden Juden bedroht wäre. Wagner sah seine Mission darin, diese »Gefahr« zumindest in der Kunst, und konkret in der Musik mit den von prominenten jüdischen Bankiers abstammenden Giacomo Meyerbeer und Mendelssohn Bartholdy als jüdischen Antitypen, durch einen wirklichen Sieg des Deutschtums auszuschalten. Schließlich: »Wir müssen es erleben, dass der Christengott in leere Tempel verwiesen wird, während dem Jehowa (= der Gott der Juden) immer stolzere Tempel mitten unter uns gebaut werden«[44].

Während Treitschke im Wesentlichen ein verdeutschtes und entjudetes Judentum forderte, war Wagners Ablehnung des Judentums radikal und fundamentalistisch. So vertrat Wagner im Gegensatz zu Treitschke bereits einen mit rassistischen Biologismen unterlegten Antisemitismus. In Wagners Äußerungen und Veröffentlichungen hatten sich die damals modern werdenden Rassentheorien schon früh gezeigt. Zu einem der Urheber dieser Sichtweise, Joseph Arthur Comte de Gobineau (1816–1882) und dessen 1853/54 erschienenen »Essai sur l'inégalité des races humaines« pflegte Wagner eine freundschaftliche Beziehung. Wagners Schwiegersohn Houston Stewart Chamberlain verfasste mit dem 1899 und danach in vielen weiteren Auflagen erschienenen »Die Grundlagen des Neunzehnten Jahrhunderts« den rassistisch-antisemitischen Bestseller seiner Zeit[45].

Dieser Rassenantisemitismus bezog seine Argumentation großteils auch vom Sozialdarwinismus, der im letzten Drittel des 19. Jahrhunderts zu einer wachsenden Popularität gekommen war. Nur sechs Jahre nach Gobineaus Essai war 1859 Charles Darwins »On the origin of species by means of natural selection« erschienen. Die Fassung des deutschen Titels von 1893 gab Darwins Theorie als eine Art Zusammenfassung wieder: »Die Entstehung der Arten durch natürliche Zuchtwahl oder die Erhaltung der bevorzugten Rassen im Kampfe ums Dasein«.

Im Mittelpunkt stand der Begriff der natürlichen Auslese, der Selektion der Arten, von denen im »Kampf ums Dasein« (struggle for life) nur die »Tüchtigsten« überleben würden (survival of the fittest). Die Theorie Darwins schien damit gesellschaftliche Fragen wie wirtschaftlichen Erfolg oder auch die liberale Vorstellung von dem freien Spiel der Kräfte mit der Biologie auf eine neuartige Weise beantworten zu können. Schon wegen der Terminologie war dies für Rassentheoretiker attraktiv. Allerdings: Für den Einbau seiner Theorien in den Antisemitismus kann Darwin selbst nicht verantwortlich gemacht werden[46].

Der antisemitische Sozialdarwinismus ging von nicht veränderbaren biologischen Faktoren rassischer Art aus. Subjektive Überzeugungen wie kulturelle Verwurzelung, der Veränderbarkeit unterworfene Punkte wie soziale und kulturelle Integration oder Angleichung, Religionsbekenntnis und auch Taufe hatten für ihn keine Bedeutung. Ein Jude blieb für ihn ein für allemal ein Jude, weil er »nicht aus der Rasse austreten kann, der er von Bluts wegen angehört«[47].

Mit der Rassenzugehörigkeit war etwas Definitives festgelegt. Eine Verschmelzung unterschiedlicher Rassen wurde als unmöglich, der Versuch dazu sogar als schädlich beurteilt. Damit war in die alte Diskussion über die bürgerliche Verbesserung der Juden eine neue Trennungslinie gezogen, die weitere Diskussionen ausschloss. Die Rassen standen auf einer Art Qualitätsskala. Der höchste Rang wurde den »Ariern«, den »Germanen«, der niederste den »Semiten« oder der »Bastardrasse« der Juden zugewiesen, »deren Dasein Sünde, ein Verbrechen gegen die heiligen Gesetze des Lebens ist« und mit dem Bösen schlechthin identifiziert wurde[48].

Kulturelle oder milieubedingte Eigenschaften konnten im Zusammenleben der Menschen geändert werden. Rassenbedingte Unterschiede waren unveränderbar. Wagner: »Dagegen ist denn allerdings der Jude das erstaunlichste Beispiel von Rassen-Konsistenz, welches die Weltgeschichte noch je geliefert hat. Ohne Vaterland, ohne Muttersprache, wird er, durch aller Völker Länder und Sprachen hindurch, vermöge des sicheren Instinktes seiner absoluten und unverwischbaren Eigenartigkeit zum unfehlbaren Sich-immer-wieder-Finden hingeführt: selbst die Vermischung schadet ihm nicht ... immer kommt ein Jude wieder zu Tage. Ihn bringt keine noch so ferne Berührung mit der Religion irgend eines der gesitteten Völker in Beziehung; denn in Wahrheit hat er gar keine Religion, sondern nur den Glauben an gewisse Verheißungen seines Gottes ... der plastische Dämon des Verfalls der Menschheit in triumphierender Sicherheit, und dazu deutscher Staatsbürger mosaischer Konfession, der Liebling liberaler Prinzen und Garant unserer Reichseinheit!«[49].

Wagner verstand seine Mission als Künstler und Publizist auch so, dass er der »offenste Aufdecker« über das Judentum sein sollte. Aus einem Brief Wagners zu »Aufklärungen über das Judentum in der Musik« aus dem Jahre 1869: »Denn über Eines bin ich mir so klar wie der Einfluss, welchen die Juden auf unser geistiges Leben gewonnen haben ... nicht ein bloßer, etwa nur physischer Zufall ist, so muss er auch als unleugbar und entscheidend anerkannt werden ... Soll dagegen dieses Element uns in der Weise assimiliert werden, dass es mit uns gemeinschaftlich der höheren Ausbildung unserer edleren menschlichen Anlage zureife, so ist es ersichtlich, dass nicht die Verdeckung der Schwierigkeiten dieser Assimilation, sondern nur die offenste Aufdeckung derselben hierzu förderlich sein kann«[50].

Der Antisemitismus hatte schon so viel Popularität erlangt, dass die Ablehnung der Juden als Rasse oder völkische Gesamtheit von vielen Richtungen übernommen und weiter getragen wurde. Zwar blieben antisemitische Bewegungen noch politische Randerscheinungen, die bei Wahlen nur wenige Stimmen erhielten. Ihre Meinungen, ihre Wortwahl wie ihre Taktik, die Juden als die Verantwortlichen für negative Entwicklungen und die Profiteure darzustellen, hatten sich aber schon in der öffentlichen Meinung niedergeschlagen. Sie waren stilbildend geworden und sollten über viele direkte wie indirekte Wege zum Nationalsozialismus hinführen. Ob man dem Antisemitismus nun zustimmte oder ihn ablehnte, er hatte sich zu einem wirkungsmächtigen Thema entwickelt, über das man nicht mehr hinweg gehen konnte[51].

Wie Harry Breßlau, der angesehene Urkundenforscher an der Berliner Universität, formulierte, ging es um die »Verteidigung unserer Ehre, die man uns schmäht, und unseres Vaterlandes, das man uns nehmen will«[52]. Wie ein trennender Keil hatte sich der Antisemitismus am Ende des 19. Jahrhunderts in die Belange von Staat und Gesellschaft geschoben. Möglichkeiten des Zusammenlebens, gar des Gesprächs von Deutschen und Juden drängte er mit fundamentaler Feindschaft aus der Realität hinaus.

Alldeutsche Deutsche

Auf welche Weise sich hier ganze Generationen voneinander zu trennen begannen, zeigt ein Abschnitt aus den Erinnerungen des Antisemiten Heinrich Claß, der aus einer liberalen rheinhessischen Juristenfamilie stammte. Als Vorsitzender des Alldeutschen Verbandes (ab 1908) wie als politischer Publizist war der einflussreiche Claß ein überzeugter Antisemit. In seinen später erschienenen Memoiren schilderte Claß, wie er gegen Mitte der 90er Jahre nach dem beendigten Studium als Treitschke-Jünger und Antisemit in sein liberales Elternhaus zurückkehrte, wo »Patriotismus, Toleranz, Humanität« über allen politischen Diskussionen standen.

Dagegen Claß: »Wir Jungen waren fortgeschritten: wir waren national schlechthin; wir wollten von Toleranz nichts wissen, wenn sie Volks- und Staatsfeinde schonte; die Humanität im Sinne jener liberalen Auffassung verwarfen wir, weil das eigene Volk dabei zu kurz kommen musste ... Aber wie solche Dinge in dem älteren Geschlecht aufgefasst wurden, ... erfuhr ich durch den Besuch eines der ältesten Freunde unseres Hauses. Der 82-jährige geh. Justizrat Lippold kam damals zu mir und beschwor mich in wahrhaft rührender Weise unter Berufung auf seine Freundschaft mit meinem Großvater und meinen Eltern, öffentlich zu erkennen zu geben, dass ich nicht nur kein Feind der Juden sei, sondern entsprechend den Grundsätzen der Humanität in jedem Juden den gleichberechtigten Volksgenossen sähe. Vergeblich suchte ich dem alten Herrn, der im Jahre 1849 mit Bamberger zur Teilnahme am Pfälzer Aufstand mit ausgezogen war, klarzumachen, dass wir Jüngeren über diese Dinge anders dächten und dass wir unseren neuen Erkenntnissen gemäß handeln müssten, wenn wir unsere Pflicht an Volk und Vaterland erfüllen sollten ... Lippold war von meinem Bekenntnis erschüttert; es erschien ihm ungeheuerlich«[53].

Deutschlands Juden versuchten, sich gegen den Antisemitismus zur Wehr zu setzen. So der 1893 gegründete Centralverein deutscher Staatsbürger jüdischen Glaubens, der es sich zum Ziel gesetzt hatte, gegen den Antisemitismus einzutreten. Aus einem Aufruf des Centralvereins im Jahre 1903: »Der Verein will alle Kräfte zur Selbstverteidigung aufrufen, in dem Einzelnen das Bewusstsein unserer unbedingten Gleichberechtigung stärken und ihm das Gefühl unserer Zusammengehörigkeit mit dem deutschen Volke durch die Anfeindungen unserer Gegner nicht verkümmern lassen ... Wir treten nicht in Gegensatz zu bestehenden Organisationen, die ähnlichen Zielen nachstreben: wir wollen neben und mit ihnen wirken – auf dem Wege der Selbsthilfe, im Lichte der Öffentlichkeit. So hat nun jeder die Möglichkeit und damit auch die Pflicht, zu dem großen Werke der Selbstverteidigung beizutragen. Mitbürger und Glaubensgenossen! Wir fordern Euch zum Beitritt auf. Säumet nicht, zu kommen«[54].

Der Antisemitismus hatte in der deutschen Gesellschaft als eine Ideologie Fuß gefasst, die viel Unterschiedliches zusammenführen konnte. Unternehmer, Angestellte, Studenten, Professoren, Soldaten und Offiziere fanden im Antisemitismus die große vereinigende Verbindung, den einigenden kulturellen Code. Damit war Deutschland zwar noch nicht antisemitisch oder von Antisemiten dominiert. Aber etwa ab 1890 wurde immer deutlicher, dass der Antisemitismus mit seinen Angriffen gegen die Juden und den auf die Tagesordnung gebrachten Themen die öffentliche Meinung offensiv zu beeinflussen vermochte[55].

Von den Rändern der Gesellschaft hatte sich dieser neue Antisemitismus der Moderne in den Kernbereichen wie Militär, Bürokratie, Bildungsbürgertum, bei unternehmerisch Selbständigen und bei Angestellten festgesetzt. Mehr und mehr traten maßgebliche Verbände und Organisationen antisemitisch auf, die Juden nur noch mit einer grundsätzlichen Ablehnung gegenüber standen.

Typisch hierfür die 1893 gegründete Organisation der Angestellten, die sich seit 1896 »Deutschnationaler Handlungsgehilfenverband« nannte. Diese Berufsgruppe gehörte zum Bürgertum und vertrat deshalb auch dessen Haltung, die national und gegen die Sozialdemokratie gerichtet war. Der Verband hatte Zulauf, weil es ihm gelang, die Lebensbedingungen und die Fortbildung der kaufmännischen Angestellten erheblich zu verbessern. Juden waren laut Satzung von der Mitgliedschaft ausgeschlossen. Friedrich Raab, der Gründer, und Wilhelm Schach, der langjährige Vorsitzende des Verbandes, waren zugleich führende Mitglieder und Reichstagsabgeordnete der antisemitischen »Deutschsozialen Partei«[56].

Eine auf die Ideologie des Rassenantisemitismus gestützte wirtschaftliche Judenfeindschaft vertrat auch der 1893 parallel zum »Deutschen Handlungsgehilfenverband» gegründete »Bund der Landwirte«. Der Bund der

Landwirte wurde als die damals einzige »schlagkräftige und durchorganisierte antisemitische Massenbewegung«, die »einflussreichste und zugleich geschichtsmächtigste antisemitische Organisation im Kaiserreich« bezeichnet. Gerade die Landbevölkerung, die Bauern und die Gutsherren hatten in Sachen Judenfeindlichkeit eine lange Tradition. Ihre traditionelle Judenfeindlichkeit konnte mit der Ideologie des radikalen Rassenantisemitismus und dessen sozialdarwinistischen Phrasen relativ leicht zusammengebracht werden.

Das Stereotyp von dem ausbeuterischen Wucherjuden, das schon bei der Gründung der früheren Bauernvereine eine wichtige Rolle gespielt hatte, erhielt mit dem Gerede vom »verjudeten« Börsen- und Handelskapital und der »goldenen Internationale« eine Verstärkung. Die Versammlungsredner des Bundes der Landwirte setzten mehr und mehr eine Propaganda ein, die das »markige und tüchtige Geschlecht« der Grundbesitzer hervorhob, dem »Juden und Judengenossen« die Axt an seine Wurzeln legen wollten[57].

Der Antisemitismus hatte somit in Deutschland bereits einen festen Platz, als es zu den Aufsehen erregenden Debatten über die Reichstagswahlen von 1912 kam. Die Sozialdemokratische Partie hatte mit vier Millionen ein Drittel aller Stimmen gewonnen und war nun mit 111 Sitzen die stärkste Partei im Parlament. Die Rechtskonservativen sahen darin die Folge eines Zusammenwirkens von Sozialisten, Liberalen und Juden. Als Beleg hierfür wurden unter anderem die Empfehlungen jüdischer Organisationen angeführt.

Der Centralverein deutscher Staatsbürger jüdischen Glaubens hatte seit 1908 zur »Wahrung von Recht und Ehre des deutschen Judentums« die Wähler aufgefordert, sich gegen Antisemiten zu entscheiden Dies konnte nur den liberalen Parteien zugute kommen, weil sie neben der SPD als einzige für die gesellschaftliche Gleichberechtigung der Juden in Heer, Justiz und Verwaltung eintraten. Den Wahlausgang erklärte der Vorsitzende des Bundes der Landwirte bei der Generalversammlung im Februar 1912 so: »In diesem Kampfe hat sich das Hervordrängen des jüdischen Einflusses in der Presse, des jüdischen Geldes in der Wahl, des jüdischen Geistes in der zersetzenden und verhetzenden Arbeit in einer Weise geltend gemacht, dass ich glaube, wir werden ein Wiederaufleben eines idealeren, aber um so stärkeren Antisemitismus sehen«[58].

Jüdische Abgeordnete gab es zu dieser Zeit im Parlament kaum noch. Mit den verloren gegangenen Mehrheiten der Liberalen in Preußen und im Reich war ab 1879 auch die herausragende Rolle jüdischer Parlamentarier wie Eduard Lasker und Ludwig Bamberger nicht mehr möglich. Nachdem sich Bamberger 1893 als der letzte jüdische Parlamentarier aus der Gründerzeit zurückgezogen hatte, gab es bis 1912 außerhalb der Sozialdemokratischen Partei im Reichstag keinen bekennenden Juden mehr[59].

In dieser Situation wurde im März 1912 eines der radikalsten antisemitischen Pamphlete der Wilhelminischen Zeit veröffentlicht. Der Autor Daniel Frymann (Pseudonym für Heinrich Claß, der Vorsitzende des Alldeutschen Verbandes) hatte das Buch »Wenn ich der Kaiser wär« unter dem Eindruck der »Judenwahlen« von 1912 geschrieben. Der Ausgang der Wahlen hatte ihn zu der Überzeugung gebracht, »dass die Massenvergiftung deutscher Wähler ohne die Mitwirkung des Judentums gar nicht möglich« gewesen wäre. Sozialdemokraten und Freisinnige wären nichts anderes als die »Werkzeuge des Judentums«[60].

Im Krieg

Mit dem Ausbruch des ersten Weltkrieges im August 1914 schien die Tonlage des Antisemitismus in Deutschland leiser zu werden. Zwar gab es noch einzelne antisemitische Äußerungen. Sie wurden aber meist im Sinne der inneren Ruhe, des vom Kaiser verkündeten Burgfrieden von der Militärzensur unterdrückt. Die deutschen Juden empfanden es als ihre Aufgabe und Pflicht, sich der Gesamtheit ein- und unterzuordnen.

Am 1. August 1914, dem Tag des Mobilmachungsbefehls, richteten der Centralverein deutscher Staatsbürger jüdischen Glaubens (C. V.) und der Verband der deutschen Juden folgenden gemeinsamen Aufruf an die Öffentlichkeit: »Dass jeder deutsche Jude zu den Opfern an Gut und Blut bereit ist, die die Pflicht erheischt, ist selbstverständlich. Glaubensgenossen! Wir rufen Euch auf, über das Maß der Pflicht hinaus Eure Kräfte dem Vaterland zu widmen. Eilet freiwillig zu den Fahnen! Ihr alle – Männer und Frauen – stellt Euch durch persönliche Hilfeleistung jeder Art und durch Hergabe von Geld und Gut in den Dienst des Vaterlandes!«[61].

Zum populärsten Kriegslied wurde ein Gedicht des Juden Ernst Lissauer, das unversöhnlichen Hass gegen England predigte: »Dich werden wir hassen mit langem Hass, / Wir werden nicht lassen von unserem Hass, / Hass zu Wasser und Hass zu Land, /Hass der Hämmer und Hass der Kronen, / Drosselnder Hass von 70 Millionen, / Sie lieben vereint, sie hassen vereint, / Sie haben alle nur einen Feind: England!«[62].

Lissauer, den Wilhelm II. mit dem Roten Adlerorden 2. Klasse ehrte, war nach Stefan Zweig »gläubiger an Deutschland als der gläubigste Deutsche«, gleichzeitig stolz auf sein Judentum und darauf, dass er die Taufe abgelehnt hatte. Patriotismus, wenn auch nicht so extrem wie bei Lissauer, war unter den deutschen Juden die Regel. Die Begeisterung für den Krieg, der, so die Vorstellung, wie ein reinigendes Gewitter alle noch vorhandenen gesellschaftlichen Hindernisse endgültig hinwegfegen würde, war für

Konservative, Reformierte, Linke wie Rechte unter den deutschen Juden typisch. Der Journalist Maximilian Harden stellte seine Zeitschrift Die Zukunft bei Kriegsausbruch ganz in den Dienst der nationalen Propaganda. Der Sprachphilosoph und Theaterkritiker Fritz Mauthner verfasste so deutsch-chauvinistische Kriegsartikel, dass sie selbst bei den national ausgerichteten Zeitungen auf Ablehnung stießen.

Auch in der Armee schien eine Stimmung der Gemeinsamkeit zu herrschen. Es kam nun auch zu Beförderungen von Juden in die Offiziersränge. Die Macht der Ereignisse habe sich als stärker erwiesen als die Vorurteile des deutschen Offizierskorps, erklärte Johann-Heinrich Graf Bernstorff, Deutschlands Botschafter in Washington, in einem Interview mit der New Yorker Staatszeitung im Januar 1915. Im Zusammenhang damit meinte Bernstorf, dass der Judenhass in Deutschland nach dem Kriege aufhören würde. Das deutsche Volk wäre dann viel demokratischer geworden und auch von der Treue der Juden zum Reich wie ihrer ehrlichen Anteilnahme am Kriege überzeugt[63].

Wie sich bald zeigen sollte, war dies eine Illusion. Je länger der Krieg dauerte, desto maßloser wurden die Vorwürfe und Unterstellungen, die Antisemiten gegen die Juden richteten. Bereits Ende 1915 hatten maßgebliche Repräsentanten deutsch-völkischer Verbände beraten, wie »die schnellste Verwendung des umfangreichen, belastenden Materials, das der Weltkrieg gegen das Judentum ergeben hat«, zu verwerten wäre[64]. Als sich dann im Winter 1915/16 die Auswirkungen der britischen Blockade zeigten, hatten Antisemiten in Deutschland schon Oberwasser.

Die Auswirkungen der britischen Blockade bildeten »... den Nährboden für antisemitische Ressentiments, die ja auch früher besonders in Zeiten wirtschaftlicher Depression im krisenunsicheren gewerblichen Mittelstand aufgetreten waren. Die Knappheit an Nahrungsmitteln und die Verschlechterung der Lebensverhältnisse mit den täglichen Plackereien der Zwangsbewirtschaftung, z. B. dem Anstehen vor den Läden, schufen bei den hungernden Massen eine Atmosphäre der Verbitterung und des Misstrauens. Dieses richtete sich vor allem gegen die Kriegsgewinnler, unter denen Juden besonders zahlreich vermutet wurden. Dass immer dann, wenn von Spekulanten- und Schiebertum die Rede war, der Verdacht sich wie von selbst auf den Juden richtete, verweist darauf, wie sehr sich diese Vorstellung aus dem Bereich realer sozialer Erfahrung verflüchtigt hatte und zu einem Symbol geworden war, das das vorhandene Vorurteil bestätigte. Die antisemitische Agitation tat denn auch alles, um diese Ressentiments zu schüren und in ihre Kanäle zu leiten«.

Im März 1916 verfasste der Bundeswart des Reichshammerbundes eine Denkschrift, in der die Regierung beschuldigt wurde, sich bei einem »internationalen vaterlandslosen Händlertum« Rat für ihre wirtschaftlichen Maßnahmen zu holen. Mit der Berufung Walther Rathenaus zum Leiter der Kriegsrohstoffstelle und der Besetzung wichtiger Ämter in den Kriegsgesellschaften durch Juden wäre ein »vom jüdischen Geist gelenktes« Verschachtelungssystem unzähliger Gesellschaften, die »jüdische Verfilzung des deutschen Wirtschaftslebens durch das System Ballin-Rathenau« entstanden[65].

Auch wurde vorgebracht, dass Ballin, »der Vertraute Sr. Majestät des Kaisers und der höchsten Reichsstellen« mit Sir Ernest Cassel und dem amerikanischen Bankier Morgan befreundet wäre. Besondere Hinweise galten der Tatsache, dass Max Warburg der Bruder des »in amerikanischem Staatsdienste« stehenden Paul Warburg war. Zu dem amerikanischen Bankhaus Speyer und Co. bestanden über Bankiers wie Arthur Gwinner von der Deutschen Bank und Julius Leopold Schwabach vom Bankhaus Bleichröder verwandtschaftliche Beziehungen. Solche verwandtschaftliche Beziehungen und Geschäftsverbindungen jüdischer Unternehmer, die sich für Deutschland einsetzten, nutzten Antisemiten für typische Unterstellungen[66].

In der Tat setzten sich deutsch-jüdische Unternehmer im Ausland auf vielfältige Weise für deutsche Interessen ein – allerdings auf den ausdrücklichen Wunsch und mit Zustimmung der deutschen Regierung wie auch der Heeresleitung. Allgemein bekannt war, dass Rathenau und Ballin bei der Umstellung der deutschen Wirtschaft auf die Kriegsbedürfnisse entscheidende Weichenstellungen vorgenommen hatten. Albert Ballins Unternehmen Hapag war mit dem Beginn des Krieges zusammengebrochen. Er schlug der Regierung vor, über eine spezielle Gesellschaft die Versorgung der Bevölkerung mit Lebensmitteln sicherzustellen.

Die Organisation des Reichskohlenamts hatte der oberschlesische Großkaufmann Eduard Arnhold übernommen. Der ungetaufte Jude Arnhold war auch der Stifter des Kaiser-Wilhelm-Instituts in Dahlem. Dessen Leiter Fritz Haber erfand den nach Ausfall des Chile-Salpeters für die Herstellung von Sprengstoff und Düngemitteln unentbehrlichen synthetischen Ammoniak. Walther Rathenau hatte sich schon Anfang August 1914 dem Reichskanzler »für jede, wie immer geartete Tätigkeit« zur Verfügung gestellt. Er organisierte dann mit Mitarbeitern der AEG die Rohstoffbeschaffung und -bewirtschaftung des von den weltwirtschaftlichen Handelsbeziehungen isolierten Deutschland neu. Hierzu gründete er die Kriegsrohstoffabteilung des Kriegsministeriums (KRA), aus der zahlreiche Aktiengesellschaften wie die »Kriegsmetall-AG«, die »Kriegschemikalien-AG« die »Kriegsleder-AG« hervorgingen.

»Vor allem durch die Beschaffung und Verteilung der Buntmetalle, also Kupfer und Blei, wurden damals die Voraussetzungen für das vierjährige Durchhalten Deutschlands in den Materialschlachten des Krieges geschaffen ... Dass Juden maßgeblich durch ihre organisatorischen Leistungen und wissenschaftlichen Erfindungen dazu beitrugen, dass die Leistungsfähigkeit der deutschen Wirtschaft im Kriege aufrechterhalten wurde, hat indessen den antisemitischen Tendenzen keinen Abbruch getan. Im Gegenteil: Die führende Rolle von Juden wie Ballin und Rathenau bei der wirtschaftlichen Umorganisation war Wasser auf die Mühlen antisemitischer Agitation«[67].

Unternehmern wie Ballin, Rathenau oder auch Max Warburg wurde ihre jüdische Herkunft immer wieder vorgehalten. Es war eines der Standardthemen von Antisemiten, die Loyalität dieser Männer wie die der deutschen Juden generell gegenüber Deutschland in Zweifel zu ziehen oder als nicht gegeben darzustellen. Im August 1915 hatte sich der Unterstaatssekretär Georg Michaelis, der später zum Reichskanzler ernannt wurde, im Reichstag mit Vorwürfen zu befassen, wonach in der von ihm geleiteten Reichsgetreidestelle außerordentlich viele dienstfähige Juden beschäftigt wären. Sie hätten dort auf unzulässige Weise Befreiungen vom Militärdienst erhalten.

Michaelis wies den Vorwurf zurück, die Kriegsgetreidegesellschaft wäre eine »Organisation zur Versicherung für Drückeberger gegen den Schützengraben«. Wörtlich erklärte Michaelis, dass er im Getreidehandel für das ganze Reich um die Leute aus dem Getreidehandel, »deren größte Mehrheit Juden sind, nicht herum« komme.

In der Zentral-Einkaufs-Gesellschaft (Z.E.G.), vor allem für die Beschaffung von Lebensmitteln im Ausland gegründet, war der Prozentsatz der Juden, die als Fachleute in leitenden Funktionen tätig waren, hoch. Jedenfalls wesentlich höher als es dem Anteil der Juden an der Gesamtbevölkerung entsprochen hätte. »„Schon das äußere Bild der Kriegsgesellschaften rief den Eindruck hervor, als sei die Zahl der Juden erheblich, die mit Erfolg eine geschäftliche Tätigkeit dem Schützengraben vorzogen«[68].

Wie man später feststellte, waren am 1. Februar 1918 von den Direktoren der betreffenden Gesellschaften tatsächlich 80,7 Prozent Christen, 9,6 Prozent Juden und 9,7 Prozent mit unbekannter Konfession. Zu dieser Zeit lag der Anteil der Juden an der Gesamtbevölkerung des Reichs bei unter einem Prozent. »Was auch immer die Gründe für diese Situation gewesen sein mögen (soziale Struktur der jüdischen Bevölkerung, kaufmännische Erfahrung etc.), man kann verstehen, dass in dem Maße, in dem die allgemeine Not und die Verbitterung der Bevölkerung wegen der verlängerten Kriegsdauer wuchsen, solche Tatsachen, von Gerüchten ins Grenzenlose gesteigert, in den Gemütern zu haften begannen«[69].

Antisemiten hatten schon während der Kriegsjahre das Thema von den jüdischen Kriegsgewinnlern und Drückebergern zu einem der Hauptpunkte ihrer Propaganda gemacht. Im August 1916 forderten vor allem Abgeordnete der katholischen Zentrumpartei und der Konservativen, die Religionszugehörigkeit der deutschen Soldaten zu untersuchen. In den Debatten darüber bat der zuständige Unterstaatssekretär Hermann von Stein, der Leiter der Zentraleinkaufsgesellschaft, die Abgeordneten, nicht »in die persönlichsten Verhältnisse, wie die der Religion, einzutreten«. von Stein äußerte die »... ernste Sorge, dass mir dann diese, ich kann wohl sagen, wichtigste aller Gesellschaften, aus dem Leim geht. Ich fürchte, dass mir die besten meiner Herren einfach erklären werden: wenn wir danach gefragt werden, dann danken wir trotz aller Sorge für das Vaterland, die uns hierher getrieben hat. Denn so steht es – ich kann das ganz offen sagen – bei dem größten Teil der Herren: sie gehen nicht her um Geld und Gut, sondern um ihre Pflicht zu tun. Wenn aber gefragt wird: ist der Betreffende Jude oder Christ, ist er evangelisch oder katholisch? ... die besten Herrn, die in der Gesellschaft tätig sind, würden sagen: wir bedauern, das geht nicht«[70].

Diese Debatte stand schon im Zusammenhang mit der größten Diskriminierung der Juden in Deutschland während des Krieges – die im deutschen Heer durchgeführte Judenzählung. Am 11. Oktober 1916 ordnete das preußische Kriegsministerium für alle militärischen Dienststellen an, bis zum 1. November einen Nachweis der im Heer dienenden Juden vorzulegen. Weiter war darzustellen, wie viele Juden noch nicht zum Militärdienst verpflichtet, vom Waffendienst zurückgestellt und als dauernd oder zeitweilig dienstuntauglich befunden worden waren. Als Motiv für diesen Schritt gab das Ministerium an, man wolle mit der zu erstellenden Statistik die zahlreichen Klagen über jüdische Drückebergerei klären.

Trotz einer unzulänglichen Quellenlage können jedoch kaum Zweifel daran bestehen, dass das Kriegsministerium die Judenzählung in erster Linie auf Druck des Militärs durchführte. Die Armee war damals von antisemitischen Tendenzen durchsetzt. In den höheren Rängen, die in der Regel dem Adel vorbehalten waren, dominierte die traditionelle, standesmäßig unterlegte Verachtung der Aristokratie für eine religiöse Minderheit, die im christlichen Obrigkeitsstaat als fremd und als gesellschaftlich minderwertig betrachtet wurde. Dazu kam, dass man in diesen Kreisen Juden überwiegend der demokratischen Opposition zurechnete und ihre Eignung als Soldaten generell bezweifelte.

Noch ablehnender standen die Reserveoffiziere Juden gegenüber. Diese Schicht rekrutierte sich aus dem gehobenen und mittleren Bürgertum, bei dem sich der Antisemitismus dieser Epoche durchgesetzt hatte. »... die Reserveoffiziere (waren) viel anfälliger als ihre höheren Vorgesetzten für die Zugkraft des modernen völkischen Rassenantisemitismus, der um die Jahrhundertwende von den Antisemitenparteien populär gemacht worden war und allmählich im Alldeutschen Verband, dem Bund der Landwirte, in der Deutschkonservativen Partei und anderen Organisationen Eingang gefunden hatte«[71].

Der »Geist von 1914« mit dem vom Kaiser verkündeten Burgfrieden hatte diese Einstellungen in der Armee zu Beginn des Krieges in den Hintergrund gedrängt. Mit den Entbehrungen und den Rückschlägen, die sich im Laufe des Krieges zeigten, verblasste aber die 1914 beschworene Kraft des über soziale Schranken hinausreichenden Patriotismus. Schon 1915 war in der Beförderung jüdischer Unteroffiziere zu Offizieren ein deutlicher Rückgang festzustellen. Antisemitische Anfeindungen wurden in der rechts gerichteten Presse wieder üblich, vor allem in den Publikationen der Alldeutschen und des Reichshammerbundes.

Im Reichstag und in den Landtagen äußerten Abgeordnete Vorwürfe gegen Juden als Drückeberger und Kriegsgewinnler. Am 9. Juni 1916 hatten Offiziere während einer Besprechung des Kriegsministeriums mit Vertretern der stellvertretenden Generalkommandos für die Juden ein überwältigendes Ausmaß an Drückebergerei angenommen. Auch wurde behauptet, dass jüdische Ärzte ihren Glaubensgenossen auf eine sehr großzügige Weise Atteste ausgestellt hätten.

Worauf stützten sich diese Vorwürfe? In erster Linie auf eine bei der Heeresleitung und Ministerien seit Ende 1915 eingegangene Flut von Briefen, in denen Vorwürfe gegen die Juden erhoben wurden. Dies lässt den Schluss zu, dass es sich um eine von Antisemiten innerhalb und außerhalb des Heeres angelegte Kampagne handelte. »Speziell von den Alldeutschen in Gemeinschaft mit einer Phalanx von Konservativen, Industriellen, Antisemiten und dem Bund der Landwirte mit seinen weit verzweigten Propagandaorganen (wurden) die Juden als Vorspann benutzt, um den schlappen Reichskanzler Theobald v. Bethmann Hollweg, der sich dem uneingeschränkten U-Boot-Krieg widersetzte und angeblich einen Verzichtfrieden anstrebte, zu diskreditieren und zum Rücktritt zu zwingen«[72].

Damals, im Sommer und im frühen Herbst 1916, hatte sich die Lage für Deutschland verschärft. Die zunehmende Lebensmittelknappheit zeigte seit Mitte des Jahres 1916 Wirkung und führte an verschiedenen Orten zu Unruhen. Im Osten hatte am 4. Juni die russische Brussilow-Offensive eingesetzt. Teile der Ostfront gerieten unter Druck. Besonders die österreichischen Truppen waren in Bedrängnis und begannen zu zerfallen. Rumänien schloss sich am 17. August der Entente an, was die Südostfront noch mehr unter Druck setzte. Im Westen standen die deutschen Truppen Ende Juni

1916 in der verlustreichen Sommeschlacht, die keine Entscheidung brachte. Auch die Kämpfe um Verdun, für beide Seiten ein Massaker sondergleichen, verliefen erfolglos.

Die militärischen Misserfolge und die zunehmenden Schwierigkeiten führten am 29. August 1916 zur Ernennung einer neuen Heeresleitung unter Paul von Hindenburg und Erich Ludendorff. Die Befugnisse der neuen Heeresleitung waren so umfassend, dass dies einer Militärdiktatur gleichkam. Und wenn sich über hochrangige Militärs sagen lässt, dass sie Antisemiten waren, so trifft dies für Ludendorff und seinen engsten Mitarbeiter, den Oberst Max Bauer, zu. Obwohl nicht belegbar, ist anzunehmen, dass die Heeresleitung die vom Kriegsministerium angeordnete Judenzählung auch aus antisemitischen Motiven gewünscht und gefordert hatte.

Hindenburg und Ludendorff standen vor der Herausforderung, die kriegswirtschaftliche Produktion zu erhöhen, alle verfügbaren Kräfte zu mobilisieren und das durch die hohen Verluste geschwächte Heer mit Ersatztruppen aufzufüllen. Aus einem von Hindenburg unterzeichneten Schreiben an den Kriegsminister 14. September 1916: »Aus diesen Erwägungen heraus ergibt sich die klare Forderung, alle noch kriegsverwendungsfähigen Männer einschließlich des Jahrgangs 1918, soweit sie nicht in der Kriegsindustrie gebraucht werden, sogleich zu den Fahnen zu rufen und ihre Ausbildung zu beginnen. Es ist eine nicht ernst genug zu nehmende Pflicht, unser letztes verfügbares Menschenmaterial für die bevorstehende Aufgabe mit all dem auszustatten, was eine sorgsame, gründliche Ausbildung geben kann«[73].

Im Herbst 1916 ging es also für die Heeresleitung in erster Linie um die Frage, wie die Verluste an Soldaten wieder ausgeglichen werden konnten. Politik und Armee mussten fragen, wo es noch kriegstaugliche Personen gab, die aktiviert werden konnten. Bei dem Zwang zur Stabilisierung der Lage durch Heranführung weiterer Soldaten nahm man an, dies auch durch Aufspüren vermeintlicher jüdischer Drückeberger erreichen zu können.

Freilich wäre an dieser Stelle die Frage zu stellen, ob Politik und Armee im Herbst 1916 nicht Wichtigeres zu tun hatten als das Soldatentum einer zahlenmäßig unbedeutenden Minderheit zu untersuchen. Eine Antwort: »Wie die OHL dem Kriegsminister fortgesetzt einschärfte, wurde jeder waffenfähige Mann gebraucht. Durfte man es unter diesen Umständen durchgehen lassen, dass sich viele Angehörige einer gewissen Konfession anscheinend erfolgreich vom Heeresdienst fernzuhalten wussten? Würde sich das Kriegsministerium nicht früher oder später dem Vorwurf aussetzen, es begünstige die Juden, wenn es die Beschwerden weiterhin so dilatorisch behandelte … Ein weiterer Grund für den Erlass mag die Erwartung des Kriegsministeriums gewesen sein, dass nunmehr die ständig einlaufenden antisemitischen Denunziationen, die Zeit und Arbeitskraft in Anspruch nahmen, aufhören würden. Denn lieferte der Erlass nicht den Beweis, dass man im Kriegsministerium durchzugreifen wusste?«

Informationen zu den Ergebnissen der Judenstatistik gab das Kriegsministerium nicht frei, »weil diese dazu benutzt werden könnten, einzelne Volksteile gegeneinander auszuspielen, während das ganze Volk mit und ohne Waffen in dem schwersten Kampfe steht, der ihm je aufgenötigt worden ist«. Diese Ergebnisse wurden auch später nicht veröffentlicht und hielten die Judenzählung noch lange in der Diskussion. Denn schon das öffentlich angekündete Vorhaben, die gegen die Juden erhobenen Vorwürfe des Drückebergertums und militärischer Unzuverlässigkeit überprüfen zu wollen, war eine Bestätigung von Vorurteilen und Verdachtsmomenten[74].

Die deutschen Juden fassten die »Judenzählung« als eine Diskriminierung auf. »Was soll denn dieser Unsinn? Will man uns zu Soldaten zweiten Ranges degradieren, uns vor der ganzen Armee lächerlich machen?« fragte ein jüdischer Vizefeldwebel seinen Kompanieführer, als der in einem gerade unter Artilleriebeschuss liegenden französischen Dorf die persönlichen Daten des Vizefeldwebels aufnehmen wollte. Die Wirkung dieser »Judenzählung« bei der kämpfenden Truppe hat vor allem Ernst Simon geschildert.

Simon, viele Jahre später Professor für Pädagogik an der hebräischen Universität in Jerusalem, stammte aus einer wohlhabenden Familie in Berlin, die Rabbiner und Talmudgelehrte aufwies. Zu Hause hatte Simon wie er später berichtete, vom Judentum nichts gehört, gesehen oder erlebt. Er war so gut wie vollständig assimiliert, als er beim Ausbruch des Krieges als Freiwilliger einrückte. Die Erlebnisse während des Krieges verwandelten Simon völlig. Er wurde zum Zionisten und zum Philosophen des Judentums.

Seine ursprüngliche Hoffnung: Als Frontsoldat »nun endlich hineinzuwachsen in das Leben dieses fremden geliebten Volkes«. Aus diesem »Traum der Gemeinschaft«, dieser »traumhaften Selbsttäuschung«, so berichtete er, hatte ihn die Judenstatistik herausgerissen. Er fasste diese auf als »realer Ausdruck der realen Stimmung«, »dass wir fremd waren, dass wir daneben standen, besonders rubriziert und gezählt, aufgeschrieben und behandelt werden müssten«[75].

Im November 1916 wurde die Judenzählung im Reichstag diskutiert. Zur Sprache kam dabei auch der psychologische Schaden, den dieser Erlass, militärisch »grundverfehlt«, in der Armee angerichtet hatte. Der Sprecher der Fortschrittlichen Volkspartei Ludwig Haas, der nach den Kämpfen in Flandern 1914 zum Leutnant befördert worden war, zitierte aus Briefen jüdischer Soldaten, in denen immer wieder die Worte vorkamen: »Nun sind wir gezeichnet«. »Nun haben sie uns zu Soldaten zweiter Klasse gemacht«[76].

Die Anordnung des Kriegsministeriums war auch im Heer selbst nicht ohne Folgen geblieben. Übergriffe gegen jüdische Soldaten wurden bekannt. Ein Feldrabbiner teilte dem Verband der deutschen Juden am 18. Dezember

1916 mit, »dass der fragliche Befehl des Kriegsministeriums bei den zahllosen halbgebildeten und ungebildeten Organen, durch deren Hände erging, die antisemitische Gesinnung bestärkt und zu kräftiger Äußerung ermutigt hat«[77].

Der Senator Justizrat Meyer in Hannover übersandte dem Kriegsminister die Todesanzeige seines als Hauptmann gefallenen Bruders, der »bis in den Todeskampf hinein unter den diffamierenden Umständen der formularmäßigen Nachprüfung nach seinem Glauben« gelitten und darauf »mit vaterländischer Sorge wegen der Folge solcher Unstimmigkeiten« reagiert habe. Meyer wies weiter darauf hin, dass zwei seiner Söhne, acht Neffen und zahlreiche Vettern mit Dienstgraden vom Rittmeister bis zum Gemeinen im Felde standen[78].

Am 29. Dezember erhielt der Kriegsminister eine von dem Ersten Vorsitzenden des Centralverbandes und des Verbandes deutscher Juden unterzeichnete Eingabe. Darin wurde gebeten, die durch die konfessionelle Statistik hervorgerufene Herabwürdigung jüdischer Heeresangehöriger und die dadurch entstandene Erbitterung durch eine »öffentliche Anerkennung« zu beseitigen und zu erklären, dass der Erlass des Ministeriums nicht in einem »Versagen der Pflichterfüllung der deutschen Juden begründet sei«[79].

Der Kriegsminister stellte daraufhin in einer zur Veröffentlichung bestimmten Erklärung fest, dass »das Verhalten der jüdischen Soldaten und Mitbürger während des Krieges keine Veranlassung« zu Kritik gegeben hatte. Der Vorsitzende der jüdischen Verbände versuchte damit »eine Beruhigung unter unsern Glaubensgenossen herbeizuführen«. Die Hauptversammlung des Centralvereins am 4. Februar 1917 wurde zu einem deutsch-nationalen Treuebekenntnis: »Deutschlands Ruhm, Deutschlands Größe ist unser Leben, ohne sie kann kein echter deutscher Jude überhaupt existieren und atmen«, erklärte der Landtagsabgeordnete Oskar Cassel nach dem stenographischen Bericht in seiner Rede. In einem Huldigungstelegramm an Kaiser Wilhelm II. versicherte die Versammlung im Namen der deutschen Juden, niemals aufzuhören, »für unser geliebtes Vaterland einzustehen mit Gut und Blut, mit Herz und Hand«.

Unter »stürmischem Beifall« schloss Cassel seinen Bericht über die Verhandlungen mit dem Kriegsminister mit den Worten: »Wir werden alles tun, um für unsere Gleichberechtigung einzutreten. Jetzt aber wollen wir zeigen, dass wir wahrhaft deutsche Juden sind und bleiben, wir wollen unser Vaterland in keiner Weise gefährden, wir wollen alles Glück und allen Segen auf dasselbe herabgewünscht wissen, und wir wollen auch nicht durch Lautwerden unserer Klagen unserem Vaterlande irgendeine Trübung an irgendeiner Stelle bereiten. Wir wollen damit zeigen, dass wir uns eins fühlen mit unserem Vaterlande, dass wir unter keinen Umständen, was auch geschehen möge, mit dem Vaterlande schmollen, dass wir unser Vaterland für uns fest behalten und uns nicht von dem Boden desselben wollen losreißen oder verdrängen lassen, und dass wir unsererseits trotz alledem frei, als freie deutsche Männer, als glaubenstreue und ihrem Glauben ergebene Juden auch in Zukunft während der ganzen Dauer dieses heiligen Kampfes unsere Pflicht tun werden bis ans Ende«[80].

Die Ergebnisse der Judenzählung des Kriegsministeriums von 1916 wurden erst nach dem Krieg teilweise bekannt. Methode, Art der Erhebung und vor allem die Auswertung der Zahlen nannte Franz Oppenheimer »die größte statistische Ungeheuerlichkeit, deren sich eine Behörde schuldig gemacht hat«[81]. Wie sich die deutschen Juden während des ersten Weltkriegs verhalten hatten und was sie als Soldaten geleistet hatten, ergibt sich aus den später erschienenen Veröffentlichungen des jüdischen Büros für Statistik. Diese Veröffentlichungen entstanden unter anderem anhand der nach dem Kriege vom »Reichsbund jüdischer Frontsoldaten« veröffentlichten Namenslisten mit Geburts- und Todesdaten, Truppenteil und Dienstgrad gefallener Juden.

Danach haben von insgesamt 550.000 reichsdeutschen Juden im Krieg circa 100.000 in Heer, Marine und Schutztruppe gedient, davon rund 80.000, also vier Fünftel, an der Front. Davon fielen mindestens 12.000. Unter den Gefallenen waren 322 Offiziere, 185 Sanitätsoffiziere und 30 Kriegsflieger. Dekoriert wurden 35.000, befördert 23.000, davon mehr als 2.000 zu Offizieren und 1.159 zu Sanitätsoffizieren und höheren Beamten.

Jacob Segall, der die statistischen Arbeiten hierzu leitete, kommentierte die Ergebnisse der Untersuchungen so, dass die jüdische Bevölkerung in Deutschland »restlos den auf sie entfallenden Anteil an Kriegsteilnehmern gestellt« hatte. Sie habe an den Opfern wie auch an kriegerischen Leistungen »in einer dem Durchschnitt mindestens entsprechenden Weise teilgenommen«[82].

Über die Bewertung von Segall hinaus, weisen diese Zahlen auf einen wichtigen Punkt hin: Selbst als Gesamtheit spielten die deutschen Juden in dem riesigen Heer, das mehrere Millionen Soldaten aufwies, zahlenmäßig eigentlich keine Rolle. Warum wurde dann dieses Thema mit einer Intensität diskutiert, die zu dem wirklichen Stellenwert in keinem Verhältnis stand?

Es war eine Eigenart des Antisemitismus, Themen zur Sprache zu bringen, die geeignet schienen, in der Öffentlichkeit Interesse auszulösen. Die Dimension dieser Themen wurde solange vergrößert und vergröbert, bis sie für die grundsätzliche Ablehnung des Judentums eingesetzt werden konnten. Fakten, Verhältnismäßigkeiten und Zusammenhänge interessierten dabei nicht. Stets ging es darum, Ahnungen, Unterstellungen und Mutmaßungen so darzustellen, dass sie gegen die Juden eingesetzt werden konnten. Folglich konnten Fakten wie sie das jüdische Büro für Statistik 1921 vorlegte, in der öffentlichen Diskussion um das Verhalten der Juden während des Krieges nur wenig bewirken.

Es trat das ein, was Walther Rathenau bereits im August 1916 befürchtet hatte: »Je mehr Juden in diesem Krieg fallen, desto nachhaltiger werden ihre Gegner beweisen, dass alle hinter der Front gesessen haben, um Kriegswucher zu treiben. Der Hass wird sich verdoppeln und verdreifachen«[83].

Im Herbst 1916 begann ein zunehmender Teil der deutschen Juden zu begreifen, dass die vom Kriegsministerium angeordnete »Judenzählung« in der deutsch-jüdischen Beziehungsgeschichte eine grundlegende Zäsur darstellte. Patriotismus, Verwurzelung in der deutschen Kultur und deutsches Engagement als deutsche Juden waren nur noch eine schwankende Planke, der mit der Unterstellung einer soldatischen wie auch generellen Unzuverlässigkeit der Juden als Kollektiv – egal, wie sie sich in Wirklichkeit verhielten – die Grundlage entzogen worden war.

Der Schriftsteller Jakob Wassermann formulierte nach Kriegsende in seiner Autobiographie »Mein Weg als Deutscher und Jude«, dass die Juden sich verhalten konnten wie sie wollten. Antisemiten interessierte das nicht. Wassermann: »Jedes Vorurteil, das man abgetan glaubt, bringt, wie Aas die Würmer, tausend neue zutage … Es ist vergeblich, in das tobsüchtige Geschrei Worte der Vernunft zu werfen. Sie sagen: was, er wagt es aufzumucken? Stopft ihm das Maul. Es ist vergeblich, für sie zu leben und für sie zu sterben. Sie sagen: Er ist ein Jude«[84].

Zusammenbruch und Sündenbock

Das Ziel von Antisemiten war es stets gewesen, solche Ahnungen und Befürchtungen zu bestätigen; besonders in der letzten Phase des Weltkriegs. Am 21. September 1917 war in der vom Alldeutschen Verband kontrollierten Deutsche Zeitung der stark beachtete Artikel »„Judenwahlen und Judenfrieden« erschienen. Darin erinnerte der zweite Vorsitzende des Alldeutschen Verbands daran, dass der Reichstag aus »Judenwahlen« hervorgegangen wäre, weil seinerzeit im Frühjahr 1912 »jüdisches Geld dabei stark mitgewirkt habe, die Wahlmache für die äußerste Linke zu fördern«. Die Schlussfolgerung: »Der Reichstag der Judenwahlen wird einen Judenfrieden machen«.

In dem Artikel war von einem Frieden die Rede, der das Reichsgebiet nicht vergrößern, seine Bewohner aber mit Milliardenschulden belasten würde. Denn das Geld, das bewegliche Kapital wäre in den Händen der Juden, der »dritten Internationale«. Diesem »jüdischen Golde« würden die Sozialdemokratie und Zentrumspolitiker »die Herrschaft über das Reich in die Hände spielen«[85]. In den Gremien des Alldeutschen Verbandes sprach der Vorsitzende der Organisation am 6. Oktober 1917 von einer »Wendung gegen die internationalen Mächte des Umsturzes und des Geldes«. Im Geschäftsführenden Ausschuss wurde über das »erfreuliche Anwachsen der antisemitischen Stimmung, die bereits einen riesigen Umfang angenommen hat«, berichtet. »Diese Bewegung nationalpolitisch hochzuleiten«, würde die Aufgabe des Verbandes sein, »Für die Juden hat der Kampf ums Dasein begonnen«[86].

»Was geplant wird, ist eine Judenhetze größten Stils«, schrieb der »Vorwärts«. Denn »vom hypernationalistischen Hurra zum pogromistischen Hepp-Hepp ist nur ein kleiner Schritt«[87]. (Abgedruckt in AZJ 81, 1917, S. 471). Oppenheimer schrieb: »Die antisemitische Hetzmeute kläfft wieder fast ungehemmt durch alle Gassen«[88]. Angesichts eines blutigen Krieges, in dem sich die erhofften grundlegenden militärischen Entscheidungen zu Gunsten Deutschlands nicht einstellten und die Entbehrungen der Bevölkerung an die Substanz gingen, stellte sich die Frage nach der Zukunft.

Die Anhänger eines nicht mehr realistischen »Siegfriedens« standen im Gegensatz zu denen eines »Verzichtfriedens«. In diese Auseinandersetzung, die sich zwischen Heeresleitung und Politikern abspielte, wurden auch die Juden hineingezogen. Weil Juden in dem um seine Existenz kämpfenden Nationalstaat ein internationales Element zu verkörpern schienen, unterstellte man ihnen als Kollektiv von vornherein die Bereitschaft zu einem konspirativen Verzichtfrieden, was in der Konsequenz Verrat bedeutete.

»Es ist zweifellos richtig, dass eine große antisemitisch-agitatorische Bewegung bevorsteht, ja mit großen Mitteln eingeleitet ist«, stellte Rathenau in einem Brief am 25. Februar 1918 fest[89]. »Die Antisemiten wittern wieder einmal Morgenluft«, schrieb im Januar 1918 der Reichstagsabgeordnete Georg Davidsohn, »weil sie ganz genau wissen, dass nach jedem Kriege, ganz besonders nach einem solchen wie diesem Weltkrieg, die Nachfrage nach Blitzableitern sehr groß ist«. Davidsohn vier Wochen später: »Wann findet – wenn das so weitergeht – zu Berlin oder sonstwo in Deutschland der erste fidele Judenpogrom statt?«[90].

Einen Monat vor dem Zusammenbruch ahnte Oppenheimer: »Man bereitet für jeden Fall einen Sündenbock vor, den das Volk anstelle des wirklichen Schuldigen in die Wüste jagen mag, man richtet dem Leviathan eine Tonne zum Spielen her: Vielleicht hilft das so oft erprobte Mittel auch dieses Mal noch … Es handelt sich um die edle Absicht, die Juden und ›ihre‹ Presse, für die man auch alle Juden verantwortlich macht, für einen etwaigen unbefriedigenden Ausgang des Krieges haftbar zu machen, die Volkswut auf sie abzulenken«[91].

In der Tat hatte die antisemitische Bewegung bereits vor dem Zusammenbruch ihr künftiges Verhalten auf die kommende Niederlage ausgerichtet. Am 19. und 20. Oktober 1918 hatte sich die in Berlin tagende Führung des Alldeutschen Verbands darauf verständigt, »die Lage zu Fanfaren gegen das Judentum und die Juden als Blitzableiter für alles Unrecht zu benutzen«. Der Verbandsvorsitzende Claß erklärte dazu: »Ich werde vor keinem Mittel zurückschrecken und mich in dieser Hinsicht an den Ausspruch Heinrich von Kleists, der auf die Franzosen gemünzt war, halten: Schlagt sie tot, das Weltgericht fragt Euch nach den Gründen nicht«[92].

Das Ende des Krieges kam, als die Front im Westen ins Wanken geraten war und das Aufbegehren in der Heimat gegen eine Fortsetzung der militärischen Auseinandersetzungen das System zum Einsturz brachte. Schon am 28. September 1918 hatte Ludendorff Hindenburg mitgeteilt, dass Deutschland rasch um Frieden bitten müsste. In den darauf folgenden Wochen äußerten Hindenburg und Ludendorff gegenüber dem Kaiser und dem neuen Reichskanzler Max von Baden mehrmals die dringende Empfehlung, einen sofortigen Waffenstillstand herbeizuführen.

Die völlig aussichtslos gewordene Situation zwang dann zur Unterzeichnung des Waffenstillstandsvertrages. Der damit erreichte Friede war nicht nur ein Verzichtfrieden, sondern ein Diktatfrieden der Siegermächte, in dem schon viele Gründe für den späteren Untergang der Weimarer Republik angelegt waren. Wesentlich wurden nun vor allem zwei Punkte:

1. Die gleiche Elite des untergegangenen Kaiserreichs, die mit ihrer politischen Inkompetenz, mit ihrer Borniertheit und ihren großdeutschen Expansionszielen diesen Untergang verschuldet hatte, glaubte bald nach dem Vertrag von Versailles den wirklichen Grund für Deutschlands Niederlage entdeckt zu haben. Sie, dies galt vor allem für Ludendorff, sprach sich mit der Dolchstoßlegende von ihrem eigenen Scheitern gleichsam frei – zu Lasten anderer.
2. Diese anderen waren in erster Linie Sozialisten und Juden, die man als eine Einheit sah. Zudem wurden die Juden als Gesamtheit als die Nutznießer der Niederlage Deutschlands betrachtet.

Am 1. November 1918 hatte der preußische Innenminister dem Kaiser Wilhelm II. empfohlen, abzudanken. Wilhelm II. antwortete, er »denke gar nicht daran wegen der paar 100 Juden und der 1.000 Arbeiter den Thron zu verlassen«[93]. Ludendorff bezeichnete in seinem Buch »Kriegführung und Politik« das Judentum als den »Sumpf international-pazifistisch defaitistischen Denkens«, das die deutsche Politik beherrscht und die Kriegführung beeinträchtigt habe und zuletzt »dem Heere in den Rücken fiel und Heer und Heimat wehrlos machte«.

In diesem Zusammenhang sprach Ludendorff von einer globalen jüdischen Verschwörung. Ludendorff: »Die Genießer und Kriegsgewinnler waren zunächst vornehmlich Juden … Ihnen war in den Kriegsgesellschaften, so wie es die Urheber unserer Kriegswirtschaft wohl wollten, ein vorherrschender Einfluss eingeräumt und damit Gelegenheit gegeben worden, sich immer mehr auf Kosten des deutschen Volkes zu bereichern und von der deutschen Wirtschaft Besitz zu nehmen, um so eines der machtpolitischen Ziele des jüdischen Volkes zu erreichen. Die deutsch empfindenden Kreise fühlten das deutsche Volk, das mit den Waffen in der Hand um seine Freiheit rang, an das jüdische Volk verkauft und verraten«[94].

Ludendorffs Nachfolger Wilhelm Groener schrieb am 17. November 1918 seiner Frau, dass die Juden die »Drahtzieher« der Revolution in Deutschland und Russland waren[95]. Ein Oberst behauptete, die Juden hätten den Krieg vornehmlich in »Schreibstuben« und auf »sonstigen Verwaltungspöstchen« zugebracht und dann »während der Revolution überwiegend in den Soldatenräten gesessen«. Ein General erklärte, »dass der verhetzenden Tätigkeit des Judentums in Volkswirtschaft und Heer ein ungeheurer Anteil an dem über unser Vaterland hereingebrochenen Unglück zur Last fällt«[96].

Der Antisemitismus hatte nach der Niederlage versucht, viele Punkte auf einen gemeinsamen Nenner zu bringen. Dieser gemeinsame Nenner war die Legende von der im Felde unbesiegten deutschen Armee, die eine Verschwörung von Juden, Erfüllungspolitikern und Sozialisten in die Niederlage getrieben hätte (Dolchstoßlegende). Das große demagogische Ziel der national-konservativen und völkischen Antisemiten bestand darin, zwischen der Dolchstoßlegende und einem als international gesehenen Judentum einen Zusammenhang herzustellen.

Bereits gegen Ende 1918 hatte hierzu eine vehemente antisemitische Agitation eingesetzt, die die Juden für das Unglück Deutschlands verantwortlich zu machen suchte. »Es weht Pogromluft auch in Deutschland« hieß es 1918 in der Dezemberausgabe der Zeitschrift des Centralvereins. Am 28. Mai 1919 stellte man in der ersten Hauptversammlung des Centralvereins nach dem Kriege fest, »eine Welle des Antisemitismus (wäre) emporgerauscht, die alles übersteigt, was wir für möglich gehalten haben. Eine gewaltige antisemitische Sturmflut habe Deutschland »mit Flugblättern, Flugschriften, Handzetteln, Klebemarken überschwemmt«[97].

In den ersten Jahren der Weimarer Republik kennzeichnete Deutschland, für seine Ordnungsliebe und Disziplin berüchtigt, ein umfassendes Chaos. Die bei der alten Elite in Armee, Bürokratie und Wirtschaft verhasste Republik stand in einem Abwehrkampf gegen Putschversuche von rechten wie linken Gruppierungen. Unter den linken Gruppierungen befanden sich auffallend viele Juden, was Antisemiten für ihre Agitation zu nutzen wussten.

Für das ganze aus der Niederlage hervorgegangene System wie für die Niederlage selbst wurde als Symbol bald ein Mann ins Feld geführt – der Jude Walther Rathenau. Mit seiner Ernennung zum deutschen Außenminister war ein Kulminationspunkt erreicht, der in Deutschland der gewaltsam werdenden Feindschaft gegen Juden, »Erfüllungspolitiker« und vermeintliche »Kriegsgewinnler« enorm aufheizte. Die Person, der Unternehmer, der Politiker und der Jude Rathenau vereinigten in sich auf eine einzigartige Weise all die für eine Überhöhung besonders geeigneten Elemente zur Erregung des Hasses wie der Angst des Deutschtums.

Seine Ermordung durch Attentäter aus der rechts extremen Szene war ein eindeutiges Fanal und schon ein Vorspiel zum Untergang der Weimarer Republik wie auch zum Aufstieg von Adolf Hitler. Der spätere Untergang der deutschen Juden stand in diesen ersten wie auch in den späteren Jahren der Weimarer Republik natürlich noch nicht fest. Es war aber schon absehbar, dass die Existenz der Juden in einer so stark von einem gewaltsam werdenden Antisemitismus gekennzeichneten Umgebung zunehmend auf eine kollektive Gefährdung hinführte.

Epilog

An der Wende vom 19. zum 20 Jahrhundert, darüber hinaus bis in die 20er und 30er Jahre war der Antisemitismus keineswegs auf Deutschland beschränkt. In Österreich und Frankreich äußerte sich der Antisemitismus kaum weniger heftig. Aber nirgendwo sonst hat der Antisemitismus eine so gewalttätige, so Menschen verachtende und dann dermaßen auf die organisierte Vernichtung von Menschenmassen gerichtete Form wie in Deutschland im 20. Jahrhundert angenommen. Dafür gibt es viele Erklärungen, unter denen immer noch die von George L. Mosse zu nennen wäre. Mosse, ein Nachkomme der großen Zeitungsverlegerdynastie im Berlin der Kaiserzeit, schrieb in The Crisis of the German Ideology:

»Der deutsche Faschismus war nicht nur darin einzigartig, wie er die revolutionäre Kraft in seinem Sinne lenken konnte, sondern auch in der Bedeutung, die darin der Ideologie von Volk, Natur und Rasse zukam … Die Ideologie … führte die deutsche Nation dahin, ein europäisches Erbe zu verwerfen, das überall sonst noch lebendig war: das des Rationalismus der Aufklärung und des sozialen Radikalismus der Französischen Revolution. Deren Ablehnung war darüber hinaus eng mit einem weit verbreiteten Widerstand gegen die Modernität verbunden, der sich … zurückzog (auf) … das Erwachen des deutschen Wesens … (auf) eine Flucht vor der Gegenwart wie auch vor der europäischen Tradition«[98].

Im Gegensatz zu Österreich und Frankreich war Deutschland selbst nach der Niederlage noch die dynamischste und aggressivste Macht des Kontinents. Nach außen konnte sich diese Macht nicht mehr richten. Und so konnte sich der zweifellos vorhandene kollektive Willen der Deutschen zur Rebellion gegen den Ausgang des ersten Weltkrieges gleichsam in einer inneren Revanche-Haltung nur nach Innen richten. Dort, in den Gefühlen wie in den politischen Einstellungen produzierte diese erbitterte Revanche-Haltung, die es nie zuließ, Deutschland als eine objektiv gesehen militärisch unterlegene Macht zu begreifen, die Dolchstoßlegende als Komplott – und die Legende von den Juden als die international agierenden Drahtzieher dieses Komplotts.

Die Vorstellung von einem jüdischen Komplott hat es in Frankreich ebenfalls wie auch in anderen Ländern gegeben. Die Legende von einer jüdischen Verschwörung war in Frankreich vor allem während der Dreyfus-Affäre aufgeflackert und hatte danach weiter geschwelt. Aber, und auch dies unterschied Frankreich von Deutschland: Es gab eine moralische Kraft wie die eines Emile Zola, eines Bernard Lazare und ihrer Verbündeten (zu denen damals auch Georges Clemenceau zählte (der von erbitterten Aversionen gegen Deutschland beseelte Staatsmann Frankreichs während des ersten Weltkriegs). Diese moralische Kraft erhob sich gegen den Antisemitismus in der französischen Armee sowie im französischen Bürgertum[99].

Diese moralische Kraft reichte weit genug, um Dreyfus, den zu Unrecht verurteilten französischen Offizier jüdischen Glaubens, nach einer über viele Jahre geführten Auseinandersetzung zwischen Dreyfusards und Anti-Dreyfusards zu rehabilitieren. Die Auseinandersetzung betraf viele grundsätzliche Fragen Frankreichs auf dem Weg vom 19. in das 20. Jahrhundert – vor allem aber die moralische Frage nach der Reichweite der Menschen- und Bürgerrechte als die große Hinterlassenschaft der Französischen Revolution.

Eine solche Diskussion und eine solche in der Gesellschaft doch noch vorhandene moralische Kraft hat es in Deutschland nicht gegeben. Dieses moralische Vakuum Deutschlands trug entscheidend zum Untergang der Weimarer Republik bei – als das von der Rechten bekämpfte, geschmähte Komplott-Produkt der Siegermächte im Bunde mit den Juden und führte zum Aufstieg Hitlers.

Keiner hat im 20. Jahrhundert die Wirren der Realität so eindimensional und so fanatisch wie Hitler auf ein Komplott des Judentums reduziert. Dass Hitler diese Reduktion der Wirklichkeit auf eine Verschwörung von Juden und Kommunisten, zudem jüdischer Kommunisten oder kommunistischer Juden, unter Einschluss weiterer vermeintlicher Verschwörer nicht bloß annahm, sondern als eine Art Glaubensgrundsatz vertrat, war ein Teil seiner einzigartigen rhetorischen Wirkung. Denn damit stellte er den Deutschen in ihrem Erniedrigt-, Beleidigt- und Verraten-Sein nicht nur eine als Erklärung empfundene Begründung, sondern auch eine mit Schuldverlagerung ausgestattete Rechtfertigung zur Verfügung.

Die in Deutschland bereits zündelnden Empfindungen und Sehnsüchte nach einer gereinigten Welt erhielten damit die Züge eines nach gewaltsamen Umsturz drängenden Freibriefs. Zumindest große Teile des rechten politischen Spektrums wollten dies mit einer Sammlungsbewegung in einer politischen Weltanschauung ebenso gebettet wie geformt sehen – ohne freilich zu wissen, wie dies gehen sollte. Hitler aber wusste es oder schien es zu wissen.

Mit seinem zur Zwangshaltung verfestigten Predigen von dem großen Komplott des Judentums, mit seinen politisierten Erlösungs-Metaphern wäre Hitler wahrscheinlich ein unbedeutender Wirrkopf wie so viele andere geblieben, wenn er nicht in dieser spezifischen Situation der Deutschen nach der Niederlage aufgetreten wäre. Er verfügte über ein phänomenales Gespür für die den Deutschen insgesamt nahe gehenden Themen. Und er vermochte es, bei so vielen Deutschen so viel Zustimmung und eine so innige Gefolgschaft auszulösen, weil er das aussprach, was so viele andere auch dachten. Nur konnte er dies um so viel überzeugender, um so viel demagogisch fesselnder und um so viel fanatisiert schlüssiger aussprechen, weil er seine Weltanschauung zu einem Dogma verinnerlicht hatte und weil ihm jegliche Skrupel fremd waren[100].

Der von ihm den Juden unterstellte Plan, »Herr zu sein und alle Völker in die Sklaverei zu führen, war das nicht in Wirklichkeit der offen proklamierte Ehrgeiz des Nationalsozialismus, der die deutsche Rasse als Herrenrasse betrachtet, deren Recht es ist, die anderen Völker minderwertiger Rasse zu beherrschen? Die finstere Allianz zwischen dem Kapital und der Revolution – ist dies nicht eine bei der deutschen Propaganda besonders beliebte Methode, die den Besitzenden und den Proletariern verspricht, gegen ihre Feinde zu kämpfen?«

Hitlers Verhalten war das des »verfolgten Verfolgers«. Es »war bei vielen Deutschen durch den Umstand bestimmt, dass sie sich in einem Zustand legitimer Verteidigung zu befinden glaubten und von daher das mit ihrer eigenen Aggressivität zusammenhängende Schuldgefühl abbauten. So viel ist immerhin sicher: die Vorstellung einer geheimen Zentrale der angeblichen Führer der Judenheit wird mit einer unglaublichen Naivität akzeptiert ... Wo ein potentieller oder latenter Antisemitismus existiert, kann sich die mysteriöse Verschwörung um den Mythos von einem »Komplott der Judenheit« kristallisieren, deren Ziel die Zerstörung der etablierten Ordnung ist«[101].

Auch in anderen Ländern war der Wunsch mächtig, einen Sündenbock für die Brüche und Schwierigkeiten der kapitalistischen Entwicklung zu finden. Auch in anderen Ländern, wenngleich niemals so fanatisch bis zum Mord wie in Deutschland, war dies der Auslöser für eine antisemitische Bewegung, die viele heterogene Elemente vereinigte und vermischte. Von diesen Elementen waren manche sehr alt, andere sehr modern. Der Jude als ein aus verschiedenen Komponenten zusammengesetztes klischeehaftes Zerrbild war die Kreation des modernen Antisemitismus. Folglich konnte sich jede Gruppe, die die Juden mit feindseligen Gefühlen betrachtete, die Komponente heraussuchen, die ihr am meisten verhasst war[102].

Die jüdische Minderheit war von der jeweiligen nationalen Mehrheit auf eine mehr oder weniger deutliche Weise unterscheidbar. Sie galt als andersartig. Die Taufe änderte dies nicht, weil selbst der getaufte Jude noch lange dem Judentum zugerechnet wurde. Die kollektive Unterscheidbarkeit der Juden als Minderheit und das im Irrationalen liegende Bestreben ihrer Umgebung, in einer chaotisch gewordenen Welt an dieser Unterscheidbarkeit als einer scheinbaren Konstante festzuhalten – egal, ob es sich um einen religiös-gläubigen, assimilierten oder getauften Juden handelte – war gerade in der Zeit, als die allzu offensichtlichen Merkmale dieser Unterscheidbarkeit (Äußerlichkeiten, Sprache, Verhalten) bis zur völligen Unkenntlichkeit verschwanden, ein Merkmal dieser Epoche. In diesem Kontext stand auch der Rassismus, der die Bedingtheit durch die Rasse als das definitive und nicht veränderbare Merkmal der Unterscheidbarkeit in den Mittelpunkt seiner weltanschaulichen Position stellte.

Die kollektive Unterscheidbarkeit der Juden hing auch mit der Konzentration auf einige wenige Bereiche zusammen. In viele aus der Masse herausragende Positionen waren Juden als Mitglieder einer unterscheidbaren Minderheit innerhalb kurzer Zeit gekommen. Die Juden waren für diese Situation nicht selbst verantwortlich, weil ihnen andere Erwerbsmöglichkeiten kaum offen standen und weil die moderne kapitalistische Welt solche Karrieren nicht nur ermöglichte, sondern jeden auf bürgerliche Etablierung disponierten Aufsteiger sogar darauf verwiesen hatte. Nichtsdestoweniger sollten jedoch letztendlich die Juden auch ihrem Aufstieg und der sich daraus ergebenden Kritik zum Opfer fallen.

Die neuartige imaginäre Annahme von einer umfassenden Macht der Juden war mit rassistischen Prämissen unterlegt worden und hatte sich zu der Vorstellung von einem Komplott aller Juden dieser Welt gegen den von innen und außen gefährdeten Nationalstaat verfestigt. Man hatte die Frage gestellt, für wen der deutsche französische oder österreichische Jude eigentlich seine Leistungen bei der Entwicklung des Nationalstaats und des Kapitalismus erbrachte.

Wurde diese Frage lediglich mit Bereicherungsabsichten, im günstigsten Fall vielleicht gar mit einem loyal gewordenen Patriotismus auf Seiten der Juden beantwortet, dann konnte eine Beruhigung eintreten. Sah man aber in den Juden die Agenten eines gewaltigen Börsenschwindels, gar einer semitischen Verschwörung zur Beherrschung der Welt, dann musste für die Juden daraus als Gesamtheit und als Individuen eine existenzielle Bedrohung entstehen. Die von Antisemiten neu gestellte Frage: In wessen Namen handelten deutsche, französische oder österreichische Staatsbürger jüdischen Glaubens? Für Antisemiten war dies aber lediglich eine rhetorische Frage, weil die Fragestellung nur benötigt wurde, um die schon feststehenden Antworten auf die Ebene einer gewollten, scheinbaren Allgemeingültigkeit lenken zu können.

Viele Jahre, bevor sich der Antisemitismus in Deutschland auch wegen eines schwächer werdenden Liberalismus zu einem für seriös erachteten Weltbild entwickeln konnte, war ein Mann aufgetreten, der es sich zum Ziel gesetzt hatte, die Aufklärung – den Vorläufer des Liberalismus – zu zerstören. Dieser Mann war Johann Gottlieb Fichte gewesen, der – wie hier schon an anderer Stelle ausgeführt worden ist – über die Juden zu sagen gewusst hatte: »Aber ihnen Bürgerrechte zu geben, dazu sehe ich wenigstens kein Mittel als das, in einer Nacht ihnen allen die Köpfe abzuschneiden und andere aufzusetzen, in denen auch nicht eine jüdische Idee sei«[103].

Beantwortete man die Frage nach der Loyalität des jüdischen Staatsbürgers so, dass diese Loyalität in Wirklichkeit nicht dem Staat, sondern einem internationalen Judentum galt, dann war zu dem von Fichte damals nicht wörtlich gemeinten Abschneiden jüdischer Köpfe schon die Richtung eingeschlagen. Denn die Loyalität war es in erster Linie, durch die sich der jüdische Bürger der Emanzipation als würdig erweisen sollte.

Schließlich, so wiederum Fichte: »Kein Staat wird dadurch gefährlich, dass er dem Raume nach in einem anderen Staate ist, sondern dadurch, dass er ein dem anderen entgegen gesetztes Interesse hat«. Und, auf diesen einen Satz Fichtes lassen sich alle neuzeitlichen Versionen des Antisemitismus zurückführen: »Fast durch alle Länder von Europa verbreitet sich ein mächtiger, feindselig gesinnter Staat, der mit allen übrigen im beständigen Kriege steht ... es ist das Judentum«[104].

Fichte hatte dies als deutscher Jakobiner, der die Revolution wollte, 1793 formuliert. Für Konservative und Reaktionäre stand bald fest, wer die Revolution in Frankreich angezettelt hatte. In ihrem schon länger angenommenen Komplott von Freimaurern, Revolutionären und Atheisten zur Herbeiführung des Umsturzes führten sie mit den Juden einen weiteren Provokateur ein.

Joseph de Maistre, das geistige Oberhaupt der französischen Reaktion, hatte im September 1811 eine Sicht geäußert, die auch als eine antirevolutionäre, ultramontane Version von Fichtes Gedankengängen zu verstehen ist: »Ich habe ein sehr geheimes und wichtiges Papier gelesen, über die Rolle der Juden und über ihre Allianz mit den Aufklärern (und Freimaurern) während der Revolution zur Zerstörung des Papsttums und des Hauses der Bourbonen«[105].

de Maistre, der sich stets in dem Beschreiben von Verschwörungen erging, die angeblich zu dem Untergang der Bourbonen-Monarchie in Frankreich und der Revolution geführt hatten, äußerte Phantastereien. In solchen Phantastereien verband sich aber die Frontstellung zu den Juden mit einer aktualisierten Sicht des Juden, der angeblich selbst ferngesteuert von der Gesamtheit seiner Glaubensgenossen, als der vermutete Fernsteuerer der europäischen Politik auftrat[106].

Preußische Romantik und deutsche Reaktion hatten dies sowie Fichtes Sicht von der Welt der Deutschen und den davon geschiedenen Juden in die Welt gesetzt. Zwar drang diese Haltung bei dem wichtigsten Teil des preußischen Bürgertums, den um Teilhabe an der politischen Macht kämpfenden Nationalliberalen, nicht sogleich durch. Aber bei dieser alles andere als kompakten Schicht trat nach der gescheiterten Revolution von 1848 das liberale Element gegenüber dem nationalen immer stärker zurück. Das Bündnis mit dem Staat und den ihn stützenden Kräften, die vorwiegend der Reaktion angehörten, wurde für das deutsche Bürgertum in der Ära Bismarck ungleich wichtiger als der schon definitiv verlorene, weil aufgegebene Kampf um die Durchsetzung liberaler Positionen und die Teilhabe an der politischen Macht.

Das Zerbröckeln des Liberalismus als selbständige politische Kraft war Resultat und Voraussetzung für die Dominanz des Irrationalismus in der Gefühls- und Geisteswelt des deutschen Bürgertums. Aufklärung und Liberalismus hatten den deutschen Juden einen Weg zur gesellschaftlichen Integration versprochen, bei dem die Religion nur eine Privatangelegenheit sein sollte. Auf diesen Weg bauten die Juden noch, als ihre Umwelt diesen Weg schon verlassen hatte, um das Trennende der national-religiösen Kulturen zu betonen. Zunehmend gefährlich wurde diese Wende, als man begann, hinter der gesellschaftlichen Integration und den wirtschaftlichen Erfolgen der Juden eine Art semitisches Komplott zu vermuten.

Das Verhängnis und die Tragik der Juden als Minderheit bestand bei den gegen Ende des 19. Jahrhunderts an Lautstärke stetig zunehmenden Schmähungen und Beschwörungen darin, dass sich an wie mit ihnen nahezu alles beweisen ließ. In einer so an den Rastern einer gesellschaftlichen Zuordnung hängenden Welt wie der deutschen des 19. und 20. Jahrhunderts, schienen die Juden aus jedem Raster heraus- und gleichzeitig in jedes nur denkbare wieder hineinzufallen.

Die Bilder reichten vom reichen Bankier bis zum armseligen Krämer, vom etablierten Kapitalisten wie Rothschild oder Bleichröder bis zu revolutionären Umstürzlern wie Ferdinand Lassalle oder Leo Trotzki, vom orthodoxesten Rabbiner bis zum freizügigsten Literaten, vom ehrwürdigen Professor schließlich zu ätzenden Polemikern wie dem Journalisten Maximilian Harden, wohl einer der verhasstesten Juden in Deutschland zu seiner Zeit, und dem Publizisten Theodor Lessing[107].

Solange man den Juden als Bürgern aber das Loyalitätsbekenntnis zum jeweiligen Staat und zur jeweiligen Gesellschaft abnahm, war diese Minderheit zwar kritisiert und abgelehnt, aber in ihrer Existenz noch nicht gefährdet. Mit dem Umbiegen der Loyalitäts-Bekundungen in eine nicht zu belegende und nicht zu widerlegende Über-Loyalität an eine imaginäre Zentrale des Judentums war ein Urteil gesprochen.

Dieses Urteil konnte mit kulturellen, religiösen, rassistischen, sozialistischen oder auch reaktionären Motiven reibungslos unterlegt werden, und das verlieh ihm die in ihrer Universalität einzigartige Einsetzbarkeit eines politischen Theorems[108]. Dem konnten die Juden nur wenig entgegensetzen. Sie vertrauten auf das langsame Absterben des Antisemitismus und in Deutschland auf die der Verfassung gemäße Neutralität des Staates[109].

Die Eingliederung in den Gesellschaftsverband durch den Rechtsstaat war die große Hoffnung des deutschen Judentums. In einem solchen Staat konnten antisemitische Hetzkampagnen wohl besorgniserregend erscheinen. Solange aber Ausschreitungen von unten durch die Macht von oben ein Riegel vorgeschoben wurde, durften sich die deutschen Juden zu Recht abgesichert fühlen. In dieser Denktradition stehend, verstanden sie nicht und wenn, dann viel zu spät, das Merkmal der sich anbahnenden und mit dem Jahre 1933 als Faktum feststehenden Zeit: Von da ab war es gerade der Staat, der einen einzigartigen Antisemitismus praktizierte.

Die Revolution, die Aushebelung bestehender Verhältnisse durch Umsturz, durch etwas Neues, war in dem für seine Ordnungsliebe und Disziplin berüchtigten Deutschland eigentlich immer ein Schreckgespenst. Weniger aber dann, wenn die ureigenen wirtschaftlichen Belange des Adels, des Bürgers, des Kleinbürgers, des Unternehmers, des Angestellten oder des Arbeiters, und dazu zählte nun einmal auch die Verlässlichkeit der Ordnung, betroffen waren.

Dann – siehe das Auftreten des preußischen Adels während der ersten Phase seines um 1800 einsetzenden wirtschaftlichen Niedergangs, die Hep-Hep-Unruhen von 1819, die Ausschreitungen von 1848, die Jahre nach dem Gründerkrach, der Untergang des Kaiserreichs, die Weimarer Republik mit der großen Inflation und schließlich die gewaltige Arbeitslosigkeit während der letzten Phase der Weimarer Republik – war in Deutschland die Zeit für Umsturz-Reaktionen günstig.

Dann konnte es in Ansätzen zwar noch sachliche Diskussionen über Maßnahmen zur Lösung von Problemen oder Abschaffung von Missständen geben. Aber rasch und heftig, auch unter Einsatz von Gewalt überwältigte diese Ansätze von Sachlichkeit der Ruf nach einem ganz neuen System. Ein System, das dem Volk mit der Vision von »Lohn, Sicherheit, Disziplin und nationale Würde« auf eine scheinbar eindeutige Weise auch die scheinbar Verantwortlichen für die Probleme zu zeigen vermochte. In einer solchen Situation wurde das fundamentalistische Gegenmodell besonders attraktiv, das versprach, diese Probleme und Missstände aus der Welt zu schaffen.

Diese Überreaktion bei kollektiven Schwierigkeiten mit persönlichen Betroffenheiten war eine der Besonderheiten Deutschlands in der ersten Hälfte des 20. Jahrhunderts. Diese Besonderheit hängt unter anderem mit der hier schon genannten politischen Bodenlosigkeit Deutschlands seit der Bismarck-Ära zusammen. Denn in Deutschland gab es nur wenig Konstruktives, mit Sicherheit zu wenig, woran sich konstruktive Wege in die Zukunft orientieren und festigen konnten. Die Gesellschaftsform des Westens mit ihren Anforderungen an Toleranz und bürgerliche Freiheit wurde abgelehnt als demokratisch verbrämte Blockierung des eigentlichen deutschen Wesens, das einer wie Richard Wagner mit dem erforderlichen Pompösen so bildhaft auf die vermeintliche Bühne des Lebens gebracht hatte.

Weil dies so war, dominierten in Deutschland blanke Reaktion, Komplott-Theorien als bewusst wie auch unbewusst durchgeführte Ablenkungsmanöver von der Realität, nach rückwärts gewandte Erlösungssuche und nach vorwärts gewandte Gewalt – auch und gerade gegen die Juden gerichtet. Was früher vielleicht nur den Bauern auf dem Lande oder den Handwerker in der Stadt betroffen hatte – der jüdische Kapitalgewinnler in seinen regional begrenzten unterschiedlichen Ausprägungen vom Wucherer bis zum Schutzknecht der Obrigkeit –, war bei spekulierenden Glücksrittern en masse und einer Presse, die eine größere Dimension als je zuvor angenommen hatte, eine Angelegenheit von allgemeiner Betroffenheit geworden.

In dieser allgemeinen Betroffenheit wiesen Ängste, Aversionen und alte Hassgefühle den Juden die Rolle als Auslöser, Drahtzieher und Profiteure des Unheils zu, die Hauptrolle also in einem großen Schurkenstück – Shylock, William Shakespeares jüdischer Kaufmann von Venedig in einer aktualisierten und ins Gigantische ausgeweiteten Perspektive.

Nur wenigen Menschen war es gegeben, die hinter der Maske von Kultur und Zivilisation schon weit vor 1933 verborgene Bereitschaft zur Barbarei zu erahnen. Einer dieser wenigen war Sigmund Freud. Dem Begründer der Psychoanalyse war in Wien die neurotische Disponiertheit der Deutschen zu seiner Zeit und die Zuführung der pathologischen Erlösungsmetaphern durch den Nationalsozialismus nicht verborgen geblieben. Was Freud in »Das Unbehagen in der Kultur« 1930 geschrieben hat, muss in seiner wohl gesetzten Abstraktheit als die zutreffende und von Hellsicht geprägte Analyse des Deutschland seiner Zeit gelten:

»Wenn schon ... die Absicht deutlich wird, sich von der Außenwelt unabhängig zu machen, indem man seine Befriedigungen in inneren, psychischen Vorgängen sucht, so treten die gleichen Züge noch stärker bei dem Nächsten hervor. Hier wird der Zusammenhang mit der Realität noch mehr gelockert, die Befriedigung wird aus Illusionen gewonnen, die man als solche erkennt, ohne sich durch deren Abweichung von der Wirklichkeit im Genuss stören zu lassen. Das Gebiet, aus dem diese Illusionen stammen, ist das des Phantasielebens ... Doch vermag die milde Narkose, in die uns die Kunst versetzt, nicht mehr als eine flüchtige Entrückung aus den Nöten des Lebens herbeizuführen und ist nicht stark genug, um reales Elend vergessen zu machen.

Energischer und gründlicher geht ein anderes Verfahren vor, das den einzigen Feind in der Realität (= die Lebensprinzipien des Westens und die vom Westen aufgezwungene Demokratie) erblickt, die die Quelle alles Leids (= die Niederlage und der Friede von Versailles) ist, mit der sich nicht leben lässt, mit der man darum alle Beziehungen abbrechen muss, wenn man in irgendeinem Sinne glücklich sein will. Der Eremit kehrt dieser Welt den Rücken, er will nichts mit ihr zu schaffen haben. Aber man kann mehr tun, man kann sie umschaffen wollen, anstatt ihrer eine andere aufbauen, in der die unerträglichsten Züge ausgetilgt und durch andere im Sinne der eigenen Wünsche ersetzt sind. Wer in verzweifelter Empörung diesen Weg zum Glück einschlägt, wird in der Regel nichts erreichen; die Wirklichkeit ist zu stark für ihn. Er wird ein Wahnsinniger, der in der Durchsetzung seines Wahns meist keine Helfer findet. Es wird aber behauptet, dass jeder von uns sich in irgendeinem Punkte ähnlich wie der Paranoiker benimmt, eine ihm unleidliche Seite der Welt durch eine Wunschbildung korrigiert und diesen Wahn in die Realität einträgt. Eine besondere Bedeutung beansprucht der Fall, dass eine größere Anzahl von Menschen gemeinsam den Versuch unternimmt, sich Glücksversicherung und Leidensschutz durch wahnhafte Umbildung der Wirklichkeit zu schaffen«[110].

Übersetzt man das konkret auf das hier über viele Seiten Geschilderte, so heißt dies: Nach 1918 suchte Deutschland »Glücksversicherung« im Verweis auf ein angeblich gegen seine Interessen stattgefundenes Komplott, »Leidensschutz« durch Beschwörung der eigenen Unschuld, »wahnhafte Umbildung der Wirklichkeit« mit Antisemitismus – und Nationalsozialismus.

ANMERKUNGEN

I *Auf dem Weg in die Neuzeit*

1 Das Evangelium nach Johannes 8, 39 ff.

2 Ruether: Nächstenliebe; Abel: The Roots; Gager: The Origins. Neben diesen Werken kann das ältere Buch Friedrich Heers (Gottes erste Liebe) nicht bestehen. In diesem Zusammenhang ist der Hinweis angebracht, daß auch das Judentum ursprunglich eine missionierende Religion war. Allerdings erfolgte die »Proselytenmacherei« nie mit der Wucht, die für das Christentum typisch wurde. Vgl.: Ben-Sasson: Geschichte, I, S. 447.

3 Ruether, a.a.O., S. 65.

4 Chrysostomos: Acht Homilien gegen die Juden VI, 5; PG 48, 911 ff. Dazu auch Ruether, a.a.O., S. 163; Harnack: Die Mission, S. 75 ff.

5 Bosch: Die Heidenmission; Bultmann: Das Urchristentum.

6 Unentbehrlich hierzu die Beiträge des Rechtshistorikers Guido Kisch, jetzt gesammelt in ders.: Ausgewählte Schriften I und II; siehe auch: Parkes: The Conflict of the Church; Southern: Kirche und Gesellschaft. Zu den Diskriminierungen der Juden durch die Kirche: Schon Papst Gregor I. (590–604) verbot den Bau neuer Synagogen. Gregor IX. (1227–1241) untersagte den Juden die Ausübung öffentlicher Ämter.
Nach einer Weisung von Innozenz III. (1198–1216) mußten die Juden in der Öffentlichkeit eine Kleidung tragen, die sie von Christen unterschied. Gerechterweise ist jedoch auch anzumerken, daß Päpste wie Alexander II. (1061–1073) und Clemens III. (1187–1191) Judenverfolgungen untersagten. Hierzu insgesamt: Sägmüller: Lehrbuch des katholischen Kirchenrechts I, § 15, S. 80. Zum Folgenden Delumeau: Angst im Abdendland, S. 412ff., inbes. S. 413 u. 419.

7 Baron: The Jewish Factor, in: ders.: Ancient and Medieval Jewish History, S. 239–267; 502–517; ders.: John Calvin, ebda. S. 338–352; 548–554; Ben-Sasson: The Reformation 1969/70, S. 239–326.

8 Bienert: M. Luther und die Juden; Oberman: Wurzeln des Antisemitismus.

9 Luther: Werke (= WA) II, 315.

10 Ebda.; An einer anderen Stelle gab Luther zu bedenken: »Ob etliche (unter den Juden) halsstarrig sind, was liegt daran? Sind wir doch auch nicht alle gute Christen.« WA XI, 336.

11 WA LIII, 444; Kirn: Das Bild vom Juden; Trachtenberg: The Devil; Poliakov: Histoire de l'Antisemitisme, I, S. 243 ff.; Simon: Verus Israel; Cohen: Martin Luther, 1963, S. 195 f.: »His (Luther) sole interest in the Jews gravitated around the question whether they could be converted«.

12 Statt weiterer Nachweise hier nur: Hinrichs: Preußentum und Pietismus.

13 Fränkel: Der Beitrag der deutschen Juden, in: Böhm und Dirks (Hrsg.): Judentum, S. 552–600, hier S. 562; Kisch: Die Rechtsstellung der Juden, in: Kisch, a.a.O., I, S. 16–90.
14 Browe: Die Judenbekämpfung 1938; Cohen: The Friars and the Jews; Pfaff: Die soziale Stellung, 1965.
15 Nelson: Idea of Usury; Noonan: Scholastic Analysis of Usury; Stein: Interest taken by Jews, 1956. Herde: Gestaltung und Krisis, 1959, S. 384: »Die Predigten gegen Wucher und Hehlerprivileg waren bei der Ausbildung der Judenfeindschaft von dauernder und entscheidender Bedeutung«.
16 Caro: Sozial- und Wirtschaftsgeschichte; Rabinowitz: The Herem Hayyishub.
17 Deppermann: Judenhaß und Judenfeindschaft, in: Martin und Schulin (Hrsg.): Die Juden, S. 114.
18 Selma Stern: Josel von Rosheim; dies.: The Court Jew; dies.: Jud Süss.
19 Sombart: Die Juden und das Wirtschaftsleben.
20 Weber: Das antike Judentum; Guttmann: Die Juden und das Wirtschaftsleben, 1913; Shmueli: The »Pariah-People«, 1968.
21 Sombart, a.a.O., S. 429.
22 Schnee: Die Hoffinanz und der moderne Staat, v.a. III, S. 171 ff.; Selma Stern: The Court Jew; Aufgebauer: Der Hoffaktor Michael von Derenburg, 1984.
23 Ackermann: Münzmeister Lippold.
24 Ackermann: Geschichte der Juden, S. 51.
25 Israel: European Jewry 1550–1750, insbes. S. 23, wo dargelegt wird, daß sich die wirtschaftliche Rolle der Juden in West- und Mitteleuropa auf unbedeutende Randbereiche beschränkte – vom Geldverleih mit seiner besonderen Situation einmal abgesehen. Fränkel, a.a.O., S. 566 f. hebt die Bedeutung dieser Tätigkeit hervor: »Es war also der sich entwickelnde Betriebskredit, der es den Juden ermöglichte, trotz der Beschränkungen ihrer Tätigkeit weiterhin am expandierenden Wirtschaftsleben teilzunehmen. Sie ersetzten gleichsam eine noch nicht vorhandene Kreditorganisation, die sich erst langsam herausbildete.«
26 Kaufmann: Samson Wertheimer (1658–1724). Israel, a.a.O., S. 123: »It was inherent in the rise of the Levi, Gomperz, Oppenheimer, and other German financial dynasties, through the supplying forces of garrisons during the Thirty Years War, that one chief function of the Court Jews was military purveying, and indeed, on a grander scale, army contracting.« Dazu auch die ältere Darstellung von Felix Priebatsch: Die Judenpolitik des fürstlichen Absolutismus, 1917, S. 590: »Als Maria Theresia die Bevorzugung christlicher Händler und Handwerker verlangte, sagten ihr die Beamten, nicht ein Zehntel von dem, was Juden leisten, könnten jene zusammenbringen. Große Lieferungen seien eben nur an Juden zu vergeben.«
27 Kellenbenz: Sephardim an der unteren Elbe, S. 161; Klaveren: Die historische Erscheinung der Korruption, 1958; Treue: Das Verhältnis von Fürst, Staat und Unternehmer, 1957.
28 Kaufmann und Freudenthal: Die Familie Gomperz.
29 Israel, a.a.O., S. 139 f.
30 Yogev: Diamonds und Corals; Sutherland: A London Merchant.
31 Nachama: Ersatzbürgertum und Staatsbildung; Jersch-Wenzel: Juden und »Franzosen«; Schreiner: Juden in Berlin, in: Jersch-Wenzel u. John (Hrsg.): Von Zuwanderern zu Einheimischen, S. 153–488.
32 Wassermann: Jewish History, 1981; Glanz: Geschichte des niederen jüdischen Volkes in Deutschland, S. 129 ff.
33 Baer: Galut, S. 29 ff.; Sharot: Jewish Milleniarism, 1980.

34 Daniel 12,2: »Viele von denen, die im Staub der Erde schlafen, werden erwachen, die einen zum ewigen Leben, die anderen zur Schmach, zur ewigen Schande«. Zohar, Daniel 12,3: Die »... Einsichtigen werden glänzen wie der Glanz (Zohar) des Himmels«. Ähnliche Prophezeiungen schon in Hosea 3,5 oder Amos 9,11, wo von der Wiederaufrichtung der verfallenen Hütte Davids die Rede ist. Scholem: Zum Verständnis der messianischen Idee im Judentum, 1968, S. 20: »Der jüdische Messianismus ist in seinem Ursprung und Wesen ... eine Katastrophentheorie.« Dazu grundlegend ders.: Die jüdische Mystik in ihren Hauptströmungen, v. a. S. 297 ff.; Silver: History of Messianic Speculation in Israel; Hurwitz: Die Gestalt des sterbenden Messias; Zobel: Der Messias und die messianische Zeit in Talmud und Midrasch.

35 Graupe: Die Entstehung des modernen Judentums, S. 55: Die Juden »... klammerten sich an den ersten besten, der ihnen das Ende ihrer Leiden und die messianische Verwirklichung verhieß.«

36 Scholem: Sabbatai Sevi. Schon vor Zwi waren Juden aufgetreten, die sich als Erlöser ausgegeben hatten. So z. B. Ascher Lemlein (1502), David Reubeni (1490–1535) oder Schlomo Molcho (1500–1532). Freilich blieb ihr Auftreten regional begrenzt und ließ sich keineswegs mit der Bedeutung von Zwi vergleichen. Scholem (Die jüdische Mystik, S. 327 f.) begründet dies damit, daß der Sabbatianisnius (die Lehre und Bewegung Zwis) »... der erste ernsthafte Aufstand im Innern des jüdischen Bewußtseins seit dem Mittelalter (war), sind doch die mystischen Gedankengänge in ihm die erste Ursache für den inneren Zerfall des orthodoxen Judentums ...«.

37 Im Folgenden eine Zusammenstellung der wichtigen Literatur zur Geschichte des Judentums in Mitteleuropa ab 1648: Weinryb: Reappraisals in Jewish History, in: Lieberman und Hyman (Eds.): Baron Jubilee Volumes II; Baron: Problems of Jewish Identity, 1980; Meyer: Where does the modern period of Jewish History begin?, 1975; Dinur: Jewish History, in: Ben-Sasson und Ettinger (Eds): Jewish Society, S. 15–29; Jacob Katz: Judaism und Christianity, in ders.: Emancipation und Assimilation, S. 111–127; Yerushalmi: Zachor: Jüdische Geschichte und jüdisches Gedächtnis. Freund: Die Emanzipation der Juden in Preußen I, 11 (II = Aktenband); Jacobson (Hrsg.): Die Judenbürgerbücher der Stadt Berlin 1809–1851; ders.: Jüdische Trauungen in Berlin 1759–1813; Stern: Der preußische Staat und die Juden, I, 1 und 2; II, 1 und 2; III, 1 und 2 Teil 1 und 2 (I, 2; II,2; III, 2 Teil 1 und 2 jeweils Aktenbände). Dazu auch die wichtige Zusammenstellung und Auswertung der statistischen Daten von Silbergleit: Die Bevölkerungs- und Berufsverhältnisse der Juden im Deutschen Reich.
Jacob Katz: Emancipation and Assimilation, ders.: Out of the Ghetto; dazu die wichtige Forschungsübersicht von Toury: Neue hebräische Veröffentlichungen zur Geschichte der Juden, 1961; Poppel: New Views on Jewish Integration in Germany, 1976; Baron: Some recent Literature on the History of the Jews, 1962; ders.: Newer Approaches to Jewish Emancipation, 1960.
Lestschinsky: Das wirtschaftliche Schicksal des deutschen Judentums; ders.: Die Umsiedlung und Umschichtung des jüdischen Volkes, 1929 und 1930. Ruppin: Soziologie der Juden, I und II. Rachel und Wallich: Berliner Großkaufleute und Kapitalisten, I–III, Berlin 1967. Rachel war ein bedeutender Wirtschaftshistoriker, der sich schon in den zwanziger Jahren als Kenner der preußischen Geschichte ausgewiesen hatte. Der Bankier Wallich hatte 1905 über die Konzentration im deutschen Bankwesen promoviert. Sein Vater Hermann war einer der beiden Gründungsdirektoren der Deutschen Bank gewesen. Dazu die Doppelmemoiren der beiden Wallichs: Zwei Generationen im deutschen Bankwesen 1833–1914.
Schnee: Die Hoffinanz und der moderne Staat, I–VI. Arkin: West European Jewry in the Age of Mercantilism, 1960; Carsten: The Court Jews, 1958. Für die überragende Rolle

jüdischer Unternehmer in der Finanzwirtschaft v.a.: Fritz Stern: Gold und Eisen. Darüber hinaus u.a.: Treue: Das Bankhaus Mendelssohn, 1972; ders.: Abraham Oppenheim (1804–1878), 1962; Kocka (Hrsg.): Bürgertum im 19. Jahrhundert, I–III, insbes.: II, S. 343 ff. Dazu auch Prinz: Juden im deutschen Wirtschaftsleben 1850–1914.
Rürup: Emanzipation und Antisemitismus; ders.: Emanzipation und Krise, in: Mosse (Hrsg.): Juden im Wilhelminischen Deutschland 1890–1914, S. 1–56; Herzig: Die Juden in Preußen im 19. Jahrhundert, in: Freimark (Hrsg.): Juden in Preußen, S. 32–58. vgl hierzu auch die von Toury zusammengestellte Dokumentation: Der Eintritt der Juden ins deutsche Bürgertum. Toury: Geschichte der Juden in Deutschland.
Altmann: Moses Mendelssohn, Eisenstein Barzilay: Moses Mendelssohn, 1961Pelli: The Age of Haskalah; Weinryb: Enlightenment und German-Jewish Haskalah, 1963.
Sorkin: The Genesis of the Ideology of Emancipation, 1987, Hertz: Jewish High Society in Old Regime Berlin; dies. (Hrsg.): Briefe an eine Freundin.
Meyer, (Hrsg.): Deutsch-jüdische Geschichte in der Neuzeit, Bd 1: Tradition und Aufklärung: 1600–1780 (von Breuer und Graetz); Bd. 2: Emanzipation und Akkulturation: 1780–1871 (von Brenner, Jersch-Wenzel und Meyer), München, 1996. Kotowski, Schoeps u. Wallenborn (Hrsg.): Handbuch zur Geschichte der Juden in Europa. Kaplan (Hrsg.): Geschichte des jüdischen Alltags in Deutschland vom 17. Jahrhundert bis 1945. Rürup Richarz: Der Eintritt der Juden in die akademischen Berufe. Dies. (Hrsg.): Jüdisches Leben in Deutschland, 3 Bde. Brammer: Judenpolitik und Judengesetzgebung in Preußen 1812 bis 1847. Bruer: Geschichte der Juden in Preußen (1750–1820).

II Neue Ära

1 Für das Folgende insbes. Dubnow: Weltgeschichte der jüdischen Volkes, VII, S. 264 ff. (= § 32).
2 Dubnow, S. 271.
3 Karniel: Die Toleranzpolitik Kaiser Josephs II., S. 30ff.
4 Kestenberg-Gladstein: Neuere Geschichte der Juden in den böhmischen Ländern.
5 Dubnow, S. 292. Dazu insbes. auch: Mahler: A History of modern Jewry, S. 235 ff.
6 Zu den süddeutschen Staaten: Berthold-Hilpert: Bayern und Süddeutschland 1648–1871, hier insbes.: S. 70f., in Kotowski, Schoeps, Wallenborn (Hrsg.): Handbuch der Geschichte der Juden in Europa, I, S. 67–77.
7 Berthold-Hilpert, a.a.O., S. 70.
8 Glanz: Geschichte des niederen jüdischen Volkes in Deutschland, S. 128 ff. Dort S. 100ff. auch zu jüdischen Gauner- und Räuberbanden.
9 Berthold-Hilpert, a.a.O., S. 74.
10 Heuberger u. Krohn: Hinaus aus dem Ghetto, S. 13 ff. Grundlegend dazu: Arnsberg: Die Geschichte der Frankfurter Juden sowie Kracauer: Geschichte der Juden in Frankfurt.
11 Zitiert bei Ferguson: Die Geschichte der Rothschilds, I, S. 56.
12 Goethe: Dichtung und Wahrheit, Erster Teil, 4. Buch, S. 149 f.
13 Zitiert bei Ferguson, a.a.O., S. 57.
14 Arnsberg, I, S. 69f.
15 Ferguson, a.a.O., S. 58.
16 Arnsberg, I, S. 71.
17 Freimark (Hrsg.): Juden in Preußen. Juden in Hamburg; Herzig (Hrsg.): Die Juden in Hamburg 1590–1990, v. a. S. 21 ff. u. 41 ff. sowie S. 61 ff. Kellenbenz: Sephardim an der unteren Elbe.
18 Dubnow, a.a.O., S. 312 f.

19 Marwedel (Hrsg.): Die Privilegien der Juden in Altona; Graupe (Hrsg.): Die Statuten der drei Gemeinden Altona, Hamburg und Wandsbek. Quellen zur jüdischen Gemeinde-Organisation im 17. und 18. Jahrhundert, Hamburg 1973. Helga Krohn: Die Juden in Hamburg 1800–1850. dies.: Die Juden in Hamburg 1848–1918.

20 Selma Stern: Der preußische Staat und die Juden I, 1, S. 6 ff. Zur Zitierweise dieses Werks: Die hier in römischen Ziffern und jeweils mit arabisch 1 angeführten Bände enthalten die Darstellungen. Arabisch 2 ist jeweils der entsprechende Quellenband, der für III, 2 aus zwei Teilen besteht. Dazu auch die beiden älteren Werke von Ackermann: Münzmeister Lippold; Geschichte der Juden.

21 Köhler: Die Juden in Halberstadt; Frankl: Die politische Lage der Juden in Halberstadt, 1928; Baer: Die Geschichte der Landjudenschaft des Herzogtums Kleve.

22 Erdmannsdörfer (Hrsg.): Urkunden und Aktenstücke I, S. 479; dazu auch Dorwart: The Prussian Welfare State before 1740, S. 121.

23 Pribram (Hrsg.): Geschichte der Juden in Wien I, S. XXXVIII ff.; Stern: Der preußische Staat I, 1, S. 10 ff.

24 Stern: ebda. I, 2, Nr. 11; Moritz Stern: Die Niederlassung der Juden in Berlin, 1930.

25 Beheim-Schwarzbach: Hohenzollersche Kolonisationen; Schmoller: Das Merkantilsystem; ders.: Die preußische Einwanderung und ländliche Kolonisation des 17. und 18. Jahrhunderts; beides in: ders.: Umrisse und Untersuchungen, S. 1–60 bzw. 562–627. Siehe auch Jersch-Wenzel: Juden und »Franzosen«, S. 21.

26 Stern: Der preußische Staat I, 2, Nr. 23, wo auch noch ausgeführt wurde: »Wo sich etwas an gutem Gelde aufdeckt, wird es von diesen Leuten aufgewechselt, nicht minder wird zum Schaden der Einwohner heimlicher Wucher betrieben«.

27 Isaacson (Hrsg.): Ständische Verhandlungen X, S. 610.

28 Stern: Der preußische Staat I, 2, Nr. 27; Isaacson, a.a.O., S. 613.

29 Jersch-Wenzel, a.a.O.; Nachama: Ersatzbürgertum und Staatsbildung. Damit hing die relativ rasche Zunahme der Juden zusammen.

30 Dietrich: Der preußische Staat und seine Landesteile, in: Baumgart (Hrsg.): Expansion und Integration, S. 1–31; hier S. 9.

31 Nachama, a.a.O., S. 119; Nachama sieht die Politik des Kurfürsten generell unter der Leitlinie der Heranziehung von Ausländern zwecks Ausschaltung der Stände und einheimischen Machtträger, so z.B. S. 6.

32 Stern: Der preußische Staat I, 1, S. 68 ff. Dort (S. 75) auch Sterns Wertung der Politik des Kurfürsten: »... Friedrich Wilhelm benutzte die Juden im Kampf gegen die Stände ... Sie waren ihm eines der Geschütze, mit denen er die ständische Welt zerschlug, wie sie ihm gleichzeitig eines der Gerüste waren, mit denen er den modernen Staat aufbaute.«

33 Siehe Bratring: Statistisch-topographische Beschreibung I, S. 33. In Berlin allein lebten um die Jahrhundertwende 117 jüdische Familien; vgl. Stern: Der preußische Staat I, 2, S. 529 f.

34 Stern I, 2, Nr. 284. Die Akzise war eine Warensteuer, die für nahezu alle Güter vor dem Passieren der Stadttore zu entrichten war. Juden zahlten in Preußen Akzisesätze, die etwa doppelt so hoch lagen wie die der Einheimischen, siehe u.a. Stern: Der preußische Staat I, 1, S. 124.

35 Stern: ebda., S. 123, wo die Steuereinnahmen Königsbergs dargestellt sind. Eine sehr gute Übersicht hierzu bietet Ziechmann: Das Finanz- und Steuerwesen, in ders. (Hrsg.): Friedrich der Große und seine Epoche, S. 335–348.

36 1689 erging an die Juden des gesamten Landes die Aufforderung, statt der Einzelzahlungen innerhalb von vier Wochen 20.000 Taler aufzubringen. Dies wurde schließlich auf 16.000 Taler reduziert (vgl. Stern: Der preußische Staat I, 1, 5. 82 und I, 2, Nr.

206). Dies waren aber noch vergleichsweise vorsichtige Versuche, die Leistungsfähigkeit der Juden auszuloten.

37 Als nicht bezahlt wurde, erging am 14. Juni 1701 für die gesamte Provinzialjudenschaft die Anordnung, daß »... ein jeder Jude sein Vermögen nach vorhergegangener Verwarnung, sich für den Meineid zu hüten, bei unserem Hausvogt eidlich angeben und von jedwedem 100 des ganzen Vermögens den zehnten Pfennig innerhalb vierzehn Tagen a dato dieser Ankündigung Vermeidung der Exekution zu Unserer Hausvogtei bezahlen solle« (Ebda.I, 2, Nr. 257, 233).

38 Ebda. und I, 1, S. 84. Beispielsweise zahlte Kleve statt 5.000 in bar nur 2.500 Reichstaler und diese Summe auch noch in Raten bis 1711 verteilt. Weitere Abgaben kamen mit der Umwandlung von Einzelsteuern bei Heirat und Geburt in jährliche Solidarzahlungen von 300 Reichstalern (Ebda. I, 2, Nr. 329). Für »Abkaufung eines gewissen Zeichens« waren 8.000 Reichstaler zu entrichten (Jersch-Wenzel, a.a.O., S. 55 ff.; Stern, a.a.O., I, 1, S. 86). Dieses »gewisse Zeichen« war wohl eine Art Judenstern, wie ihn die Juden im Mittelalter hatten tragen müssen. »Abkaufen« ist hier so zu verstehen, daß die Juden 8.000 Taler zahlen mußten, um die angedrohte Verpflichtung zum Tragen des Zeichens aus der Welt zu schaffen.

39 Mit dem Landtagsrezeß (1653) für die Mark Brandenburg, der Annahme des kurfürstlichen Entwurfs durch die klevischen und märkischen Stände (1660) sowie dem Königsberger Landtagsabschied (1663) hatten die Territorien der fürstlichen Macht bereits nachgeben müssen. Hartung: Deutsche Verfassungsgeschichte, S. 100 ff.; Dietrich, a.a.O.; Nachama, a.a.O., S. 74 f. Die Kämpfe um die Rechte zum Erheben der Steuern markierten den Übergang zum absolutistischen Staat.

40 Hintze: Staat und Gesellschaft unter dem ersten König, in: ders.: Gesammelte Abhandlungen III, S. 313–418, hier S. 331.

41 Hintze: Hof- und Landesverwaltung in der Mark Brandenburg unter Joachim II., ebda. S. 204–254; hier 216 ff. Stern: Der preußische Staat I, 1, S. 30.

42 Hintze III, S. 321.

43 Heinrich: Geschichte Preußens, S. 165 f.; Hartung: Studien zur Geschichte der preußischen Verwaltung, in ders.: Staatsbildende Kräfte der Neuzeit, S. 178–344; Neugebauer: Zur neueren Deutung der preußischen Verwaltung, in Büsch und Neugebauer (Hrsg.): Moderne preußische Geschichte, 3 Bde., hier II, S. 541–597, S. 549.

44 Stern: Der preußische Staat I, 1, S. 93 ff.

45 Ebda. S. 94, Anm. 1.

46 Freund: Die Emanzipation der Juden in Preußen II, S. 21.

47 Dazu Stern II, 2, Nr. 230; die Judenkommission war 1750 abgeschafft worden, siehe Stern III, 2, Teil 1, Nr. 108.

48 Acta Borussica, Behörden-Organisation, V, Teil 1, S. 23. Ranke: Zwölf Bücher preußischer Geschichte, II, S. 145: »... die gesamte Administration hatte den Zweck, die Armee zu erhalten und zu vermehren.«

49 Behre: Geschichte der Statistik in Brandenburg-Preußen, S. 123. Büsch: Militärsystem und Sozialsystem im alten Preußen 1713–1807, S. 2 (zur Doppelbeanspruchung der Untertanen).

50 Büsch, a.a.O., S. 45; Ziekursch: 100 Jahre schlesischer Agrargeschichte, S. 131; Baumgart: Geschichte der preußischen Monarchie im 18. Jahrhundert, 1979.

51 In einem Standardwerk zur preußischen Sozialgeschichte wird die desolate Ausgangslage des Hohenzollern-Staates so beschrieben: »Die starre Überlieferung, die nichts Neues duldete, herrschte in jener Zeit, und dies um so mehr, als das Zunftwesen innerlich immer mehr versteinerte und seine festen Formen um ihrer selbst willen pflegte ... So konnte man neuen Anregungen, die etwa vom Staate oder flüchtigen französischen Protestanten ausgingen, nur feindlich gesinnt gegenüberstehen.«

(Hinze: Die Arbeiterfrage in Brandenburg-Preußen 1685–1806, S. 46). Henderson: Studies in the Economic Policy; Müller: Domänen und Domänenpächter in Brandenburg-Preußen im 18. Jahrhundert, in Büsch und Neugebauer (Hrsg.): Moderne preußische Geschichte III, S. 316–359.

52 Stern: Der preußische Staat II, 1, S. 9 f. Dort, S. 10 f. die zutreffende Wertung: »So erlebt man in den Akten immer wieder das gleiche Schauspiel: Der König befiehlt, meist in leidenschaftlichem, schroffem oder höhnischem Tone, die Juden zu verjagen oder doch ihre Zahl einzuschränken, die Minister widersprechen, suchen die Befehle aufzuschieben …«.
Diese Haltung und die unter dem Soldatenkönig mit besonderer Härte verfolgte Nutzung der Untertanen für das Staatsinteresse führten zu einer deutlichen Verschlechterung der jüdischen Situation in Preußen. Das »Conformatio privilegii der hiesigen Judenschaft« vom 20. Mai 1714 hatte den Status quo der preußischen Juden in erster Linie konkretisiert und nur unwesentlich verändert. In Ziffer neun des Edikts war das Aufenthaltsrecht verwitweter Schutzjuden erneut ausdrücklich bestätigt worden. Ziffer elf legte fest, daß sich mehr als ein Nachkomme auf das Recht der Eltern berufen durfte, sofern das zweite und dritte Kind ein Vermögen von wenigstens 1.000 beziehungsweise 2.000 Talern aufweisen konnte. In diesen Fällen waren dann 50 respektive 100 Taler an die Staatskasse zu zahlen.
Eine weitere Einschränkung bestand darin, daß die Gemeindevorsteher positive Zeugnisse ausstellen mußten, »damit die Judenschaft all hier, wegen der Armut eines und des anderen, nicht in Armut gebracht, noch beschwert werden möge«. Im Anhang dieses Edikts wurden die Schutzjuden »in hiesigen königlichen Residenzien« aufgeführt: Insgesamt gab es 109 vergleitete Familien: Davon hatten allein sechs ihre Legitimation unter Friedrich Wilhelm I. erhalten. Vgl. Freund II, S. 6 ff.; ebda. S. 9, 14 ff. Dazu auch Wassermann: Jewish History, 1981. Zur Definition des Begriffs »Schutzjude«: »… ein Jude, der von der hohen Landesobrigkeit aus besonderen Gnaden an einem gewissen Orte zu wohnen, und seines Tuns abzuwarten, auf- und in Schutz genommen worden.« So schon Zedlers Universallexikon Bd. 35, Sp. 1717; ähnlich auch bei Stern III, 2. Teil 1, S. 114.

53 Vgl. Freund II, 5. 15 ff.; Stern II, 2, Nr. 230, 234, 240. In ihrer Darstellung (II, 1, S. 20) nannte Stern dieses Gesetz »… den endgültigen Bruch mit dem Mittelalter«. Die Gesamtzahl der Berliner Juden betrug nach dieser Maßnahme 1.198 Personen; nur sieben Jahre später aber bereits 1.836. Siehe Jacobson: Jüdische Trauungen, S. XIX.

54 Stern II, 2, Nr. 193, 194–197.

55 Diese Angaben konnten nicht sehr zuverlässig sein. In der Generalrepartition waren beispielsweise für die Kurmark (ohne Berlin) 100 jüdische Familien gezählt worden. Eine andere Quelle nennt dagegen zu dieser Zeit für die Kurmark 166 vergleitete Familien, siehe Stern, II, 2, Nr. 204. Wie man solche Unterschiede auch erklären mag, eines steht fest: Die preußischen Behörden hatten nur die zur Eintragung gekommenen Familien erfassen können. Die Zahl der illegal, also ohne Schutzbrief in Preußen lebenden jüdischen Familien war mindestens genauso groß.

56 Dazu Stern II, 2, Nr. 199; die Summe wurde 1765 auf 25.000 Taler erhöht. Siehe Geiger: Geschichte der Juden in Berlin, II, S. 96. Zu dem gesamten Vorgang der wichtige Aufsatz von Cohen: Die Landjudenschaften der brandenburgisch-preußischen Staaten, in: Baumgart (Hrsg.): Ständetum und Staatsbildung in Brandenburg-Preußen, S. 208–229; v. a. 216 ff. Cohen wies nach, daß die 1.200 jüdischen Familien Preußens ihr Vermögen damals mit 965.000 Talern veranschlagten. Wassermann: Jewish History, 1981, S. 174.

57 Baumgart: Die Stellung der jüdischen Minorität, 1980, S. 241 ff. Zu den Versuchen Friedrichs II., die Juden aus Westpreußen zu vertreiben: »Friedrich stand ein Beamtentum zur Seite, das sich nicht selten gerechter und vorurteilsfreier zeigte als der

König.« (S. 242). Dazu auch König: Annalen der Juden in den preußischen Staaten, S. 291: Während der Regierungszeit Friedrichs II., vor allem aber nach dem Siebenjährigen Krieg erhielt »... diese Nation in dem preußischen Staate einen Schwung ... der sie über ihre bisherige Verfassung sehr wohl erhob«.

58 Oppeln-Bronikowski (Hrsg.): Die politischen Testamente, S. 28 (= Testament von 1752). Oder im Testament von 1768, ebda. S. 141: »Weder Juden noch sonst jemand habe ich je verfolgt; trotzdem halte ich es für klug, darüber zu wachen, daß sie sich nicht zu stark vermehren.« Dazu auch Grünhagen: Schlesien unter Friedrich dem Großen, II, S. 406 ff. Altmann (Moses Mendelssohn, S. 265 und 275) schildert, wie sehr sich der König einer Aufnahme Mendelssohns in die Berliner Akademie der Wissenschaften widersetzte.

59 Wie viel Friedrich Voltaire verdankte, beschrieb er in einer Mischung aus Offenheit und Schmeichelei selbst: »Regardez mes actions désormais comme les fruits de vos leçons. Je les ai reçues, mon coeur en a été ému et je me suis fait une loi inviolable de les suivre toute ma vie« (zitiert bei Madsack: Der Antimachiavell, S. 36).

III *Aufklärung und Judenfrage*

1 Drews: Der evangelische Geistliche; Greiffenhagen (Hrsg.): Das evangelische Pfarrhaus; Rösch: Der Einfluß des evangelischen Pfarrhauses, S. 21.

2 Dazu Philipp: Spätbarock und frühe Aufklärung, in: Rengstorff u. v. Kotzfleisch (Hrsg.): Kirche und Synagoge II, S. 23–86; Schmidt: Protestantismus vom Aufkommen des Pietismus, ebda. S. 87–128. Ettinger: The Beginnings of the Change in the Attitude, 1961.

3 Merker: Die Aufklärung in Deutschland, S. 172.

4 Wolf (Hrsg.): Luther und die Obrigkeit; Heckel: Staat und Kirche.

5 Schmidt, a.a.O., S. 102: »Die Judenbekehrung wird zum Musterfall für das, was der Pietismus wollte: die Wiederkehr als völlige Neuschöpfung des Menschen.« Schrader: Sulamiths verheißende Wiederkehr, in: Horch und Denkler (Hrsg.): Conditio Judaica I, S. 71–107; Tönnies: Die Arbeitswelt von Pietismus, Erweckungsbewegung und Brüdergemeine, 1971 und 1972. Gründer und Führer des Pietismus war der 1666, mit 31 Jahren zum Senior des geistlichen Ministeriums in Frankfurt am Main berufene Philipp Jakob Spener. Deppermann: Die politischen Voraussetzungen für die Etablierung des Pietismus, 1986.

6 Benutzt wurde die Neuausgabe der Pia Desideria von 1940, die Kurt Aland besorgt hat. Dazu auch Alands Untersuchungen, in ders.: Spener-Studien, 1943, S. 1–66.

7 Pia Desideria 15, 22 ff. Spener: Der hochwichtige Articul von der Wiedergeburt, S. 217. Dazu Schmidt: Der Pietismus und das moderne Denken, in: Aland (Hrsg.): Pietismus und moderne Welt, Bd. 12, 1974, S. 9–74; hier S. 11 ff.

8 Spener: Theologische Bedencken und andere Brieffliche Antworten, IV, S. 89 und I, S. 286. Ebda., III, S. 432.

9 Die wichtigsten Repräsentanten der pietistischen Judenmission waren Heinrich Callenberg, der die 1728 in Halle gegründete Missionsanstalt Institutum Judaicum leitete, und Nikolaus Ludwig Graf von Zinzendorf.

10 Es ging hier um folgende Werte: Unantastbarkeit der weltlichen Ordnung. Arbeit als tätiges Dienen, eine dem Puritanismus und Kalvinismus ähnliche Betonung der Leistung. Eintreten für Gewissensfreiheit und Toleranz.

11 Hinrichs: Preußentum und Pietismus, S. 13: »Der Pietismus wurde in Preußen zum Bannerträger der Staatsmacht ... während der Puritanismus im angelsächsischen Bereich das Banner der Revolution trug.«

12 Mauthner: Der Atheismus und seine Geschichte, II, S. 372 ff.; Wild: Freidenker in Deutschland, 1979. Gawlick: Der Deismus als Grundzug der Religionsphilosophie der Aufklärung, in: Hermann Samuel Reimarus (1694–1768), S. 15–43, S. 25 f. Borinsky: Antijudaistische Phänomene der Aufklärung, 1977, v.a. S. 105.

13 Lüdke: Toleranz und Gewissensfreiheit, S. 204. Gawlick: The English Deist's Contribution, 1976; Sullivan: John Toland and the Deist Controversy.

14 Ettinger: Jehudim wejahadut be-emej ha-deistim (Hebräisch), 1954. Für die projüdische Haltung Englands in der Ära des Puritanismus: David Katz: Philo-Semitism and the Readmission of the Jews to England; Schöffler: Abendland und Altes Testament, in ders.: Wirkungen der Reformation, S. 1–103.

15 Borinsky a.a.O., S. 113: ähnlich Katz: From Prejudice to Destruction, S. 33. Norman Torrey (Voltaire and the English Deists) beschrieb, wie einzelne Deisten Voltaires Einstellung zur Religion prägten; S. 108 ff. beispielsweise Matthew Tindal. Grundlegend Pomeau: La Religion de Voltaire sowie Besterman: Voltaire. Im Gegensatz zu Voltaire äußerten sich Montesquieu, Diderot und Rousseau kaum über die Juden. Anders der Marquis d'Argens, der wie Voltaire in der deistischen Tradition stand und mit Friedrich II. befreundet war.

16 »Nous ne toucherons le moins que nous pourrons à ce qui est divin dans l'histoire des Juifs; ou si nous sommes forcés d'en parler, ce n'est qu'autant que leurs miracles ont un rapport essentiel à la suite des événements. Nous avons pour les prodiges continuels qui signalèrent tous les pas cette nation le respect qu'on leur doit; nous les croyons avec la foi raisonnable qu'exige l'Eglise substitute ä la Synagogue; nous ne ins examunons pas; nous en tenons toujours à l'historique.«
Oder: »Enfin vous ne trouverez en eux qu'un peuple ignorant et barbare, qui joint depuis longtemps la plus sordide avarice à la plus détestable superstition, et ä la plus invincible haine pour tous les peuples qui les tolèrent et qui les enrichissent.« Immerhin: »Il ne faut pourtant pas les brûler«. Voltaire: Essai sur les moeurs, I, S. 135 f. Voltaire: »Dictionnaire Philosophique«, in: Oeuvres Complètes XIX, S. 521.
Bezeichnend auch der letzte Abschnitt des Dictionnaire, in dem sich Voltaire an die Juden richtete: »Vous fûtes des monstres de cruauté et de fanatisme en Palestine, nous l'avons été dans notre Europe ... Vous êtes des animaux calculants: tachez d'être des animaux pensants« (ebda. S. 541). Neben diesen Urteilen wirken Voltaires an anderer Stelle formulierte Versuche der Annäherung wie zufällige Beschönigungen: »Juden, Katholiken, Griechen, Lutheraner, Calvinisten... leben als Brüder nebeneinander und tragen mit gleichen Kräften zum Besten der Gesellschaft bei« (Abhandlung über die Religionsduldung, S. 43). Emmrich: Das Judentum bei Voltaire, insbes. S. 256 ff.; Hertzberg: The French Enlightenment and the Jews, S. 10: »... Voltaire ... is the major link in Western intellectual history between the anti-Semitism of classic paganism and the modern age.«

17 Vgl. u.a. Merker: Die Aufklärung in Deutschland, S. 174.

18 Kiesel und Münch: Gesellschaft und Literatur im 18. Jahrhundert, S. 77 ff.; Haferkorn: Der freie Schriftsteller, 1962–64.

19 Rilla: Lessing und sein Zeitalter, S. 341. Lötzsch: »Was ist Aufklärung?«, 1970/72; Werner: Der protestantische Weg des Glaubens, I, S. 384 ff.; S. 393; Scholder: Grundzüge der theologischen Aufklärung in Deutschland, in: Kopitzsch (Hrsg.): Aufklärung, Absolutismus und Bürgertum in Deutschland, S. 294–318.

20 Teller: Die Religion der Vollkommneren, S. 486. Hierzu: Lütgert: Die Religion des deutschen Idealismus, I, S. 3; Rösch: Der Einfluß des evangelischen Pfarrhauses, S. 44.

21 Heinrich: Festung, Flüchtlingsstadt und Fürstenresidenz, 1974; Jersch-Wenzel: Juden und »Franzosen«.

22 Siehe Wundt: Die deutsche Schulphilosophie, S. 146 ff.mit einer vollständigen Liste von Wolffs Werken. Schneiders (Hrsg.): Christian Wolff 1679–1754; Gawlick: Christian Wolff und die Deisten, ebda. S. 139–147. Besonders wichtig hierzu: Klaus Fischer: John Locke in the German Enlightenment, 1975

23 Vgl. Hans M. Wolff: Die Weltanschauung der deutschen Aufklärung, S. 99 ff.; Bachmann: Die naturrechtliche Staatslehre Christian Wolffs, S. 53; Lempp: Das Problem der Theodizee.

24 Vernünfftige Gedancken von der Menschen Thun und Lassen (Moral), 24; ibid.: »Wer also sein Tun und Lassen nach der Vernunft einrichtet, … der lebet nach dem Gesetze der Natur, und insoweit einer vernünftig ist, insoweit kann er nicht dem Gesetze der Natur zuwiderhandeln.« 38: »Und vollbringet … ein Vernünftiger das Gute …, und unterläßt das Böse … er Gott ähnlich wird … durch die Vollkommenheit seiner Natur.«

25 Vernünfftige Gedancken von Gott, der Welt und der Seele des Menschen (Metaphysick), 72. Wobei in Deutschland eine radikalere, gegen Thron und Altar gerichtete Aufklärung keine Chance gehabt hätte. Fink: Des Privilèges Nobilitaires aux Privilèges Bourgeois, 1973; Vierhaus: Politisches Bewußtsein in Deutschland vor 1789, 1967; Epstein: Die Ursprünge des Konservatismus in Deutschland, v.a. S. 47 ff.

26 Lempp, a.a.O., S. 121 ff., 150 ff.

27 Hein (Hrsg.): Briefe Friedrichs des Großen, II, S. 154. Ähnlich in einem Brief an d'Alembert, ebda. S. 182.

28 Gottsched: Gesammelte Schriften, VI, S. 6; Martens: Die Botschaft der Tugend, S. 261 ff.

29 Gellert: Sämtliche Schriften, IV, S. 348 ff., 304.

30 Lessing: Werke I, S. 414..

31 Zitiert nach dem Text bei Göbel (Hrsg.): Lessings »Nathan«, S. 179.

32 Jenzsch: Jüdische Figuren in deutschen Bühnentexten, S. 164 f. u. 229; Klemm: Der Topos vom Guten Juden, 1970/72, v.a. S. 370 f.

33 Zitiert nach Kohut: Geschichte der deutschen Juden, S. 763. Dort auch die Einschätzung: »Die Berliner Bevölkerung am Ausgang des 18. Jahrhunderts kannte keine Spur von Judenhaß …«

34 Abgedruckt bei Toury: Eine vergessene Frühschrift zur Emanzipation der Juden, 1969, hier: S. 279, 281. Zum Wandel in der Publizistik allgemein: Toury: Die Behandlung jüdischer Problematik in der Tagesliteratur der Aufklärung, 1976.

35 Michael Fischer: Die Aufklärung und ihr Gegenteil; Dann: Die Anfänge politischer Vereinsbildung in Deutschland, in: Engelhardt u.a. (Hrsg.): Festschrift für Werner Conze, S. 197–232; Nipperdey: Verein als soziale Struktur in Deutschland, in ders.: Gesellschaft, Kultur, Theorie, S. 174–205; 439–447; Dülmen: Die Aufklärungsgesellschaften in Deutschland als Forschungsproblem, 1977; Tenbruck: Freundschaft, 1964, S. 436, 441: »Die große Epoche der Freundschaft in der deutschen Geschichte ist zweifellos das Jahrhundert von 1750 bis 1850... Hier gelingt in einer sozial heterogenen Welt die Stabilisierung des Daseins durch die Freundschaftsbeziehung«.

36 Nipperdey, a.a.O., S. 180 ff.; Dülmen, a.a.O., S. 251, S. 230 teilt die Entwicklung des Vereinswesen in drei Phasen: 1760–1791: Gründung, Ausweitung und Politisierung. 1792–1806: Repression im Schatten der Revolution. 1807–1818: Nationalismus und Widerstand gegen Napoleon.

37 Grundlegend hierzu und zu der damit zusammenhängenden Thematik des Freimaurertums in der Aufklärung: Ludz (Hrsg.): Geheime Gesellschaften; Koselleck: Kritik und Krise; Manheim: Aufklärung und öffentliche Meinung; Fink: Lessings Ernst und Falk, 1980.

38 Dann, a.a.O., S. 203 ff.; Kaeber: Geistige Strömungen in Berlin, 1943; Jentsch: Geschichte des Zeitungslesens; Prüsener: Lesegesellschaften im 18. Jahrhundert; Rollka: Tageslektüre in Berlin, 1979. »Die Lesezirkel bilden die Truppe der Aufklärung; die Presse liefert ihre Offizierskorps, die Philosophen ihren Generalstab. Ihre Mitglieder kämpfen in vorderster Reihe, denunzieren die Sünder vor den Journalisten, verbreiten die neuesten Ansichten und bahnen den Reformen den Weg« (Brunschwig: Gesellschaft und Romantik in Preußen, S. 53).

38 Vierhaus: Aufklärung und Freimaurerei in Deutschland, in: Festschrift Reinhard Wittram, S. 23–41. Die großen Logen nahmen Juden aber erst im frühen 19. Jahrhundert als Mitglieder auf, dazu Katz: Jews and Freemasons, S. 17 ff.

39 Möller: Friedrich Nicolai, S. 229 ff.

40 Ebda. S. 232 f.; Helmuth: Aufklärung und Pressefreiheit, 1982, S. 317. Diese Gesellschaft ist nicht zu verwechseln mit dem 1796 gegründeten gleichnamigen Verein, der mehr einem Konversationszirkel glich, siehe Fürst (Hrsg.): Henriette Herz, S. 102 f.

41 Moses Mendelssohn: Gesammelte Schriften, I, S. 30; Möller, a.a.O., S. 241.

42 Hellmuth, a.a.O.; Eberhard Günter Schulz: Kant und die Berliner Aufklärung, 1974; Zimmermann: Fragmente über Friedrich den Großen, S. 312: »An diesem Tage erhielt die Berliner Aufklärungssynagoge den berühmten Stoß in den Hintern«.

43 Goeckingh (Hrsg.): Friedrich Nicolai's Leben und literarischer Nachlaß, S. 91.

44 Hay: Staat, Volk und Bürgertum in der Berlinischen Monatsschrift, S. 8. Interessant ist die soziale Herkunft der rund 300 Autoren dieser Zeitschrift: 80 Professoren und Lehrer, 60 Beamte, 50 Klerikale; dazu: 45 Adlige und 10 Juden. Siehe Möller, a.a.O., S. 252; Johanna Schultze: Die Auseinandersetzung zwischen Adel und Bürgertum, S. 20.

45 Harald Scholtz: Friedrich Gedike, 1965.

46 Möller, a.a.O.; Fabian (Hrsg.): Friedrich Nicolai.

47 Nicolai: Magister Sebaldus Nothanker, S. 216.

48 Ders.: Leben Justus Mösers, S. 48.

49 Lessing: Werke VII, S. 24; Allison: Lessing and the Enlightenment; Harald Schultze: Lessings Toleranzbegriff. Noch deutlicher im Nachlaß: »Alle positiven und geoffenbarten Religionen sind folglich gleich wahr und gleich falsch« (Werke VII, 5. 283).

50 Rothe: Die Stellung der evangelischen Theologie zum Judentum, S. 68. Dazu auch Nigg: Das Buch der Ketzer, S. 474.

51 Lessing: Werke VII, S. 329.

52 Daß der Deismus hier nur noch wenige Jahre ein Thema blieb, hängt mit dem bald darauf einsetzenden Niedergang der Aufklärung zusammen. Zum Niedergang der Aufklärung u. a. Kelly: Idealism, Politics and History, S. 75 ff.

53 Lessing: Werke VII, S. 426 ff., 457 ff.

54 Schmidt (Hrsg.): Übrige noch ungedruckte Werke des Wolfenbüttlischen Fragmentisten, S. 38.

55 Sieveking: Reimarus, 1939, S. 176.

56 Lessing: Werke VIII, S. 489 ff.

57 Rothe, a.a.O., S. 65: »Lessings Toleranz umfaßte dagegen nicht allein das aufgeklärte Judentum, sondern galt den Juden schlechthin. Das war das unerhört Neue. Hierin unterschied er sich von den meisten Aufklärern, welche die aufgeklärten Juden... nur darum als ihresgleichen annahmen, weil sie in ihnen die Aufklärer sahen.«

58 Lessing: Gesammelte Werke (Rilla), VIII, S. 489.

59 Brief vom 18.10.1785 an den Naturforscher Leopold Freiherr von Hirschen, Gesammelte Schriften, V, S. 640.

60 Dambacher: Christian Wilhelm von Dohm; Möller: Dohms Schrift »Über die bürgerliche Verbesserung der Juden«, 1980; Altmann (Ed.): Letters from Dohm to Mendelssohn, in: Lieberman and Hyman (Eds.): Baron Jubilee Volumes I, S. 39–62.
61 Möller (Nicolai, S. 279) nimmt an, daß Dohms Schrift ohne Nicolais Mitwirken nicht erschienen wäre.
62 Dohm: Über die bürgerliche Verbesserung der Juden, I, S. 34.
63 Ebda.
64 Ebda., S.37 ff.
65 Dohm, a.a.O., II, S. 240. Die neun Punkte in ders., a.a.O., I, S. 110–127.
66 Dohm, a.a.O., II, S. 242. Reuss: Christian Wilhelm Dohms Schrift; Eichstädt: Bibliographie zur Judenfrage, I, S. 8 ff., führt 88 Titel an, die zu Dohms Schrift Stellung bezogen. Dazu auch Mendelssohn, in Gesammelte Schriften, III, S. 179.
67 Cranz: Berlinische Correspondenz, 52. Stück, S. 841 ff.
68 Dohm, a.a.O., II, S. 31–71; hier S. 34 f., 43, 44 ff. Die von Dohm noch verstärkte und beschleunigte Wende belegen die jeweiligen Artikel »Juden« in den wichtigen deutschsprachigen Lexika dieser Zeit. Suchy: Lexikographie und Juden im 18. Jahrhundert.
69 Hettner: Geschichte der deutschen Literatur, III, S. 38 ff.
70 Kraus: Geschichte der historisch-kritischen Erforschung des Alten Testaments, S. 97 ff., insbes. S. 101, 103.
71 Orientalische und exegetische Bibliothek, XXII, 1783, S. 95
72 Michaelis bei Dohm, a.a.O., II, S. 61.
73 Hartmann: Untersuchung, S. 172. Dazu Dohm, a.a.O., II, 5. 25 ff.; Geiger: Geschichte der Juden II, S. 155 ff.
74 Ephemeriden der Menschheit 1782, S. 417 431; hier S. 426 f Wichtig hierzu Toury Emanzipation und Judenkolonien, 1982.
75 Diez: Über die Juden, S. 41 f., 46.
76 Schuckmann: Ueber Judenkolonien, 1785, S. 56 f. Kaspar Friedrich von Schuckmann, der Autor dieser Schrift, wurde später preußischer Innenminister. In der Restaurationszeit erwies er sich als einer der kompromißlosesten Gegner der Judenemanzipation. Zu Dohms Replik siehe Dohm, a.a.O., II, S. 119.
77 Dohm Denkwürdigkeiten meiner Zeit II, S. 269
78 Dazu Katz: The German-Jewish Utopia, in: ders.: Emancipation and Assimilation, S. 91–110; S. 96 ff.

IV Machtstaat in Aktion

1 Dohm: Denkwürdigkeiten meiner Zeit, IV, S. 484.
2 Aus der uferlosen Literatur zu Friedrich II.: Schieder: Friedrich der Große; Sellin: Friedrich der Große und der aufgeklärte Absolutismus, in Engelhardt u.a. (Hrsg.): Festschrift für Werner Conze, S. 83–112.
3 Vehse: Geschichte des preußischen Hofes, IV, S. 113.
4 Selma Stern: Der preußische Staat und die Juden, III, 1, S. 9 f.
5 Ebda. III, 2, Teil 1, Nr. 69.
6 Ebda. Nr. 101.
7 Rönne und Simon: Die früheren und gegenwärtigen Verhältnisse der Juden, S. 242 ff.; Koch: Die Juden im Preußischen Staate; Freund: Die Emanzipation der Juden in Preußen, II, S. 14 ff.
8 Gut dargestellt bei Koch: a.a.O., S. 32 ff.
9 Ebda. S. 42, Anm. 8.
10 Freund, a.a.O., I, S. 22 f.
11 Freund, I, S. 24 f.
12 Ebda.

13 Ebda.
14 Jacobson (Hrsg.): Jüdische Trauungen in Berlin 1759–1813, S. XX.
15 Freund, I, S. 25.
16 Craig: Frederick the Great and Moses Mendelssohn, 1987.
17 Berlinische Monatsschrift, 12. Stück, 1784, S. 556.
18 Rachel: Die Juden im Berliner Wirtschaftsleben, 1930; ders.: Berliner Wirtschaftsleben im Zeitalter des Frühkapitalismus, S. 1–52, 220–232.
19 Freund, II, S. 3 ff., hier S. 17.
20 Ebda. S. 18.
21 Sobald beispielsweise ein Schutzjude dem ihm zugewiesenen Ort ohne eine spezielle Erlaubnis mehr als ein Jahr fernblieb, wurde der Schutzbrief nach den 1750 erlassenen Bestimmungen eingezogen. Siehe Freund, II, S. 33.
22 Freund, II, S. 26.
23 Schieder, a.a.O., S. 473 ff.
24 Blaich: Die Epoche des Merkantilismus; Barkhausen: Staatliche Wirtschaftslenkung und freies Unternehmertum, 1958; Hinze: Die Arbeiterfrage in Brandenburg-Preußen 1685–1806; Henderson: Studies in die Economic Policy of Frederick the Great; Klaveren: Die Manufakturen des Ancien Regime, 1964; Treue: Das Verhältnis von Fürst, Staat und Unternehmer, 1957; Rachel: Der Merkantilismus in Brandenburg-Preußen, in: Büsch und Neugebauer (Hrsg.): Moderne preußische Geschichte, II, S. 951–993.
25 Stern, II, 1, S. 58; Oppeln-Bronikowski (Hrsg.): Die politischen Testamente, S. 222.
26 Friedländer: Akten-Stücke, S. 66 ff.; Rachel: Die Juden im Berliner Wirtschaftsleben, 1930, S. 188 f.; Jersch-Wenzel: Juden und »Franzosen«, S. 196 f., 260 f. Dazu auch Toury: Der Eintritt der Juden ins Bürgertum, in: Liebeschütz und Paucker (Hrsg.): Das Judentum in der deutschen Umwelt 1800–1850, S. 139–242; hier S. 201. Krüger: Zur Geschichte der Manufakturen, S. 255.
27 Horn Melton: Arbeitsprobleme des aufgeklärten Absolutismus, 1982; Mittenzwei: Preußen nach dem Siebenjährigen Krieg, S. 135 ff.; Rosenberg: Bureaucracy, Aristocracy und Autocracy, S. 131 ff.,
28 Zitiert bei Krüger, a.a.O., S. 252.
29 Forberger: Die Manufaktur in Sachsen, S. 178 ff.; Bensch: Die Entwicklung der Berliner Porzellan-Manufaktur. W. Baer: Von Gotzkowsky zur KPM.
30 Mittenzwei: Preußen nach dem siebenjährigen Krieg, S. 122.
31 Mieck: Preußischer Seidenanbau, 1969, S. 498. In der älteren Literatur wurde dieser Teil der Friderizianischen Wirtschaftspolitik wesentlich positiver beurteilt. Dazu u.a. Hintze: Die preußische Seidenindustrie des 18. Jahrhunderts, 1893.
32 Stern, III, 1, S. 186 ff.
33 Jersch-Wenzel, a.a.O., S. 190 f.
34 Zum Schleichhandel und Schmuggel jüdischer Händler: Acta Borussica. Die preußische Seidenindustrie, I, Nr. 175, 246, 236 ff.; II, Nr. 449 ff., 642. Was hier in einem Teilbereich der preußischen Wirtschaftspolitik an Korruption möglich war, ist notabene auch für die preußische Judenpolitik insgesamt anzunehmen. Von der Tragweite dieses Problems vermittelt die Bemerkung eines hochrangigen Beamten eine Vorstellung: »Die Erfahrung hat gezeigt, wie leicht ein paar Membra (in dem Fall Beamte) von den Juden captiviert (bestochen) werden können«, siehe Stern, III, 2, Teil 1, Nr. 106. Zur Bestechlichkeit der Beamten: Acta Borussica. Handels-, Zoll-und Akzisepolitik, III, S. 47, 76, 302. Überführten Juden drohten neben Geldstrafen und Gefängnis auch der Verlust ihrer Schutzbriefe und die Vertreibung aus dem Lande, ebda. S. 163 f.
35 Hinweise dazu aus der Berufsschichtung in Berlin 1759–1808: 90,1 Prozent der berufstätigen Juden Berlins lebten vom Handel (Christen: 7,4 Prozent). Jersch-Wenzel, a.a.O., S. 260.

36 Behre: Geschichte der Statistik in Brandenburg-Preußen, S. 317; Henning: Die preußische Thesaurierungspolitik, in: Bog u.a. (Hrsg.): Festschrift für Wilhelm Abel, S. 339–416, S. 402 ff.
37 Hintze: Die Hohenzollern und ihr Werk, S. 354.
38 Dies galt natürlich in erster Linie für Geldhandel, Münzgeschäfte und Pfandleihe, siehe Rachel: Die Juden im Berliner Wirtschaftsleben, 1930, S. 194.
39 Wassermann: Jewish History, 1981, S. 177: »The Schutzbrief System was being openly manipulated to legalize the continue residence of hundreds, maybe even thousands of Jews«.
40 Ebda. S. 183.
41 Sommerfeldt: Die Judenfrage als Verwaltungsproblem, S. 3.
42 Toury: Der Eintritt der Juden ins deutsche Bürgertum, in: Paucker und Liebeschütz, a.a.O., S. 144 f.
43 Ebda. S. 148.
44 Schnee: Die Hoffinanz und der moderne Staat, I, S. 112. Grundlegend hierzu: Redlich: Die deutsche Inflation des frühen siebzehnten Jahrhunderts, S. 11 ff. Über die Zölle der Juden: Stern, II, 1, S. 117 ff.
45 Acta Borussica. Das Preußische Münzwesen im 18. Jahrhundert, II, S. 100. Weiterführend: Ederer: The Evolution of Money; Vilar: Gold und Geld in der Geschichte.
47 Acta Borussica, I, S. 194 ff.
48 Rachel und Wallich: Berliner Großkaufleute und Kapitalisten, II, S. 54 ff.; Acta Borussica, I, S. 214; Stern, II, 1, S. 117 ff.
49 Stern, III, 1, S. 233; Rachel und Wallich, II, S. 53 ff.; Die Hohenzollern-Monarchie hatte sechs Münzstätten: Berlin, Königsberg, Breslau, Magdeburg, Aurich und Kleve. Zu den Gomperz: Kaufmann und Freudenthal: Die Familie Gomperz.
50 Rachel und Wallich, II, S. 292.
51 Kabinettsordre vom 17. Dezember 1755, siehe Stern, III, 2, Teil 1, Nr. 159. Ähnlich am 2. Juli 1756, ebda. Nr. 162.
52 Michaelis: The Ephraim Faniily, 1976 und 1979. Überaus günstig wirkte sich für Ephraims Geschäfte aus, daß er die Unterstützung des königlichen Kabinettsekretärs Eichel gewann, König, a.a.O., S. 285 ff. Beamte wie Eichel handelten dabei meist aus Eigennutz, wie die Aussage eines Zeitgenossen illustriert: »Während des Krieges und bei der Umgestaltung des Münzwesens wurde ihm nachgesagt, er habe es immer mit den Juden gehalten. Der als Kind armer Leute geborene Eichel soll ein Vermögen von mehreren 100.000 Talern hinterlassen haben« (Lehndorff, a.a.O., II, S. 101). Eichels Bereicherung im Amte war für alle Bürokratien der absolutistischen Staaten in gewisser Weise typisch.
53 König, a.a.O., S. 285 ff. Koppatz: Zur Schlagschatzbildung durch Münzverschlechterungen, 1979, S. 430.
54 Rachel und Wallich, II, S. 356. Über die hierfür aufgebaute Infrastruktur siehe König, a.a.O., S. 288.
55 Stern, III, 1, S. 239.
56 Aus dem Osten holten die Münzunternehmer bis 1761 über 50 Millionen Taler in Gold heraus, Stern, III, 1, S. 243. Den zuständigen Schatzmeister Polens hatte Ephraim mit 100.000 Talern bestochen. Siehe Hoensch: Friedrichs Währungsmanipulationen im Siebenjährigen Krieg, 1973, S. 133, 129. Jersch-Wenzel, a.a.O., S. 185: »Ohne … Rückendeckung durch die (preußische) Obrigkeit, die allerdings nicht auf die Bestechlichkeit beschränkt gesehen werden sollte, wären die Juden nicht in der Lage gewesen, die komplizierten und risikoreichen Transaktionen über Jahre hin durchzuführen«.
57 Acta Borussica, III, S. 75; Rachel und Wallich, II, S. 319. Schnee, I, S. 131.

58 Acta Borussica, ebda.;
59 Redlich: Jewish Enterprise and Prussian Coinage, 1950/51; S. 169. Österreich besserte damit indirekt die Finanzlage des Gegners auf.
60 Koser: Die preußischen Finanzen im Siebenjährigen Krieg, 1900, S. 217.
61 Archenholtz: Geschichte des Siebenjährigen Krieges, S. 289: »Die schrecklichen Wirkungen dieser Finanzoperationen offenbarten sich erst nach dem Frieden, wo viele tausend wohlhabende, im Schoß der Ruhe lebenden Menschen, ohne sonst durch den Krieg gelitten zu haben, ihr Vermögen verloren, große, auf allen Börsen hochgeachtete Kaufleute Bankrott machten und zahllose Familien an den Bettelstab kamen.« Dazu auch Mittenzwei: Preußen nach dem Siebenjährigen Krieg, S. 9 ff.
62 Zimmermann: Fragmente über Friedrich II., II, S. 113 ff.
63 Ebda. S. 122 ff., wo der König die Münzverschlechterung als sein Werk bezeichnete.
64 Rachel und Wallich, II, S. 316 ff.; Schnee, I, 5. 131.
65 Für eine allgemeine Einschätzung siehe König, a.a.O., S. 290 f. Die zahlreichen untergeordneten Agenten wurden mehrmals mit Summen entlohnt, die weit über den Jahreseinkommen von Ministern lagen, vgl. Schnee, I, S. 131.
66 Krüger, a.a.O., S. 255. Die allgemeine Verarmung des Landes stand zu der gewaltigen Kapitalansammlung bei den Münzpächtern in scharfem Kontrast.
67 Rachel und Wallich, II, S. 323.
68 Vehse, a.a.O., III, S. 289 f.
69 Rachel und Wallich, II, S. 323.
70 Ebda. S. 363 f.
71 Krüger, a.a.O., S. 255.
72 Dazu die Sicht eines bedeutenden Soziologen des 20. Jahrhunderts, wonach Juden in der Regel die wirtschaftlich interessanten Positionen schon besetzt vorfanden. Daraus ergab sich ihre »Angewiesenheit auf den Zwischenhandel«, die ihnen »den spezifischen Charakter der Beweglichkeit« verlieh. So Simmel: Soziologie, S. 510.
73 Yogev: Diamonds and Coral, S. 21: »On the whole, however, Jews played only a small part as pioneers of modern capitalistic development, and they did so only in branches which were in any case closely related to their economic traditions.« Dies gilt gerade für Preußen im 17. und 18. Jahrhundert.
74 Toury: Der Eintritt, a.a.O., S. 201 f.
75 Rachel: Berliner Wirtschaftsleben im Zeitalter des Frühkapitalismus, S. 14.
76 Acta Borussica, III, S. 54; König, a.a.O., S. 289.
77 Schnee, I, S. 186 ff.; Geiger: Geschichte der Juden, II, S. 144 f. Jacobson (Hrsg.): Jüdische Trauungen in Berlin 1759–1813, S. 96. Die von Friedrich II. ausgelöste Tendenz zur Generalprivilegierung einzelner Juden verstärkte sich unter seinen Nachfolgern.
78 Schoeps: Ephraim Veitel Ephraim, 1975; die Denkschrift auf S. 61 ff. Mendelssohn: Gesammelte Schriften, V, S. 630 f.
79 Rachel und Wallich, II, S. 335.
80 Ebda. S. 336; Michaelis, a.a.O., 1979, S. 240 f.
81 Ebda. S. 242 ff.; Rachel und Wallich, II, S. 428.
82 Jacobson (Hrsg.): Die Judenbürgerbücher der Stadt Berlin 1809–1851, S. 5.
83 Ebda. S. 5 f.; sowie Abdruck des Patents der Itzigs auf S. 690 ff. Dazu auch Geiger, a.a.O., II, S. 147 ff.
84 Cauer: Oberhofbankier und Hofbaurat (Isaak Daniel Itzig), S. 37 ff.; Jacobson, a.a.O., S. 31.
85 Zu Arnsteiner: Schnee: Die Nobilitierung der ersten Hoffaktoren, 1961, S. 72; Zu Fanny, geb. Itzig: Spiel: Fanny von Arnstein. Eskeles war der Schwiegersohn des bedeutendsten Hofjuden in der Habsburger Monarchie, Samson Wertheimer. Eskeles und Arnstein spielten in der Finanzwelt Wiens nach den Kriegen gegen Napoleon eine herausragende Rolle.

86 Diese Zusammenstellung wurde nahezu wörtlich aus der gründlichen Übersicht von Friedrich-Wilhelm Euler: Bankherren und Großbankleiter, in Hofmann (Hrsg.): Bankherren und Bankiers, S. 85–144, hier S. 100 ff. übernommen.
Jacobson: Judenbürgerbücher, S. 51, spricht im Zusammenhang mit den reichen jüdischen Familien von einem »geschlossenen Kreis«. Jersch-Wenzel, a.a.O., S. 149 ff.; Krüger: Die Judenschaft von Königsberg, S. 17. Kaufmann, Freudenthal, a.a.O., S. 214 f.

V Interna der Juden

1 Tal: Strukturen der Gemeinschaft und des Gemeinwesens, 1974; Baron: The Jewish Cornmunity, I–III; Finkelstein: Jewish Self-Government in the Middle Ages. Das Schlüsselwort zum Verständnis der jüdischen Gemeindeorganisationen enthält die Bibel (Deuteronomium 33, 4), wo das Volk Israel als »Kehillat Yaakov« (Jakobs Gemeinde) bezeichnet wird.
2 Mahler: A History of Modern Jewry, S. 149.
3 Daniel J. Cohen: Die Landjudenschaften der brandenburgisch-preußischen Staaten, in Baumgart (Hrsg.): Ständetum und Staatsbildung, S. 208–229; Yitzhak Fritz Baer: Die Geschichte der Landjudenschaft des Herzogtums Kleve.
4 Daniel J. Cohen: The Organization of the Landjudenschaften, S. XIII.
5 Zimmermann (Hrsg.) Geschichte der Juden in Rheinland und Westfalen, S. 101ff.
6 Meisl (Hrsg.): Protokollbuch der jüdischen Gemeinde Berlins, S. XXXI ff.
7 Stern, III, 2, Teil 1, Nr. 157. Die Ältesten waren u.a. für die regelmäßige Bezahlung der Schutzgelder und die Beaufsichtigung der ohne Wohnrecht lebenden Juden (Unvergleitete) zuständig. Die Regelungskompetenzen der Gemeinden umfaßten in erster Linie folgende Bereiche: Allgemeine Verwaltung (Finanzen), Kultus und Armenpflege, vgl. Meisl, a.a.O., S. XXI ff.
8 Meisl, a.a.O., S. XVIII.
9 Moritz Stern: Die Niederlassung der Juden in Berlin, 1930, S. 141; Geiger, a.a.O., II, S. 37 f.
10 Ebda, Nr. 97.
11 Gilon: Eine Rechnungsprüfung in der Berliner Jüdischen Gemeinde, 1969. Der König vermutete, daß die suspendierten Judenältesten Manipulationen begangen hätten, vgl. Stern, II, 2, Nr. 94.
Konflikte wie in der Berliner Gemeinde deuten auf eine angeschlagene Fähigkeit zur Selbstverwaltung hin. Die herkömmliche soziale Hierarchie geriet durch das Aufsteigen neuer Hofjuden in Gefahr. Diese Krisen zeigten sich regelmäßig, sobald der Aufstieg neuer Gruppen die Macht der bereits etablierten Familien bedrohte. Vor Magnus hatten in Berlin die Schulhoffs und Liebmanns dominiert. Auf Magnus folgten die Gomperz, die dann in der zweiten Hälfte des 18. Jahrhunderts wiederum von den Ephraims und Itzigs abgelöst wurden.
Zu den Hofjuden wie hier schon früher angegeben: Selma Stern: The Court Jew; Saville: Le Juif de Cour; Carsten: The Court Jews, 1958; Mevorah: The Imperial Court-Jew Wolf Wertheimer, 1974. Die oligarchischen Strukturen mit mächtigen Hof- und Finanzjuden an der Spitze der Gemeinden gab es praktisch in allen deutschen Territorien, vgl. Mahler, a.a.O., S. 142.
12 Moritz Stern: Der Oberlandesälteste Jacob Moses. Vgl. Geiger, a.a.O., I, S. 159; Stern, III, 2, Teil 1, Nr. 157. Nach dem Emanzipationsedikt von 1812 blieben den Ältesten nur noch die Aufgaben der inneren Verwaltung. Aus dem nach außen gerichteten Teil ihrer Kompetenzen waren sie durch den Wegfall des jüdischen Sonderstatus sozusagen entlassen.

13 Moritz Stern: Der Oberlandesälteste, S. 13.
14 Ebda. S. 25.
15 Berlinische Nachrichten von Staats- und gelehrten Sachen, Nr. 8, 19. Januar 1802.
16 Friedrich Nicolai urteilte rückblickend: »Auch die Judenältesten hingen sehr engherzig an allem Hergebrachten, gleichviel ob Wahrheit oder Aberglauben, und waren beständig bereit, jeden freidenkenden Juden zu verfolgen, auch sogar wegzuschaffen, sobald es nur in ihrer Macht stand.« Neue Berlinische Monatsschrift, Junius 1809, S. 34.
17 Salomon Maimons Lebensgeschichte, S. 149.
18 Stern, II, 2, Nr. 339, § 4: Bei einem erwiesenen Verstoß gegen ihre Pflichten konnten den Schutzjuden ihre Schutzbriefe entzogen werden. Sie konnten dann »...selbst mit ihren Familien aus der Stadt und dem Lande geschafft werden«.
19 Mahler, a.a.O., S. 142.
20 Meisl, a.a.O., S. LI.
21 Moses Selichow: Shirej Yehudah, S. 3 f.; Abramsky The Crisis of Authority within European Jewry, in Stein and Loewe (Eds.): Studies Presented to Alexander Altmann, S. 13–28.
22 Katz: Exclusiveness and Tolerance,S. 156 ff.
23 Katz: Out of the Ghetto, S. 62 ff.; Abramsky, a.a.O., S. 21.
24 Wind: Jonathan Eibeschütz, in Jung (Ed.): Men of Spirit, S. 491–516.
25 Mortimer J. Cohen: Jacob Emden; Greenberg: Rabbi Jacob Emden, 1978; Brilling: Der Hamburger Rabbinerstreit im 18. Jahrhundert, 1969.
26 Emden: Migdal Os, S. 44.
27 Zum Sabbatianismus: Scholem: Sabbatai Sevi, S. 461 ff.
28 Zum Verlauf des Streits v. a. Greenberg, a.a.O.
29 So Joseph Carlebach in einem unveröffentlichten Manuskript, zitiert von seinem Sohn Julius Carlebach: Deutsche Juden und der Säkularisierungsprozeß, in Liebeschütz und Paucker (Hrsg.): Das Judentum in der deutschen Umwelt 1800–1850, S. 55–93; hier S. 69.
30 Richarz: Der Eintritt der Juden in die akademischen Berufe, S. 5; Graupe: Die Entstehung des modernen Judentums.
31 Asriel Schochat führte in seinem wichtigen Buch (Im Chilufej Tekufot, S. 198–235) aus, daß sowohl Emden als auch Eybeschütz schon mit philosophischen Themen aus der nichtjüdischen Umwelt vertraut waren.

VI. Mendelssohn

1 Hettner: Geschichte der deutschen Literatur, II, S. 127. Zu Mendelssohn v.a. die umfangreiche Biographie von Alexander Altmann; Eisenstein Barzilay: Moses Mendelssohn, 1961; ders.: The Ideology of the Berlin Haskalah, 1956; Kayserling: Moses Mendelssohn. Der Zeitgenosse Maimon schrieb: »Mendelssohn tat nichts mehr, als daß er die Leibniz-Wolffsche Philosophie vollständiger machte ... und ihr ein anmutiges Kleid gab.« Salomon Maimons Lebensgeschichte, S. 167.
2 Bourel: Moses Mendelssohn und die Akademie der Wissenschaften, 1979.
3 Mendelssohn, JubA, XII, Ebda., Teil 2, S. 148 f.
4 Ebda., XIV, S. 369–383; Altmann, a.a.O., S. 377.
5 Zu Levin: Moritz Stern: Die Anfänge von Hirschel Löbels Berliner Rabbinat.
6 Graetz: Geschichte der Juden, XI, S. 46 ff.
7 JubA, XII, Teil 2, S. 148.
8 GS, V, S. 437, 494.
9 Mendelssohn: Schriften zur Philosophie, hrsg. v. Brasch (= Brasch), II, S. 477.

10 Ebda., II, S. 379; S. 404 ff.
11 Gute Zusammenfassung bei Patterson: Mendelssohn's Concept of Tolerance, in: Altmann (Ed.): Between East and West, S. 149–163; insbes. S. 153 ff.
12 Altmann: Gewissensfreiheit und Toleranz, 1979; ders.: The Phiosophical Roots of Mendelssohn's Plea for Emancipation, 1974; ders.: Mendelssohn on Excommunication, in: Studies presented to Jacob Katz, S. 41–61.
13 Brasch, II, S. 430: »Unter allen Vorschriften und Verordnungen des mosaischen Gesetzes lautet kein einziges: Du sollst glauben oder nicht glauben, sondern alle heißen: Du sollst tun oder nicht tun. Dem Glauben wird nicht befohlen, denn der nimmt keine anderen Befehle an als die den Weg der Überzeugung zu ihm kommen«.
14 Ebda. S. 419.
15 Ebda. S. 458 ff.; S. 419; S. 460. Wichtig auch Mendelssohns Brief an seinen Schüler Elkan Herz aus dem Jahre 1771: »Wir haben keine Glaubenssätze, die wider die Vernunft oder über die Vernunft seien... Die Glaubenssätze und Grundlagen unserer Religion sind gegründet auf dem Boden der Vernunft und stimmen mit der Forschung und dem wahren Denken nach jeder Seite überein ...« JubA, XVI, Nr. 127.
16 Rothe, a.a.O., S. 15; Hans Joachim Schoeps: Israel und Christenheit, S. 125: »... daß diese für den jüdischen Liberalismus des 19. Jahrhunderts epochal gewordene Konzeption des Judentums ahnungslos das Herzstück, nämlich den lebendigen Gott, fortgelassen hat ...« Hermann Cohen: Deutschtum und Judentum, S. 27: »Der Messianismus ... ist der Grundpfeiler des Judentums, er ist seine Krone und Wurzel.«
17 So Uhle schon 1784: Über Herrn Moses Mendelssohns Jerusalem, S. 28: »... schönes lockeres Geschwätz, wenn man von Moralität ohne Religion spricht«; Mayer: The Origins of the Modern Jew, S. 56; Gilman: Mendelssohn und die Entwicklung einer deutsch-jüdischen Identität, 1980.
18 Berwin: Moses Mendelssohn im Urteil seiner Zeitgenossen, S. 64 f.
19 Dazu hier später ausführlicher.
20 Arthur A. Cohen: Der natürliche und der übernatürliche Jude, S. 31.
21 Katz: Out of die Ghetto, S. 68 f.; dort über die Ziele der jüdischen Aufklärer: »The image of the future contained not only a rectified political und social situation but also a refashioned Jewish type and a rehabilitated Jewish character.«
22 Aschheim: Brothers und Strangers, S. 8.
23 GS, V, S. 605. Bis zu seiner Auseinandersetzung mit Lavater hatte Mendelssohn in seinen Briefen selbst noch jiddisch-deutsche Idiome benutzt. Danach verschwanden diese Wendungen zugunsten des Hochdeutschen. Dazu Borodianski: Moshe Mendelssohn in seine jiddische Briv, 1929, bes. S. 307 ff.; Weinryb: Enlightenmnent und German-Jewish Haskalah, 1963, S. 1839.
24 Vogelstein und Birnbaum: Festschrift zum 200jährigen Bestehen des israelitischen Vereins Chewra Kaddischa, S. 61 f.
25 Emden: Megillath Sefer, S. 124 ff.; Anonym: Die Beschreibung fun Aschkenaz und Polack, 1929, S. 540 ff.
26 So Landshut: Toldot Anschej Haschem, S. 107 f.
27 Mischlej Assaw, I, S. 25a.
28 Eisenstein Barzilay: National and Anti-National Trends in the Berlin Haskalah, 1959, S. 192; Klausner: Historiya Schel Hasifruth Hahaskala, S. 151 ff.; Ginsburg: Die zweite Generation der Juden (1786–1815), 1958. Pelli, a.a.O., S. 7, zeigt, daß die reichen Juden Berlins wie Friedländer und Itzig ihre Kinder meist von Lehrern unterrichten ließen, die der Aufklärung ungehörten. Über den Unterricht gewann die Assimilationsbewegung weitere Anhänger. Eisenstein Barzilay: The Background of the Berlin Haskalah, in Blau (Ed.): Essays Presented in Honour of Salo Wittmayer Baron, S. 183–197; S. 194. Ähnlich Weinryb: Wolfssohn's dramatic writings, S. 37; Pelli,

a.a.O., S. 30: »Saul Berlin's Ktav Yosher was ... Voltaire's écrasez l'infame in Hebrew attire«.

29 Gebete der hochdeutschen und polnischen Juden. Zu Euchel vgl. Pelli, a.a.O., S. 190 ff.; Mayer, a.a.O., S. 147. Katz: Tradition und Crisis, S. 159, 166 f. Euchel: Rabenu Hachacham Mosche ben Menachem, S. 113.

30 Katz: Jewish Civilization as reflected in die Yeshivot, 1966/67, S. 701; Dazu insgesamt: Güdemann: Quellenschriften zur Geschichte des Unterrichts und der Erziehung bei den deutschen Juden; Kober: Emancipation's Impact on the Education, 1954; Lewit: Die Entwicklung des jüdischen Volksbildungswesens in Polen.

31 Talmud, Traktat Bezah, Blatt 16.

32 Zitiert bei Moritz Stern: Jugendunterricht in der Berliner jüdischen Gemeinde, S. 3; Guttmann: Lazarus Bendavid, 1917. Bendavid arbeitete später für Zeitschriften wie die Neue Berlinische Monatsschrift und Schillers Horen. Ab 1802 war er dann einige Jahre lang Redakteur der Haude- und Spenerschen Zeitschrift in Berlin.

33 Donnersmarck: Darstellung der bürgerlichen Verhältnisse der Juden, S. 44 f. Hierzu u.a. Weinryb: Enlightenment und German-Jewish Haskalah, 1963, S. 1825, 1842. Pappenheimer: Hartwig Wessely in Berlin, in: Wolfrath (Hrsg.): Charakteristik edler und merkwürdiger Menschen, I, S. 190–208; hier S. 192 f.

34 Festschrift zur Feier des hundertjährigen Bestehens der Knabenschule Berlin, S. 8.

35 Geiger: Geschichte der Juden, I, S. 84 f.; Altmann: Moses Mendelssohn, S. 352; Kober, a.a.O., S. 169 f.

36 Festschrift Knabenschule, S. 13. Auch die christlichen Schüler wurden im jiddischen Schreiben unterrichtet »... weil dem christlichen Kaufmann das Jüdischgeschriebene zu lesen bei seinem notwendigen Verkehr mit polnischen Juden sehr nützlich ist«. (ebda.) Rasch nacheinander wurden Schulen neuen Typs gegründet; 1788: jüdische Freischule in Berlin; 1791: Breslau; 1799: Dessau; 1801: Seesen (»Religions- und Industrieschule«); 1804: Frankfurt a.M. (»Philanthropin«). Siehe Eliav Jüdische Erziehung in Deutschland, 1960, S. 208 ff.

37 Michaelis: Räsonnement über die protestantischen Universitäten, IV, S. 156 f.

38 Richarz: Der Eintritt der Juden in die akademischen Berufe, S. 43.

39 Krüger: Die Judenschaft von Königsberg in Preußen, S. 58.

40 Ebda. S. 59.

41 Richarz, a.a.O., S. 47 ff.

42 Bourel: Die verweigerte Aufnahme des Marcus Herz, 1984. Eine Mitgliedschaft in der Berliner Akademie der Wissenschaften wurde Herz 1793 allerdings ebenso verweigert wie zuvor schon Mendelssohn und danach Bendavid.

43 Richarz, a.a.O., S. 52 ff. u. S. 46. Für Königsberg: Krüger, a.a.O., S. 97 ff. Für Halle: Kaiser und Völker: Judaica medica.

44 Groth: Die Zeitung, I, S. 242 ff. Martens: Die Geburt des Journalisten in der Aufklärung, 1974.

45 Sorkin: The Transformation of German Jewry, S. 58 ff. Der »Hameaseff« erschien bis 1786 in Königsberg; danach in Berlin.

46 Mayer, a.a.O., S. 115 ff.

47 Hameaseff, III, 1786, S. 161; VII, 1794/97, S. 54 ff.

48 Mayer, a.a.O., S. 117 f.

49 So in Sulamith, I, 1806, S. 29. Vgl. Stein: Die Zeitschrift »Sulamith«, 1937.

50 Sulamith, I, 1806, S. 10.

51 Stein, a.a.O., S. 224 f.

52 Hillebrand: Die Berliner Gesellschaft, in ders.: Unbekannte Essays, S. 13–81, hier S. 15. Über das im Entstehen begriffene Bürgertum: Gerth: Bürgerliche Intelligenz um 1800; Katz (Ed.): Toward Modernity, S. 10. Für einen knappen Überblick zum

einsetzenden sozialen Wandel: Goldscheider und Zuckerman: The Transformation of the Jews, S. 32 ff. Ruppin: Soziologie der Juden, II, S. 211.

53 Lestschinsky: Das wirtschaftliche Schicksal des deutschen Judentums, 5. 112 ff.

54 George L. Mosse: Jewish Emancipation, in Reinharz und Schatzberg (Eds.): The Jewish Response to German Culture, S. 1–19, S. 16. Dazu auch Mahler: A. History of Modern Jewry, S. 153.

55 Aschheim, S. 12 u. S. 5.

56 Katz: Die Entstehung der Judenassimilation, in ders.: Emancipation und Assimilation, S. 241 u. S. 264; Gilman: Die Wiederentdeckung der Ostjuden, in: Brocke (Hrsg.): Beter und Rebellen, S. 11–32; Gilman: Jewish Self-Hatred, S. 107 ff.

57 Aschheim, a.a.O., S. 11. Jacobson: Die Stellung der Juden in den 1793 und 1795 von Preußen erworbenen polnischen Provinzen, 1920, 1921; insbes. 1921, S. 226. Hubatsch und Bussenius (Hrsg.): Urkunden und Akten zur Geschichte der preußischen Verwaltung, S. 61 ff.

58 Selma Stern: Der preußische Staat und die Juden, III, 2, Teil 2, S 1.346 ff. gibt einen Briefwechsel wieder, in dem Carmer und Hoym (der für die Provinz Schlesien verantwortliche Minister) eine Reform des Judenreglements für Schlesien diskutierten. Hoym setzte sich dafür ein, 1790 für Schlesien ein gesondertes und spezielles Judenreglement zu erlassen. Schwerin: Die Juden im wirtschaftlichen und kulturellen Leben Schlesiens, 1984, S. 97 ff. Für Breslau die Zusammenstellung der dort lebenden Juden bei Wenzel: Jüdische Bürger und kommunale Selbstverwaltung, S. 74 ff. In Breslau lebten 1776 nahezu 3.000 Juden, von denen aber fast 1.500 bloß tolerierte Hausierer und Trödler waren. Bezeichnend auch die Tatsache, daß die entsprechenden Urkunden für diese rund 1.500 Personen namentlich nur auf 152 Familien lauteten. Von diesen leiteten 1329 Personen, im Schnitt also nahezu zehn, mit Duldung der Bürokratie ihr Wohnrecht ab.

59 Allgemeines Landrecht für die Preußischen Staaten; benutzte Ausgabe: Berlin 1862/63, hrsg. v. Schering, I–IV und I–II (Nachtrag). Die Städteordnung von 1808 sollte den preußischen Juden zwar die kommunalpolitischen Rechte bringen. Die im staatspolitischen Sinne gewollte Ausgrenzung dieser Minderheit wurde aber ausdrücklich beibehalten.

60 Freund: Die Emanzipation der Juden in Preußen, I, S. 49 f. Lewin: Die Judengesetzgebung Friedrich Wilhelms II, 1913.

61 Freund, II, S. 160.

62 Kleine Wanderungen durch Teutschland, 1794, S. 251 ff., Kleine Wanderungen, a.a.O., S. 260 f.

63 So u. a. Baumgart: Epochen der preußischen Monarchie, 1979, hier S. 315. Die entgegengesetzte Beurteilung bei Hintze: Preußische Reformbestrebungen vor 1806, in ders.: Gesammelte Abhandlungen, III, S. 504–529, wo die Reform- und Wandlungsfähigkeit des spätfriderizianischen Staates betont wurde.

VII. Tendenzwende

1 Knigge: Über den Umgang mit Menschen, 1–11, hier II, S. 141 f. Ähnlich Pestalozzi: Sämtliche Werke, III, S. 342 oder VI, S. 427.

2 Anonym: Ueber die physische und moralische Verfassung der heutigen Juden, S. 58, 122. Daß Grattenauer tatsächlich der Verfasser dieser Schrift war, kann als gesichert gelten. Siehe Eichstädt: Bibliographie zur Geschichte der Judenfrage, S. 23, Nr. 274.

3 Berlinische Monatsschrift, 1791, S. 355. Zum Folgenden im Text u.a. Schlözer: Bürgerliche Verbesserung der Juden, 1793.

4 Zu Hamann der glänzende Aufsatz von E. Büchsel: Hamann contra Immanuel Kant, 1962, S. 151. Als Gegner betrachtete Hamann den »Maschinenstaat« Friedrichs II.

und Kant. (Büchsel, S. 150 ff.). Immer noch das Standardwerk zu Hamann: Unger: Hamann und die Aufklärung; ders.: Hamann und die Romantik, in ders.: Gesammelte Studien, S. 196–211; Lewkowitz: Das Judentum und die geistigen Strömungen, S. 175 ff.; Berlin: The Counter-Enlightenment, in ders.: Against the Current, S. 1–24. Zu Herder hier: Herder: Sämtliche Werke, hrsg. v. Suphan, V, S. 593.

5 Herder, ebda., XVII, S. 319 und V, S. 577. Weiter gegen die Aufklärung siehe V, S. 29.

6 Herder: Sämtliche Werke, Suphan, XIV, S. 62.

7 Ebda., XX, S. 235.

8 Ebda., XVIII, S. 329; XIV, S. 293 ff.

9 Ebda., XIV, S. 58.

10 Ebda., XIX, S. 230.

11 Ebda., XXIV, S. 64; XIV, S. 64, 69. Tilgner: Volksnomostheologie und Schöpfungsglaube, S. 24.

12 Ebda., XXIV, S. 75, 67. Barnard: Herder und Israel, 1966; ders.: The Hebrews und Herder's, 1959; ders.: Particularity, Universality, and the Hebraic Spirit, 1981.

13 So Kaiser: Pietismus und Patriotismus, S. 29. Dort auch der Hinweis, daß sich bei Herder wie schon bei Hamann ein Stil bildete, der »... zum Ton der Verkündigung und Prophetie... (wurde), dunkel, ahnungsvoll, erwecklich und magisch«; Lovejoy: Herder and the Enlightenment Philosophy, in ders.: Essays, S. 166–182.

14 Zitiert bei Vorländer: Immanuel Kant, II, S. 73 f. Glänzend hierzu Rothe: Die Stellung der evangelischen Theologie zum Judentum, S. 94 ff. Noch bis in die Gegenwart blieb Kants grundlegende Ablehnung des Judentums gerade jüdischen Philosophen verborgen. Cohen: Innere Beziehungen der Kantischen Philosophie zum Judentum, in ders.: Jüdische Schriften, I, S. 284–305. Gut analysiert bei Lewkowitz: Das Judentum und die geistigen Strömungen, S. 54 ff.

15 Bendavid: Etwas zur Charakteristik der Juden, S. 20, 11, 45; ders.: Über den Unterricht der Juden, S. 132. Wichtig hierzu: Navon: The Encounter of German Idealists and Jewish Enlighteners, 1980, v. a. S. 237 ff.

16 Kant: Gesammelte Schriften (= Akademieausgabe), X, S. 249.

17 Ebda. S. 476 (Brief an Carl Leonhard Reinhold, 28. 3. 1794).

18 Kant: Werke, hrsg. v. Weischedel, (= Weischedel), X, S. 517 f., Anm.

19 Akademieausgabe, X, S. 325.

20 Werke (Weischedel), VII, S. 789. Ebda. S. 791.

21 Ebda. S. 770 ff., 777 ff. Liebeschütz: Das Judentum im deutschen Geschichtsbild, S. 21 ff. Zum Folgenden insbes. Rothe, S. 95; Cohen, a.a.O., S. 284; Rotenstreich: Jews and German Phiosophers, S. 23 ff.

22 Fichtes Werke (FW), VIII, S. 52 ff.

23 Frühwald: Schlegels Begründung romantischer Esoterik, in Vietta (Hrsg.): Die literarische Frühromantik, S. 129–148, hier S. 130. Zum Oberkonsistorium, seiner Funktion und personellen Besetzung durch Repräsentanten der Berliner Aufklärung, siehe Schollmeier: Spalding, S. 24 f.

24 Brunschwig: Gesellschaft und Romantik in Preußen, S. 246; Hesselhaus: Die romantische Gruppe in Deutschland, in Behler u.a.: Die Romantik, S. 44–162.

25 Kantzenbach: Schleiermacher, S. 24. Wilhelm Dilthey, neben seiner grundsätzlichen Bedeutung für die Geisteswissenschaften auch der größte Schleiermacher-Forscher des 19. Jahrhunderts, bemerkte hierzu: »Die beiden Männer, die in der religiös-sittlichen Erneuerung Deutschlands später die ersten Stellen einnehmen sollten, wurden so zu derselben Zeit von den religiösen Gemeinschaften abgewiesen, deren Dienste sie ihr Talent widmen wollten«. (Dilthey: Schleiermacher, in: Schleiermacher: Pädagogische Schriften, I–II, hrsg. v. Weniger E., hier II, S. XV).

26 Léon: Fichte et son temps, I–III; Dann: Fichte und die Entwicklung des politischen Denkens in Deutschland; Riley: Will and Political Legitimacy.
27 Kelly: Idealism, Politics and History, S. 181–285; Jacob Talmon: Political Messianism, S. 177–201; Batscha: Gesellschaft und Staat in der politischen Philosophie Fichtes. Hierzu: Barton: Erzieher, Erzähler, Evergeten, S. 232.
28 Das Votum Nicolais bei Fuchs (Hrsg.): Fichte im Gespräch, II, S. 304 ff.; Lauth: Über Fichtes Lehrtätigkeit in Berlin, 1980.
29 FW, VI, S. 150, Anm.
30 Epstein: Die Ursprünge des Konservatismus in Deutschland, S. 504; Droz: L'Allemagne et la Révolution Française; Fehrenbach: Deutschland und die Französische Revolution, 1976; Blanning: Reform and Revolution in Mainz, insbes. S. 1–38 und 303–334; Gooch: Germany and the French Revolution. Der in Tel Aviv lehrende Jakobiner-Forscher Walter Grab stellte in diesem Zusammenhang die These auf, daß nur die jakobinischen Revolutionäre zu einer wirklichen Emanzipation der Juden bereit gewesen seien. Dies stimmt schon für Frankreich kaum, wie die Lektüre des Buches von Hertzberg (The French Enlightenment and the Jews, S. 366 f.) zeigt. Für Deutschland ist Grabs These erst recht abzulehnen. Grab: Deutscher Jakobinismus und jüdische Emanzipation, 1979.
31 Zitiert bei Weyergraf: Der skeptische Bürger, S. 27. Dazu insgesamt die nützliche Materialsammlung von Träger (Hrsg.): Die Französische Revolution im Spiegel der deutschen Literatur; Braune: Edmund Burke in Deutschland.
32 FW, VI, S. 81 f.
33 Ebda. S. 152, 151, 153, 6, 86 f. u. 101 Anm. Aus dem Vorangegangenen ist klar, daß es auch diese Form der Freiheit nur in einem solchen Gemeinwesen geben konnte, das keinen »Staat im Staate« mehr aufwies. Deshalb: »Hat endlich die alte Verbindung gar keine Anhänger mehr, und haben alle sich zur neuen freiwillig gewendet, so ist die gänzliche Revolution rechtmäßig vollzogen« (ebda. S. 154).
34 Ebda. S. 149 f., Anm.
35 Katz: A State within a State, in ders.: Emancipation and Assimilation, S. 47–76; Behnen: Probleme des Frühantisemitismus in Deutschland, 1976, insbes. S. 262.
36 Bieberstein: Die These von der Verschwörung, S. 156 ff.; Katz: From Prejudice to, Destruction, S. 59 ff. Insgesamt hierzu: Norman Cohn: Warrant for Genocide.
37 FW, VI, S. 151, Anm.
38 Bein: Die Judenfrage, I, S. 235; Schaub: Fichte und Anti-Semitism, 1940.
39 Ascher: Eisenmenger der Zweite, S. 35; Grab: Saul Ascher, 1977; Littmann: Saul Ascher, 1960. Ascher hatte schon 1788 die Schrift »Bemerkungen über die bürgerliche Verbesserung der Juden« veröffentlicht. Dort wurde mit Argumenten wie sie bereits Dohm vorgetragen hatte, die Emanzipation der Juden gefordert.
40 Hegel: Werke, hrsg. v. Moldenhauer und Michel, I, S. 40. Erstmals 1907 veröffentlicht, in: Hegels theologische Jugendschriften, hrsg. v. Nohl; Kaufmann: The young Hegel und Religion sowie Avineri: Hegel revisited, beides in: MacIntyre (Ed.): Hegel, S. 61–99 bzw. S. 329–348.
41 Schmidt: Verheißung und Schrecken der Freiheit, S. 13, 218; Rotenstreich: Hegel's Image of Judaism, 1953; Liebeschütz, a.a.O., S. 25 ff.
42 Hegel: Werke, I, S. 279.
43 Ebda., XVII, S. 73, 96. Freilich gibt es bei Hegel noch eine Besonderheit. Zwar änderte er seine grundsätzlich negative Sicht vom Judentum nicht. Aber dies hinderte ihn im Gegensatz zu Fichte, Kant oder auch Herder keineswegs daran, die Gleichbehandlung der Juden im politischen und bürgerlichen Sinn zu fordern. (So in Philosophie des Rechts, §§ 209, 270, Anm., Werke, VII, S. 360, 421).

44 Anonym (Friedländer): Sendschreiben an seine Hochwürden Herrn Oberconsistorialrath und Probst Teller zu Berlin von einigen Hausvätern jüdischer Religion, Berlin 1799 (April). Dazu v.a. Fink-Langlois: Deux Aspects de l'Histoire des Juifs d'Allemagne, 1975, 1976; dies.: David Friedländer et la Réforme des Communautés Juives, 1973; Littmann: David Friedländers Sendschreiben, 1935.

45 Sendschreiben, S.48 f.

46 Ebda. S. 85 f.

47 Ebda. S. 84 f. Zur Resonanz auf diesen Antrag die (apologetische) Schilderung bei Ritter: David Friedländer, S. 95.

48 Eine akzeptable Biographie Friedländers fehlt. Zu seiner finanziellen und gesellschaftlichen Situation, vgl. Rachel und Wallich: Berliner Großkaufleute und Kapitalisten, II, S. 378 ff.; Meyer: The Origins of the modern Jew, S. 57–84.

49 Friedländer: Das Handlungshaus Joachim Moses Friedländer, S. 44 f. In seinem 1793 veröffentlichten Werk »Akten-Stücke die Reform der jüdischen Kolonien in den preußischen Staaten betreffend« war Friedländer für die politische Emanzipation der Juden eingetreten. Die von Friedländer geforderte Emanzipation der preußischen Juden kam aber nicht zustande, Man geht deshalb nicht fehl in der Annahme, daß er die bürgerliche Gleichbertigung der Juden über einen Kompromiß bei den Bedingungen für die Taufe erreichen wollte.

50 So Littmann, a.a.O., S. 99. Hirsch: Geschichte der neuern evangelischen Theologie, V, S. 97, Offenburg: Das Erwachen des deutschen Nationalbewußtseins, S. 46.

51 In »Geschichte der öffentlichen Meinung in Preußen« sprach Otto Tschirch von einem »lebhaften Judenhaß« der das »aufgeklärte Berlin« damals erfüllt haben soll (I, S. 293; II, S. 198, Anm. 3). Diese Wertung ist überzogen. Was sich am Ende des 18. Jahrhunderts in Berlin anbahnte, war eher eine Veränderung der zuvor deutlich projüdischen Stimmung. Für diesen Umschwung, der mit der nachlassenden Wirkung der Aufklärung zu tun hatte, war die Debatte um das Sendschreiben Friedländers ein wichtiger Gradmesser.

52 Anonym (Schleiermacher): Briefe bei Gelegenheit der politisch-theologischen Aufgabe und des Sendschreibens jüdischer Hausväter, S. 13, 26, 23, 29.

53 Ebda. S. 25.

54 Ebda. 5.24. Dazu Gunter Scholz: Friedrich Schleiermacher über das Sendschreiben, 1977; Pickle: Schleiermacher on Judaism, 1980; Martin: Das Wesen der romantischen Religiosität, 1924.

55 Paalzow: Die Juden, S. 20, 24, 25, 46, 56 f. Der Jurist Paalzow arbeitete seit 1798 als Kriegs- und Domänenrat bei der westpreußischen Kammer in Marienwerder, dazu Allgemeine Deutsche Biographie, XXV, S. 35.

56 Volkmar Eichstätt führte in seiner Bibliographie zur Geschichte der Judenfrage über 30 selbständige Schriften und Zeitschriftenbeiträge auf, die im Zusammenhang mit Friedländers Sendsehreiben an Teller erschienen (Nr. 330–363). Schon diese keineswegs vollständigen Angaben lassen die Resonanz ermessen. Es war die cause célèbre der öffentlichen Meinung Berlins und Preußens um die Jahrhundertwende.
Zu den weiteren, hier nicht genannten Schriften, siehe Fink-Langlois: Deux Aspects de l'Histoire des Juifs. Wertung bei Littmann, a.a.O., S. 111 f.: »Es liegt vom Standpunkt Friedländers aus betrachtet, eine Tragik darin, daß die Juden ... noch tief in der Gleichmacherei der Aufklärung stecken, während die Zeitgenossen bereits ein anderes Ideal auf ihr Panier geschrieben haben.«

57 Selbst wenn sie es im Sinne der Assimilation lösten, konnten daraus neue Probleme entstehen. Der jüdische Aufklärer Wolf Davidsohn schrieb hierzu 1798: »... je mehr die Juden suchen werden, durch Kenntnisse und Talente dem Staat nützlich zu sein, desto mehr, fürchte ich, wird dieser Haß zunehmen.« (Davidsohn: Über die bürger-liche

Verbesserung der Juden, S. 118). Dazu Reuss: Dohms Schrift »Über die bürgerliche Verbesserung der Juden«, S. 91; Richarz: Juden, Wissenschaft und Universitäten, 1982.

58 Grattenauer: Wider die Juden, Berlin 1803. Die Zeitung für die elegante Welt druckte in ihrer Ausgabe vom 17. November 1803 (Nr. 138, Sp. 1095–1098) einen ironischen »Nachtrag zu Herrn Grattenauers Anschuldigungen wider die Juden«. Dazu auch Vossische Zeitung, 13. August bis 6. September 1803 (Nr. 97–101).

59 Geiger Geschichte der Juden II, S. 312 Dort, S 301 ff, eine Zusammenfassung heute wohl nicht mehr vorhandenen Quellen zu der Zensur den Jahren 1803/04.

60 Ebda. S. 313 ff.

61 Noch im gleichen Jahr erfolgte offenbar seine Entlassung aus dem Staatsdienst. Grattenauer mußte sich und seine Familie in den folgenden Jahren von den Almosen reicher Juden ernähren. Dies ergibt sich aus einem Leserbrief an die »Zeitung für die elegante Welt«, gedruckt in der Ausgabe Nr. 138 vom 17. November 1803, Sp. 1098 f. Im Gegensatz zu Grattenauer mußte Paalzow nicht darben. Er blieb im Staatsdienst und wurde später Präsident der preußischen Generallotteriedirektion. Vgl. Trende (Hrsg.): Im Schatten von Freimaurertum und Judentum, S. 26.

VIII Die Berliner Salons

1 So Meixner: Berliner Salons als Ort deutsch-jüdischer Symbiose, 1982, S. 99 f. Meinecke: Weltbürgertum und Nationalstaat, S. 64.

2 Scurla: Rahel Varnhagen, S. 20; Mann: Friedrich von Gentz, S. 17ff. Hierzu auch Dann: Gruppenbildung und gesellschaftliche Organisierung in der Epoche der Romantik, in Brinkmann (Hrsg.): Romantik in Deutschland, S. 115–131; v.a. S. 125: »Angesichts der geringen Kontinuität der romantischen Gruppenbildung und der Unfähigkeit zur Institutionalisierung ist die Romantik ... auch auf diesem Gebiet in erster Linie als eine Protestbewegung gegen das 18. Jahrhundert, gegen dessen ausgeprägte, formalisierte Gesellschaftsbildung zu verstehen.«
Siehe auch Kleßmann: Prinz Louis Ferdinand von Preußen, S. 32. Überragend hierzu ist Hertz: The literary Salon in Berlin; dies. (Hrsg.): Briefe Rahel Varnhagens an Rebecca Friedländer; dort auch eine übergreifende Einleitung (S. 17–67).

3 Schleiermacher: Werke in vier Bänden, hrsg. v. Braun und Bauer, II, S. 3 f.

4 Henriette Herz in ihren Erinnerungen, hrsg. v. Schmitz (= Herz, Schmitz), S. 67.

5 Gentz bei Mann, a.a.O., S. 61 u. 63. Novalis zitiert nach Kluckhohn: Persönlichkeit und Gemeinschaft, S.13, Anm. 2, 20, 16.

6 Meisner (Hrsg.): Schleiermacher als Mensch, I, S. 138. Baxa (Hrsg.): Gesellschaft und Staat im Spiegel deutscher Romantik, S. 61 u. 176.

7 Friedrich Schlegel: Kritische Ausgabe seiner Werke (KA), V, S. 36, 78; Dazu Hesselhaus: Die romantische Gruppe in Deutschland, in Behler u. a.: Die europäische Romantik, S. 44–162; hier S. 46 f. Wichtig hierzu auch Kluckhohns umfangreiche Studie: Die Auffassung der Liebe im 18. Jahrhundert und in der Romantik; Korff: Geist der Goethezeit, III, S. 82 f.

8 Jahrbücher der preußischen Monarchie unter der Regierung Friedrich Wilhelms III., 1799, S. 126–128; hier S. 126. Dazu auch Gleichen-Russwurm: Geselligkeit, S. 82 f.

9 Zitiert bei Glatzer (Hrsg.): Berliner Leben 1648–1806, S. 328.

10 Nach Hertz: The literary Salon, S. 3 f., 231; 319; sowie Selma Stern: Die Entwicklung; des jüdischen Frauentypus, 1925, insbes.S. 496–516; Frevert: Frauen-Geschichte, S. 51ff. Zu dem Zusammenhang zwischen Emanzipation der Frauen und Emanzipation der Juden: Carlebach: The Forgotten Connection, 1979.

11 Wichtig hierzu ihre Erinnerungen mit weiteren Materialien in den nahezu identischen Ausgaben von Schmitz und Fürst. Herz. Ihr Leben und ihre Erinnerungen,

hrsg. von Fürst (Herz, Fürst), S. 127, 121, 127. Zahlen nach Hertz: The literary Salon, S. 161, 177; die Liste der Salondamen ebda. S. 262 ff.

12 Zur Herzogin von Kurland und ihrer jüngeren Schwester Elisabeth von der Recke, die Erinnerungen der Herz, in der Ausgabe Schmitz, S. 109 ff., 112 ff. Elisabeth Staegemann war mit einem Beamten verheiratet, der später, in den Jahren der Reformen und auch noch danach, in der preußischen Politik eine wichtige Rolle spielen sollte; Petersdorff: Elisabeth Staegemann und ihr Kreis, 1893.

13 Beide waren Enkelinnen des Münzjuden Ephraim. Sara Sophie Mayer hatten die Eltern als Fünfzehnjährige 1775 zur Heirat mit einem älteren jüdischen Unternehmer gezwungen. Nach dem Tod des Ehemannes heiratete sie 1797 den Postmeister Friedrich Wilhelm Baron von Grotthus. Vgl. Michaelis: The Ephraim Family, 1979, S. 226 f. (dort auch über ihre Schwester). Über die Beziehung Marianne Mayers zu Bernstorff: Baack: Christian Bernstorff and Prussia, S. 7.

14 Herz, Schmitz, S. 28 f. Zu Henriette Herz: Ihre Erinnerungen in den Ausgaben von Schmitz und Fürst; Rahel: Scurla, a.a.O,; Arendt: Rahel Varnhagen. Zu Dorothea: Schanze: Dorothea geb. Mendelssohn, in: Horch (Hrsg.): Judentum, Antisemitismus und europäische Kultur, S. 133–150.

15 Herz, Schmitz, S. 29, 28 f., 82. Wilhelm und Caroline von Humboldt in ihren Briefen, hrsg. v. Sydow, I, S. 176 ff. u. S. 216. Martin: Romantische Konversionen, 1928; Wiese: Novalis und die romantischen Konvertiten, 1929.

16 Herz, Schmitz. S. 242, 251.

17 Rahel Varnhagen: Gesammelte Werke, I–X, hrsg. v. Feilchenfeldt, Schweikert und Steiner (Rahel, GW); hier IX, S. 40.

18 Arendt, a.a.O., S. 15; Rahel, GW, IX, S. 97, VII, S. 260 f., VII, S. 237 u. 36.

19 Arendt, a.a.O., S. 165. In dieser Phase der Resignation begann sie dem Werben Varnhagens nachzugeben.

20 Arendt, a.a.O., z.B. S. 202.

21 Arendt, a.a.O., S. 62, 120.

IX Emanzipation

1 Zu den grundsätzlichen Aspekten Bruer: Geschichte der Juden in Preußen, S. 318 ff., Rürup: Emanzipation und Antisemitismus, S. 11 ff.

2 Brenner, Jersch-Wenzel u. Meyer: Deutsch-jüdische Geschichte, II, S. 20 f.

3. Aus einer Aktennotiz von Maria Theresia: »Ich kenne keine ärgere Pest als diese Nation, wegen Betrug, Wucher und Geldvertragen, Leute in Bettelstand zu bringen, alle üble Handlungen ausüben, die ein anderer ehrlicher Mann verabscheut; mithin sie, so viel sein kann, von hier abzuhalten und zu vermindern«. Zitiert bei Tietze: Die Juden Wiens, S. 99.

4 In außenpolitischer und militärischer Hinsicht war dabei Friedrich II. von Preußen das Vorbild, Karniel: Die Toleranzpolitik Kaiser Joseph II, S. 40 ff. u. 397 ff.

5 Iggers (Hrsg.): Die Juden in Böhem und Mähren, S. 46 f.

6 Die meisten der von Joseph II. eingeführten Institutionen und Reformen blieben bis 1848 in Kraft, viele sogar bis zur Auflösung des Habsburgerreiches im Jahre 1918.

7 Viele Jahre nach diesem Auftritt kommentierte Victor Hugo die Szene so: »Eurem Herrn! Damit ist der König von Frankreich zum Ausländer erklärt. Eine Grenze ist zwischen dem Thorn und dem Volk errichtet. Die Revolution läßt ihn das rufen. Keiner hätte es vor Mirabeau gewagt«. Zitiert nach Furet, Ozouf: Wörterbuch der Französischen Revolution, I, S. 479.

8 Die Quellen und die Literatur zur Französischen Revolution sind unermeßlich. Hier mag als Bezug auf die geschilderten Aspekte und Ereignisse genügen: Toulard: Frankreich 1789–1851, S. 52 ff.

9 Zu den Menschen- und Bürgerrechten gute Zusammenfassung bei Godechot: Les Institutions de la France, S. 26 ff. Zur Emanzipation der Juden insbesondere Feuerwerker: L'émancipation des Juifs en France, S. 341 ff., Benbassa: Geschichte der Juden in Frankreich, S. 108 ff.

10 Dieses Dekret brachte den Juden aber selbst mit den Einschränkungen eine vergleichsweise vorteilhafte Rechtslage. Zu den Veränderungen in Deutschland: Nipperdey: Deutsche Geschichte 1806–1866, S. 31 ff., Wehler: Deutsche Gesellschaftsgeschichte, I, S. 363 ff.

11 Wolfgang Treue: Die preußische Agrarreform, 1955, S. 337. Hintze: Eine Denkschrift über Berliner Manufakturverhältnisse, 1894, S. 112 ff.; dort auch zur Erosion der Sozialstruktur; Bonin: Adel und Bürgertum in der höheren Beamtenschaft, 1966; Koselleck: Preußen zwischen Reform und Revolution, S 116 ff.

12 Büsch: Militärsystem und Sozialleben im alten Preußen, S. 41 ff., 142 ff.; Rosenberg Bureaucracy, Aristocracy and Autocracy, S. 75 ff.

13 Schissler: Preußische Agrargesellschaft im Wandel, S. 52; Berdahl: The Stände and the Origins of Conservatism, 1972/73.

14 Huber: Deutsche Verfassungsgeschichte, I, S. 186. Heinrich: Geschichte Preußens, S. 283; Mieck: Von der Reformzeit zur Revolution, in Ribbe (Hrsg.): Geschichte Berlins, I, S. 407–586. Immer noch unentbehrlich hierzu Haussherr: Erfüllung und Befreiung, v.a. S. 51 ff.; Schissler. Preußische Finanzpolitik 1806–1820, in Kehr (Bearb.): Preußische Finanzpolitik, S. 13ff. Witzleben: Staatsfinanznot und sozialer Wandel.

15 Klein: Geschichte der öffentlichen Finanzen, S. 103 f.; Schissler: Preußische Finanzpolitik, S. 39.

16 Witzleben: Staatsfinanznot und sozialer Wandel, S. 83, 264, Anm. 30 f.; Schissler: Preußische Finanzpolitik, S. 41.

17 Alexis: Isegrimm, in Granier (Hrsg.): Berichte aus der Berliner Franzosenzeit, S. 20.

18 Scheel (Hrsg.): Das Reformministerium Stein, I, S. 58 (aus einer Aufstellung des Geheimen Oberfinanzrats Klewitz an Stein vom 3. November 1807). Klein: Von der Reform zur Restauration, S. 86 f.; Witzleben, a.a.O., S. 104 f.; Schissler: Preußische Finanzpolitik, S. 37.

19 Ziechmann (Hrsg.): Friedrich der Große und seine Epoche, S. 483.
Die außenpolitischen Hintergründe hierzu: Am 21. Oktober 1805 hatten die Briten unter Nelson die französische Flotte bei Trafalgar besiegt. Zu Lande konnte Napoleon den Dritten Koalitionskrieg durch seinen Sieg bei Austerlitz (2. Dezember 1805) beenden. Die Niederlage zur See und der Sieg auf dem Festland standen hinter dem Plan Bonapartes, England durch eine Art »Festung Europa« schließlich doch noch zu besiegen.

20 Mieck, a.a.O., S. 435 f.

21 Vaupel (Hrsg.): Die Reorganisation des preußischen Staates, I, S. 174.

22 E. v. Meier: Die Reform der Verwaltungsorganisation, S. 202

23 Eichendorff: Werke, hrsg. v. Wegener, VI, S. 26; Stutzer: Die Güter der Herren von Eichendorff, , S. 143. Stutzer: Die Ertrags- und Lohnverhältnisse der Familie von Eichendorff, 1979.

24 So Schnee: Die Hoffinanz und der moderne Staat, I, S. 214 (Über die Berends). Pars pro toto galt dies für eine Vielzahl jüdischer Unternehmerfamilien. Dazu auch W. E. Mosse: Jews in the German Economy, S. 49 ff. Cauer: Oberhofbankier und Hofbaurat.

25 Ritter: Stein (Ausgabe Stuttgart 1981), S. 323 f. Scheel, a.a.O., II, S. 421 ff. Radtke: Die preußische Seehandlung. Pohl: Das deutsche Bankwesen (1806–1848), in: Deutsche

Bankengeschichte, II, S. 13–140; hier S. 59; Born: Geld und Banken, S. 63; Ziekursch: Hundert Jahre schlesischer Agrargeschichte, S. 8; Moegelin: Das Retablissement des adligen Grundbesitzes, 1934.

26 Rachel und Wallich, a.a.O., III, S. 24. Mehrmals mußte der Staat zu dem Mittel der Zwangsanleihe greifen, eine kaum verhüllte Enteignungsmaßnahme, vgl. Warschauer: Geschichte der Staatsanleihen, S. 26. Botzenhart (Bearb.): Freiherr vom Stein, III, S. 65 f. Klein: Von den Anfängen bis zum Ende des alten Reichs, in Deutsche Bankengeschichte, I, S. 203 ff., 212; Niebuhr: Geschichte der Königlichen Bank in Berlin, S. 58; Poschinger: Bankwesen und Bankpolitik, I, S. 132.

27 Cölln: Vertraute Briefe, I, S. 126. Rachel und Wallich, II, S. 393 ff. (eine Zusammenfassung der Wulffschen Aktivitäten); Warschauer: Die Zahlenlotterie in Preußen, S. 60 f.

28 Rachel und Wallich, II, S. 419. Monopolisten und Großunternehmer wie Wulff stützten sich auf eine Vielzahl jüdischer Subunternehmer.

29 Kehr (Bearb.): Preußische Finanzpolitik, Nr. 13, S. 90 f.

30 Rachel und Wallich, II, S. 409.

31 Schnee, a.a.O., I, S. 226. Für das Folgende: Rachel: Die Juden im Berliner Wirtschaftsleben, 1930, S. 195.

32 Toury: Der Eintritt der Juden ins deutsche Bürgertum, in: Liebeschütz und Paucker (Hrsg.): Das Judentum in der deutschen Umwelt 1800–1850, S. 163; Zu R. Gomperz siehe Kaufmann und Freudenthal: Die Familie Gomperz, S. 204 ff.; über die Ursprünge der Börse in Preußen: Gebhard: Die Berliner Börse, S. 4ff.

33 Rachel und Wallich, III, S. 9 f.; Rachel, a.a.O., S. 194.

34 Fritz Stern: Gold und Eisen, S. 24 ff.; Achterberg: Lebensbilder deutscher Bankiers, S 65–85

35 Die Vorstellung, daß die Juden für ihre Emanzipation eine Gegenleistung erbringen sollten oder völlig in der Gesellschaft aufgehen müßten, hatte die Debatte schon seit den ersten Gesetzgebungsvorhaben unter Friedrich Wilhelm II. erschwert. Rürup: Emanzipation und Krise, in W. E. Mosse (Hrsg.): Juden im Wilhelmischen Deutschland, S. 1–51; hier S. 6, Anm. 14.

36 Vogel: Allgemeine Gewerbefreiheit, S. 79.

37 Huber: Deutsche Verfassungsgeschichte, I, S. 103 ff. Poschinger: Bankwesen und Bankpolitik, I, S. 137. Kehr: Der Primat der Innenpolitik, S. 207. Kehr (Bearb.): Preußische Finanzpolitik, Nr. 115, S. 310. Schnee: Die Hoffinanz und der moderne Staat, I, S. 217.

38 Rönne und Simon: Die Gemeinde-Verfassung des Preußischen Staates, S. 72; Nipperdey: Deutsche Geschichte, S. 39.

39 Allgemeines Landrecht, 1. Teil, 4. Titel, §§ 20–22.

40 E. v. Meier: Französische Einflüsse, II, S. 461. Koselleck: Preußen zwischen Reform und Revolution, S. 169ff.

41 Kutzsch: Verwaltung und Selbstverwaltung in Berlin, 1962, S. 28.

42 Granier (Hrsg.): Berichte aus der Berliner Franzosenzeit, Nr. 55, S. 143 ff.; Nr. 110; Freund: Die Emanzipation der Juden in Preußen, I, S. 116.

43 Freund, II, S. 208 ff.

44 Freund, I, S. 143 ff., 145 ff. Horst Fischer: Judentum, Staat und Heer, S. 20 f.

45 Haussherr: Die Stunde Hardenbergs, S. 23, 25.

46 Fichte: Werke, VII, S. 72; Winter (Hrsg.): Die Reorganisation des preußischen Staates, S. 370. Generell hierzu: Wagner: Die preußischen Reformer und die zeitgenössische Philosophie.

47 Winter, a.a.O., S. 501, 458.

48 Haussherr, a.a.O., S. 26, 62.

49 Nasse: Die preußische Finanz- und Ministerkrisis, 1871, S. 295 f.; Haussherr, a.a.O., S. 33 f.; Klein: Von der Reform zur Restauration, S. 15 ff.
50 Haussherr, a.a.O., S. 123 f.
51 Thielen: Hardenberg, S. 238.
52 Freund, I, S. 150.
53 Freund, a.a.O., S. 154.
54 Denkwürdigkeiten des Staatskanzlers, hrsg. v. Ranke, IV, S. 7 f.
55 Huber, a.a.O., S. 194ff.; Freund, I, S. 198, Anm. 11.
56 Ebda. S. 224. Der Bankier Ruben Gomperz, Mitglied des Berliner Gemeindevorstands, unternahm einen ähnlichen Vorstoß unter seinem eigenen Namen.
57 Ranke (Hrsg.): Denkwürdigkeiten, Hardenberg IV, S. 248.
58 Klose: Leben Hardenberg, S. 53 f. Haussherr, a.a.O., S. 220: »Er (Hardenberg) hat den Umgang mit Juden nie gescheut und sich ihrer politisch und finanziell gern bedient.«
59 Zu Jacobson: Schnee, II, S. 109–154; v.a. Marcus: Israel Jacobson.
60 Ernst (Hrsg.): Denkwürdigkeiten von Heinrich und Amalie v. Beguelin, S. 290 f. Hausherr, a.a.O., S. 190.
61 Klaveren: Die historischen Erscheinungen der Korruption, 1958, S. 501.
62 Griewank (Hrsg.): Königin Luise, Nr. 254, 257, 220.

X *Restauration*

1 Liberles: Emancipation und the Structure of the Jewish Community, 1986; Rürup: Emancipatory Legislation, 1986; ders.: Emanzipation und Antisemitismus.
2 Moser: Gleichheitsgedanke und bürgerliche Emanzipation; Samwer: Die Erklärung der Menschen- und Bürgerrechte, S. 28 ff.; Kober: The French Revolution und die Jews, 1945. Die Übertragung der französischen Regelungen auf die linksrheinischen Gebiete u.a. bei Alwin Müller: Geschichte der Juden in Köln, S. 8 ff. Wichtige Akten bei Hansen (Hrsg.): Quellen zur Geschichte des Rheinlandes, insbes. III, Nr. 318, 339.
3 Hierzu Müller, a.a.O., S. 28 ff.; Zu den Folgen der Revolution und Napoleons Politik: Albert: The Modernization of French Jewry, S. 45 ff.
4 Berding: Die Emanzipation der Juden im Königreich Westfalen, 1983. Zu dem größeren Zusammenhang, in dem die Gründung des Königreiches Westfalen steht: Berding: Napoleonische Herrschafts- und Gesellschaftspolitik; Fehrenbach: Traditionale Gesellschaft und revolutionäres Recht.
5 Grundsätzliche Überlegungen hierzu bei Rürup: Judenemanzipation und bürgerliche Gesellschaft in Deutschland, in ders.: Emanzipation und Antisemitismus, S. 11–36, insbes. S. 17 ff.
6 Katz: Out of the Ghetto, S. 169, nennt mit reformerisch und revolutionär zwei Emanzipationsmuster.
7 Nicolson: Der Wiener Kongreß, S. 257 ff. Die Übersicht zum Teil nach Toury: Geschichte der Juden in Deutschland, S. 384 ff.
8 Baron: Die Judenfrage auf dem Wiener Kongreß, S. 150. Klüber (Hrsg.): Akten des Wiener Kongresses, I, 4, S. 77 f.
9 Huber (Hrsg.): Dokumente zur deutschen Verfassungsgeschichte, I, S. 75 ff.; hier: Art. 16. Baron, a.a.O., S. 170, schreibt von einem »… fortschreitenden Verfall in der Behandlung der Judenfrage. Die ursprünglich … völlig anerkannte Gleichberechtigung der Juden... wird praktisch durch den … Zusatz abgeschwächt, der dieses Prinzip als nicht unbedingt und absolut durchführbar erklärt.«
10 Zur Restauration und zum Metternichschen Legitimitätsprinzip: Huber: Deutsche Verfassungsgeschichte, I, S. 530 ff.; Kissinger: Großmachtdiplomatie, S. 222 ff. Die territoriale Situation nach Heinrich: Geschichte Preußens, S. 310.

11 Heinrich, a.a.O.; Kraehe, a.a.O., S. 389 ff.; Tilly: Finanzielle Aspekte der preußischen Industrialisierung, in: Wolfram Fischer (Hrsg.): Wirtschafts- und sozialgeschichtliche Probleme, S. 477–491; Borchardt: Regionale Wachstumsdifferenzierung in Deutschland, in ders.: Wachstum, Krisen, Hundlungsspielräume, S. 42–59; Tipton: Regional Variations in the Economic Development of Germany.

12 Silbergleit: Die Bevölkerungs- und Berufsverhältnisse der Juden, S. 4 (Einleitung). Preußen hatte damals 10,349 Millionen Einwohner. Davon waren 1,2 Prozent Juden.

13 So Hardenberg am 24. März, 10. September und 8. November 1814; vgl. Rönne und Simon: Die früheren und gegenwärtigen Verhältnisse der Juden, S. 37 ff. mit weiteren Beispielen.

14 Ebda. S. 40.

15 Unter Einbeziehung sämtlicher regionaler Differenzierungen könnte man diese Zahl sogar noch steigern. Vgl. Wilhelm Freund: Zur Judenfrage in Deutschland, S. 7ff.

16 Herzig: Judentum und Emanzipation in Westfalen, S. 17 ff.; Rönne und Simon, a.a.O., S. 378 ff.

17 J. Herzberg: Juden in Bromberg, S. 12 ff.; Lewin: Juden in Lissa, S. 167 ff.; Bartys: Grund Duchy of Poznan, 1972; Laubert: Judenfrage auf den Posener Provinziallandtagen, 1932; ders.: Die Verwaltung der Provinz Posen, S. 254 ff.; ders.: Die preußische Polenpolitik, S. 40 ff.; Herbert Strauss: Pre-Emancipation Prussian Policies, 1965; Neveux: Une Province polonaise, 1963; Mahler: History of Modern Jewry, S. 347 ff.; Hagen: Germans, Poles, und Jews, S. 102 ff.; Rönne und Simon, S. 337 ff.

18 Wenn also die Statistik zeigt, daß mit Ausnahme Posens relativ viele Juden preußische Staatsbürger waren, dann sind immer nur eingeschränkte Bürgerrechte gemeint. Vgl. Silbergleit, a.a.O., S. 7.

19 Horst Fischer: Judentum, Staat und Heer, S. 26ff., 51, 47 ff., 69. Huber (Hrsg.): Dokumente zur deutschen Verfassungsgeschichte, S. 80 ff.

20 Brammer: Judenpolitik und Judengesetzgebung, S. 78, Anm. 7 u. Sulamith, IV, S. 70 f. Zwischen 1813 und 1815 wurden insgesamt 45 jüdische Soldaten befördert. Den in der Statistik als höchsten Rang erscheinenden Aufstieg zu Unteroffizieren beziehungsweise Oberjägermeistern und Tambourmajoren erreichten 21 Juden. Auszeichnungen wurden 82 Juden verliehen – davon in 71 Fällen das Eiserne Kreuz (Fischer, a.a.O., S. 41).

21 Brammer, a. a. O., S. 135 f.

22 Gans war mittellos und konnte nach seinem Studium der Rechte nur auf eine Stellung an der Universität hoffen.

23 Wieacker: Privatrechtsgeschichte der Neuzeit, S. 348–377, insbes. S. 381 ff., Wolf Große Rechtsdenker der deutschen Geistesgeschichte, S. 467–542, insbes. 509. Braun: »Schwan und Gans«, 1979, S. 770; Hamburger: Juden im öffentlichen Leben Deutschlands, S. 13; Richarz: Juden, Wissenschaft und Universitäten, 1982; Reisner: Gans; Meist: Altenstein und Gans, 1979.

24 Zeitschrift für geschichtliche Rechtswissenschaft, III, 1817, S. 22 ff.; vgl. auch H. Schneider: Der preußische Staatsrat, S. 194. Zu Savignys Einfluß: Vogel: Beamtenkonservatismus, in Stegmann u.a. (Hrsg.): Festschrift für Fritz Fischer zum 75., S. 1–31, insbes. S. 27.

25 Braun, a.a.O.

26 Reissner, a.a.O., S. 65; vgl. Braun, a.a.O., S. 771, Anm. 21. Noch während des Antrags von Gans war bei Savigny eine Doktorarbeit hierzu angefertigt worden. Die These: Nur Kandidaten christlichen Glaubens sollten zur Promotion zugelassen werden dürfen. Bis zur Revolution von 1848 gab es in Deutschland nur 20 zur Rechtsanwaltschaft zugelassene Juden – in Preußen nicht einen; vgl. Strauss: Pre-Emancipation Prussian Policies, 1966, S. 117; Schorsch: Jewish Academics at Prussian Universities, 1980.

27 Äußerung aus dem Jahre 1822; zitiert bei Michael: Jost und sein Werk, 1960, S. 244.
28 Richarz: Der Eintritt der Juden in die akademischen Berufe, S. 156 ff., 163, weist zu Recht darauf hin, daß die Konzentration jüdischer Studenten in dem Fach Medizin vorwiegend mit der beruflichen Aussichtslosigkeit in den anderen Fächern zusammenhing (S. 96 f.).
29 Reissner, a.a.O., S. 113 ff.
30 Allgemeine Zeitung des Judentums, 1848, S. 617.
31 Haussherr: Hardenberg, S. 195 f.; dort auch über Kircheisen.
32 Bering: Der Name als Stigma, S. 64. Vgl. auch Wehler: Deutsche Gesellschaftsgeschichte, II, S. 153 ff.; Behnen: Probleme des Frühantisemitismus, 1976, S. 272; Freund, I, S. 232.
33 Freund, I, Ebda.
34 Der Ausschluß der Juden von Staatsämtern – gegen Hardenbergs ursprüngliche Absicht – ging in erster Linie auf Kircheisens Vorschlag zurück, vgl. Freund, I, S. 180 f., 186 f. u. Freund, II, S. 395).
34 Zitat im Text nach Varnhagen von Ense: Blätter aus der preußischen Geschichte, I, S. 92. Zu dem Zustand des vorher so mächtigen Staatskanzleramtes: Branig: Die oberste Staatsverwaltung in Preußen, 1965.
35 Bering, a.a.O., S. 55 ff. u. 58 ff.; Kober: Jewish Names, 1943; Kessler: Die Familiennamen der Juden; Jacobson (Hrsg.): Die Judenbürgerbücher der Stadt Berlin, S. 14 ff.
36 Text zur Heiligen Allianz bei Huber (Hrsg.): Dokumente, S. 73 ff.; Brammer, a.a.O. S. 108.

XI Romantik und Reaktion

1 Mannheim: Das konservative Denken, in ders.: Wissenssoziologie, S. 408–508; hier S. 451 f., wo Mannheim noch anmerkt: »Aus dieser Kombination kommt jener eigentümliche Charakter zustande, der das deutsche Denken bis auf den heutigen Tag im Grunde kennzeichnet«. Lougee: German Romanticism and political Thought, 1959; Neumann: Die Stufen des preußischen Konservatismus; Martin: Romantischer Katholizismus und katholische Romantik, 1925; Stamm: Sturm und Drang und Conservatism, 1955; Droz: Le Romantisme Allemande et l'État.
2 Hans Barth: Edmund Burke und die deutsche Staatsphilosophie, in ders.: Die Idee der Ordnung, S. 28–62, 240–246; Novalis: Schriften, II, S. 34.
Andreas Müller: Die Auseinandersetzung der Romantik, 1929, S. 245–333, beschrieb, wie die deutschen Literaten zuerst die Revolution begrüßten (S. 245 ff.), sie dann aber ablehnten. Die Wende setzte mit und durch die deutsche Übersetzung des Buches von Burke ein (S.267 ff.).
3 Adam Müller: Vorlesungen über die deutsche Wissenschaft,S. 149 f. Hierzu auch Braune: Edmund Burke in Deutschland, S. 182 ff. Carl Schmitt: Politische Romantik, S. 162.
4 Müller: Elemente der Staatskunst, S. 22 f.
5 Wilhelm Treue: Adam Smith in Deutschland, in Conze (Hrsg.): Festschrift für Hans Rothfels, S. 101–133; insbes. S. 107.
6 Müller: Über König Friedrich II., S. 295 f. Die politische Ideenwelt Adam Müllers, in: Festschrift für Walter Goetz, S. 305–327; Meinecke: Weltbürgertum und Nationalstaat, S. 113 ff.
7 Müller: Über König Friedrich II., S. V, 329.
8 Müller: Elemente, S. 141 f.
9 Im Folgenden zitiert nach der Ausgabe von Kluckhohn (Hrsg.): Brentano und Arnim.

10 Ebda. S. 107, 103 f., 112. Zirus: Der ewige Jude, S. 6: »Für die Romantiker ging von der Gestalt des ruhelosen Wanderers ein starker Reiz aus«. Zu der Ahasver-Legende: George K. Anderson: The Legend of the Wandering Jew; Paulin: Arnims Halle und Jerusalem.
11 Kluckhohn (Hrsg.): Brentano und Arnim, S. 157.
12 Ebda. S. 112, 281. Berding: Die Emanzipation der Juden im Königreich Westfalen, 1983, S. 40.
13 Haussherr: Hardenberg, S. 114.
14 Riley, a.a.O., S. 1, Anm. 1.
15 Kluckhohn (Hrsg.): Brentano und Armin, S. 109. Generell hierzu: Morgan: »Angebrentano« in Berlin, 1975; Lea: Emancipation, Assimilation und Stereotype; Tal: Young German Intellectuals, in: Lieberman and Hyman (Eds.): Baron, Jubilee Volumes, S. 919–938; Scheuner: Der Beitrag der deutschen Romantik.
16 Sembdner (Hrsg.): Kleists Lebensspuren, S. 405. Steig, Kleists Berliner Kämpfe, S. 22; Eberhard: Die politischen Anschauungen der christlich-deutschen Tischgesellschaft. Armin in seiner nicht veröffentlichten Rede »Ueber die Kennzeichen des Judenthums«.
17 »Es ist das erste Ahnen ... rassebewußter Formulierungen ...« meinte im 20. Jahrhundert ein Historiker an dessen Hochschätzung eines solchen Rassismus kein Zweifel besteht (Haussherr: Die Stunde Hardenbergs, S. 227). Der über Generationen erbrachte Nachweis der Judenreinheit wurde später für viele reaktionäre Vereinigungen typisch. Für die Thule-Gesellschaft beispielsweise, die nach dem 1. Weltkrieg die mächtigste Geheimorganisation in Deutschland war. Sie stand der Deutschen Arbeiterpartei, der Vorläuferin der NSDAP, nahe. Vgl. Cecil: Myth of Master Race, S. 22; Sebottendorf: Bevor Hitler kam, S. 54 ff.
18 Vordtriede (Hrsg.): Clemens Brentano, S. 194.
19 Brentano: Werke, hrsg. v. Preitz, III, S. 302 f., 309, 275.
20 So Varnhagen, zitiert nach Vordtriede, a.a.O., S. 194.
21 Gut als Überblick hierzu: Huber: Deutsche Verfassungsgeschichte, I, S. 209
22 Lütge: Marwitz, 1933; Buttlar: Die politischen Vorstellungen des F.A.L. v.d. Marwitz; Eugene Newton Anderson: Nationalism und die Cultural Crisis, S. 216–256.
23 Meusel (Hrsg.): Marwitz, I, Teil 1, S. 164
24 Meusel, a.a.O., I, Teil 1, S. 535 (Erinnerungen); II, Teil 2, S. 20 (Letzte Vorstellung der Stände des Lebuser Kreises).
25 Ebda. S. 21. Link: Zur Fichte-Rezeption in der Frühromantik, in Brinkmann (Hrsg.): Romantik in Deutschland, S. 355–368.
26 Meusel, II, Teil 2, S. 21. Vetter: Kurmärkischer Adel und preußische Reformen, S. 50 ff. Das später so wirksame Bild von der Verschwörung klang bei Marwitz schon an. Der politische Sinn oder das soziale Erfordernis von Reformen wurde mit der Decouvrierung eines angeblichen Komplottes von Nutznießern negiert. Jüdische Bankiers und Unternehmer waren in diesem Szenario leicht einsetzbare Figuren. Vgl. Bieberstein: Die These von der Verschwörung, S. 168. Behnen: Probleme des Frühantisemitismus in Deutschland, 1976.
27 Vetter, a.a.O., S. 54, 60. Neumann, a.a.O., S. 19.
28 Zitiert bei Vetter, a.a.O., S. 103.
29 F. Rühs: Über die Ansprüche der Juden auf das deutsche Bürgerrecht, Berlin 1815, S. 26, 32.
30 Behnen: Probleme des Frühantisemitismus, S. 260ff.
31 J. F. Fries: Über die Gefährdung des Wohlstandes und Charakters der Deutschen durch die Juden, Heidelberg 1816.
32 Sterling: Judenhaß, S. 110 ff.
33 Behnen, a.a.O., S. 262 f.

34 Rohrbacher: Sozialer Protest und antijüdische Ausschreitungen, in: Benz u. Bergmann (Hrsg.): Vorurteil und Völkermord, Freiburg 1997 (Orig.: 1989), S. 162
35 Zu Recht spricht Rohrbacher in diesem Zusammenhang von einer Komplizenschaft zwischen der Obrigkeit und dem gewalttätigen Mob; vgl. Rohrbacher: Gewalt im Biedermeier. Antijüdische Ausschreitungen in Vormärz und Revolution (1815–1848/49), Frankfurt/New York 1993.
36 Katz: Prejudice and Destruction, S. 97 ff.
37 Zitiert bei Elon: Zu einer anderen Zeit, S. 109
38 Zu der Intensität mit der insbesondere die Schriften von Rühs und Fries gelesen wurden vgl. Sigmund Zimmern, Versuch einer Würdigung des Angriffs des Herrn Prof. Fries gegen die Juden, Heidelberg 1816, S. 4: Man habe die Friessche Schrift »auf vielfache Weise verbreitet, und in öffentlichen Schänken vorgelesen«.
39 Rohrbacher: Sozialer Protest und antijüdische Ausschreitungen, S. 167.
40 Rinott: Gabriel Riesser, 1962, S. 19 ff.
41 Zitiert nach Ismar Elbogen und Eleonore Sterling: Die Geschichte der Juden in Deutschland, S. 233.
42. Sterling: Judenhaß, S. 77 ff.
43 Heinrich Oppenheim, Studien der inneren Politik, Leipzig 1842, S. 99.
44 Sterling: Judenhaß, S. 78.
45 Sterling: Judenhaß, S. 79: »Dabei muß man im Auge behalten, daß die gemeinsamen äußeren wirtschaftlichen und politischen Ziele der Juden und Bürger den eigentlichen religiösen jüdisch-christlichen Konflikt zudecken«.
46 Sterling: Judenhaß, S. 192, Anm. 12
47 Sterling: Judenhaß, S. 192, Anm. 15
48 Bussmann: Zwischen Preußen und Deutschland. Friedrich Wilhelm IV.
49 Grebing: Der deutsche Sonderweg in Europa, S. 75.

XII Bürger und Bürgertum

1 Botzenhart, Manfred: Reform, Restauration, Krise, S. 147 f.
2 Stadelmann: Geschichte der Revolution von 1848
3 Botzenhart, a.a.O, S. 149 ff. Sheehan: Der deutsche Liberalismus, S. 63 ff.
4 Sheehan, a.a.O., S. 62
5 Valentin: Geschichte der deutschen Revolution von 1848–1849, I, S. 115 ff. u. 119 ff.
6 Stadelmann, a.a.O., S. 42 ff.
7 Hobsbawm: Europäische Revolutionen, S. 579 ff. Wolfgang J. Mommsen: 1848. Die ungewollte Revolution, S. 104 ff.
8 Valentin, a.a.O., II, S. 430:
9 Sheehan, a.a.O. S. 63 f.
10 Nolte: Baden, in Dipper u. Speck (Hrsg.): 1848. Revolution in Deutschland, S. 53. Rürup: Die Emanzipation der Juden in Baden, in Rürup.: Emanzipation und Antisemitismus, S. 37–94. Wolfram Fischer: Staat und Gesellschaft Badens im Vormärz, in: Werner Conze (Hrsg.): Staat und Gesellschaft im deutschen Vormärz 1815–1848, S. 143–171. Rohrbacher: Deutsche Revolution und antijüdische Gewalt (1815–1848/49, in: Alter u.a. (Hrsg.): Die Konstruktion der Nation gegen die Juden, S. 29–47.
11 Rohrbacher, a.a.O. S. 45 f. Juden bildeten in Baden wie in Württemberg mit Anteilen von 1,5 (Baden 1817/1817) beziehungsweise 0,6 Prozent (Wüttemberg 1817/18) an der Gesamtbevölkerung verschwindende Minderheiten. In der absoluten Mehrzahl waren die Juden auch in dieser Region sehr arm. Nur ganz wenige hatten sich als relativ wohlhabende Händler und Geldverleiher etablieren können. In diesen jüdischen Händlern und Geldverleihern sahen die Bauern die Verantwortlichen für ihre Prob-

leme. Hierzu: Revolution im Südwesten, hrsg. v. Arbeitsgemeinschaft hauptamtlicher Archivare im Städtetag Baden-Württemberg Karlsruhe 1997.

12 Revolution im Südwesten, S. 105.

13 Revolution im Südwesten, S. 109, 118.

14 Revolution im Südwesten, S. 122: »Die revolutionäre Tendenz in Bühl schien sich allein gegen die jüdische Bevölkerung zu richten und für den Erhalt der Privilegien der christlichen Bevölkerung«.

15 Herzig: Die Juden, in: Dipper u. Speck (Hrsg.): 1848. Revolution in Deutschland, S. 286–297, hier 289 f. Weitere Aspekte bei Riff: The Anti-Jewish Aspect of Revolutionary Unrest of 1848 in Baden, 1976, S. 27–40.

16 Kober: Jews in the Revolution of 1848 in Germany, 1948; Baron: Aspects of Jewish Communal Crisis, 1952; ders.: The Impact of the Revolution, 1949; Toury: Die Revolution von 1848, in: Liebeschütz und Paucker (Hrsg.): Das Judentum in der deutschen Umwelt, S. 359–376.

17 Huber: Deutsche Verfassungsgeschichte, II, S. 595 ff.

18 In einer seiner Reden betonte Riesser: »Bietet man mir in der einen Hand die Emanzipation (der Juden), mit der anderen die Verwirklichung des schönen Traumes von der politischen Einheit Deutschlands ... ich würde ohne Bedenken die letztere wählen. Denn ich habe die feste Überzeugung, daß in ihr auch jene enthalten ist«. Riesser: Gesammelte Schriften, II, S. 672, 92, 456. Zimmermann: Hamburgischer Patriotismus und deutscher Nationalismus.

19 Toury: Geschichte der Juden in Deutschland, S. 345 f.

20 Toury: Geschichte, a. a. O., S. 357.

21 Rürup: Emanzipation and Krise, in: Mosse (Hrsg.): Juden im Wilhelminischen Deutschland, S. 1–56; hier S. 23 f., 27.

22 Herzig, a.a.O., S. 296.

23 Mosse, Paucker u. Rürup (Hrsg.): Revolution and Evolution 1848 in German-Jewish History. Hachtmann: Berliner Juden und die Revolution von 1848, in: Rürup (Hrsg.): Jüdische Geschichte in Berlin, S. 53–84, hier S. 75. Toury, Der Eintritt der Juden ins deutsche Bürgertum, in: Liebeschütz u. Paucker (Hrsg.): Das Judentum in der deutschen Umwelt 1800–1850, S. 230.

24 Nipperdey: Deutsche Geschichte 1800–1866, S. 252 f., Mayer: Response to Modernity, S. 62 ff.

25 Toury: Orientierungen, S. 68, und Hachtmann, S. 76 mit biographischen Recherchen.

26 Stern: Gold und Eisen, S. 24 ff.

27 Tabelle und Anmerkungen aus Hachtmann a.a.O., S. 76. Hachtmann bezog sich auch hier auf Toury: Orientierungen, S. 27, 67, 98.

XIII Wirtschaft und Gesellschaft

1 Schumpeter: Kapitalismus, Sozialismus und Demokratie, S. 214.

2 Als Orientierung wichtig Barsby: Economic Backwardness, 1969.

3 Wilhelm Treue: Wirtschaftszustände und Wirtschaftspolitik in Preußen, S. 62, Dreyfus: Bilan économique des Allemagnes en 1815, 1965; Huber: Deutsche Verfassungsgeschichte, I, S. 787 ff.

4 Bruer: Einleitung zu Deal und Kennedy Unternehmenskultur, S. 25 ff.

5 Fremdling: Eisenbahnbau und deutsches Wirtschaftswachstum. Cipolla, a.a.O., IV, S. 514 ff. Grundsätzlich hierzu: Clapham: Economic Development of France and Germany, S. 150 ff.; Cameron: France and the Economic Development, S. 138 ff.

6 Henning: Die Wirtschaftsstruktur mitteleuropäischer Gebiete, in Wolfram Fischer (Hrsg.): Beiträge zu Wirtschaftswachstum und Wirtschaftsstruktur, S. 101–167, hier S. 103. Die Angaben für die Juden um 1800 aus Lestschinsky: Das wirtschaftliche Schicksal des deutschen Judentums, S. 21. Die Aufstellung für 1813 nach Rothholz: Die Berufe der preußischen Juden, 1931, S. 395.

7 Lestschinsky, a.a.O., S. 37. Weit über 50 Prozent der preußischen Juden lebten noch während des gesamten 19. Jahrhunderts vom Handel. Obwohl Juden allenfalls über ein Prozent von der Gesamtbevölkerung Preußens ausmachten, stellten sie etwa jeden fünften Kaufmann; vgl. Lestschinsky: Umschichtung des jüdischen Volkes, 1930, S. 580.

8 So v. a. Dohm: Uber die bürgerliche Verbesserung der Juden, II, S. 290 f. Zu jüdischen Handwerkern: Rothholz, a.a.O.; Cahnmann: Bedeutung der jüdischen Handwerkerklasse, 1972; Lestschinsky Das wirtschaftliche Schicksal, S. 21, nennt für 1834 ähnliche Zahlen wie Rothholz.

9 Liberles: Jewish Movement for Emancipation, 1986.

10 Sorkin: Ideology of Emancipation, 1987, insbes. S. 28 ff.; ders.: Transformation of German Jewry, S. 20; Lowenstein: Pace of Modernization of German Jewry, 1976, S. 49; ebda. S. 51: Aus den Hausierern wurden aber in der Regel keine Handwerker, sondern Kaufleute mit festen Geschäftsadressen. Mieck: Von der Reformzeit zur Revolution, in Ribbe (Hrsg.): Geschichte Berlins, I, S. 407–602; hier S. 491.

11 Adler: Chronik der Gesellschaft zur Verbreitung der Handwerke, S. 9; Sulamith, VII, 1, 5. 361 ff.; 410 ff.; Kober: Emancipation's impact on the Education, 1954, S. 164, S. 174 ff., mit einer vollständigen Aufzählung dieser Vereine.

12 Aschkewitz: Geschichte der Juden in Westpreußen, S. 80.

13 Richarz (Hrsg.): Jüdisches Leben in Deutschland, 1780–1871 (= Richarz, I), S. 32; Toury (Hrsg.): Der Eintritt der Juden ins deutsche Bürgertum – Eine Dokumentation (= Toury, Dok.), S. 244 ff.

14 Richarz I, S. 182 ff. Der in diesem Bericht genannte »Bankier Beer« war ein Enkel des Liepmann M. Wulff.

15 Wehler: Deutsche Gesellschaftsgeschichte, II, S. 57. Lestschinsky: Das Schicksal, S. 32.

16 Israelitisches Predigt- und Schulmagazin, I, 1836, S. 285. Dazu auch Richarz, I, S. 32; Toury: Der Eintritt der Juden ins deutsche Bürgertum, in Paucker und Liebeschütz (Hrsg.): Das Judentum in der deutschen Umwelt, S. 222 f.

17 Richarz, I, S. 34; Schofer: Emancipation und Population Change, in: Werner E. Mosse und Paucker (Eds.): 1848 in German-Jewish History, S. 63–89; insbes. S. 69.

18 Lowenstein, a.a.O., S. 51. Im Jahre 1843 lebten 8,1 Prozent der preußischen Juden als unselbständige Händler (= Angestellte). Knapp zwei Jahrzehnte später: 12,4 Prozent. Vgl. Barkai: The German Jews at the Start of Industrialization, in W. E. Mosse und Paucker (Eds.): 1848, a.a.O., S. 123–149, 131.

19 Lestschinsky: Das Schicksal, S. 40. Tabelle vorher nach Toury: Der Eintritt, S. 229; Müller: Geschichte der Juden in Köln, S. 183: »... überrascht die Schnelligkeit, mit der neue Bedürfnisse und Distributionsformen von Juden erkannt und durch Umsetzung in die Praxis genutzt wurden. In Köln manifestierte sich dies am deutlichsten etwa in ... der Ausweitung des Handels durch neue Verkaufsmethoden (Anzeigenwerbung, Dumpingpreise, Versteigerungen), schließlich in der absatzförderuden Erweiterung des Textilhandels durch Einrichtung von Kleidermagazinen«. Dieser auf Köln bezogene Befund ist großteils für Deutschland insgesamt zutreffend (Ausnahme: Vorwiegend agrarisch strukturierte Gebiete ohne wirtschaftliche Ballungszentren im weitesten Sinn).

20 Richarz, I, S. 21 ff., 213 ff.

21 Zu Heymann auch Kaelble: Berliner Unternehmer, S. 48 f.

22 Werner E. Mosse: Jews in the Gennan Economy, S. 24 f., 61. Zum Rheinland: Tilly. Industrialization in the German Rhineland.

23 Dazu hier stellvertretend aus der modernen Managementliteratur: Leavitt: Corporate Pathfinders.

24 Kaelble: Berliner Unternehmer, S. 59. Tabelle vorher Toury: Der Eintritt, S. 203. Außerhalb Berlins sind für diese Zeit in Preußen 65 Industriebetriebe mit jüdischen Inhabern nachgewiesen. Von diesen waren 51 dem konsumnahen Bereich zuzuordnen (Toury, ebda. S. 208 f.).

25 Werner E. Mosse: Jews in die Germun Economy, S. 84, 40 f.; Rachel und Wallich, III, S. 178 f.; Zielenziger, a. a. O., S. 130. Dazu auch sein Enkel Liebermann von Wahlendorf: Erinnerungen eines deutschen Juden.

26 Zielenziger, a.a.O., S. 130.

27 Fürstenberg: Lebensgeschichte eines deutschen Bankiers, S. 22. Für die Textilindustrie der gute Überblick von Herbert Kisch: The Textile Industry, 1959; Richarz, I, S. 37.

28 Richarz, I, S. 309 f.; 311 f. Salomon Kauffmanns Bruder Julius war der Vater von Toni Neisser, der Gattin des berühmten Dermatologen an der Breslauer Universität, Albert Neisser. Siehe Schwerin: Juden im wirtschaftlichen und kulturellen Leben Schlesiens, 1984, S. 132.

29 Ein ähnlicher Aufstieg wie den Kauffmanns gelang dem Weber Hermann Elias Weigert. Sein Vater Abraham hatte als einer der ersten Juden Schlesiens überhaupt um 1800 das Weberhundwerk erlernen können (Richarz, I, S. 317 ff.). Zu Weigerts Nachkommen gehörten neben etlichen herausragenden Industriellen der Radiologe Carl Weigert sowie der Nobelpreisträger und Begründer der Chemotherapie Paul Ehrlich.

30 Für Goldschmidt und Meyer vgl. Wenzel: Jüdische Bürger und kommunale Selbstverwaltung, S. 57 ff., sowie W. E. Mosse: Jews in die German Economy, S. 39 f.

31 W. E. Mosse: Jews in die German Economy, S. 38 ff.; Hamburger: Juden im öffentlichen Leben, S. 220 ff.; Schwerin, a.a.O., S. 130 ff. Loeb: Berliner Konfektion, S. 9; Richarz: Jewish Social Mobility, 1975.

32 Richarz, I, S. 36.

33 Richarz, I, S. 30: »... sind es gerade die erfolgreichen Juden, die von den kleinen Orten in die Städte abwandern ... Mit der Abwanderung in die Stadt verändern sich oft auch Objekt und Umfang des Unternehmens, was in der Folge nicht selten zu einem weiteren Umzug in die Haupt- oder Residenzstadt führt.« Dazu auch Lowenstein: Urbanization of German Jewry, 1980. Landes: The Jewish Merchant, 1974.

34 Lestschinsky, Das wirtschaftliche Schicksal, S. 30; Zielenziger, a.a.O., S. 24. Zu den Kaufhäusern: Frei: Tempel der Kauflust, S. 66 ff.

35 Für Henoch: Kaelble, a. a. O., S. 59.

36 Paul Hoffmann: Urkundliches von Michael Beer, 1908, S. 562 f.; Rachel und Wallich, III, S. 143 ff.

37 Schwerin, a.a.O., S. 121.

38 Cohn war bei den Gründungen der Thüringen Eisenbahn, Werra Bahn und Magdeburger-Halberstädter Bahn beteiligt. Vgl. Rachel und Wallich, III, S. 232; Böhme: Sozial- und Wirtschaftsgeschichte Deutschlands, S. 47. Wehler: Deutsche Gesellschaftsgeschichte, II, S. 103.

39 Alfred Krüger: Das Kölner Bankiersgewerbe, S. 298. Der im Zitat genannte Heine war der Onkel von Heinrich Heine. Wilhelm Treue: Abraham Oppenheim, 1962, ders.: Dagobert Oppenheim, 1964; grundsätzlich hierzu: Stürmer u.a.: Wägen und Wagen, S. 79 ff. Für den größeren Zusammenhang der revolutionären Veränderung. des Bankgeschäfts, siehe Landes: Vieille Banque et Banque Nouvelle, 1956; Levy-

Leboyer: Les Banques européennes et l'Industrialisation, S. 697–718; Cameron u.a.: Banking in die Early Stages of Industrialization, insbes. S. 1–14.

40 Cameron: The Crédit Mobilier, 1953. Für diese neue Art von Großbanken, die im Sinne der Überlegungen von Saint-Simon entstanden, waren Finanziers und Unternehmer wie die deutsch-französischen Juden Eichthal wichtig. Sie wirkten unter anderem auch an der Gründung der Bayerischen Hypotheken- und Wechsel-Bank in München mit: Ratcliffe: Gustave d'Eichthal und Judaism, 1975.

41 Zitiert nach W. E. Mosse: Jews in the German Economy, S. 110 f., Anm.; ebda. S. 111 ff., zum Engagement Berliner Banken bei einzelnen Anleihen für den Eisenbahnbau. Joseph Mendelssohn war noch in Berlin bei Itzig, dem Münzunternehmer Friedrichs II., zum Buchhalter ausgebildet worden. Sein jüngerer Bruder und Teilhaber Alexander hatte bei Fould in Paris eine Banklehre absolviert. Wilhelm Treue: Das Bankhaus Mendelssohn, 1972.

42 Grunwald: Railways, S. 205.

43 Borchart: Der europäische Eisenbahnkönig Bethel Henry Strousberg. Grunwald: Railway und Jewish Enterprise, 1967, hier S. 167 f.. Zu Strousberg und Moritz Hirsch: Zielenziger, a.a.O., S. 75 ff.; Grunwald: Türkenhirsch. Prinz: Juden im Deutschen Wirtschaftsleben, S. 48 ff.

44 Mit den Kölner Bankiers Schaaffhausen, Stein und Herstatt gründete Abraham Oppenheim die Feuerversicherungs-Gesellschaft Colonia. An diesem Unternehmen, das in der deutschen Assekuranz eine bedeutende Rolle spielte, waren auch die Rothschilds (Paris und Frankfurt) beteiligt; vgl. W. Treue: A. Oppenheim, S. 10 ff.

45 Rosenbaum und Sherman: Das Bankhaus Warburg S. 41 ff.; Chernow: The Warburgs, S. 24 ff., 36 ff.

46 Euler: Bankherren und Großbankleiter, in Hanns Hubert Hofmann (Hrsg.): Bankherren und Bankiers, S. 85–144; hier S. 96 ff.

47 Rachel und Wallich, III, S. 237; Zielenziger, a.a.O., S. 22; Grunwald: Three Chapters in German-Jewish Banking History, 1977.

48 Schnee: Die Hoffinanz und der moderne Staat, IV, S. 57 ff., 187 ff. Jungmann-Stadler (Hrsg.): Die Anfänge der Bayerischen Hypotheken- und Wechsel-Bank, Nr. 1 ff. Gille: Histoire de la Maison Rothschild, I; Ferguson: Die Geschichte der Rothschilds, Corti: Der Aufstieg des Hauses Rothschild; Fritz Stern: Gold und Eisen; Landes: The Bleichröder Bank, 1959.

49 A. Oppenheim und Gustav Mevissen gründeten die Darmstädter Bank nach dem Vorbild des Crédit Mobilier; Cameron: Founding the Bank of Darmstadt, 1956.

50 Prinz: Juden im deutschen Wirtschaftsleben, S. 37 (unter Bezug auf Sombart: Volkswirtschaft, S. 177). Lestschinsky: Das wirtschaftliche Schicksal, S. 91.

51 Gilbert (Hrsg.): Bankiers, Künstler und Gelehrte, S. XVII, XXVIII; Euler, in Hanns Hubert Hofmann (Hrsg.) a.a.O, S. 104 ff., sowie Rachel und Wallich, III, S. 98 ff. Weitere Details auch für die Oppenheims bei Euler, S. 116 ff. Reitmayer: Bankiers im Kaiserreich, S. 163; Silberner: Sozialisten zur Judenfrage, S. 290 ff.

52 Alles nach Euler, ebda.

53 Vgl. Muhlstein: Baron James, S.37 ff.

54 Rachel und Wallich, III, S. 104 f.; Fritz Stern, a.a.O., S. 191 ff.

55 Schnee, IV, S. 237; für Ephraim siehe Michaelis: The Ephraim Family, 1976, 1979; W. E. Mosse: Jews in die German Economy, S. 117.

56 Toury: Der Eintritt der Juden ins deutsche Bürgertum, in Liebeschütz und Paucker (Hrsg.): Das Judentum in der deutschen Umwelt, S. 148, 222. Goldscheider und Zuckerman: Transformation of the Jews, S. 48. Volkov: Die Verbürgerlichung der Juden in Deutschland; Moshe Zimmermann: Eintritt in die Bürgerlichkeit; beides in Kocka (Hrsg.): Bürgertum im 19. Jahrhundert, II, S. 343–371 bzw. 372–391.

57 Prinz, a.a.O., S. 59; Ruppin: Soziologie der Juden, I, S. 318 ff.; Toury. Der Eintritt, S. 169. Der Wert dieses Immobilieneigentums betrug pro Einheit im Schnitt rund 1.200 Taler.

58 Prinz, a.a.O., S. 61, unter Heranziehung von weiterem Zahlenmaterial: »Breslau steht hier nicht allein, sondern dient hier nur als Beispiel«. Zu den Aspekten Juden in Städten und Wohlstand ist grundlegend Ruppin: Soziologie der Juden, I, S. 101 ff., 315 ff., 347 ff.

59 Fürstenberg, a.a.O., S. 28.

60 Volkov: Jüdisches Leben und Antisemitismus im 19. und 20. Jahrhundert, S. 13 ff.

61 Gilbert, a.a.O., S. XXX; Toury: Der Eintritt, a.a.O., S. 239.

62 Jost: Geschichte des Judentums und seiner Sekten, III, S. 339. Richarz: Der Eintritt der Juden, S. 114 f.

63 Samter: Judentaufen,S. 7; Für jüdische Studenten vgl. Richarz: Der Eintritt, S. 157 ff.; Carl Cohen: The Road to Conversion, 1961.

64 Jost, in Sippurim (Jüdische Universalbibliothek), VII, S. 325. Freund: Die Emanzipation der Juden in Preußen, I, S. 220. Als Grund für diese Konversionen nannte Friedländer die angesichts der damals noch ausstehenden Emanzipation unsichere Rechtslage der Juden. Jacobson (Hrsg.): Jüdische Trauungen in Berlin 1759–1813, S. XXX f.

65 Toury: Geschichte der Juden in Deutschland, S. 53 f.; de le Roi: Judentaufen, S. 9 f. Lowenstein: Pace of Modernization, S. 53.

66 Kaplan: Geschichte des jüdischen Alltags in Deutschland, S. 320. Zahlen zu Konversionen Menes, a.a.O., S. 192; Silbergleit, a.a.O., S. 11; Segall: Entwicklung der Juden in Preußen, 1912, S. 82; Ruppin: Soziologie der Juden, I, S. 295 f.

67 Plessner: Die verspätete Nation, S. 101 f. Plessners Analyse des spät zustande gekommenen deutschen Nationalstaats ist selbst im Abstand von den vielen Jahrzehnten, als Plessner dies schrieb, immer noch lesenswert und beeindruckend. So insbesondere a.a.O., S. 102 ff.: »Deutschlands fast abrupte Wendung zum Materialismus, praktisch und theoretisch, die bei dem apolitischen Volk der Dichter und Denker besonders seltsam erschien, leitet sich ohne Zweifel zu einem bedeutenden Teil von seiner Verhältnislosigkeit zur Frühaufklärung her. Sie hat die Trennung von kulturellem und politischem Denken auf dem Gewissen, welcher zudem die Rolle des preußischen Staatsgeistes bei der Gründung und in der Gestaltung des neuen Reiches entgegenkam.

Zum anderen Teil ist für Deutschlands abrupte Wendung zum Materialismus der weltanschauliche Zug zur Romantisierung in seiner Kultur verantwortlich. Seine Weltfrömmigkeit steigerte die Werte der Spätaufklärung, die im Industrialismus stecken, zu Prinzipien einer Weltanschauung. Typisch dafür ist die Wirkung Darwins, aus dessen vorsichtigen Angaben und Theorien deutsche Gelehrte ein romantisches Weltbild der natürlichen Entwicklung in Natur, Geschichte und Gesellschaft entworfen haben«.

Wie der Liberalismus in Deutschland scheiterte, ist schon oft beschrieben worden. Vgl. Dahrendorf: Gesellschaft und Freiheit, S. 270. Sheehan: Liberalismus und Gesellschaft in Deutschland, in Gall (Hrsg.): Liberalismus, S. 208–231; insbes. S. 220; Sheehan: Der deutsche Liberalismus, S. 43; Fritz Stern: Kulturpessimismus, S. 8 ff.; George L. Mosse: Ein Volk – Ein Reich – Ein Führer, S. 21 ff.

Hierzu auch Walther Rathenau in seinem Essay Der Kaiser (Rathenau: Schriften und Reden, Frankfurt a. M. 1964, S. 237 f.): »Ein spärliches Stadtvolk, ein bildungsloses, gutartiges Landvolk wurde nach Art eines Gutsbezirks väterlich verwaltet ... Schmachvoll war hier wie überall die Haltung des Großbürgertums, das durch Beziehungen und Vergünstigungen preiswert bestochen, seinen Vorteil im Ankriechen an die herrschende Schicht und in der Lobpreisung des Bestehenden suchte. Die geistige Verräterei des Großbürgertums, das seine Abkunft und Verantwortung verleugnete, das um den Preis des Reserveleutnants, des Korpsstudenten, des Regierungsassessors, des Adelsprädikats, des Herrenhaussitzes und des Kommerzienrats die Quellen der Demokratie nicht nur verstopfte, sondern vergiftete, das feil, feig und feist durch sein Werkzeug, die nationalliberale Partei, das Schicksal Deutschlands zugunsten der Reaktion entscheiden ließ: Diese Verräterei hat Deutschland zerstört, hat die Monarchie zerstört und uns vor allen Völkern verächtlich gemacht«.

68 Kaplan: Jüdisches Bürgertum, S. 191 ff.

69 Lichtheim: Rückkehr. Lebenserinnerungen aus der Frühzeit des deutschen Zionismus, S. 43 ff.

70 Toury: Der Eintritt, S. 229.

71 Tabellen und zum Teil auch Erläuterungen aus Schilling (Hrsg.): Monumenta Judaica, S. 366 ff. Die Materialien dort stammen großteils von Silbergleit, a.a.O. (Statistik des Deutschen Reichs) sowie Theilhaber: Der Untergang der deutschen Juden, Segall: Die beruflichen und sozialen Verhältnisse der Juden. Guter Überblick bei Bennathan: Demographische und wirtschaftliche Struktur der Juden, in: Werner E. Mosse u. Paucker (Hrsg.): Entscheidungsjahr 1932, Tübingen 1966, S. S. 87–131.

72 Vgl. Hachtmann: Berliner Juden und die Revolution von 1848. In: Rürup (Hrsg.): Jüdische Geschichte in Berlin, S. 56.

73 Werner Becker: Die Rolle der liberalen Presse, in Werner E. Mosse, Arnold Paucker (Hrsg.): Deutsches Judentum in Krieg und Revolution 1916–1923, Tübingen 1971, S. 67–135, Elizabeth Strauss: Die Familie Mosse, S. 157 ff.

74 Hans-Peter Benöhr: Jüdische Rechtsgelehrte in der deutschen Rechtswissenschaft, in Karl E. Grözinger (Hrsg.): Judentum im deutschen Sprachraum, Frankfurt a.M. 1991, S. 280–208, dort S. 289 zu Anwälten, Berufen usw. u. Hachenberg.

75 Zechlin: Die deutsche Politik und die Juden im ersten Weltkrieg, S. 51 ff.

76 Benöhr, a.a.O., S. 287.

77 Zu Schiffer: Hamburger: Juden im öffentlichen Leben, S. 355 ff.

78 Hans-Joachim Salecker: Der Liberalismus und die Erfahrung der Differenz, S. 128 ff.

79 Benöhr, a.a.O., S. 306, Nr. 46.

80 Hamburger, a.a.O., S. 81 ff.

81 Benöhr, a.a.O., S. 307, Nr. 60.

XIV Der Weg in das Verhängnis

1 Hierzu Tal: Christians and Jews; Meyer: Great Debate on Antisemitism, 1965; Angel-Volkov: Jüdisches Leben und Antisemitismus im 19. und 20. Jahrhundert, München 1990, S. 54 ff., Massing: Vorgeschichte des politischen Antisemitismus, Pulzer: The Rise of political Antisemitism in Germany & Austria.

2 Hans Rosenberg: Große Depression und Bismarckzeit, S. 89 ff., insbes., S. 91.

3 Vgl. Craig: The Germans, S. 136 ff., Toury: Die Revolution von 1848, in Liebeschütz und Paucker (Hrsg.): Judentum in der deutschen Umwelt, S. 359–375; S. 375: »Die Tatsache, daß führende Juden auch später sich zu den Idealen von 1848 bekannten, die in der deutschen Öffentlichkeit mehr und mehr aus der Mode kamen, half bei der Formung des Leitbildes vom jüdischen Wühler, der nun nicht mehr als politischer Revolutionär, sondern auch als Verfälscher deutscher Kulturwerte … und schließlich als Rassefeind dargestellt wurde. Den ersten Schritt in diese Richtung tat Richard Wagner …«.

4 Massing a.a.O., S. 12.

5 Zunkel: Die Entfesselung des neuen Wirtschaftsgeistes 1850–1875, in: Karl Erich Born (Hrsg.): Moderne deutsche Wirtschaftsgeschichte, S. 45.

6 Hans Rosenberg: Wirtschaftskonjunktur, Gesellschaft und Politik in Mitteleuropa 1873–1896, in Wehler (Hrsg.): Moderne deutsche Sozialgeschichte, S. 230 f.
7 Zunkel a. a. O., S. 43
8 Hans Rosenberg: Wirtschaftskonjunktur, Gesellschaft und Politik in Mitteleuropa, S. 232, Händeler: Die Geschichte der Zukunft, S. 48ff. Hobsbawm: The Age of Capital, S. 45 ff. Wehler: Deutsche Gesellschaftsgeschichte, III (1849–1914), München 1995, S. 100 ff.
9 Zunkel a.a.O., S. 46, dazu auch Hans Rosenberg: Wirtschaftskonjunktur, Gesellschaft und Politik in Mitteleuropa, S. 236.
10 Viele Gründer mußten ihre Gründungsgewinne ganz oder wenigstens teilweise zurückgeben, um die Gesellschaften noch am Leben zu erhalten. Auch wurden sie in den folgenden Jahren von den Aktionären verklagt. Vgl. Zunkel a.a.O., S. 50. Hamburger: Juden im öffentlichen Leben, S. 270–284. Fritz Stern: Geld, Moral und die Stützen der Gesellschaft, in ders.: Das Scheitern illiberaler Politik, S. 62–89.
11 Kampe: Von der Gründerkrise zum Berliner Antisemitismusstreit: Die Entstehung des modernen Antisemitismus in Berlin 1875–1881, in Rürup (Hrsg.): Jüdische Geschichte in Berlin. Essays und Studien, S. 85–100.
12 Hans Rosenberg: Wirtschaftskonjunktur, Gesellschaft und Politik in Mitteleuropa, S. 241 u. 248.
13 Langewiesche: Liberalismus in Deutschland, S. 171.
14 Später als Buch erschienen: Otto Glagau: Der Börsen- und Gründungs-Schwindel in Berlin.
15 Massing a.a.O., S. 28.
16 Glagau: Der Bankerott des Nationalliberalismus und die Reaktion, S. 20
17 Glagau: Der Bankerott, S. 16.
18 Glagau: Der Bankerott, S. 71
19 Massing a.a.O., S. 9, 11.
20 Kreuzzeitung 1875, Nr. 148–152.
21 ebda. Wegen dieser Artikel erklärte Bismarck am 9. Februar 1876 im Reichstag, wer die Kreuzzeitung beziehe, beteilige sich damit indirekt an dem Lügen- und Verleumdungsfeldzug des Blattes gegen ihn. Daraufhin gaben einige hundert prominente Konservative in der Kreuzzeitung bekannt, sie hätten ihre Abonnements erneuert, vgl. Massing a.a.O., S. 232, Anm. Nr. 37.
22 Germania 1875, Nr. 174, 185, 189, 190, 201, 203, 228.
23 Massing a.a.O., S. 33. Die Angriffe sind als Reaktion auf den großen Krach von 1873 und im Zusammenhang mit der tiefer gehenden weltanschaulichen Auseinandersetzung zu sehen. Hierzu auch Kerzer: Die Päpste gegen die Juden. Der Vatikan und die Entstehung des modernen Antisemitismus, S. 182 ff.
24 Spenersche Zeitung vom 30. Juni 1847; zitiert bei Sterling: Judenhaß, S. 43.
25 Riesser: Gesammelte Schriften, II, S. 672, 92, 456.
26 AZJ 1837, S. 177. Hierzu auch Wilhelm: The Jewish Community, 1957, S. 5.
27 Der Treue Zionswächter, I, 1845, S. 88.
28 Scholem: Wider den Mythos vom deutsch-jüdischen Gespräch, in Scholem: Judaica 2, Frankfurt a. M. 1970, S. 7 ff. (Orig.: 1964).
29 Heinrich Mann: Der Hass, S. 99 ff.
30 Joseph Roth: Der Segen des ewigen Juden, gedruckt in Körte u. Stockhammer (Hrsg.): Ahasvers Spur, S. 209 f.
31 Browning: Die Entfesselung der Endlösung, S. 22.
32 Traverso: Die Juden und die Deutschen, S. 60. Briegleb: Opfer Heine?; Ludwig Rosenthal: Heinrich Heine als Jude. Heinrich Heine: Zur Geschichte der Religion und Philosophie in Deutschland (1835): »Die deutsche Revolution … Es wird ein

Stück aufgeführt werden in Deutschland, wogegen die französische Revolution nur wie eine harmlose Idylle erscheinen möchte«. Heine: Religion und Philosophie in Deutschland, in Heine: Sämtliche Schriften, III, S. 638 ff., München 1971.

33 Reinharz: Fatherland or Promised Land, S. 81 u. 130 ff.

34 Traverso a.a.O., S. 42.

35 Gay: Freud, Juden und andere Deutsche, S. 131 f.

36 ebda., S. 132f.

37 ebda., S. 133f.

38 Berding: Moderner Antisemitismus in Deutschland, S. 100.

39 Boehlich (Hrsg.): Der Berliner Antisemitismusstreit, S. 7 ff.; Berding a.a.O., S. 113 ff.

40 Boehlich a.a.O., S. 11. Treffend und ergebnislos zugleich griff der Liberale Theodor Mommsen 1880 in den von Treitschke ausgelösten Berliner Antisemitismusstreit ein, als er schrieb: »... (Der Antisemitismus) ist der eigentliche Sitz des Wahnes, der jetzt die Massen erfaßt hat und sein rechter Prophet ist Herr. v. Treitschke ... jeder Jude deutscher Nationalität hat den Artikel (Treitschkes) in dem Sinne aufgefaßt und auffassen müssen, daß er (Treitschke) sie als Mitbürger zweiter Klasse betrachtet, gleichsam als eine allenfalls besserungsfähige Strafcompagnie«, Mommsen: Auch ein Wort über unser Judentum, in: Boehlich a.a.O., S. 215, 216, 222.

41 Zechlin: Die deutsche Politik und die Juden im ersten Weltkrieg, S. 42 f., Berding a.a.O, S. 116 ff.

42 Treitschke: Deutsche Geschichte, IV, S. 421 ff. ders.: Historische und politische Aufsätze I, S. 142.

43 Mommsen bei Hermann Bahr: Der Antisemitismus. Ein internationales Interview, Königstein 1979, S. 27.

44 Katz: Richard Wagner, S. 173, 175. Als in den siebziger Jahren des 19. Jahrhunderts Antisemiten wie Stoecker Schmähschriften gegen die Juden veröffentlichten, hielt sich Wagner viel darauf zugute, daß dies doch nur Plagiate seiner eigenen, schon früher veröffentlichten Schriften wären. Wie wenig es an dem Antisemitismus Wagners zu beschönigen gibt, zeigt sein »Scherz« anläßlich des Brandes im Wiener Burgtheater 1881, als Hunderte von Menschen, darunter auch viele Juden, umkamen. Wagner meinte, daß man alle Juden bei einer Aufführung von Lessings Nathan verbrennen müßte, vgl. Craig: The Germans, S. 139.

45 Field: Evangelist of Race, S. 173 u. 199. George L. Mosse: Ein Volk – Ein Reich – Ein Führer, S. 139: »... der Jude war dem völkischen Denken ein Greuel: im Gegensatz zur deutschen Seele, die wie ein Filter zwischen Mensch und Kosmos wirke, sei die Seele des Juden gefühllos und materialistisch«.

46 Bein: Die Judenfrage. Biographie eines Weltproblems, I, S. 220. von zur Mühlen: Rassenideologien. Geschichte und Hintergründe, George L. Mosse: Rassismus.

47 Sombart: Die Zukunft der Juden, S. 52.

48 Chamberlain: Die Grundlagen des XIX. Jahrhunderts, an vielen Stellen. Bein a.a.O. I, S. 228: »Kein Werk hat ... vielleicht so viel zur Verbreitung des antijüdischen Rassenlehre beigetragen wie dieses Werk«.

49 Wagner: Erkenne dich selbst, S. 346 f.

50 Wagner: Aufklärungen über das Judentum in der Musik, S. 322 (Geschrieben am 1. Januar 1869).

51 Dazu v. a. Berding a.a.O., S. 161 f.

52 Boehlich a.a.O., S. 96.

53 Claß: Wider den Strom, S. 17 u. 36. Claß hat 1912 in Wenn ich der Kaiser wär, ein Erfolgsbuch dieser Zeit, eine Art Maßnahmenkatalog zur Ausgliederung der Juden aus der Gesellschaft formuliert. In diesem Katalog fehlte nur wenig von dem, was die Nationalsozialisten dann später in die Tat umsetzten.

54 An die deutschen Staatsbürger jüdischen Glaubens. Ein Aufruf. Gedruckt als Beilage zu Im deutschen Reich, Zeitschrift des Centralvereins deutscher Staatsbürger jüdischen Glaubens, IX, Berlin 1903, S. 52 ff.

55 Volkov: Antisemitismus als kultureller Code, in Volkov: Jüdisches Leben, S. 13–36.

56 Hellmut v. Gerlach: Erinnerungen eines Junkers, S. 107 ff. Hamel: Völkischer Verband und nationale Gewerkschaft.

57 Zechlin a.a.O., S. 64. Puhle: Agrarische Interessenpolitik und preußischer Konservativismus, S. 138. Massing a.a.O., S. 67 ff.

58 Korrespondenz Bund der Landwirte Nr. 10 (19. Febr. 1912), S. 39, zitiert bei Puhle a.a.O., S. 133, Anm. 118.

59 Über den Anteil der jüdischen Parlamentarier in den einzelnen Parteien: Hamburger: Juden im öffentlichen Leben Deutschlands, S. 347 ff.; 350 ff., 363 ff., 399 ff.

60 Claß: Wider den Strom. Vom Werden und Wachsen der nationalen Opposition im alten Reich, Leipzig 1932, S. 88. Daniel Frymann (= Heinrich Claß), Wenn ich der Kaiser wär'. Politische Wahrheiten und Notwendigkeiten, S.38 u. 43.

61 Rieger: Ein Vierteljahrhundert im Kampf um das Recht und die Zukunft der deutschen Juden. Ein Rückblick auf die Geschichte des Centralvereins deutscher Staatsbürger jüdischen Glaubens in den Jahren 1893–1918, S. 21.

62 Ernst Lissauer: Flugblätter 1914. Stefan Zweig schrieb in seinen Erinnerungen, dass dieses Gedicht wie eine »Bombe in ein Munitionsdepot« gefallen wäre, vgl. Stefan Zweig, Die Welt von gestern. Erinnerungen eines Europäers, S. 214 ff.

63 Abgedr. bei Max Simon, Der Weltkrieg und die Judenfrage, Leipzig–Berlin 1916, S. 11 f.

64 Zechlin a.a.O., S. 521.

65 Zechlin ebda.

66 Jüdische Bankiers und Unternehmer stützten sich in ihrer Geschäftstätigkeit auf internationale Beziehungen. Dies war bekannt und wurde von deutschen Regierungen vielfach in Anspruch genommen. Nationalismus und Antisemitismus werteten diese internationale Vernetzung jüdischer Unternehmer als den deutschen Interessen zuwiderlaufend um. Das Bankhaus Warburg hatte weit reichende internationale Verbindungen, vor allem in die Vereinigten Staaten. Max Warburgs jüngerer Bruder Paul war seit 1914 im Aufsichtsrat der Federal Reserve Bank und Mitinhaber des von Jacob H. Schiff geleiteten Bankhauses Kuhn, Loeb & Co. Warburgs persönliches Ansehen war enorm. Während des Krieges gelang es ihm mehrmals, für Deutschland Anleihen aus dem neutralen Ausland zu organisieren. Vgl.: Vagts: M. M. Warburg & Co. Ein Bankhaus in der deutschen Weltpolitik 1905–1933, in: ders.: Bilanzen und Balancen, S. 36–94. Angress: Das deutsche Militär und die Juden im Ersten Weltkrieg, 1976, S. 77–146, hier S. 85 f.

67 Zechlin a.a.O., S. 526. Die unter dem Namen »Zentraleinkaufsgesellschaft« (ZEG) unter Mitwirkung von Hapag-Managern in Hamburg gegründete Organisation kontrollierte alle Bereiche der Lebensmittelversorgung. Vgl. Zechlin a.a.O., S. 523 f., Cecil: Albert Ballin. Wirtschaft und Politik im Deutschen Kaiserreich, Hamburg 1969, S. 188. Rosenbaum u. Sherman: Das Bankhaus M. M. Warburg & Co. 1798–1938, S. 143 ff. Zu Rathenau und Arnhold: Hamburger: Juden im öffentlichen Leben Deutschlands, S. 109 ff. bzw. 380.

68 von Westarp, Konservative Politik, II, S. 635.

69 Friedländer: Die politischen Veränderungen der Kriegszeit und ihre Auswirkung auf die Judenfrage, in: Werner E. Mosse u. Paucker (Hrsg.): Deutsches Judentum in Krieg und Revolution, S. 27–65, hier S. 36.

70 Zechlin a.a.O., S. 524f.; Angress a.a.O.,

71 Angress a.a.O., S. 78

72 Angress, ebda.
73 Angress, ebda.
74 Angress a.a.O., S. 82.
75 Ernst Simon, Unser Kriegserlebnis (1919), wieder abgedr. in: Ernst Simon, Ges. Aufsätze, S. 20 f.
76 Zechlin a.a.O., S. 532 f. Der Altonaer Landtagsabgeordnete Felix Waldstein sagte später: »Von einem antisemitischen Exzeß dürfe man nicht sprechen. Der Fehler liegt auf dem Gebiet der politischen Moral, der politischen Intelligenz«, AZJ 1916, 8. Dez., S. 579.
77 Zechlin a.a.O., S. 534.
78 Meyer war ein Sohn des früheren Landesrabbiners in Hannover. Zechlin a.a.O., S. 535.
79 Armin Otto (= Alfred Roth = Bundeswart des Reichshammerbundes): Die Juden im Heere. Eine statistische Untersuchung nach amtlichen Quellen, S. 85.
80 Zechlin a.a.O., S. 536 f.; dort auf S. 537, Anm. 101
81 Franz Oppenheimer, Die Judenstatistik des preußischen Kriegsministeriums, auch in: Franz Oppenheimer, Soziologische Streifzüge. Ges. Reden und Aufsätze, II, S. 259. Vgl. auch ders.: Erlebtes, Erstrebtes, Erreichtes, Neuausg., S. 224.
82 Segall: Die deutschen Juden als Soldaten im Kriege 1914–1918, S. 38. Reichsbund jüdischer Frontsoldaten (Hrsg.), Die jüdischen Gefallenen des deutschen Heeres, der deutschen Marine und der deutschen Schutztruppen 1914–1918, S. S. 419 u. 421 f.
83 Rathenau an Wilhelm Schwaner, 4. August 1916. Zitiert bei Schoeps: Deutschland ab 1871, S. 83, Anm. 8, in: Kotowski, Schoeps, Wallenborn (Hrsg.): Handbuch zur Geschichte der Juden in Europa, I, S. 78–89.
84 Wassermann, Deutscher und Jude. Reden und Schriften 1904–1933, S. 127.
85 Gedruckt in AZJ, 81, 1917, S. 471.
86 Zechlin a.a.O., S. 549
87 Gedruckt in AZJ 81, 1917, S. 471.
88 Zechlin a.a.O., S. 549.
89 Rathenau an Leopold Sander, 25. Febr. 1918, in Rathenau: Briefe, II, S. 10.
90 Neue Jüdische Monatsschrift 2, 1917/18, S. 173, 268.
91 Zechlin, S. 550 f.
92 Zechlin, S. 559.
93 Schiffer: Ein Leben für den Liberalismus, S. 135.
94 Ludendorff, Kriegführung und Politik, S. 141.
95 Groener: Lebenserinnerungen, S. 471f.
96 Bauer, Der große Krieg, 1921, S. 260, Wrisberg: Heer und Heimat 1914–1918, S. 237.
97 Zechlin a.a.O., S. 565.
98 George L. Mosse: Ein Volk – Ein Reich – Ein Führer, S. 330f..
99 Siegfried Thalheimer: Macht und Gerechtigkeit, S. XIVf.
100 Binion: … dass ihr mich gefunden habt, S. 76 f. u. 152 ff. Waite: The psychopathic God. Adolf Hitler, S. 27 ff.
101 Rudolph M. Loewenstein: Psychoanalyse des Antisemitismus, S. 56f.
102 Felden: Die Übernahme der antisemitischen Stereotype als Norm durch die bürgerliche Gesellschaft Deutschlands, 1875–1900, S. 17. Jacob Katz: From Prejudice to Destruction, S. 315 ff. Weiss: Der lange Weg zum Holocaust, S. 330 ff.
103 Fichtes Werke, VI, S. 150.
104 Ebda. S. 153, 149. Ernst Moritz Arndt: Noch ein Wort über die Franzosen S. 39.
105 de Maistre: Correspondance Diplomatique, I, S. 27.

106 Hierzu auch Cohn: Die Protokolle der Weisen von Zion, Ben-Itto: Die Protolle der Weisen von Zion.

107 Für den von den Nationalsozialisten im Sommer 1933 im Marienbader Exil ermordeten Kulturphilosoph und Schriftsteller Theodor Lessing nahm das »Leiden am Judesein« Formen an, »die schlechthin wahnsinnig genannt werden müssen«, Theodor Lessing: Einmal und nie wieder. Lebenserinnerungen, S. 112.

108 Bieberstein: Die These von der Verschwörung, S. 156 ff.

109 Strauss: Die preußische Bürokratie und die antijüdischen Unruhen, in Strauss u. Grossmann (Hrsg.): Gegenwart und Rückblick, S. 27–55; hier S. 46 f. Diese Rechtstaatlichkeit war die eine Seite der Obrigkeit, die Pogrome wie in Osteuropa oder antisemitische Affären wie im Frankreich der 3. Republik auszuschließen schien. Alles, was die Juden an positiven Rechten erhielten oder noch erwarteten, hatte nur von dieser Seite des preußischen Staates kommen können. Daß ebendieser Staat auch eine reaktionär-restaurative Seite hatte, von der allenfalls eine Befestigung des Status als unchristliche Fremdlinge kommen konnte, rückte dabei – verständlich, weil es für die Juden keine Alternative gab – in den Hintergrund. Grundlegend hierfür Toury: Die politischen Orientierungen der Juden in Deutschland, insbes. S. 28 ff.

110 Freud: Das Unbehagen in der Kultur, in Sigmund Freud Studienausgabe, Bd. IX, S. 191–270, hier 212 f.

BIBLIOGRAPHIE

Aus Platzgründen wird die in den Anmerkungen genannte Literatur in dem vorliegenden Buch nur in einer verkürzten Form wiedergegeben. Die vollständigen Angaben sind der äußerst umfangreichen Bibliographie zu entnehmen, die der Leser auf folgende Weise von der Website des Böhlau Verlages zum Ausdruck herunterladen kann: www.boehlau.de Dort in der „Schnellsuche" das Stichwort „Albert Bruer" oder die ISBN eingeben. An der Fundstelle in der Rubrik „Downloads" den Link „Bonus" anklicken. Die Bibliographie steht Ihnen dann als PDF-Datei zur Verfügung.

Agus, Jacob B.: The Meaning of Jewish History, New York 1963.

Altmann, Alexander: Moses Mendelssohn. A Biographical Study, London 1973.

Arendt, Hannah: Rahel Varnhagen – Lebensgeschichte einer deutschen Jüdin aus der Romantik, München 1962 (Orig.: München 1959).

–: Elemente und Ursprünge totaler Herrschaft, München 1986 (Orig.: 1951).

Aschheim, Steven: Brothers und Strangers – the East European Jew in German und Jewish Consciousness, Madison, Wisconsin 1982.

Benöhr, Hans-Peter: Jüdische Rechtsgelehrte in der deutschen Rechtswissenschaft, in Karl E. Grözinger (Hrsg.): Judentum im deutschen Sprachraum, Frankfurt a. M. 1991.

Bein, Alex: Die Judenfrage. Biographie eines Weltproblems, I–II, Stuttgart 1980.

Benbassa, Esther: Geschichte der Juden in Frankreich, Berlin. Wien 2000 (Orig.: Paris 1947).

Ben-Itto, Hadassa: Die Protolle der Weisen von Zion. Anatomie einer Fälschung, Berlin 1998.

Berding, Helmut: Moderner Antisemitismus in Deutschland, Frankfurt a. M. 1988.

Berghahn, Klaus L.: Grenzen der Toleranz. Juden und Christen im Zeitalter der Aufklärung, Köln 2001 (2. Aufl.).

Bering, Dietz: Der Name als Stigma. Antisemitismus im deutschen Alltag 1812–1933, Stuttgart 1987.

Binion, Rudolph: Hitler und die Deutschen. Eine Psychohistorie, Stuttgart 1978 (Orig.: New York 1976).

Brammer, Annegret: Judenpolitik und Judengesetzgebung in Preußen 1812 bis 1847 mit einem Ausblick auf das Gleichberechtigungsgesetz des Norddeutschen Bundes von 1869, Berlin 1987.

Breuer, Mordechai: Jüdische Orthodoxie im Deutschen Reich, 1871–1918; Sozialgeschichte einer religiösen Minderheit, Frankfurt a. M., 1986.

Browning, Christopher: Die Entfesselung der Endlösung. Nationalsozialistische Judenpolitik 1939–1942, München 2003 (Orig.: Jerusalem 2003).

Bruer, Albert: Geschichte der Juden in Preußen (1750–1820), Frankfurt/Main u. New York 1991.
Büsch, Otto: Militärsystem und Sozialsystem im alten Preußen 1713–1807. Die Anfänge der Militarisierung der preußisch-deutschen Gesellschaft, Berlin 1962.
Bussmann, Walter: Zwischen Preußen und Deutschland. Friedrich Wilhelm IV. Eine Biographie, Berlin 1990.

Cecil, Lamar: Albert Ballin. Business and Politics in Imperial Germany, 1888–1918, Princeton 1967.
Cecil, Robert: The Myth to the Master Race. Alfred Rosenberg und Nazi Ideology, New York 1972.
Chernow, Ron: The Warburgs. The 20th Century Odyssey of a remarkable Jewish Family, New York 1993.
Clark, Christopher: The Politics of Conversion. Missionary Protestantism and the Jews in Prussia 1728–1941, Oxford 1995.
Cohn, Norman: Die Protokolle der Weisen von Zion. Der Mythos von der jüdischen Weltverschwörung, Baden-Baden u. Zürich 1997 (Orig.: London 1967).

Eisenbach, Artur: The Emancipation of the Jews in Poland 1780–1870, Oxford 1991.
Eliav, Mordechai: Jüdische Erziehung in Deutschland im Zeitalter der Aufklärung und Emanzipation, New York, München, Berlin 2001 (Orig.: Jerusalem 1961)
Elon, Amos: Zu einer anderen Zeit. Porträt der jüdisch-deutschen Epoche 1743–1933, München 2002 (Orig.: New York 2002).
Erb, Rainer und Werner Bergmann: Die Nachtseite der Judenemanzipation. Der Widerstand gegen die Integration der Juden in Deutschland, 1780–1860, Berlin, 1989.

Ferguson, Niall: Die Geschichte der Rothschilds, I-II, Stuttgart u. München 2002 (Orig.: London 1998).
Field, Geoffrey G.: Evangelist of Race. The Germanic Vision of Houston Stewart Chamberlain, New York 1981.
Fischer, Horst: Judentum, Staat und Heer in Preußen im frühen 19. Jahrhundert. Zur Geschichte der staatlichen Judenpolitik, Tübingen 1968.
Frankel, Jonathan and Steven J. Zipperstein (Hrsg.): Assimilation and Community: The Jews in Nineteenth Century Europe, Cambridge 1992.

Gay, Peter: Freud, Juden und andere Deutsche. Herren und Opfer in der modernen Kultur, Hamburg 1986 (Orig.: New York 1978).
Gilman, Sander L.: Jewish Self-Hatred. Anti-Semitism und the Hidden Language of the Jews, Baltimore und London 1986.
Martin, Bernd und Schulin, Ernst (Hrsg.): Die Juden als Minderheit in der Geschichte, München 1981, S. 161–183.
Goldscheider, Calvin und Zuckerman, Alan S.: The Transformation of the Jews, Chicago und London 1984.
Graupe, Heinz Mosche: Die Entstehung des modernen Judentums. Geistesgeschichte der deutschen Juden 1650–1942, Hamburg 1969.

Haasis, Hellmut G.: Joseph Süß Oppenheimer, genannt Jud Süß. Finanzier, Freidenker, Justizopfer, Reinbek 1998.
Harris, James F.: The People Speak. Anti-Semitism and Emancipation in Nineteenth-Century Bavaria, Ann Arbor 1994.

Haumann, Heiko: Geschichte der Ostjuden, München 1990.
Haussherr, Hans: Die Stunde Hardenbergs, Hamburg 1943.
Hertz, Deborah: Die jüdischen Salons im alten Berlin 1780–1806, Frankfurt a. M. 1991 (Orig.: New Haven und London 1988).
Hertzberg, Arthur: The French Enlightenment und the Jews, New York 1968.
Herzig, Arno: Judentum und Emanzipation in Westfalen, Münster 1973.
Holz, Klaus: Nationaler Antisemitismus. Wissenssoziologie einer Weltanschauung, Hamburg 2001.
Horch, Hans Otto und Denkler, Horst (Hrsg.): Conditio Judaica. Judentum, Antisemitismus und deutschsprachige Literatur vom 18. Jahrhundert bis zum Ersten Weltkrieg, Tübingen 1988.
Hopp, Andrea: Jüdisches Bürgertum in Frankfurt am Main im 19. Jahrhundert, Stuttgart 1997.

Iggers, Wilma (Hrsg.): Die Juden in Böhmen und Mähren. Ein historisches Lesebuch, München 1986.
Israel, Jonathan European Jewry in the Age of Mercantilism 1550–1750, Oxford 1985.

Jarausch, Konrad: Deutsche Studenten 1800–1970, Frankfurt a. M. 1984.
Jasper, Willi: Deutsch-Jüdischer Parnass. Literaturgeschichte eines Mythos, Berlin 2004.
Jersch-Wenzel, Stefi: Juden und »Franzosen« in der Wirtschaft des Raumes Berlinl Brandenburg zur Zeit des Merkantilismus, Berlin 1978.
– u. John, Barbara (Hrsg.): Von Zuwanderern zu Einheimischen, Berlin 1990.

Kaplan, Marion A.: Jüdisches Bürgertum. Frau, Familie und Identität im Kaiserreich, Hamburg 1997 (Orig.: New York 1991).
– (Hrsg.): Geschichte des jüdischen Alltags in Deutschland vom 17. Jahrhundert bis 1945, München 2002.
Karniel, Josef: Die Toleranzpolitik Kaiser Josephs II., Gerlingen 1986.
Katz, Jacob: (Ed.): Toward Modernity. The European-Jewish Model, New Brunswick und Oxford 1987.
–: Out of the Ghetto. The Social Background of Jewish Emancipation 1770–1870, Cambridge, Mass. 1973.
–: Emancipation und Assimilation. Studies in Modern Jewish History, Westmead, Farnborough 1972.
–: Tradition und Crisis. Jewish Society at the End of the Middle Ages, New York 1971 (Orig.: Jerusalem 1958, New York 1961).
–: Exclusiveness und Tolerance. Jewish-Gentile Relations in Medieval und Modern Times, New York 1973 (Orig.: Jerusalem 1959, New York 1961).
–: Richard Wagner. Vorbote des Antisemitismus, Königstein/Ts. 1985.
Kestenberg-Gladstein, Ruth: Neuere Geschichte der Juden in den böhmischen Ländern. Das Zeitalter der Aufklärung 1780–1830, Tübingen 1969.
Kocka, Jürgen (Hrsg.): Bürgertum im 19. Jahrhundert. Deutschland im europäischen Vergleich, I-III, München 1988.
Kotowski, Elke-Vera, Schoeps, Julius H. u. Wallenborn, Hiltrud (Hrsg.): Handbuch zur Geschichte der Juden in Europa, 2 Bde., Darmstadt 2001.
Krieger Leonhard: The German Idea of Freedom. History of a Political Tradition, Chicago 1972 (Orig.: Boston 1957).
Krohn, Helga: Die Juden in Hamburg. Die politische, soziale und kulturelle Entwicklung einer jüdischen Großstadtgemeinde nach der Emanzipation 1848–1918, Hamburg 1974.

Langewiesche, Dieter: Liberalismus in Deutschland, Frankfurt a. M. 1988.
Liebeschütz, Hans: Das Judentum im deutschen Geschichtsbild von Hegel bis Max Weber, Tübingen 1967.
Lindemann, Albert S.: Esau's Tears. Modern Anti-Semitism and the Rise of the Jews, Cambridge 1997.
Loewenstein, Rudolph M.: Psychoanalyse des Antisemitismus. Frankfurt a. M. 1967 (Orig.: Paris 1952).
Low, Alfred D.: Jews in the Eyes of the Germans. From the Enlightenment to Imperial Germany, Philadelphia 1979.
Lowenstein, Stephen M.: The Berlin Jewish Community. Enlightenment, Family and Crisis 1770–1830, New York 1994.

Magnus Shulamit S.: Jewish Emancipation in a German City. Cologne 1798–1871, Stanford, Cal. 1997.
Mahler, Raphael: A History of Modern Jewry 1780–1815, London 1971 (Orig.: Tel Aviv, I–IV, 1952ff.).
Marcus, Jacob R.: Israel Jacobson. The Founder of the Reform Movement in Judaism, Cincinnati 1972.
Marrus, Michael R.: The Politics of Assimilation. A Study of the French Jewish Community at the Time of the Dreyfus Affair, Oxford. London 1971.
Massing, Paul W.: Vorgeschichte des politischen Antisemitismus, Frankfurt a. M. 1959 (Orig.: New York 1949).
Maurer, Trude: Ostjuden in Deutschland 1918–1933, Hamburg 1986.
Meyer, Michael A.: Von Moses Mendelssohn zu Leopold Zunz. Jüdische Identität in Deutschland 1749–1824, München 1994 (Orig.: Detroit 1967).
– (Hrsg.): Deutsch-jüdische Geschichte in der Neuzeit, I–IV, München, 1996 ff.
Mosse, George L.: Rassismus. Ein Krankheitssymptom in der europäischen Geschichte des 19. und 20. Jahrhunderts, Königstein/Ts. 1978 (Orig.: New York 1978).
–: Die Nationalisierung der Massen, Frankfurt a.M., Berlin, Wien 1976 (Orig.: New York 1975).
–: Ein Volk – Ein Reich – Ein Führer. Die völkischen Ursprünge des Nationalsozialismus, Königstein/Ts. 1979 (Orig.: New York 1964).
–: Germans and Jews. The Right, the Left und the Search for a »Third Force« in Pre-Nazi Germany, New York 1970.
Mosse, Werner E.: Jews in the German Economy. The German-Jewish Economic Elite 1820–1935, Oxford 1987.
– (Hrsg.): Juden im Wilhelminischen Deutschland 1890–1914, Tübingen 1976.
– u. Paucker, Arnold (Hrsg.): Entscheidungsjahr 1932. Zur Judenfrage in der Endphase der Weimarer Republik, Tübingen 1966.
– (Hrsg.): Deutsches Judentum in Krieg und Revolution 1916–1923, Tübingen 1971
– u. a. (Hrsg.): Revolution und Evolution. 1848 in German-Jewish History, Tübingen 1981.
Mühlen, Patrick von zur: Rassenideologien. Geschichte und Hintergründe, Berlin. Bonn-Bad Godesberg 1977
Plessner, Helmuth: Die verspätete Nation, in Plessner: Gesammelte Schriften, IV, Frankfurt a. M. 1982 (Orig.: Zürich 1935.)
Prinz, Arthur: Juden im deutschen Wirtschaftsleben 1850–1914, Tübingen 1984.
Pulzer, Peter: The Jews and the German State. The Political History of a Minority, 1848–1933, Oxford u.a.1992.
– : Die Entstehung des politischen Antisemitismus in Deutschland und Österreich, 1867–1914, Gütersloh 1966.

Rahden, Till van: Juden und andere Breslauer. Die Beziehungen zwischen Juden, Protestanten und Katholiken in einer deutschen Großstadt von 1860 bis 1925, Göttingen 2000.

Reinharz, Jehuda: Fatherland or Promised Land. The Dilemma of the German Jews 1893–1914, Ann Arbor 1975.

Richarz, Monika: Der Eintritt der Juden in die akademischen Berufe. Jüdische Studenten und Akademiker in Deutschland 1678–1848, Tübingen 1974.

– (Hrsg.): Jüdisches Leben in Deutschland, I–III, Stuttgart 1976ff.

Rohrbacher, Stefan: Gewalt im Biedermeier. Antijüdische Ausschreitungen in Vormärz und Revolution (1815–1848/49), Frankfurt/New York 1993.

Rosenberg, Hans: Große Depression und Bismarckzeit. Wirtschaftsablauf, Gesellschaft und Politik in Mitteleuropa, Berlin 1967.

Salecker, Hans-Joachim: Der Liberalismus und die Erfahrung der Differenz. Über die Bedingungen der Integration der Juden in Deutschland, Berlin u. Bodenheim b. Mainz 1999.

Sheehan, James J.: Der deutsche Liberalismus. Von den Anfängen im 18. Jahrhundert bis zum Ersten Weltkrieg 1770–1914, München 1983 (Orig.: Chicago 1978).

Sorkin, David: The Transformation of German Jewry, 1780–1840, New York, Oxford 1987.

–: Moses Mendelssohn and the Religious Enlightenment, Berkeley. Los Angeles 1996.

–: The Berlin Haskalah and German Religious Thought. Orphans of Knowledge, London 2000.

Sterling, Eleonore: Judenhaß. Die Anfänge des politischen Antisemitismus in Deutschland (1815–1850), Frankfurt a.M. 1969.

Stern, Fritz: Gold und Eisen. Bismarck und sein Bankier Bleichröder, Frankfurt a. M.–Berlin 1978 (Orig.: New York 1977).

–: Kulturpessimismus als politische Gefahr. Eine Analyse nationaler Ideologie in Deutschland, Bern–Stuttgart–Wien 1963 (Orig.: Berkeley 1961).

–: Das Scheitern illiberaler Politik. Studien zur politischen Kultur Deutschlands im 19. und 20. Jahrhundert, Frankfurt.Berlin.Wien 1974 (Orig.: New York 1972).

– : Verspielte Größe. Essays zur deutschen Geschichte des 20. Jahrhunderts, München 1996.

Stern, Selma: Jud Süß. Ein Beitrag zur deutschen und jüdischen Geschichte, München 1973.

–: Der preußische Staat und die Juden, I, 1; II, 1; III, 1, Tübingen 1962 ff.

Stürmer, Michael; Teichmann, Gabriele und Treue, Wilhelm: Wägen und Wagen. Sal. Oppenheim jr. & Cie. Geschichte einer Bank und einer Familie, München u. Zürich 1989.

Tal, Uriel: Christians und Jews in Germany. Religion, Politics und Ideology in the Second Reich, 1870–1914, Ithaca und London 1975 (Orig.: Jerusalem 1969).

Toury, Jacob: Soziale und politische Geschichte der Juden in Deutschland 1847–1871. Zwischen Revolution, Reaktion und Emanzipation, Düsseldorf 1977.

–: Die politischen Orientierungen der Juden in Deutschland. Von Jena bis Weimar, Tübingen 1966.

Uptrup, Wolfram Meyer zu: Kampf gegen die jüdische Weltverschwörung. Propaganda und Antisemitismus der Nationalsozialisten 1919–1945, Berlin 2003.

Volkov, Sulamit: Jüdisches Leben und Antisemitismus im 19. und 20. Jahrhundert: Zehn Essays, München 1990.

Weiss, John: Der lange Weg zum Holocaust. Die Geschichte der Judenfeindschaft in Deutschland und Österreich, Hamburg 1997 (Orig.: Chicago 1996).

Zechlin, Egmont: Die deutsche Politik und die Juden im ersten Weltkrieg, Göttingen 1969.

Zimmermann, Mosche: Hamburgischer Patriotismus und deutscher Nationalismus. Die Emanzipation der Juden in Hamburg 1830–1865, Hamburg 1979.

PERSONENREGISTER